R

D1280277

Günter Herburger

Die Messe

Edition Otto F. Walter

Günter Herburger

Die Messe

Roman

Luchterhand

I

Er steht unter dem Ahornbaum, in dem noch ein Brett hängt, ein morsches Stück von der Plattform. Er hatte keine Nägel in den Stamm schlagen dürfen, die Bastseile sind schon längst abgefault. Stücke müssen noch unter der Thujahecke liegen, Hermann stößt mit dem Fuß in das nasse Gebüsch, bückt sich und gibt wieder auf. Das ist der Wald gewesen. Ein Baum, eine Hecke und die Stachelbeersträucher hinter der Garage. Sobald er oben in seinem Hochstand zwischen den Ahornblättern saß, die wenig Licht durchließen, bedeckte der Wald die ganze Stadt. Und die Sirene auf dem Rathaus wurde zu einem Pilz. Leute gab es dann kaum mehr. Nur die, die er übrigließ, durften mit in die Bäume, sich Hütten bauen und Hängebrücken. Wer herunterfiel, der war weg, lautlos in Quecksilber getaucht, denn zwischen den Stämmen gab es eine Schicht, die unwirklich sein mußte. Das war wichtig. Er könnte lachen. Der Ahorn sieht wie früher aus, breit, mit einer abgesägten Krone, in deren dichten Zweigen ein Hochstand gut Platz hatte.

Er ist oben, hat seine Uniform an und hakt sich mit dem Schulterriemen an einem Ast fest, der quer durch die Hütte ragt. Der Dienst war streng, aber Pflichten sind notwendig. Wenn die anderen sich schon wieder umgezogen haben, kann er noch oben weitermachen und sich vorstellen, wie Holz mit dem Messer gespalten und gegen den Wind angezündet wird, kann rennen und alle überholen, sich tarnen oder mit einem Schilfrohr im Mund unter Wasser warten, bis der Feind kommt und schreit, wenn es aus der Deckung spritzt, so lange das Magazin reicht. Einmal wird er einen Stein nehmen und auf Magnus losstürzen. Immer wieder nimmt er einen Stein vom Schulhof und sieht, wie Magnus blutend hinfällt. Er sieht nicht, daß er zuschlägt, fühlt nur die Wut, und schon fällt Magnus wieder. Je öfter er ausholt, umso deutlicher wird der schnelle Kampf. Die anderen lachen, sehen staunend zu und stellen sich dann als Gruppe hinter ihn. Jetzt wird er sie anführen.

Er greift nach hinten, wo immer eine Bierflasche voll Wasser steht, aber die Flasche ist nicht da. Er kann jetzt nicht hinunterklettern und in der Küche nachsehen, ob das Dienstmädchen sie gefüllt hat. Durch die Blätter muß er die Straße beobachten, die hinter dem Haus hervorkommt, oberhalb der Teppichstange entlangführt und an dem alten Holzkiosk einen Knick macht. In der Bude gibt es Schaukästen für Photographien, die Rolläden sind immer geschlossen, nachts sitzt dort drin vielleicht eine Kapelle und spielt. Der Photograph, dem der Kiosk gehört, hat weiße Augenbrauen. Unter seinem Haus fließt ein Bach, der auf der anderen Seite des Hauses in ein Gitter hineinschießt. Holzstücke, die man ins Wasser wirft, werden weggeschluckt und tauchen nicht mehr auf, auch nicht in dem Bach, der durch die Altstadt fließt. Man kann noch so schnell hinrennen und warten.

Auf der Straße fährt ein Auto vorbei. Das darf er noch nicht sein. Es ist ein Personenauto mit einem Reserverad am Kofferraum. Nicht zusehen, hat sie gesagt, sie könne den Gedanken nicht ertragen. Laut weinend ist sie ins Schlafzimmer gegangen und hat die Vorhänge zugezogen. Vor ein paar Wochen schlug sie ihn mehrmals mit der Reitgerte auf die nackten Schenkel und rief, es täte ihr leid, aber der Vater fehle. Sie hat geweint, mit roten Backen, die Haare standen ihr nach allen Seiten ab. Es war ein schönes Bild. Es ist mir egal, hat sie gesagt, mach was du willst, du bist ja im Dienst. Sie hat ihn umarmt und die Tür zugeschlagen. Man muß die Lippen zusammenpressen und Kraft sammeln.

Er sieht durch einen Blättertunnel, den er mit der Baumschere geschnitten hat, zum Haus hinüber. Die Vorhänge des Schlafzimmers bleiben geschlossen. Sie wird angezogen auf dem Bett warten und die Hände gefaltet haben. Im Dienst würden sie darüber lachen. Aber im Kino hat ein Soldat an der Front auch so gelegen, im Schnee ohne Helm. Die Flocken auf seinem Gesicht sind nicht mehr geschmolzen.

Außen auf dem letzten Brett sitzend, läßt er die Beine hängen. Das Koppelschloß drückt. Der Hosenbund muß so fest wie möglich geschnallt werden, damit das braune Hemd breiter wirkt. Wer im Winter den Lehrgang für Abfahrtsläufer mitmachen darf, wird neue Achselklappen erhalten, lange schwarze mit einem eingestickten Edelweiß darauf. Es ist ein langer Kampf gewesen, bis das Dienstmädchen endlich den Hosensaum hochnähte, denn nur eine Handbreit über dem Knie ist Vorschrift. Er stößt das Fahrtenmesser nach hinten, die Hosentasche quetscht hervor. Ein Taschentuch genügt, um einem Schwerverwundeten die Schlagader abzubinden. Er hält einen kurzen

Zweig an seinen Schenkel. Das wäre der richtige Hebel, mit dem man, durch den Knoten gesteckt, das Taschentuch enger dreht. Vielleicht hätte das geholfen, obwohl es kein Schuß gewesen sein soll. Onkel Simon war hingefahren. Du lieber Himmel, vom Allgäu bis nach Polen! Es war schon zu spät gewesen. Telegramme waren gekommen, einmal hatte es kein Abendessen gegeben, und auch das Dienstmädchen hatte geweint. Die beiden Frauen standen nebeneinander in der Küche und stützten sich, wie damals, als die kleine Schwester zu früh abging. Aufregung, zwar keine Telegramme, dafür aber Telefongespräche. Beide putzten sie den Keller. Das Dienstmädchen hatte, wie es erzählte, noch gewarnt, während Mutter auf dem Hocker stand und mit einem Lappen die elektrischen Drähte abrieb, die über Porzellanstöpsel unter der Decke entlang gespannt sind. Wenn's draußen in der Welt so zugeht, hat sie später gesagt, als er sie im Krankenhaus besuchte, soll wenigstens im eigenen Haus Ordnung sein. Sie lag zwischen zwei gelben Tulpensträußen. Sie soll einen Schrei ausgestoßen haben und vom Schemel gefallen sein. Dann sei alles sehr schnell gegangen, hat das Dienstmädchen behauptet. Kaum vorstellbar, daß die kleine Schwester, die noch nicht ganz fertig war, in einem Eimer aus dem Operationssaal getragen wurde. Sie habe menschlich ausgesehen, ihr Kopf sei mit nassen Haaren bedeckt gewesen. Beerdigt wurde sie nicht, sie verschwand im Krankenhaus. Vielleicht lag das am Grundriß des neuen Hauses, der in der Zeitung veröffentlicht worden war. Dicke und dünne Striche hatte er gesehen, mehrere Stockwerke übereinander mit punktierten Aufzugschächten und Treppen, die sich wie Ziehharmonikas bogen. Es ist wichtig, sich einen Plan zu machen, damit nichts verlorengeht. Er muß aufpassen, wird Magnus mit einem Stein besiegen und an dem Lehrgang für Abfahrtsläufer teilnehmen.

Durch das Brauereitor fährt ein Lastwagen. Die Lampen haben Stoffüberzüge mit Schlitzen. Er guckt durch die Blätter zur Straße, hört endlich Pferdehufe auf dem Pflaster und setzt sich aufrecht. Das muß er sein. Kein Flugzeug heult auf und zieht eine Ehrenschleife, keine Truppe marschiert, auch Glocken läuten nicht, doch das macht nichts. Hermann ist bereit, hält allein für alle Wacht. Die Vorhänge des Schlafzimmers bewegen sich immer noch nicht. Wenn sie die Pferde hört, muß sie blaß werden, sich an die Brust greifen und langsam vom Bett aufstehen. So ein Augenblick ist einmalig.

Hinter der Teppichstange nicken zwei Pferdeköpfe hervor. Sie haben keine schwarzen Scheuklappen auf, auch Federbüsche fehlen. Eine Frau, die eine Einkaufstasche trägt, bleibt stehen und schlägt ein Kreuz. Er wird überführt, hat Hermann das Dienstmädchen sagen hören, im Krankenhaus findet noch eine Untersuchung statt, dann wird der Zinnsarg zugelötet. Es sind zwei Särge, außen der hölzerne mit Verzierungen und innen der aus Metall. Allein soll der Sarg in einem Güterwagen gestanden haben, der immer wieder an fahrplanmäßige Schnellzüge angehängt worden war von Polen bis hierher. Onkel Simon fuhr in einem Abteil mit.

Über die Teppichstange zieht der Wagen vorbei. Hermann sieht die Haken, an denen sonst Kränze hängen. Der Fuhrmann hat keinen Zylinder auf, geht außen, die Pferde an langer Leine führend. Die Frau mit der Einkaufstasche ruft ihm etwas zu, er macht mit der Hand ein Zeichen und nimmt die Leine kürzer. Bei der Beerdigung wird alles anders aussehen, ganz bestimmt. Hermann steht auf, muß den Kopf schief halten, um nicht gegen den Ast zu stoßen, an dem der Hochstand mit Bastseilen hängt. Den Sarg sieht er nicht, nur die Fahne, die ihn bedeckt. Darunter liegt sein Vater und hat sicher eine Uniform an, entweder die feldgraue oder die braune. Hermann hält sich am Ast fest und grüßt, steil den Arm erhoben, bis der Wagen vorbei und nur noch auf dem Kopfsteinpflaster zu hören ist. Er ist im Dienst, hat die Augen auf, weint nicht, läßt aber, hoch oben in der Baumkrone stehend, den Wald wieder über die Stadt wachsen, damit der Leichenwagen ungesehen zum Krankenhaus durchkommt. Quecksilber dampft um die Radachsen.

Hermann ist auf das Garagendach geklettert und geht auf der Teerpappe hin und her. Die neue Lederjacke spannt unter den Armen, am Nacken reibt der gestrickte Kragenschutz. Die Gartenwege müßten frisch eingekiest und die Stachelbeersträucher ausgeschnitten werden. Immer wieder hört er die Klagen. Die Teerpappe läßt sich in Fladen abziehen, das Dach hat Sonnenbrand. Und wenn sie vom Garten anfängt, kommt auch die Garage dran: abdichten, die Fensterrahmen streichen, die Wasserflecken an der Decke überweißen und die alten Ski, den hölzernen Bob und das andere Gerümpel abtransportieren lassen, dann könne sie den Raum wieder vermieten. Kauf mir doch ein Auto, antwortet er, die Garage haben wir, Papiere hast du auch noch auf der Bank. In der Innentasche der Lederjacke fühlt er das volle Kuvert. Er ließ sich einen Riegelverschluß annähen. In Abständen mehr als tausend Mark aus der Kommode, ihrer Handtasche, dem Sekretär, das letzte Monatsgehalt dazu, und morgen wird er vielleicht noch ein paar Hunderter von ihrem Konto abheben. Sie kennen die Familie auf der Volksbank, sind nicht kleinlich mit Unterschriften. Wenn sie den nächsten Auszug liest, ist er schon weg. Da steht er und sieht in den Garten hinunter, in dem Möhren, Unkraut und Zwiebelrohre durcheinanderwachsen, Stücke einer Bohnenstange liegen auch dazwischen. Jetzt könnte er wieder lachen.

Magnus wollte auf dem Garagendach eine Schneeburg bauen. In Säcken ziehen sie den Schnee hinauf, einer stampft Würfel fest, aber der kalte Pulverschnee fällt immer wieder auseinander. Magnus ragt im Wind auf dem Dach, pieselt in den Schnee, doch die Menge reicht nicht. Aus dem Keller holen sie Gießkannen voll Wasser. Das Dienstmädchen und Mutter, die hinter dem Badezimmer stehen, sehen zu. Und sie schlagen gegen die Scheiben und reißen den Mund auf, als Magnus, der über das vereiste Dach hinunterklettert, ausrutscht und mit dem Mittelfinger an einem Haken hängenbleibt. Der ganze Finger ist aufgeschlitzt, innen liegt der weiße Knochen. Er hält ihn hoch und rennt schreiend ins Nachbarhaus hinüber.

Der Viehhändler, der nebenan wohnt, hat Geld. Er

gibt seine Metzgerei auf, verkauft auch die Wirtschaft in Göschachweiher, weil er einen Bandscheibenschaden hat und kauft das ganze Eisenbahnerhaus, in dem vier Familien gewohnt haben, die von Magnus auch. Sein Vater war Weichensteller, sah auf einem Auge schlecht. Das ist zwar eine lustige Nachbarschaft, hat sie oft gesagt und zu lachen versucht, schließlich brauchst du auch Freunde, aber ich bin froh, wenn wir sie eines Tages wieder los sind. Das Dienstmädchen hat nur geschimpft. Es ist ein altes Haus gewesen, mit einer Holztreppe zu einer Galerie hinauf, die um das Gebäude lief. In der Küche mußte das Wasser mit der Hand in den Spülstein gepumpt werden. So ein Wasser sei anders, behauptete Magnus. Sein Finger ist gut verheilt, auf der Innenseite blieb die Haut vom Vernähen graupelig. Wenn man darüberstrich, hätte man zittern können. Der Viehhändler hat das ganze Haus renoviert, hat fließend Wasser hineinlegen lassen und eine Zentralheizung. Es soll über hunderttausend Mark gekostet haben. Seine Frau und er bewohnen es allein. Jeden Donnerstag fährt er mit seinem Diesel und dem Einachser hintendran, in dem eine Kuh gerade Platz hat und den Kopf auf die hölzerne Rückwand legen und hinausglotzen kann, mit so einem verschissenen Karren fährt er einmal in der Woche frühmorgens nach Kempten, wo Viehmarkt ist, und das genügt. Die eigenen Familien, die seit Generationen in der Stadt wohnen, haben schon lange keine Einfälle mehr.

Er werde am Telefon verlangt, hört Hermann seine Mutter rufen. Sie steht in der eisernen Verandaschachtel, die am Haus über dem Kellereingang hängt, und winkt. Soll er springen? Das Garagendach ist nicht hoch, unten liegt Gartenerde. Er müßte Anlauf nehmen, um über die Einfassung des Weges hinwegzukommen. Ein Fuß könnte beim Aufsprung knicken. Er sieht an der Rückwand den Haken stecken, vom Hinauf- und Hinunterklettern schief getreten.

»Geh du hin!« ruft er, »sag, ich sei noch krank!«

Langsam läßt er sich an der Garagenwand herunter, hangelt mit dem Fuß, bis er das Eisen unter der Sohle spürt. Auf dem Brunnenrand findet er festen Stand. Früher arbeitete die Pumpe noch; Wasser direkt aus der Erde sei besser für den Garten, hieß es. Zuerst mußten oben ein paar Liter hineingeschüttet werden, damit das Ventil ansaugte. Alle lauerten, wenn nach der braunen Soße schließlich klares Wasser aus der Eisenschnauze stoßweise in den Zementtrog schoß.

Hermann geht die Verandatreppe hinauf und wartet in der Küche, bis seine Mutter auflegt. Die Tür zum Korridor, in dem das Telefon auf dem Garderobentisch steht, hat sie offen gelassen.

»Sie fragen, wo der Schein bleibt. Sie haben in der Ortskrankenkasse angerufen, aber dort sei nichts bekannt.«

»Wer war am Apparat? Onkel Simon?«

»Er hat anderes zu tun«, sagt sie.

Sie war beim Friseur, ihre Haare sind kürzer, lose gewellt. Jetzt bückt sie sich mit einer Drehung, die den Glockenrock schwingen läßt, und hebt einen Faden vom Kokosläufer auf.

»Du mußt dich anstrengen, du gehörst zur Familie. Alle sehen in dir ein Vorbild. Du solltest Buchhaltung lernen.«

»Ja, ja«, sagt er. »Weniger bekommen und dafür mehr arbeiten.«

»Sei froh, daß er dich trotz allem genommen hat.«

Aus dem Vorderzimmer kommt Musik. Großmutter sitzt im dunkelroten Stuhl, die Füße auf einem Schemel, und hört Radio. Das Programmheft liegt auf ihrem Schoß. Sie blättert, streicht an, nimmt das Vergrößerungsglas, sieht auf die Wellenlängen am Radio und vergleicht sie mit den Ziffern in den Programmspalten. Sie kann es kaum erwarten, daß der nächste Tag kommt, der übernächste, denn was sie gerade hört, ist schon nicht mehr wichtig. Sie war noch nie krank. Die Reitgerte, mit der Hermann früher geschlagen wurde, stammt aus ihrer Jugendzeit.

Er folgt seiner Mutter ins Wohnzimmer und erhält einen Kognak. Die Topfpflanzen, die persischen Brücken und der Sekretär mit Einlegearbeiten aus Birkenholz standen früher in verschiedenen Zimmern. Als Mutter und Tochter während des Krieges ihre Haushalte zusammenlegten und in eine Werkswohnung zogen, wurden nur die besten Stücke behalten. Nichts Auffallendes, heißt es, doch wer genau hinsieht, wird die Qualität bemerken.

»Ich habe Geduld«, sagt sie, »das weißt du. Ich kann dich nicht immer in Schutz nehmen. Ich tu's gern, verstehe mich recht, aber warum soll Simon dich als Ausnahme behandeln? Es ist schon zu viel schief gegangen.«

Hermann könnte antworten, es sei ihm egal, daß er Brix heiße wie alle, die im protestantischen Teil des Friedhofes ihre Grabplatten haben mit einem Zaun aus Kunstschmiedeeisen darum. »Ich kriege keine

Rente wie du«, sagt er. »Onkel Simon weiß nicht einmal, ob ich an der Fräse stehe oder einen Lieferwagen abspritze. Das ist dem doch egal.«

Sie lacht, holt Luft, setzt sich aufrecht. Ihre Hüften, die Waden, alles noch schlank und in Ordnung, und wenn sie ihre Beine nebeneinander schrägstellt und ihre Knie über der Kanapeekante das Bild abrunden, dann versteht man, daß sie eine Partie gewesen sein mußte, denn Geld war damals noch vorhanden. Ihr Kleid paßt zum Bezug des Biedermeiersofas. In ihrer Jugend ist sie geritten und hat den Tennisklub gründen helfen.

»Du mußt in die Fabrik«, sagt sie. »Wie stehe ich vor Simon da! Er hat viel für uns getan. Wir können dankbar sein.«

»Nimmst du wieder Fahrstunde?«

»Ja«, sagt sie, »mein alter Führerschein gilt noch, ich habe mich erkundigt, aber der Verkehr ist kompliziert geworden.«

Sie schenkt sich auch ein Gläschen Kognak ein.

»Du wirst Simon sagen, daß er seine Pensionskasse weiter aufmachen soll. Das ist auch unser Geld.«

»Nicht mehr. Er hat nur Schulden übernommen.«

»Behauptet er. Verdammt nochmal, ihr hättet einen Vertrag aufsetzen sollen. Weiberwirtschaft.«

Auf dem Fensterbrett stehen Topfpflanzen. Hermann stößt ein gelbes Täfelchen, auf dem Begießungszeiten stehen, tiefer in die Blumenerde.

»Das Herumspielen ist vorbei. Dreimal die Schule wechseln, kein Abitur, das Landratsamt, die Kunsttischlerei, nichts hast du fertiggemacht, und der Geologielehrgang war auch umsonst. Ich hätte nichts

gegen Afrika gehabt, aber jetzt ist Schluß. Wer dreißig wird, muß sich entscheiden. Morgen gehst du
wieder in die Fabrik. Ich bin froh, wenn du's bis zum
Verkaufsleiter bringst. Weißt du schon, daß Simon erweitert? Er will in Neu-Schließlang bauen. Dann bekommt er die Arbeiter aus der Siebenbürgensiedlung.
Eine gute Idee.«
Auf dem Porzellanschrank steht der Kreuzer Emden,
der nicht zur Einrichtung paßt. Hermann hat die Vor-
lage durchgepaust, das Laubsägenblatt mit Seife ein-
gerieben und um die kleinen Geschütztürme gekämpft, die beim Leimen an den Fingern hängenblieben. Großvater geht durch die Fabrik, bleibt bei
einem alten Arbeiter stehen und verabredet sich mit
ihm zum Trinken auf den Abend. Er merkt sofort,
daß sich das Sperrholz wellt, weil es zu fest in den
Schraubstock gespannt ist. Laß dir Zeit, sagt er, du
kannst dir nachher ein Stück Krokodilleder aus meinem Büro holen, ich habe es für dich aufgehoben.
Wie soll das Schiff heißen? Die Taufe bezahle ich. Er
winkt dem Vorarbeiter und bittet ihn, beim Feilen
des Bugs aufzupassen, damit die Winkel gleichmäßig
ansteigen. Dann geht er durch die Halle zurück, fängt
plötzlich zu toben an. Ein Transmissionsriemen hängt
locker und schlägt bei jedem Umlauf gegen das
Schutzgitter einer Bohrmaschine. Ihr Ochsen, so
kann man doch nicht mit den Sachen umgehen, Leder ist knapp, hören ihn alle schreien und beugen sich
zufrieden tiefer über die Arbeit.
Sie ist seinem Blick gefolgt und lächelt. Dabei macht
sie an ihren Lippen zwei Finger naß, wie sie es immer
tat, als der Kreuzer noch hoch über dem Kinderbett

hing und sie den Staub von den Geschütztürmen tupfte.

»Komm her«, sagt sie, »gib mir einen Kuß. Mein Gott, hast du einen Eifer gehabt, bis das Schiff fertig war! Ich glaube, du hattest tagelang ein wenig Fieber.«

»Jetzt gehe ich mit Oma in die Stadt. Tatsache.«

Hermann deutet zum Zimmer hinüber, wo sie sitzt, Radio hört und vielleicht aus einem Beutel Zimtsterne ißt, die sie pfundweise aus einer Bäckerei kommen läßt. Die Brix-Sterne heißen sie in der Stadt und werden auch von anderen bestellt. Das ist der Rest einer Familie. Neue Fabriken stehen draußen in den Sauerwiesen, ihre Besitzer wohnen in neuen Vierteln.

»Du weißt, ich halte zu dir, Enttäuschungen bin ich gewohnt. Du mußt dir endlich einen Ruck geben. Hermann«, sagt sie, »zusammen, wir beide zusammen werden es schaffen.«

»Keine Bibelstunde, bitte. Jetzt ist Oma dran.«

Sie bekommt ihre roten Flecken im Gesicht, die sie immer mit Puder abdeckt. Wenn sie von seinem Vater erzählt, passiert ihr das auch. Hermann muß wegsehen von ihr, er blickt zum Ölbild der Urgroßmutter aus Ulm, die als kleines Mädchen gemalt wurde mit Spitzenhosen unter dem steifen Kleid hervor. Das Bild hat einen verklebten Riß. Die Franzosen haben in das Gemälde geschnitten, doch später sich entschuldigt.

»Was hast du vor?« sagt sie. »Du bist doch sonst nicht so. Komm, sei ehrlich.«

»Oma«, ruft er, »Oma, los, auf geht's!«

Hermann nimmt die Kurve aus dem Zimmer und

reißt die andere Tür auf. Die beiden Frauen lachen. Großmutter dreht das Radio aus und sagt, daß die Programme schlechter würden. Die viele Musik sei am langweiligsten. Ihre Tochter steht schon mit dem Sommermantel bereit. Hermann führt Großmutter über die Stufen vor der Haustür hinunter.

»Geld, habt ihr Geld dabei?«

»Hast du Geld?« fragt Hermann.

»Ich bin nicht verkalkt«, ruft Großmutter. »Wir gehen ins Kaffeehaus, du brauchst mit dem Essen nicht zu warten!«

Oben auf der Treppe steht ihre Tochter und winkt, mit der anderen Hand reibt sie den Türknauf aus Messing.

Großmutter und Hermann gehen untergehakt auf dem schmalen Bürgersteig. Leute, die ihnen entgegenkommen, weichen auf die asphaltierte Straße aus. Gegenüber dem Arbeitsamt steht eine Ruine. Der letzte Bauernhof in der Stadt ist im Winter abgebrannt, der Besitzer hat draußen, in der Mitte seiner Felder, mit Kredit neu aufgebaut, eine Dreierkombination aus Wohnhaus, Stallgang und Scheune.

An der Kurve, an der nun abgerissen wird und ein Parkplatz angelegt werden soll, ist Hermann einmal gestürzt. Es war lange Zeit Sport gewesen, sich an die langsamen Lastwagen, die mit Holzgasmotor fuhren, anzuhängen und auf Rollschuhen ziehen zu lassen. Nur die Katholiken machten nicht mit, sie waren sowieso in der Minderzahl.

Die Rollschuhe hüpfen über das abgeschliffene Kopfsteinpflaster. Er fährt als einziger mit Gummibelag, Magnus hat nur Metallrollen, die auf den Steinen kaum Spur halten. Die Füße werden auseinandergerissen, Magnus läßt den Lastwagen los. Hermann geigt kurz zur Seite, um rechts am Wagen vorbei nach vorn zu sehen, denn gleich beginnt die Brücke über die Riesach. Die Gummirollen stoßen auf den Pflastersteinen. Er gibt in den Knien nach und verlegt das Gewicht auf die Fersen wie beim Absprung von Schneeschanzen. Dann stößt er gegen ein Brett, das auf der Straße liegt, spreizt Arme und Beine, eine Mauerschwalbe, die vor der Hauswand abdrehen will, doch dafür ist nicht mehr genug Platz. Erst zu Hause, als er in den Armen seiner Mutter endlich weinen konnte, sah er, daß die Hose an den Knien blutig war.

»Oma, weißt du noch, als du zu dem Kommandanten hinaufgeschrien hast?«

»Französisch?«

»Der Panzer, erinnere dich doch. Der Panzer hat den Zaun umgefahren und ist in den Garten hineingerollt. Eine Raupe nahm die beiden jungen Apfelbäume mit. Du bist aus dem Kellereingang gelaufen und hast gerufen, das sei unverschämt, er solle verschwinden. Alles auf französisch. Der Kommandant hat gegrüßt und ist wieder rückwärtsgefahren. Weißt du noch?«

»Weiß ich nicht mehr«, sagt sie. »Es ist schon lange her, wir müssen ins Kaffeehaus.«

Sie bleibt stehen, stützt sich mit einer Hand an die Mauer und atmet schnell. Mit ihrem verkalkten Panzerherzen müßte sie eigentlich schon lange tot sein. Hermann sieht im Schaufenster des Selbstbedienungsgeschäftes in Plastik verpackte Salatköpfe liegen und einen Berg Bananen. Der Kaufmann zeigt sich hinter dem Fenster und grüßt, einmal, zweimal, Hermann erwidert, Großmutter nicht. Sie schnappt nach Luft, dreht nahe vor den Augen die freie Hand hin und her, die in einem schwarzen Filethandschuh steckt. Wie sie weitergehen, hört Hermann hinter sich den Kaufmann gegen die Scheibe pochen. Der Weg führt ein wenig bergauf, am Josephsbrunnen vorbei und durchs Wassertor, das Mittelstück der restlichen Stadtmauer.

Seit der Sechshundertjahrfeier sind in der Hauptstraße alle Häuser renoviert, auch das fensterlose Lagerhaus für Futtermittel, dessen Gleisanschluß in die Stadt hineinreicht. Die Metzgereien haben größere Schaufenster mit Metallrahmen einsetzen lassen. Das Schuhhaus und die beiden Kleidergeschäfte, die früher im ersten Stock Blumenkästen vor den Fenstern stehen hatten, haben neue Fassaden erhalten.

»Sollen wir ins Altersheim hineinschauen?« sagt Hermann. »Du kannst deine Freundinnen besuchen, ich habe Zeit.«

»Seit Wochen hat keine angerufen«.

Das Altersheim ist großzügig ausgebaut worden, besonders Aufzüge waren notwendig. In der Küche mit romanischer Gewölbedecke stehen Kartoffelschälmaschinen und Rührwerke für Teigwaren. Die Stadt Stuttgart soll sich mit einer Million am Umbau beteiligt haben. Seitdem werden viele Fälle in diese Außenstelle verlegt. Bei gutem Wetter stehen die Alten in Gruppen entlang der Hauptstraße und sehen dem Verkehr zu. Das lohnt sich im Sommer, wenn sich Urlauberautos auf ihrem Weg Richtung Bodensee, Vorarlberg oder die Schweiz hintereinander durch die Innenstadt schieben. Die Alten sollen sich heller anziehen, sagen die Einheimischen, sie fallen auf. Es sind meist Auslandsdeutsche aus Polen, Rußland und der Tschechoslowakei. Vor den Fachwerkhäusern bilden die dunklen Reihen der Alten einen Gang, durch den die Autos wie durch das Mittelalter fahren. Photographiert werden sie oft. Im Winter sitzen sie dicht gedrängt an den großen Bogenfenstern des Altersheims, dann ist Nüssen wie früher, doch es muß viel Schnee liegen und Autos dürfen nicht unterwegs sein, sonst nicht.

»Die Alten machen einen melancholisch«, sagt Großmutter. »Hermann, écoute, il faut faire toujours Coué.«

»Oma, kannst du noch gehen? Über die Hälfte haben wir schon.«

»Aber natürlich«, sagt sie, »geh doch nicht so langsam.«

Treusch hat umgestellt. Wilfried ging aufs Technikum in München, denn Fahrräder gab es kaum mehr zu reparieren. Sein Radiogeschäft lohnt sich, er hat einen Antennen-Schnelldienst eingerichtet. Zwei Wirtschaften nebeneinander, dann kommt die Post. Die Haltestelle der Omnibusse nach Kempten und Wangen sollte an den Bahnhof hinaus verlegt werden.

»Paß auf! Wir werden sonst noch überfahren.«

»Ja, Oma«.

Sind die Einschüsse quer über die Seitenwand bis zum Giebel noch sichtbar? Das Molkereikontor wurde als einziges Haus in der Hauptstraße nicht neu verputzt. Die Büros stehen leer, die Molkerei hinter dem Haus hat ein Konzern gekauft. Der Mörtel über den Einschüssen an der Hauswand ist heller als der Anwurf. Jochen hatte die Idee.

Wenn wir oben hinausschauen, hat er gesagt, können wir die Maschinen besser sehen und gleich melden, wieviel es gewesen sind. Das Patrizierhaus hat drei Dachstockwerke. Über Jochens Leitersystem, das er sich gebaut hat, klettern sie bis zur obersten Luke, aber auf dem Querbrett hat nur einer Platz. Hermann stellt sich an ein Fenster weiter unten, die Aussicht ist dort genauso gut. Jochen muß oben auf seinem Brett gekniet haben, sein Kopf schwillt an, wie er sich durch die Luke zwängt. Guck doch, sie kommen! Wie immer zur Mittagszeit, denn die Amerikaner haben andere Essenszeiten, kreist ein Jabo hinter dem Nikolaiturm, steigt wieder weg. Dann taucht das nächste Jagdflugzeug auf, die Kanzel blitzt, mit einem Ruck kippt die Maschine auf einen Flügel und rast im Messerflug die Hauptstraße herauf. Das Geräusch war nicht stark, die Garbe war schneller. Sie spritzt in einem Winkel über die Wand und schlägt oben durch den kupfernen Dachfirst. Im Fähnleinhaus gibt es eine farbige Tafel, auf der abgebildet ist, in welcher Kombination die feindlichen Gurte gesteckt werden. Es ist ein Fünferrhythmus: Phosphor, Blei, Explosion, Stahlmantel, Leuchtspur. Ein Flieger, der einmal einen Vortrag hielt, hat behauptet, das sei Verschwendung. Welche Sorte getroffen hat, war nicht festzustellen, nur ein Geräusch blieb, klatschte oder schlürfte, der größte Teil des Kopfes überschlug sich nach unten und lag still. Der Körper blieb noch einen Augenblick an der Luke hängen, hat nicht über die Hauswand geblutet, sondern rutschte nach innen,

Tropfen sind durch die Fugen der Dachstockwerke gefallen.

»Achtung, Stufen!« ruft Großmutter, »du bist doch jung!«

In dem dunklen Café hängen an der Täfelung in Öl gemalte Gebirgsstücke und Jagdszenen, beleuchtet von kleinen Stablampen. Wer nur Cola trinken oder Schlager hören will, sagt der Inhaber des Kaffeehauses, soll woanders hingehen, ich baue nicht um. Der riesige Kerl steht hinter dem Buffet und streicht alle paar Minuten über seine Stichelhaare. Im Sommer, wenn Eis verlangt wird, das er selbst herstellt, gibt er oft eine Kugel extra.

Hermann nimmt Espresso und ein Gläschen Gin. Großmutter möchte auch gern Kaffee, trinkt jedoch Schok, läßt sich aber eine gefüllte Kaffeetasse servieren, die neben dem Kakao steht und voll bleibt. Sie trommelt gegen die Scheiben, eine Gruppe aus dem Altersheim vor den Fenstern verdeckt die Aussicht zur Hauptstraße.

»Das ist kein Leben, diese dumme Kleinstadt. Warum bin ich bloß aus Ulm weg!«

»Großvater hat Juchtenstiefel angehabt«, sagt Hermann. »Sein Bärtchen war blond.«

»Ach, was! Als in der Inflation die Fabrik schlecht stand, hat er Asthma bekommen.«

»Aber alles hat sich wieder erholt.«

Sie beugt sich vor und flüstert: »Diese Schweinerei während der letzten Jahre, es war ungerecht. Meine Freundinnen haben das nicht erleben müssen. Es gibt nichts Häßlicheres als einen alten Mann, ein alter Mann ist eine Gotteslast. Ja, das ist er.«

»Du bist auch alt.«

Sie pfeift und schnappt. Das Jabot ihrer Spitzenbluse, das in der Mitte von einer Granatbrosche gehalten wird, wischt bei jedem Atemzug über die Tischkante. Mitten in der Anstrengung beginnt sie zu löffeln. Hermann, écoute, Coué a dit qu'on oublie sa maladie.

Hermann holte ihn nachts, wenn er im Regen jammernd unter den Haselnußbüschen lag. Ich brauche Scheibenwischer, sagte er, ich sehe nichts mehr durch die Brille. Er war dick geworden, lachte leise, wenn man ihn hochhievte, einen Arm als Hebel über die Schulter gelegt, und ins Haus schleppte. In seinem Bücherschrank standen Arzneiflaschen, die mit Schnaps gefüllt waren. Einmal erwischte er ein Einreibemittel für die Füße. Hustend hat er getrunken, hat immer wieder angesetzt und tapfer schlucken wollen, aber die Flasche wurde nicht leer. Oder die langen Unterhosen im Kübel, aus denen eine Brühe zum Düngen quoll. Oder das wöchentliche Bad, wenn er behauptete, er bekäme vom Wasser einen Ausschlag.

Da sitzt er und bettelt, patscht nach der Seife und läßt die schwarzen Zehennägel aus dem Wasser ragen. Opa, halt dich fest, sonst kann ich dich nicht waschen. Man muß reiben, bis die Haut rot wird, die Fettpolster am Rücken rutschen unter der Hand weg. Und wieder sind Polizeigriffe nötig, damit er endlich aufsteht, sich mit einer Hand an den Leitungen des Kupferkessels festhält und mit der anderen den Lappen entgegennimmt. Unter dem Bauch rührt er im Schritt herum. Dieser Mann hat weinend seinen Gewehrschrank geleert und die Fuhre auf einem Leiterwagen durch die ganze Stadt zur Kommandantur gezogen. Auf Waffenbesitz stand damals Todesstrafe. Als er starb, trank er Bier und sah Elche auf Fahrrädern.

»Oma, willst du nicht ein bißchen üben? Guck doch, die Schachspieler sind auch schon da.«

Er greift nach hinten und schlägt den Deckel über den Tasten auf. Sie sitzen im Kaffeehaus immer an dem Tisch neben dem Klavier. Früher hat sie mit ihrer Tochter vierhändig gespielt, die letzten Jahre nur noch allein, meistens Czerny mit viel Pedal, was, wie sie sagt, eine Sünde sei.

»Nicht hier«, flüstert sie, »Schach ist heilig, man darf nicht stören. Warum hast du mich mitgenommen, du bist doch sonst nicht so höflich?«

»Ich freue mich. Ich muß erst morgen wieder arbeiten.«

»In der Fabrik?«

»Das weißt du doch. Ich bin zurückgekommen und bleibe hier. Wir sind alle wieder zusammen.«

»Die Fabrik, das ist seine Schuld. Simon ist tüchtig, das habe ich ihm schon vor dreißig Jahren gesagt. Ich sterbe noch lange nicht.«

»Glaubst du das wirklich?« sagt er.

Sie sehen sich an. Großmutter beginnt zuerst zu lächeln. Sie greift nach der Hand ihres Enkels, dann sehen beide gleichzeitig nach unten, nehmen ihre Tassen und trinken, Großmutter mit beiden Händen. Nach dem zweiten Schluck setzt sie ab und atmet gierig.

Die Tür zur Konditorei steht offen. Hermann kann in den Laden hinübersehen, in dem Anne beim Verkaufen aushilft; ihr Mann arbeitet im Wasserwirtschaftsamt. Kinder haben sie keine. Sie hebt ein Tortenstück mit der Schaufel hoch und stellt es schwungvoll auf einen Pappteller. Die Ladentür schneidet das Bild ab. Mach die Beine gerade, so kann ich dich nicht anziehen, hört er sie sagen. Und mit einem Ruck steht er in der Hose. Sie ist bis lange nach der Besatzungszeit bei ihnen geblieben, hat nie den zu Weihnachten geschenkten Bademantel angezogen, sondern blies, im Nachthemd auf den Fliesen kniend, den Herd der Zentralheizung an. Ein breiter Rücken im Hemd bis zur Wölbung. Er bleibt an der Tür hinter ihr stehen und zittert. Ich kriege zuerst das Badezimmer, sagte sie und schloß ab.

Odendahl ist hereingekommen und hat nur einmal seine Pfeife aus dem Mund genommen, als er Großmutter die Hand küßte. Er sucht einen Beisitzer für eine Landpartie. »Brix«, sagt er, »komm, fahr mit.« Hermann will den Kaffee bezahlen, aber Großmutter läßt es nicht zu. Er rennt hinaus, hat ihren Geldbeutel vom Tisch genommen und winkt dem Taxi, das vor dem Rathaus steht. Während er den Fahrer im voraus bezahlt, zupft er drei Hundertmarkscheine aus dem Lederfach und steckt sie in seine Jacke. Dann rennt er zurück.

»Herr Odendahl hat mich eingeladen«, sagt sie, »das nehme ich an. Ein Enkel darf nie bezahlen. Ich würde mich schämen.«

Hermann führt sie behutsam über die Stufen des Kaffeehauses zum Auto hinunter. Er zeigt ihr, wo der Griff ist zum Festhalten, und erinnert den Chauffeur noch einmal an die Adresse.

»Ich will um die ganze Stadt fahren«, sagt Großmutter. »Vor dem Mittagessen muß man etwas erleben, sonst verdaut man schlecht.«
Sorgfältig schließt Hermann die Tür. Und wie das
Taxi abfährt und die Kurve am Rathaus vorbei zur
Stadtmauer beschreibt, sieht er noch Großmutters
Kopf hinter der Heckscheibe. Wenn sie ihre Haare
wellt, sitzt sie in der Küche und erhitzt die Brenn-
schere über einer Spiritusflamme. Nur zum Waschen
geht sie zum Friseur. Gottseidank hupt Odendahl und
läßt im Leerlauf aufheulen.
Sie fahren stadtauswärts. Nach der letzten Tankstelle
beginnt die Baustelle der Umgehungsstraße. Odendahl peilt die Italiener an, einige reißen ihre Hacken
hoch und springen in den frischen Asphalt, der auf
der anderen Hälfte der Straße von einer Maschine gelegt wird. Hinter dem Auto laufen die Arbeiter wieder
auf das ungeteerte Teilstück und versinken mit erhobenen Armen in einer Staubwolke.
»Die Kühe warten, ab zwanzig Liter Hochleistung
kriegen sie Neurosen«, sagt Odendahl.
Hermann läßt sich schütteln und in Kurven mit Genuß an die Tür pressen. Wenn sie mit Beschleunigung
einen Hügel nehmen, daß vor der Kuppe die Motor-
schnauze einsinkt und danach die Hinterräder lose
an den Kreuzgelenken hängen, rufen sie beide End-
moräne und Geschiebelehm.
»Jetzt versauen wir ein bißchen die Landschaft«,
schreit Odendahl, »paß auf!«
Vor einer Weggabel schaltet er herunter, bremst, gibt
schon wieder Gas, so daß das Auto sich querstellt und
die durchdrehenden Hinterräder den aufgefahrenen

Dreck in der Mitte der Kreuzung gegen eine Plakatwand schleudern, auf der ein Kurort in den Bergen
abgebildet ist.

»Trickfilm!« ruft Hermann.

Er greift nach hinten und zieht einen Metallschlauch,
den er im Rückspiegel wippen sah, aus dem offenen
Besteckkoffer. Der Schlauch ist aus Metallringen zusammengesetzt, ein Gliederrüssel. An einem Ende
sitzt eine Art Gasmaske von enormer Größe mit her-
ausziehbarem Ventil. Dieses Gerät wird in einen Kuh-
magen gestoßen, der nichts mehr annimmt. Man
schraubt die Maske an der Viehschnauze fest, öffnet
das Ventil und pumpt den Mageninhalt heraus. Der
Kopf der Kuh muß ans Stallgitter gefesselt werden,
sonst kann es passieren, daß bei heftigen Bewegungen
der Metallschlauch wie ein Rührwerk im Magen unten arbeitet und die Zotten verletzt. Es kommt auch
vor, daß Flaschenböden oder Schrauben, die in jeder
Kuh Platz haben und während der Peristaltik immer
wieder durch den Zellulosebrei sacken, ihn zerteilen
und beim Verdauen helfen, sich vor die Öffnung des
Schlauches legen und nichts mehr durchlassen. Dann
wird an der Flanke gestochen und durch eine Drai-
nage abgelassen. Odendahl erzählt, er habe einmal um
eine Kuh, deren Magen er mit dem Messer lüftete,
zwanzig Verbandspäckchen gewickelt und das Tier
mit der riesigen Binde um Rücken und Bauch im Stall
stehen lassen. »Je menschlicher es aussieht, desto
mehr sind die Bauern von der Hilfe überzeugt. Wir
machen jetzt auch Kaiserschnitt, schmerzlos, das
Kälbchen flutscht elegant heraus. Aber hochwerfen
kann ich es nicht, damit es zu schnappen beginnt. Ich

gebe einen Schlag ins Genick, einen sanften Karate-
hieb, das wirkt. Dein Vater hat noch hinten hineinge-
langt und gezogen oder innen am Kalbsfuß ein Seil
befestigt und die ganze Ackerfamilie davorgespannt
und kommandiert, bis das Ding heraus war.«

Er kenne einen verehrten Kollegen aus der Heide,
dem habe ein Krampf des Ringmuskels den Arm abgeklemmt, als er bis zur Schulter drinsteckte. »Eine
halbe Stunde hat der alte Herr gezerrt und am Kuh-
arsch getobt, aber er brachte seinen Arm nur noch
schwarz heraus. Nach der Amputation blieb er gleich
in Hamburg. Mit seinem Stummel dreht er überfüt-
terte Wellensittiche um und klemmt Bernhardinern
das Maul auf.«

Die beiden jungen Männer steigen vor einer Wirtschaft am Wegrand aus. Schnaps, rufen sie, oder sie
fielen um.

»Das ist Brix«, erklärt der Tierarzt, »der Sohn vom
Brix.«

»Der hat laut gesagt, was er dachte«, sagt der Wirt, »er
hat sein Geschäft verstanden.« Hermanns Vater
scheint noch nicht vergessen zu sein, obwohl es über
zwanzig Jahre her ist, daß er praktizierte.

»Die Haare sind ihm von den Schulterblättern bis
zum Hals hochgewachsen«, sagt Hermann. »Einmal
kam er nach Hause und hatte den Kopf verbunden.
Er war rückwärts in einen Heuwagen hineingefahren.
Die Deichsel ist durchs Verdeck hinein und zur Windschutzscheibe wieder hinausgegangen. Im Vorwärts-
gang hat er ausgefädelt.«

»Das war er«, schreit der Wirt, »noch zwei Doppelte
gratis!«

»Seine Praxis habe ich auch geschluckt«, sagt Odendahl.

»Nächste Woche bekomme ich ein Autotelefon. Dann mache ich nicht mehr Sternfahrten nach Hause, um die Adressen zu holen.«

»Haucher«, fällt Hermann ein. Haucher, diese in Kuhfladen gewickelte Kugel, die irgendwo ein faulendes Loch hat, in dem die Pfeife steckt, die nicht nur Tabak verarbeitet, auch Laub, Reste alter Unterröcke, Klebeadressen, Dynamit. Auf seinem zweiten Fahrrad, das kein Kinderrad mehr war, hat Hermann im Krieg jeden Abend Milch geholt. Die Blechkanne hängt am Lenker und scheppert gegen die Radgabel. Man muß die bucklige Straße ausnützen, Geld, Nägel und Steine in die Kanne legen, sie klingeln während der Fahrt. Die Kurve zum Bauernhof nimmt Hermann mit ausgestrecktem Stützbein wie bei Sandbahnrennen. Der Schwung trägt bis vor den Stall, in dem das Ehepaar Haucher unter den Kühen sitzt und an Zitzen zieht. Die verdreckten Tiere standen auf schiefen Mistebenen, die sie fressend und scheißend unter sich wachsen ließen. Dabei besaß Haucher eine selbstkonstruierte Mistbereitungsanlage, deren Folterhaken von der Decke hingen. Aber Haucher hatte nie Zeit. Er wollte Wiesen entwässern, Marder züchten, sparte Geld für einen Ameisenbären, der im Wald gewinnbringende Völker aufstöbern sollte. Allerdings wußte er nicht, wie er aus dem Gewimmel, gekocht oder zerstampft, Heilmittel destillieren konnte, hatte einen Artikel gelesen, daß in Lazaretten Mangel an Medikamenten herrsche, alle Volksgenossen seien aufgerufen, zu sammeln, zu pressen, zu trocknen, jeder könne Wunden heilen helfen, hieß es, die Wehrmacht zahle Höchstpreise. Haucher war Pionier, baute als erster in seine Tenne eine elektrische Entlüftungsanlage ein, die das frische Heu vor Selbstentzündung bewahrte. Die Temperaturen, die er mit einer Thermometersonde tief unten in dem gärenden Haufen maß, schrieb er auf eine Schiefertafel. Parteimitglied war er auch. In Uniform, immer rauchend, auch in Reih und Glied einer Marschkolonne, sah er wie ein Köhler aus, der eine eigene Riege anführte. Später wurde behauptet, er habe mit dem Spaten einen rumänischen Kriegsgefangenen erschlagen, der auf seinem Hof arbeitete und erwischt worden war, als er ein Mastkälbchen besteigen wollte. Frau Haucher habe den Akt entdeckt und ihrem Mann gemeldet. Doch die Milch war großartig. Aus der Kanne neben der Stalltür holte Haucher sie mit einem Schöpfer. Fliegen, manchmal auch ein Käfer, zeigten sich erst beim Umschütten. Ihr spezifisches Gewicht hielt sie knapp unter der Oberfläche. Milch schmeckt in Märchen nach Nuß, ein Käfer aus Erfahrung.

Einmal ist Hermann zu früh gekommen, die Kanne stand noch leer neben dem Brunnen, dessen Strahl ein ganzes Industrierevier erfundener Räder, Klopfwerke, Sägen und Löffelbänder trieb. Von der Stalltür aus sah er das Ehepaar unter den hohen Kühen hocken, blutendes Euter in Händen, das in Blechzapfen nicht Platz fand. Damals hat Haucher zum ersten Mal einen Melkapparat ausprobiert. Haucher, der erfindungsreiche Ökonom, seine Frau ist tot, an Magenkrebs gestorben, die Tochter mit den Franzosen davon und nie mehr wiedergekommen. Der greise Vater wolle nicht verkaufen, weil er auf sie warte, heißt es, er irre in Hausschuhen, deren Futter mit Heizdrähten ausgelegt sind, durch den leeren Stall, die leere Tenne. Eine Batterie, die in der Hosentasche getragen wird, hat er schon lange nicht mehr gekauft.

Hermann hätte noch gern erzählt, daß sein Vater nicht groß gewesen sei, nur breit. Aber Odendahl drängt zum Aufbruch. Sie fahren am Sollener See entlang, auf der Queralpenstraße, dem wichtigen Teilstück der Autobahn von Lindau nach München.

Hermann läßt den metallenen Magenheber in der Hand wippen. Odendahl solle endlich die alte Instrumentenkiste abholen lassen, sagt er.

»Ich kann das Zeug nicht brauchen. Die Zangen, die dein Vater verwendet hat, sind veraltet. Wenn du kein Geld hast, tu was. Deine Familie hat doch genug. Ich habe mit nichts angefangen.«

»Ich bin nicht dein Publikum«, antwortet Hermann. »Angeben kannst du bei deinen Bauern.«

»Wenn ich eine Tour vorhabe, sagst du selten nein.«

»Leih mir wenigstens etwas.«

Odendahl lacht und will Hermann auf die Schulter klopfen. »Ich habe es nicht so gemeint, im Gegenteil, ich freue mich immer, wenn du mitfährst. Die Auswahl in unserem Nest ist nicht groß.«

Hermann, der mit der Schulter ausgewichen ist, hält sich am Griff über dem Handschuhkasten fest und blickt nach unten, wo das Bremspedal aus dem Bodenschlitz ragt. Er würde gern mit aller Kraft drauftreten, damit Odendahls Kopf gegen die Windschutz-

scheibe schlägt. Er hält sich fest, stemmt sich gegen
den Aufprall und sieht neben sich, wie das Nasenbein
splittert und die Augen sich verdrehen. In Zeitlupe
wellt sich die Stirn auf dem Glas, schieben sich die
Zähne vor, während der verzögerte Krach lauter
wird und über ihnen auseinanderbricht. Gut vorbereitet genießt er den Schock und steigt befreit aus
den Trümmern.

Aber der Raum vor den Pedalen ist zu eng, er würde
nicht schnell genug über Odendahls Beine hinweg auf
die Bremse drücken können.

»Fleischbeschauer, gib mir Geld, du brauchst heute
nichts mehr.«

Es macht ihm auch nichts aus, daß er, nachdem Odendahl bei der Talstation des Missener Lifts gehalten
hat, noch neben dem Auto stehen und warten muß.
Er solle nicht wehleidig sein, hört er, sie seien doch
erwachsen, ein paar Scheine würden nichts ändern.
Der Kerl sitzt hinter dem offenen Fenster und spricht
freundschaftlich aus seinem Blechrahmen. Hermann
reagiert auch nicht, als Odendahl ernst eine größere
Summe anbietet. »Morgen kannst du mehr haben,
fahre in die Berge. Du hast dich zu lange treiben lassen. Denk darüber nach und dann entscheide dich.
Kopf hoch. Wir dürfen nicht klein beigeben, wir sind
die Spurmacher. Die alten Säcke spielen keine Rolle
mehr. Ich grabe in meinen Kühen, und du läßt Vorhangschienen hobeln.«

»Du hast recht«, sagt Hermann, »komm, gib ein bißchen Geld her.«

Die Hand, die bequem auf dem Steuer gelegen hat,
muß nun mithelfen, den Geldbeutel auszugraben. Im

Sitzen spannt die Hose über den Schenkeln und klemmt den Tascheninhalt ab. Odendahl stemmt sich hoch, die Schultern gegen die Lehne gedrückt, den Kopf zurückgebeugt. Während vor Anstrengung die Fußspitzen zu zittern beginnen, sucht die eine Hand in der Tasche, die andere schiebt von außen nach. Zweimal pumpt der Hintern vom Autosessel hoch und steht für Augenblicke in Steuerhöhe, bis endlich der Geldbeutel sich zeigt und Odendahl schnaufend zurücksacken kann. Hermann hat gierig zugesehen, seine Schultern hängen nach vorn.

»Hundertfünfzig, mehr habe ich nicht«, sagt Odendahl.

Das Auto fährt an, ruckt und beschleunigt wieder. Wahrscheinlich ist Odendahl vor Wut vom Kupplungspedal gerutscht. Tag für Tag steuert der Tierarzt zu Kühen, die er nach neuesten Methoden behandelt, und die Bauern werden bald direkt mit ihm telefonieren können. Vor Neid macht Hermann am Straßenrand einige Kniebeugen, über seine ausgestreckten Arme visiert er zur Talstation hinüber.

Der alte Sessellift in Missen ist das ganze Jahr in Betrieb. Seitdem auf der Kugel – einem Grasberg, der an der Flanke aus Stein einen Höcker stehen hat, die einzige Felsformation in der Allgäuer Voralpenlandschaft – seitdem darauf ein Höhenrestaurant gebaut wurde, lohnt sich der Lift wieder. Touristen, die die Queralpenstraße befahren, machen manchmal Halt, lassen sich schaukelnd hinauftransportieren und essen oben, vor sich ein Panorama vom Bodensee bis zur Zugspitze.

Im engen Tal von Missen nach Simmers war Anfang der vierziger Jahre mit Erdarbeiten begonnen worden. Zwei Schluchten wurden überbrückt und Trassen in Steilhänge gesprengt. Dazwischen lagen Wiesen oder standen noch Bauernhäuser im Weg. Als die Arbeit eingestellt wurde, türmten sich jahrelang bei den geplanten Zubringerstraßen der Ortschaften Berge von Granitquadern für Stützmauern und Einfassungen, erstklassiges Steinmaterial mit Glimmergries auf den behauenen Oberflächen. Dieselbe Qualität findet man in der Ordensburg Sonthofen wieder oder in den riesigen Parteianlagen von Nürnberg und München. Die Steine, die die Bauern übrigließen, sind Ende der fünfziger Jahre verbaut worden, als der wichtige Abschnitt der Autobahn vollendet wurde.

Im April 45 marschierten Reste verschiedener deutscher Armeen auf die Alpenfestung zu, die es gar nicht gab. Ganze Berge sollen untertunnelt worden sein, hieß es, mit Vorratslagern für Jahre und Wunderwaffen wie Raketen oder überlangen, starr einbetonierten Geschützen, genannt Luftdruckpumpen, die tonnenschwere Geschosse beschleunigen könnten. Als die Franzosen, von Lindau kommend, durch das Missener Tal vorrückten, trafen sie bei Kempten auf eine amerikanische Vorhut. Damit war der Allgäuer Kessel geschlossen. Durch die Ulmer Röhre, die offen gelassen worden war, hatten die Deutschen nach Süden gedrängt. Nur noch truppweise wanderten die Kolonnen über die Straßen. Offiziere mit Generalstabsstreifen schoben von Gepäck überladene Kinderwagen, oder eine halbe Kompanie zog an einem Seil einen Lastwagen hinter sich her, in dem die schliefen, die Pause hatten. An Bergen wurde der Motor angeworfen. Magnus hat damals für zwei Pfund Butter ein Scharfschützengewehr mit Zielfernrohr eingehandelt.

Hermann blickt durch und schwenkt das aufmontierte Glas. Eine Schulter sinkt ins Fadenkreuz, wandert mit, der Kopf eines Soldaten wird sichtbar und sitzt für einen Augenblick genau in der Mitte der Markierung. Hermann, der am Abzug Druckpunkt genommen hat, reißt das Gewehr hoch. Er setzt wieder an und entdeckt eine Totenkopfkokarde an einer Mütze. Kragenspiegel, Koppelschlösser, die Mündung einer umgehängten Maschinenpistole, die immer wieder aus dem Blickfeld wippt, alles wird sichtbar, die Entfernung spielt keine Rolle mehr. Am Fernrohr schraubend kann er näherholen und dabei sein.

Ein Hammer schlägt einen Haken in einen Baumstamm, Frauenhände befestigen ein Seil an dem Eisen. Er sieht vorbeiziehende Gesichter von Volkssturmmännern, dann verliert er den Trupp. Die Balkenwand einer Panzersperre verdunkelt die Aussicht. Vor Eifer hat er, das schwere Gewehr an sich pressend, seine Oberlippe am Sicherungsbügel blutig gedrückt.

Den ersten Schuß hört er nur, die Waffe findet er nicht im Fadenkreuz, obwohl er die ganze Straße absucht. Auch die Soldaten sind nicht mehr zu sehen. Doch er beobachtet, wie sich einer der alten Männer auszieht, sieht noch mehr Hosen rutschen, eine Frau, die auf der anderen Straßenseite steht, steigt aus ihrem Kleid.

Ein Toter liegt vor ihr auf dem Bauch. Hermann senkt das Gewehr ein wenig, zittert vor Anstrengung, aber er hält durch, bis Männer und Frauen ihre Kleider getauscht haben. Beim zweiten Schuß, den er hört, setzt er das Gewehr ab.

Niemandem wäre es aufgefallen, wenn er auch geschossen hätte. Im Visier des Fernrohrs hielt er genau die Richtung ein, in die der Lauf einer Maschinenpistole zeigte. Ein Offizier gab stoßweise Feuer, kleine Flammen und Rauchhütchen kamen aus der Mündung, der Kolben schlug gegen einen hellen Ledergürtel mit Schnalle, wie ihn nur hohe Dienstgrade trugen. Er sah einen alten Mann lachen, der eine Frauenbluse trug, dann fiel der Mann auch um. Die Schüsse rissen so schnell Lücken in die bunte Reihe, daß Hermann kaum mithalten konnte.

Er läßt sich hochziehen. Vor ihm, einige hundert Meter weiter oben, hängen noch ein paar Gäste, die nacheinander am Führungskabel in eine Waldschneise tauchen. Dahinter steigt eine freie Steilflanke zum Gipfelhaus an. Im Winter werden hier bei Rennen die Abfahrtsläufer wie Bobs in die ausgebauten Kurven gepreßt. Hermann sieht zwischen seinen Beinen nach unten, wo sich die Hangwiese wellt. Er hält sich an der eisernen Lehne des Sessels fest und rutscht in Sicherheit. Das Plastikkörbchen schaukelt der Bewegung nach. Jetzt sitzt er bequem, während das Tal unter seinen Füßen wegsinkt.

Brummend ahmt er ein Flugzeug nach, streckt eine Hand aus, legt sie langsam in die Kurve, den Oberkörper im Sitz mitziehend, wenn der Sessel nach einem Stützträger wieder beschleunigt an der langen

Drahtschlaufe bis zum nächsten Träger schwingt. Unten liegt das Land, sauber in Rechtecke geordnet mit Zäunen und Gehöften, ein übersichtlicher Zellverband, planvoll angelegt.

Am flachen Gegenhang jenseits des Tals, in dem die Straße zwischen Wiesen von Missen nach Stiefenhof führt, kurvt Odendahls Auto mit Staubflügeln am Heck. Hermann segelt jodelnd an einer Waldspitze vorbei, die Echos zurückwirft. Mitten in einem hohen Schnalzer bleibt er stecken und muß husten.

Halt dich fest und mach die Augen zu, hat sein Vater gesagt, als sie in dem hochrädrigen Ford, der hinten noch zwei Notsitze hatte, im ersten Gang durch eine Verwehung fuhren, daß Schneewolken zur Windschutzscheibe hochschlugen. Oder er hält sich an der Motorradhupe fest und sitzt auf dem Tank. Es ist Sommer, kurz vor dem Mittagessen rennt der Vater in Gummistiefeln durch die Küche, im Büro läutet das Telefon. Er kommt vom Schlachthaus, wo er, wie Hermann erzählen hörte, nach Trichinen durch ein Mikroskop sucht. Los, Badehose anziehen, ruft er. Wir essen gleich, sagen die Frauen. Würde er noch leben, müßte er auf seinen Überdruck achten wie viele, die dick geworden sind und immer noch von den Kämpfen im Osten erzählen und wie es später trotzdem wieder aufwärtsging. Sie sitzen beide auf dem Motorrad, haben über den Badehosen nur Hemden an und fahren stadtauswärts. Hermann will sich mit Schenkeldruck auf dem warmen Tank halten, rutscht aber immer wieder ab. Bei Schlaglöchern dringt Benzin- und Ölschmiere durch den undichten Tankverschluß, unten kocht der Zylinder. Vor einem

Bahnübergang, der keine Schranke hat, darf er hupen. Festhalten, festhalten, hört er und wie der erste Gang kracht, und dann steuert der Vater an der Holzbrücke vorbei, über die Wiese zur Riesach hinunter, über Uferschotter und durchs flache Wasser. Dampfend und zischend, mit einer Bugwelle vor dem Reifen, machen sie Geländefahrt. Beim Gasgeben schleudert das Hinterrad, daß Vater mehrmals mit den Füßen abstützen muß. Hermann klammert sich fest, schreit und lacht umso lauter, je mehr er Angst bekommt. Schließlich kippen sie an einem Kiesberg um, den der Fluß aufgeworfen hat, und bleiben im Trockenen liegen. Keiner hat sich weh getan. Das leer drehende Hinterrad schleudert Steine.

Vater befiehlt auch, ob geschlachtet werden muß, weil Milzbrand- oder Tuberkuloseverdacht besteht. Der Bauer und seine Leute nicken und wagen nicht zu widersprechen. Oder die ganze Familie steht im Kreis und sieht zu, wie das Messer durch die offene Kuh fährt, die in zwei Teilen am Scheunentor hängt. Es gibt einen Stempel mit Kissen wie auf der Post, der auf die Lunge, die Leber und das Herz gedrückt wird, die tropfend in der aufgeklappten Kuh schaukeln. Auch das Euter wird untersucht. Es hängt allein und weit oben an einem Holzzapfen. Ihr müßt das verstehen, sagt Vater, die Volksgesundheit ist wichtig, eine Bazillenkultur kann ein ganzes Dorf verseuchen. Er trennt die roten Lungenlappen, die überflüssig aussehen, aus der Kuh und läßt sie zu Boden fallen. Von allen Seiten stürzen sich Hühner darauf, mit den Gummistiefeln tritt er nach ihnen. Die Bakterien pflanzen sich fort, sagt er, begreift endlich, ich habe es euch tausendmal erklärt. Wenn die Hühner davon fressen, müßt ihr sie auch schlachten. Was krank ist, muß weg. Ihr wollt doch gesunde Kinder, die euch beim Arbeiten helfen! Später badet er Arme und Hände in einem Kübel voll heißem Wasser. Mit einer Lösung, die sich in gelben Schwaden ausbreitet, desinfiziert er sich. Da steht er gebückt in der niedrigen Stube, dampft, spritzt, hat das Hemd auf und fühlt sich wohl. Der Bauersfrau, die zu oft blutet, gibt er Ratschläge.

Das Führungskabel schmatzt durch das Preßfett der Rollen, ruckt noch bis hinter den Stützpfeiler und steht still. Der Sessel pendelt aus. Vor und hinter Hermann hängt niemand mehr auf der Bergstrecke. Sie haben vergessen, daß er noch unterwegs ist, und die Motoren abgestellt.

Hermann sieht nach oben. Er könnte bis zur Rolle klettern, sich am Kabel entlanghangeln und am Betonpfeiler herunterrutschen. Der Mast ist schmal, der Beinschluß überkreuz würde die Fahrt abbremsen. Aber er wird, an das fettige Kabel geklammert, nie den Pfeiler erreichen. Da sitzt er hoch oben, friert, schlägt den Jackenkragen hoch, hat Geld in der Tasche und kann nicht weiter. Alles war vorbereitet, doch er hängt gefangen über einer Bergwiese. Zuschauer hat er auch keine.

Er beugt sich vor und visiert zwischen seinen Beinen hindurch ins Tal hinunter; entfernt blitzt eine Fensterscheibe. Er zieht den Reißverschluß auf und nestelt sein Zäpfchen heraus. Langsam frottierend verstärkt er den Griff, so daß die Haut an einer Seite spannt. Er strengt sich an, wechselt die Hand und würde sich gern in einen warmen Sack verkriechen, um sich auf dem Höhepunkt herauszukatapultieren und schäumend Täler und Hügel umzupflügen. Aber der Wind ist zu kalt, aus dem blassen Hütchen rollen nur ein paar Urintropfen. Sie fallen durch die Plastikstreben des Liftsessels und zerplatzen auf dem rechten Schuh. Sich vorbeugend erinnert sich Hermann, daß er beim Reiben immer einen Fuß verdreht, bis es schmerzt. Er lehnt sich zurück und zieht langsam den Reißverschluß hoch. Die nassen Finger streicht er am Jackenaufschlag trocken.

Und wenn er Hunger bekommt, Durst? Abgesprungene Piloten, die tagelang verletzt in Bäumen hingen, haben mit der Fallschirmseide Regen aufgefangen. Zu Hause sitzen die beiden Frauen am Tisch, werden eine Viertelstunde warten und dann beginnen. Pünktlichkeit, erklärt Großmutter, verlängert das Leben. Mutter legt Hermann immer die besten Stücke vor, denn ein Sohn muß essen, muß zehn Pfund Übergewicht haben, sonst ist er nicht gesund.

Tage vor dem Einmarsch der Franzosen saßen sie alle vier im Keller. Sie hatten die Ecken mit Matratzen gepolstert, die Betten in farbige Überzüge gesteckt, damit der Schmutz nicht so schnell sichtbar wurde, und schliefen in einer Reihe. Hoch zugedeckt atmete der Familienberg. Hermann fühlte sich wohl. Das Radio stand auf einer Kiste, an den leeren Regalen hingen zwei Petroleumlampen, falls der elektrische Strom ausfiel. Zu essen gab es Schweizerkäse und Butter. In feuchte Tücher eingeschlagen stapelten sich die Ballen. Die städtischen Molkereien hatten an die Bevölkerung alle Vorräte ausgegeben, als der Kessel zwischen Ulm und dem Bodensee geschlossen war und die Milchprodukte nicht mehr ins Reich abtransportiert werden konnten. Jeder in der Stadt aß Butter und Käse oder Butter auf Käse oder Käse in Scheiben, in Würfeln, geschmolzen, geraspelt, mit Essig als Salat oder gepfeffert. Brot, Teigwaren und Kartoffeln gab es nicht mehr. Zu viel Fett verursacht Durchfall, und besonders bei den Frauen beginnen Pickel im Gesicht zu wachsen, pralle rote, die vor einem Handspiegel ausgedrückt werden, während Hermann den Strahl einer Taschenlampe zur weißen Gewölbedecke richtet. Ich bin die Haselmaus, schreit er, wir müssen essen, bis wir platzen. Hast du deine Uniform verbrannt, fragt Großmutter, die braunen Dummköpfe sind endlich tot. Das ist nicht wahr, sagt Hermann, mein Fahrtenmesser und meine Ausweise habe ich vergraben. Wo, fragt Mutter, hoffentlich nicht in der Nähe der Weinkiste? Seid doch ruhig, hören sie Großvater vom Kellerausgang rufen. Er horcht mit zurückgelegtem Kopf, ob die Befreier kommen, wie er die Franzosen seit Tagen nennt. Die Weinkiste finden sie nie, sagt Großvater, ich habe die kleine Rottanne daraufgepflanzt, sie ist schon festgewachsen. Alle außer Hermann lachen. Später, am dritten Kellertag, wird Großmutter allein hinaufsteigen, alle anderen haben Angst. Sie geht auf den französischen Panzer zu, der in den Garten hineinfährt. Monsieur le capitaine, ruft sie zum Kommandoturm hinauf, veuillez ne pas déranger mes pommiers. Der Kommandant grüßt lächelnd und fährt rückwärts wieder hinaus. Eine Raupe wird auf der Stelle gemalmt haben, während die andere den Koloß um die eigene Achse schob.

Den Kopf einziehen, die Schulter wegnehmen, damit die Tannenzweige nicht ins Gesicht schlagen. Schaukelnd hebt es ihn höher, der Lift läuft wieder. Nach der Waldschneise schwebt er frei über die Steilflanke empor. Junge Kühe, die hier Schumpen heißen, stehen unter ihm mit gespreizten Vorderbeinen gegen den Hang und rupfen das kurze Gras. Früher hat er oft die Finger in ein Kalbmaul geschoben. Die rauhe Zunge schabt und zieht, Schleim sammelt sich in der Hand, die weiche feuchte Schnauze schließt am Handgelenk wie ein strammes Ventil ab: Heu, Sonnenbrand, Dienstverpflichtung, kurze Hosen. Er könnte lachen. Nachts hat er unter der Bettdecke im Schein der Taschenlampe gelesen. Der Lichtkegel faßte vier Zeilen, manchmal las er schneller, als die Helligkeit mitwanderte. Sein Arm war eingeschlafen. Du bist hochmütig und faul, hat Mutter gesagt, ich verlange vom einzigen Sohn keine Dankbarkeit, aber Einsicht.

Oben hat er den Sperriegel zwischen den Lehnen aufgeklappt und ist aus dem Plastikkorb gesprungen, der in die Bergstation hineingerissen wird, hinter der Seiltrommel krachend durch das Bretterrondell schwenkt und wild schaukelnd auf Gegenkurs geht. Er faßt an die Lederjacke, spürt das Kuvert voll Geldscheine und ist wieder entschlossen. Das Höhenrestaurant ist aus denselben Steinquadern gebaut wie die Einfassungsmauern der Queralpenstraße. Gäste sitzen hinter Panoramascheiben und essen in der Wärme. Um die Fernsehantenne des Aussichtslokals kreisen Bergkrähen.

Hermann legt fünf Zehnpfennigstücke bereit, das reicht, um Abschied zu nehmen. Er steht im Wind und sieht durch das Münzfernrohr, das in der Ecke der Balustrade schwenkbar auf Kugellagern läuft. Darunter bricht der Fels steil ab.

Nüssen gleicht durch die Fernrohrverkürzung einer Spielzeugstadt und liegt in einer Ebene, die von Grasbergen umgeben ist wie der Adelegg, dem Hauchen, der Schweinehöhe, der Felderhalde, der Jugendschanze und der Kugel, auf der Hermann steht. Der äußere Bergkranz wiederholt sich in der Stadtmauer, die den mittelalterlichen Kern mit drei Kirchtürmen umfaßt. Dazwischen ruht der Steinriegel des fürstlichen Schlosses, jetzt ein Altersheim. Vor den Mauern wachsen die neuen Viertel in die sauren Wasserwiesen hinein. Hermann schwenkt und holt schraubend näher.

Aus dem Bahnhof gleitet in schwachem Bogen der rote Schienenbus auf dem Schotterdamm, fährt an den niedrigen Hallen einer Gürtelfabrik vorbei, an die eine Werkstatt für Angelschnüre und Bergseile anschließt. Die neuen Dächer und Straßen, alles glänzt frisch im Landschaftsaquarium, beginnt zu schwimmen. Bevor die Schwarzblende abschneidet, öffnet ein neues Zehnpfennigstück die Perspektive. Ulla lag im Badeanzug auf dem Blechdach und sonnte sich. Er hört sein Herz gegen das Blech klopfen. Vor dem Rathaus steht das Taxi, in dem Großmutter zum Mittagessen nach Hause fuhr. Popai winkt mit einer Latte. Nur Auserwählte dürfen die Messerprobe bestehen. Das Fahrtenmesser, das mit der linken Hand hochgehoben und fallengelassen wird, muß vom gespannten Oberarmmuskel abspringen. Es überschlägt sich nach unten, bleibt in einem Brett neben dem Fuß stecken. Die Betonrippen der Chemieschule verdecken die Aussicht. Fünfhundert Jugendliche suchen in der Kleinstadt Einzelzimmer und sollen abends ihre Koffergeräte leiser stellen. Hermann stößt mit der Nasenwurzel gegen den Metallrand und drückt den nächsten Groschen schief in den Schlitz. Das Geldstück bleibt hängen. Mit dem Daumennagel lockert er die Münze. Surrend öffnet sich die Automatik des Fernrohrs wieder.

Der Bildausschnitt streicht vorsichtig an Gebäudekanten entlang, faßt Holzstapel im Hof, aus denen Vorhangschienen gefräst werden, schiebt über Silotürme, in die das Sägemehl geblasen wird, senkt am Lackflügel vorbei, der wegen Explosionsgefahr eine dreifache Brandmauer hat, und bleibt an den Bürofenstern über dem Fabriktor hängen. Vorsorglich nimmt Hermann zwei Zehner in die Hand. Ein Lastwagen fährt einen mit Brettern beladenen Anhänger an einer Bugsierstange rückwärts in das enge Tor hinein. Hinter dem alten Ziegelbau hat Onkel Simon erweitern lassen. Er wird im Chefzimmer, dessen Wände mit gepreßten Ledertapeten bespannt sind, sitzen, nur das Telefonbrett ist neu. Er plant, stellt um, zahlt Schulden ab und versucht, unter dem Holztarif der Gewerkschaft zu bleiben. Er soll tot sein, soll nicht schlau sein und manchmal die Rotekreuzbinde erwähnen, die ihn durch den Krieg gebracht hat, weit hinten und unentdeckt.

Hermann schnauft und hat nach einem Reißschwenk den Ahornbaum im Bild. Darunter hat Saduk auf

einem eisernen Dreifuß marokkanischen Tee gekocht, der ganz schwarz war, aber nicht bitter
schmeckte. Saduk stöpselt mit seinem Daumen, der
an der Innenseite heller ist, geschmeidig in die Röhre,
die er aus der anderen Hand macht. Vor den Franzosen, deren Uniform er trägt, hat er Angst. Sie erschie-
ßen jeden, den sie beim Vögeln erwischen. Das
Offizierscasino ist im Arbeitszimmer und Wohnzimmer eingerichtet, die Marokkaner und Algerier, die
als Ordonnanzen bedienen müssen, schlafen im Keller
auf dem Zementboden. Manchmal wird ein Nordafrikaner geschlagen, weil er einen Befehl nicht richtig
ausführt. Nachts schleicht Saduk in die Garage, in der
ein altes Bett steht mit einem Lammfell über dem
Rost. Später hieß es, Saduk sei abtransportiert worden. Ein anderer Marokkaner hat allen, die es sehen
wollten, Schnitte in der Brust gezeigt. Rote Ränder
klafften kreuzweise in der dunklen Haut.

Hermann läßt das Fernrohr los, obwohl das Zähl-
werk noch nicht abgelaufen ist. Gleich wird er im
Höhenrestaurant hinter einer Panoramascheibe sitzen und wie alle zu Mittag essen, wenn auch ver-
spätet.

2

Im Regen an der Straße stehen und warten. Gegenüber vom Bahnhof zieht eine enge Kurve zum Galgenbühl hoch, auf dem im Mittelalter die Richtstätte lag und die verfaulten Gehenkten und Gepfählten stückweise von den Foltermaschinen brachen. In der Sakristei der evangelischen Kirche hängen Stiche, auf denen die gemarterten Fleischpartien der Toten sorgfältig herausgearbeitet sind. Spruchbänder, die durch die Bilder laufen, verkünden die Moral der Strafen. Das kostbarste Buch der Nikolaikirche ist eine Bibel in Inkunabeldruck.

Mit zusammengekniffenen Augen sich gegen den Regen stemmen, bis ein Auto kommt, das vor der Kurve heruntergeschaltet wird. Fliehen mit Dreckspritzern an der Hose oder besser noch im Anhänger des Viehhändlers, das Kinn auf der Kante der Rückwand wie ein Stück Jungvieh. Das wäre was. Doch Hermann holt nicht den Koffer und die Mappe aus der Garage, er telefoniert mit seiner Kusine, sie solle ihn abholen. An der Hauptstraße wartet er. Auf der gegenüberliegenden Seite steht eine Tankstelle. Es würde genügen, eine brennende Zigarette an den Einfüllstutzen zu halten. Das Gasgemisch aus Luft und Benzindampf entzündet sich, schießt durch die Leitung in den Tank hinunter, ein Feuerball verschlingt die ganze Anlage.

Gudrun hat auf der Straße gewendet. Sie hupt, die Stoßstange des Autos berührt Hermanns Beine.

»Du mußt mir helfen«, sagt er.

»Ich dachte, du arbeitest wieder in der Fabrik.«

»Ich möchte die Photographien sehen. Ich reise ab.«

Gudrun gibt Gas, er steuert. Nach den ersten Kurven, die er zu scharf genommen hat, sind sie aufeinander eingespielt. Beinahe wären wir Geschwister geworden, hat Gudrun einmal gesagt, wenn unsere Väter nicht Brüder gewesen wären. Ella, ihre Mutter, trennte sich bald nach Gudruns Geburt von ihrem Mann. Alle behaupten, sie lebe noch in Amerika. Dort soll auch Großvaters Bruder, Adolf Leipnitzer, sein, der sich nach dem Krieg weigerte, Pakete zu schicken. In beiden Häusern hängen in ovalen Rahmen braune Photographien, auf denen die männlichen Brix' meist mit aufgelegtem Ellenbogen vor Konsolen stehen. Die angeheirateten Weberbecks oder Leipnitzers, Hillers und Flachslands sitzen tiefer und halten eine Schleife ihres Kleides oder versuchen, ein Kind in Positur zu stellen. Es gibt auch eine Daguerrotype, auf der ein männlicher Weberbeck in einem italienischen Kostüm durch die Winterlandschaft geht. Zu der knopfreichen Tracht mit weiten Ärmeln trägt er einen Tirolerhut.

»Es sind fünf Kästen voll Dias geworden«, sagt Gudrun. »Polen ist interessanter als Italien.«

Ihr Zimmer in Onkel Simons Haus ist eine Balkenhalle mit zwei Glastüren, die bis zum Giebel reichen. Auf einer Seite sind farbige Fenster eingebaut. Hermann steckt die Kabel zusammen, damit Gudrun den Apparat auf den Kacheltisch stellen kann. Sie entrollt die Leinwand, auf der eine Glimmerschicht aufgetragen ist, die die Tiefenwirkung verschärft. Der

Leinwandständer hat Kipplage, sein Fuß muß beschwert werden. Hermann greift so heftig ins Regal, daß einige Bücher nach hinten rutschen und fallen. Ein dickes Exemplar bleibt zwischen Holz und Wand auf halbem Weg hängen. Er bückt sich.

»Was ist los?« sagt sie. »Du hast doch Zeit.«

»Und du? Mußt du nicht in die Fabrik?«

»Was ich mache«, sagt sie, »interessiert überhaupt niemanden. Mein Diplom ist nur eine Zugabe, sonst nichts. Obwohl die einzige Tochter Chemie studiert hat, soll sie Kinder werfen wie alle. Weißt du, daß Simon mein Gehalt genau nach Tarif bezahlt und keinen Pfennig mehr?«

»Alle, die in den Osten fahren, kommen philosophisch gestimmt zurück«, sagt Hermann. »Hast du Sehnsucht nach Menschlichkeit und schwerem Essen?«

»Dummkopf.« Sie nimmt seine Hand und zieht sie an ihre Brust. »Sie ist zu groß. Magst du das?«

»Soll ich weitermachen? Ich fühle nichts, der Büstenhalter ist zu dick.«

»Ich fühle auch nichts«, sagt sie und läßt seine Hand los. »Kannst du mir die Stammbäume leihen, die Großvater zusammengestellt hat? Wir haben wunderbare Exemplare in der Familie gehabt.«

Sie bückt sich, weil ein Stecker lose in der Verlängerungsschnur sitzt, so daß die Birne im Projektionsgerät nur mit Unterbrechungen aufleuchtet. Hermann holt eine Schere vom Fensterbrett und kniet sich neben Gudrun. Vorsichtig führt sie die glatte Schneide, die einmal abrutscht, in die gespaltenen Zapfen ein. Er hält den Stecker, stemmt, gibt Gegendruck, bis die

Zinken auseinanderklaffen. Jetzt werden sie strammer in der Dose sitzen und leiten.

Eine der Urgroßmütter, Elisabeth Flachsland, stellte in Heide das holsteinische Liederbuch zusammen. Sie heiratet nicht. Ihre Gedichte haben die schmerzliche Sehnsucht nach Gott und reimen glatt. In ihrem Sekretär bewahrt sie Abschriften einiger Manifeste der französischen Revolution auf. Zwei Brüder von Elisabeth, Hubert und Liebherr, bleiben zu Hause, um die väterliche Schnapsbrennerei zu erweitern. Der Jüngste, Saul, wandert nach Leipzig, arbeitet dort fünf Jahre als Schuster, bis er ein Gesellenbuch erhält. Seine Stationen sind Pilsen, Prag, Rottweil, Straßburg, Basel und Konstanz, wo er die Tochter eines Zunftmeisters heiratet. Neben der Schuhmacherei nimmt er Versuche mit Peitschen, Fahrergerten und Galoppstecken auf, denn in Meersburg kämpft ein Reiterverein gegen Tettnang. Die reichen Hopfenbauern beziehen ihre Pferde aus elsässischen Gestüten. Die Sättel der Pferde sind mit Silbernägeln beschlagen, die Zügel mit Samt verbrämt. Es soll viermal jährlich ein prächtiges Schauspiel gewesen sein, wenn auf der Hochebene bei Gachreut, das zwischen Meersburg und Tettnang liegt mit Sicht auf den Bodensee, die Wettspiele ausgetragen wurden. Fünfmal mußte der lange Kurs umrundet werden, auf dem Hindernisse aus geflochtenen Zweigen und Stücke von Zäunen standen. Pferde fallen um oder treten Reiter schief, Favoriten stoßen sich gegenseitig aus den Sätteln. Saul Flachsland sitzt unter den Zuschauern und studiert die verschiedenen Gangarten. Er bemerkt, daß Prügelei bei Pferden nicht hilft, sondern der Laufrhythmus eher durch ein Gepritschel zwischen Pferdeschulter und Hals unterstützt wird. Der Stecken gibt den Takt an, so daß das Pferd, das im Zügel geradeaus blickt, alle Kräfte zur Vorwärtsbewegung versammelt. Später haben die Meersburger oft gesiegt, denn Saul Flachsland hat den Reitern die neue Methode mit seinen kurzen Gerten beigebracht. Er stellte sie in verschiedenen Ausführungen her und verdiente gut.

Ein anderer Vorfahr, die Daguerrotype im italienischen Kostüm, wandert von seinem Geburtsort Dornbirn in Vorarlberg nach Venedig, er interessiert sich für Mosaikarbeiten. Später werden Hermanns Großvater Rudolf Leipnitzer und dessen Bruder Adolf die Strecke, die ihr Urgroßvater Anton zu Fuß gegangen ist, mit dem Tandem im Urlaub abfahren. Sie nehmen vier Goldstücke mit und kommen mit Geld wieder zurück. Einmal haben sie in einem Kloster übernachtet, in dem es grünen Likör gab, von dem sie zu viel tranken. Anton Weberbeck überredet seinen Meister, dessen Werkstatt auf der Halbinsel Fina del Mare zwischen Glashütten steht, ihm Mosaikbruch zu schenken. Mit einem Sack voll bunter Glasscherben und Porzellanstücke zieht er wieder los. Ein Auslösungsbrief des Meraner Gefängnisses spricht eine Warnung wegen Trödelei aus. In den Familienpapieren liegt auch eine Kurierdepesche von einem konsularischen Beamten in Budapest. Anton Weberbeck schleift seinen Sack herum und klemmt mit kleinen Zangen Glas und Mosaik zu billigen Anhängern zusammen. Als Schmuckbett nimmt er Kupfer und Messing, notfalls auch Bleinähte von abgebrochenen Dachrinnen, die er in einer Pfanne über offenem Feuer erhitzt. Er wohnt in Untermiete und gibt sich als alternder Student, der fröhlich ist. Wenn er nietet und gießt, auf den Tisch ein Blech legt, um Brandflecken zu vermeiden, schließt er die Tür ab. Danach geht er mit der noch warmen Ware in die Kaffeehäuser, in denen er bekannt ist, und läßt beiläufig seine Prachtstücke sehen. Er nennt sie die böhmischen Bollen, die, so behauptet er, selten und alt sind. In Wien war er nicht, aber in Prag und Leipzig. Im Arbeiterviertel von Augsburg macht er einen Laden auf, stellt seinen Schmuck in Serie her, schließt wieder, und die Spur verliert sich. Als alter Mann kehrt er nach Dornbirn zurück, wo er eine Witwe heiratet, die ein Weißzeuggeschäft besitzt. Ob die Tochter, die geboren wird, von ihm stammt, ist nicht sicher. Jedenfalls erfindet er noch eine Reinigungsmaschine für Bettfedern. Sein Schwiegersohn Hiller hat sie später bauen lassen und die Lizenz an einen Fabrikanten verkauft.

Gudrun sitzt im Korbstuhl und hat den Taster in der Hand, mit dem sie das gefüllte Diamagazin durch den Bildwerfer knipst. Mit der anderen Hand schält sie eine Orange, die in ihrem Schoß Widerstand findet, so daß die Fingernägel Streifen abziehen können. Langsam dreht sich die Fruchtkugel, Saft tropft in den Rock.

»Ich bin abends von Berlin weg«, sagt sie, »die ganze Nacht gefahren und war am anderen Morgen in Polen. Zuletzt habe ich die Donkosaken gesungen. Ich verstehe die Kreuzritter, die endlosen Ebenen machen süchtig.«

Sie hielt kein blutiges Kreuz vor sich hin, sondern ein Fabrikwappen steckte auf dem Kühler, das ihr am zweiten Tag gestohlen wurde, glatt abgesägt, der Kühlerverschluß blieb drin.

»Vetter«, sagt sie, »das muß man gesehen haben, in jedem Konsum steht ein Leipnitzer und kratzt grammweise vom Papier, bis es stimmt. Ich habe lange Zeit nur von Fettbroten gelebt.«

An der Leinwand hängt eine farbige Gruppenaufnahme.

»Es sind Bauern aus einem Dorf. Als ich ihnen winkte, sind sie über den Acker zur Straße gerannt. Der Junge mit den dreckigen Knien hat mir gefallen. Ich blieb im Auto sitzen. Sie haben alle durcheinandergeredet, ich glaube, jeder hat Schweinereien gesagt.«

»Du auch?«

»Wenn ich den Jungen jetzt sehe, hätte ich Lust dazu.«

Hermann gibt ihr schnell einen Kuß auf den Hals. Sie vergißt, das nächste Photo einzuschalten.

»Du bist gut in Form«, sagt er. »Hast du jemanden zum Heiraten gefunden?«

»Ein Mädchen mit Staatsexamen muß bis dreißig aushalten, sonst waren alle Anstrengungen umsonst.«

»Es gibt ein französisches Gemälde«, sagt er. »Eine Frau steht auf einer Barrikade und fordert zum Vorwärtsstürmen auf. Die Brüste unter dem Schleierkleid sind hervorragend gearbeitet.«

Als das Schwimmbad hinter Simons Haus im Herbst fertig war, hat Hermann noch getaucht, unter der braunen Blätterschicht hindurch, die oben schaukelte. Eine Stange mit dem Seier zum Schmutzabfischen stand in der Ecke, unter Wasser sah sie wie eine verzerrte Trompete aus.

»Und dann, was war dann?«, sagt er. »Mach doch weiter.«

»Sei nicht so ungeduldig, jetzt kommt Warschau an die Reihe. Beinahe hätte ich dort alle Filme verbraucht.«

Die nächsten Aufnahmen zeigen Häuser im Rasterstil und Straßen, oft durch Gegenlicht historisiert. Leute, die aus Torbögen kommen und die der Moment erstarren ließ, scheinen zu warten. Einmal stehen Kinder, die unnatürlich die Köpfe verdrehen und ins Objektiv blicken, im Vordergrund. Hermann fällt Ghetto ein, Rutsche und Kalk.

»Siehst du mich?« fragt sie. Leute sitzen, die Arme einander um die Schulter gelegt, auf einem Brückengeländer. »Die mit den breiten Hüften, das bin ich.«

Gudrun sitzt außen. Sie hat eine Schultertasche umhängen, mit einer Hand hält sie eine Schildmütze fest, die tief in die Stirn gezogen ist.

»War Wind?« fragt er.

»Das Bild hat ein junger Mann aus einem Reisebüro aufgenommen. Ich dachte zuerst, er sei Lyriker oder etwas Ähnliches. Er hatte an allem etwas auszusetzen. Außerdem sprach er nur französisch, obwohl er deutsch von seinen Eltern gelernt hat. Später hat er mir seinen Ausweis gezeigt, er arbeitete tatsächlich nur für das Reisebüro.«

»Du lieber Himmel«, sagt Hermann, »du erlebst alles, wie du es dir vorstellst. Hast du mit ihm geschlafen?«

»Möchtest du einen Orangenschnitz?« sagt sie.

Hermann wagt nicht, sich zu bewegen. Er sieht zu

den Deckenbalken hoch, die schwach beleuchtet sind und zum Giebel hin schrumpfen. Sein Hemd klebt, er atmet langsamer, um sich zu beweisen, daß er mit wenig Sauerstoff auskommt. Alle Organe arbeiten normal und geben Leistung her. Dann macht er einen Schritt vom Korbsessel weg und sagt, sie solle schneller machen, er wolle endlich etwas sehen.

»Ist dir schlecht?«

Hermann streckt die Arme aus und geht in die Knie. »Ich bin der Turnvater!« schreit er. In der Hocke hüpft er einen Kreis und verschiebt den jugoslawischen Teppich. Es ist schwierig, hüpfend so hoch zu springen, daß die Sohlen wieder flach und sicher auf den Boden treffen. »Meisterhaft«, sagt er keuchend, »du mußt zusehen.« Aufstehend läßt er den rechten Arm kreisen, um die unterbrochene Anstrengung abzuleiten.

»Stimmt es, daß du krank geschrieben bist? Simon hat sich darüber aufgeregt.«

»Simon«, antwortet er, »dünner Bruder meines Vaters. Wenn sie wenigstens zusammen in einem Bett oder im Winter auf dem Kachelofen gelegen hätten. Weißt du, daß ich mir Holzschuhe gekauft habe und durch die Stadt gehen wollte? Es ist noch nicht lange her. Geschnitzte aus einem Stück gab es nicht mehr, ich fand welche in einem Versandkatalog. Nur die Sohlen waren aus Holz, die Kappe war aus Leder, an der Seite angenagelt. Ich habe mir sogar Stroh besorgt. So soll es doch gewesen sein! Aber durch die Stadt bin ich nicht gegangen, ich habe im Garten geübt. Im Schnee ist das nicht einfach. Sie können unmöglich in solchen Schuhen von Polen hierhergekommen sein. Das schafft keiner. Es setzen sich Stollen an, ich bin dauernd hin- und hergekippt. Graffit hat auch nicht geholfen, da waren sie wieder zu rutschig.«

»Kerzenwachs hilft«, sagt Gudrun. »Setz dich endlich hin und schau zu. Sie hatten weder Holzschuhe noch Fußlappen an, sondern normale Schnürschuhe.«

Hermann holt sich einen Drehhocker. Ehe er neben seiner Kusine Platz nimmt, sammelt er die Orangenschalen aus ihrem Schoß. Sie versucht, sein Handgelenk festzuhalten. Er spürt zwei Finger an der Pulsstelle, reißt sich los und greift in die Schale auf dem Tisch, in der auch Äpfel liegen. Er setzt sich und ißt laut.

Christoph Leipnitzer wird mit fünf Jahren getauft. Einige Jahre später, als seine Eltern nacheinander sterben, muß er allein von Zawichost bei Lublin zu einer Schwester seiner Mutter reisen, die in Essen lebt. Die Fahrtkosten spendet die Gemeinde. Der Christel braucht eine Familie, heißt es, sonst kommt er in den Sack. Drei Tage dauert die Eisenbahnfahrt, er schläft kaum, ißt nichts von seinen Vorräten, sondern schreibt eine Papierrolle voll Stationsnamen. Um seinen Hals hängt der Fahrschein, der auf einem Stück Karton klebt. Bei seiner Ankunft in Essen wird er auf dem Bahnsteig beinahe ohnmächtig, kann jedoch seiner Tante sagen, daß er Fladen und Speck nicht angerührt habe, die volle Schachtel sei ein Gruß aus Polen. Er muß hübsch ausgesehen haben, ein dünner bleicher Junge mit weichen Stichelhaaren, durch die der Haarboden glänzte. Seine Tante hat keine Kinder, sein Pflegevater arbeitet in einer Grube. Auf polnische

Flüche antwortet Christel deutsch. Beharrlich bietet er immer wieder zum Lesenlernen die Papierrolle an, auf der die Stationsnamen kaum mehr sichtbar sind. Es sind vierundfünfzig. Die Zahl kann nicht stimmen, müßte dreimal so hoch sein, vielleicht ist Christoph doch manchmal eingeschlafen, obwohl er den Kopierstift senkrecht auf den Fensterrahmen stellte und sein Kinn auf die Spitze legte. Vielleicht hat er auch nicht immer einen Fensterplatz gehabt. Daß seine Tante nichts für den Schulunterricht bezahlen mußte, ist verbürgt, doch Priester wurde er nicht. Einmal stiehlt er aus der Siedlung, in der hinter jedem Häuschen Verschläge stehen, in denen die Bergleute Tiere halten, eine Ziege und wandert mit ihr bis Mainz. Ihre Milch trinkt er nur, wenn er sie nicht verkaufen kann. Oft tauscht er sie bei Kindern gegen Brot ein. Ein junger Mann schleppt einige hundert Kilometer eine Ziege hinter sich her, umgeht Städte, weil er Gras für sein Tier braucht, schläft in Scheunen, klopft an Türen, geht auf Kinder zu, wenn er Hunger hat, aber eingesperrt wird er nie. Es muß Sommer gewesen sein, sonst wäre das Unternehmen nicht geglückt. Auf einem Lastkahn fährt er nach Essen zurück. Später wird er Kommis in einer Seifensiederei. Kurz vor dem Siebzigerkrieg erhält er einen großen Auftrag für die deutsche Artillerie. In seinem Sortiment bietet er inzwischen auch Schmier- und Preßfette an. Im Schwarzwald stirbt er an Schwindsucht. Einer seiner Söhne bereist Holland, das Reich und Österreich, der andere bleibt als kaufmännischer Leiter in der Firma. Die Gebrüder Rudolf und Adolf Leipnitzer sind Söhne des Reisenden. Ihre Mutter arbeitete als Privatlehrerin auf Schloß Zeil im Allgäu. Der Vater zieht nach Nüssen, heiratet die Dame, fährt jahrelang jedes Wintersemester nach Tübingen und studiert Jura. Rechtsanwalt wird er nicht mehr, aber Bürgermeister. Seine Frau, aus Ulm gebürtig, erschießt sich noch am selben Tag, an dem er stirbt. Ein angeschmolzener Mosaikohrring liegt im Porzellanschrank von Frau Brix. Seitdem gibt es keine Weberbecks mehr.

Gudrun hätte auch Ansichtskarten kaufen können, für die Aufnahmen von der Fahrt nach Krakau und weiter nach Breslau interessiert sich Hermann nicht.

»Das ist doch Osten«, sagt sie, »exotisches Land!«

»Es ist eine Katastrophe«, sagt er, »ich habe meine Lohnsteuerkarte vergessen. Ohne sie bekomme ich nirgends Arbeit. Bitte, geh morgen ins Personalbüro und hole sie. Ich brauche sie unbedingt. Ich sage dir dann, wohin du sie schicken sollst.«

Sie hat den Kopf überm Werfer, in dem das Magazin klemmt, zwei Diarahmen sind zusammengeklebt. Er holt einen Zettel aus der Tasche, auf dem Zugverbindungen stehen. Bei den Giebelfenstern, deren Verdunklungsrolle er ein Stück anhebt, sieht er auf seine Armbanduhr. Draußen schwankt ein Busch Goldregen im Wind. Im abgedichteten Zimmer ist es inzwischen sehr warm geworden. Hermann dreht sich um und blickt zur Leinwand.

»Warst du in Troppau?«

Gudrun knipst weiter. In einem Volkspark wird ein Teich angelegt. Ein Schaufelbagger schachtet die Wiese aus, ein Bulldozer schiebt Wälle hoch. Gudrun erklärt das nächste Motiv. Auf der Treppe zu einer Kinderkrippe sitzen Drei- und Vierjährige.

»Siehst du das Mädchen mit den dicken Zöpfen? Alle Kinder haben geschrien und immer wieder auf das Mädchen gezeigt, das gelacht hat. Sie wollte nicht aufhören zu lachen, ich dachte, sie verschluckt sich. Die Leiterin, die man nicht sieht, weil sie neben mir steht, hat mir auf englisch gesagt, die Kinder schreien Russin, Russin! Sie war die einzige im Hort.«

»Das beweist nichts«, sagt Hermann. »Ist das alles von Troppau?«

»Nein, noch eine Schule. Sieht aus wie alle Schulen, eine Mischung aus Bahnhof und Museum.«

»Die Aufnahme kenne ich. Es ist nicht dasselbe Photo, kann es ja nicht sein, aber ich habe das Gebäude schon gesehen, eine Ansichtskarte von demselben Haus klebt in unserem Album. Du hast also doch gesucht.«

»Zufall«, sagt sie. »Vielleicht habe ich die Ansichtskarte bei euch gesehen.«

Sie macht ihm Platz. Hermann setzt sich in den Korbsessel und bestimmt mit dem warmen Taster in der Hand selbst das Tempo der Bilder. Gudrun lehnt sich an den Sessel.

»In Oppeln war ich auch«, sagt sie.

Die Aufnahme bleibt lange auf der Glimmerschicht stehen. Das Ziegelsteingebäude hat Bogenfenster, eine breite Treppe führt zum Hauptportal hinauf. Das war das Lazarett gewesen, in dem Vater gelegen hatte. In den Zimmern ruhen die Verwundeten in Feldbetten, die Schulbänke stapeln sich im Hof. Jeder Raum ist überbelegt. Galgen für Streckverbände und hochhängende Flaschen, aus denen Plasma durch Schläuche in Venen tropft, zeigen das Sanitätsarsenal. Wenn neue Transporte ankommen, werden in den Gängen

Strohsäcke zusammengeschoben. Im Erdkundesaal wird operiert. Ärzte tragen dunkle Gummischürzen, lassen sich Zigaretten in den Mund stecken und stehen tief in Fleischresten und alten Eiterpackungen. Davon hat man oft gelesen. In der Schreibstube bedienen Sanitäter Batterietelephone mit Handkurbel. Die Leitungen führen, von Leukoplaststreifen gebündelt, an den Wänden entlang und durch die obere Fensterklappe zu einem Mast hinaus. Aber Vater soll ein Einzelzimmer gehabt und später mit dem Hauptmann zusammengelegen haben, der zur Beerdigung kam. Der leere Uniformärmel des Offiziers steckte im Lederkoppel, ein Stück stand darunter ein wenig ab. Hermann hätte gern hingefaßt, als er mit hocherhobener Hand grüßte.

Nicht verwundet, verletzt soll er gewesen sein, denn er war nie an der Front. An Sonntagen sind sie oft morgens durchs Haus gelaufen, beide barfuß und nur in Nachthemden. Es war immer dieselbe Runde: übers Ehebett, in dem Mutter lag, durch das Schlafzimmer, das Badezimmer, die Küche und in den Keller hinunter, doch nur bis zum Ende der Treppe, weil in einer Mulde des Zementbodens meist eine Pfütze stand. Um das Haus herum liefen sie durch die Veranda wieder zurück. Das große Vaterhemd weht voraus, Hermann packt einen Zipfel und läßt sich schleppen. Er erinnert sich auch, wie er lutschend zwischen den Eltern liegt und Vater über ihn hinwegsteigt. Es ist nur ein Schritt gewesen, Mutter hat gelacht, anders als sonst, schneller und höher, rücksichtslos. Der Schritt in die andere Betthälfte hinüber scheint stehenzubleiben. Die großen Schenkel sind behaart, hoch oben im Hemdenzelt hängt eine Blase mit einem roten Stumpf. Dann sind die Eltern aus dem Schlafzimmer gegangen, im warmen Kissengebirge schwimmt Hermann seinem Daumen nach. Du darfst nicht so viel lutschen, sagte sie, sonst bekommst du Raffzähne. Plötzlich ist sie wieder da, steht nackt in der Tür zum Badezimmer, schreit, streckt eine Hand nach unten, mit der anderen bedeckt sie die Brust. Er hat genau gesehen, daß ein dunkler Zipfel zwischen zwei Fingern eingeklemmt wurde. Nähergekommen ist sie nicht, sondern wieder hinausgelaufen. Die Badezimmertür hat Vater geschlossen.

Es sei ein Gehirnschlag gewesen, erzählte der Hauptmann. Oberst Brix war im Lazarett beliebt. Er beantragt Genesungsurlaub, den er auch erhält, zwei Monate oder mehr, die Zahl kann er nach Belieben einsetzen. Niemand hat sich später darüber gewundert. Eines Nachmittags läßt er sich einen Spirituskocher bringen, Eier, Mehl, Salz, Wasser, eine Schüssel und Küchengeräte. Aufrecht im Bett sitzend backt er Pfannkuchen, Kocher und Schüssel vor sich auf ein Tablett gestellt. Schwestern umstehen ihn und erhalten Kostproben vom knusprigen Teigrand. Oberst Brix ißt mit Appetit, gibt auch dem Hauptmann ab, der neben ihm liegt und mit einer langen Küchengabel über sich hinweg weit drüben im anderen Bett die Fladen aufspießen muß, weil sein rechter Arm fehlt. Es soll ein lustiger Lazarettnachmittag gewesen sein. Dann fällt der Oberst nach hinten. Gegessen hat er gerade nicht, so daß ihm noch ein Stück Omelett aus dem Mund gestanden hätte. Sein Kopf sinkt in

der Mitte des Kissens ein, während die Kissenzipfel
wie Ohrenschützer links und rechts hochwachsen.

»Du hast es gewußt«, sagt Hermann, »du hast das Lazarett gesucht.«

»Dein Vater interessiert mich nicht. Es war eine Ver-
gnügungsreise. Erst in Troppau habe ich mich an die
Affaire erinnert. Weißt du übrigens, daß mein Vater
vor dem Krieg in Konstantinopel war und darüber
Tagebuch geführt hat? Dorthin möchte ich auch einmal fahren.«

»Mein Vater ist wichtiger. Er muß dort gewesen sein,
die Ansichtskarte im Album sieht genauso aus. Er
hätte Urlaub bekommen können, so viel er wollte,
niemandem ist es aufgefallen, meiner Mutter und Simon nicht. Was hat er gemacht, daß er sich selbst Urlaub diktieren konnte? Und woher das Loch im Kopf,
woher? Niemand hat sich gewundert.«

Er knipst schnell zweimal hintereinander, so daß das
Bild zur Hälfte wegrutscht, dem nächsten Platz
macht, dann zurückschnellt und zitternd stehenbleibt.
Die Fugen des Ziegelsteingebäudes verschwimmen,
das ganze Haus wird unsicher, buckelt, fließt zu den
Rändern und verflacht wieder. Für einen Augenblick
hätte es auch ein Kopf sein können mit einer ver-
harschten Wunde, deren Nähte weit in die Stirn hin-
einführen. Jetzt fühlt sich Hermann wohl, würde gern
zehn Klimmzüge an einer Teppichstange machen.

»Das nächste Photo habe ich in Oppeln aufgenommen«, sagt Gudrun.

Ein hohes und zwei langgestreckte Gebäude um-
schließen einen Hof, in dem ein Ackerschlepper steht.
Auf einer kleinen Plattform, die ein Stück über die

Hinterräder hinausragt, scheint eine Egge aufgebockt zu sein. Ein Mann steht daneben und hält irgend etwas hoch, nach dem ein Hund springt, dessen Rumpf sich vor Anstrengung verdreht.

»Der Mann wartet auf den Tankwagen«, sagt Gudrun. »Am rechten Bildrand siehst du eine Tankstelle. Diesel, hat der Hundebesitzer erklärt, fünfhundert Liter Diesel, prima.«

»Er war in Troppau, das stimmt. Aber von diesen Gebäuden haben wir keine Ansichtskarte im Album. Warum hast du den Hof mit den Stallungen photographiert?«

»Der Pferdepark. Er ist doch der letzte Kommandant aller deutschen Pferde gewesen? Oder nicht?«

»Er konnte stehend im Sattel reiten«, sagt Hermann. »In diesen Gebäuden, in denen jetzt eine Genossenschaft untergebracht ist, war die Verwaltung. Doch für tausend Pferde oder mehr können die Ställe unmöglich ausgereicht haben. Die Koppeln habe ich nicht photographiert, sie liegen vor der Stadt. Der Mann neben dem Schlepper hat es mir gesagt.«

»Das ist noch kein Beweis.«

»Glaubst du, ich bin zum Vergnügen hingefahren? Ich hätte mir lieber das Rathaus angesehen, es stammt aus der Zeit Maria Theresias. Immer das Fenster rauf und runter, und frage du auf englisch, französisch und schließlich doch auf deutsch nach einem ehemaligen Pferdepark. Einer wollte mir ein Denkmal zeigen, eine ältere Frau hätte mich beinahe angespuckt. Es sind nicht meine Erinnerungen, und deine auch nicht.«

Hermann läßt das Gutsgebäude auf der Leinwand

stehen. »Es ist nicht wahr«, sagt er, »er war nicht Kommandant eines Pferdeparks! Zwei Jahre vor Kriegsende wurden Geschütze oder Proviantwagen nicht mehr von Pferden gezogen. Lächerlich! Sie hatten Zugmaschinen. Man kann es nachlesen.«

»Und die Kopfverletzung? Er ist vom Pferd gefallen.«

»Er ritt ausgezeichnet.«

»Also, geritten ist er!«

»Nur zum Vergnügen.«

»Ich war doch dort«, sagt Gudrun, »schau hin, Herrenhaus, Ställe, eine großzügige Anlage, ein Gutshof, der später vom Heer verwaltet wurde. Die Männer waren weg, eine Frau hätte so etwas nie allein führen können, auch wenn sie Kriegsgefangene zum Arbeiten gehabt hätte. Vielleicht hat sie ans Heer verpachtet und ist nach Berlin gezogen«.

»Die Frauen haben die Güter allein bewirtschaftet«, sagt Hermann. »Ob mit Kriegsgefangenen oder Fremdarbeitern, ist mir egal. Der Pferdepark war eine Deckadresse. Er hatte irgendeinen Sonderauftrag, deshalb bekam er Urlaub, so viel er wollte.«

»Dein Vater ist nur noch ein Gerippe auf dem Friedhof«, sagt Gudrun, »er geht dich nichts mehr an.«

Zwischen Ruderbootfahrten von Mutter und Sohn, die der Großvater aufgenommen hat, und Ferienphotos aus Bad Reichenhall, auf denen Hermann einen zu großen Gamsbarthut trägt, als er jeden Vormittag mit den Großeltern in der Atemhalle mehrere Male um die haushoch aufgeschichteten Reisigbündel ging, über die Sole tropfte und verdunstete, gibt es eine Reiterserie im Familienalbum. Unter den Bildern stehen die Daten auf den dunklen Kartonblättern mit

weißer Tinte geschrieben. Die Stahlfeder aus Großmutters Schreibbesteck wurde nach jeder Eintragung
an einem Hasenpfötchen gesäubert. Löschblätter hätten feuchte Papierreste an der Federspitze zurück-
gelassen.

Auf den Photos heben sich die geflochtenen Raupen
deutlich von den Achseln ab. Der Oberst sitzt auf
Pferden, die Zügel hat er straff angezogen.

Aufgesessen sah ihn Hermann zum erstenmal in Ulm.
Sie warteten im alten Ford, dessen Verdeck aufgeklappt war. Das Korps rückte aus. Er ritt gleich hinter dem Kommandeur und noch vor dem Musikzug
auf einem bockbeinigen Hengst. Die ersten Reihen
schwenkten aus dem Kasernentor in Richtung Stadt,
die Soldaten sollen am Bahnhof in Güterwagen ver-
laden werden. Reitwege gibt es nicht, das Pflaster ist
vom Regen noch naß. Der Hengst geht hoch, macht
einen Satz, alle vier Beine sind in der Luft, dann spritzen Funken, wie die Hufeisen auf die Steine schlagen.
Der Kommandeur hat Mühe, sein Tier zu zügeln.
Vielleicht hat er Kommandos geschrien, gelacht hat
niemand, die Musiker sind nicht aus dem Takt gekommen. Mutter schaltet den Motor ein, um notfalls
hinter ihrem Mann herzufahren. Der hält sich immer
noch auf seinem Hengst, läßt den Bock über den
Straßengraben springen und in ein Bohnenfeld hinein, daß die Spalierstangen nach allen Seiten weg-
schießen. Aus der Entfernung sieht es aus, als seien
Indianer mit Speeren hinter ihm her. Der Gaul steht
schließlich still, wendet folgsam und kommt locker
im Trab zurück. Aus seinem Maul wehen Flocken. In
Hermanns Erinnerung scheint der Reiter während

der Kapriolen auf dem Sattel gestanden zu haben, eine Hand zur Balance ausgestreckt. Die langen Zügel, die er kreisen ließ, könnten auch ein Lasso gewesen sein. Der Kommandeur weist den Veterinär hinter den Musikzug zurück. Deshalb haben sie ihn vom Auto aus noch einmal vorbeireiten sehen, obwohl die Spitze des Zuges längst die Straße hinunter marschiert war.

In der Photoserie, die im Osten aufgenommen wurde, trägt der Oberst eine helle Windjacke, auf seinem Rücken hängt ein Fuchsschwanz. Die weiche Militärmütze sitzt schief mit Kniff, das Lackschild verdeckt die Augen. Manchmal sind auf den Photos neben dem Oberst oder im Hintergrund Damen zu sehen, die Pferdehälse tätscheln oder mit Steigbügeln zu tun haben. Ein Bild ist verwackelt, ein Schimmel, auf dem ein Mädchen sitzt, geht gerade durch.

Frauen hetzen einen Oberst, galoppieren in Rudeln hinter ihm her. Die Dreckstollen der Hufe wirbeln einen Vorhang hoch, hinter dem die Meute in eine Senke taucht. Hermann stellt sich vor, wie die Meute den Oberst einholt und umringt. Dem Mädchen, das den Schimmel reitet, gelingt es, den Fuchsschwanz abzureißen. Auf ihren Handgelenken sitzt noch Kinderspeck. Eine Dame, die eine Wollkappe aufhat, erscheint öfters auf den Photographien. Sie trägt keine Handschuhe beim Reiten. Ob ihr dicker Trauring mit einem anderen zusammengeschweißt war, ist nicht erkennbar. Sie und andere haben mitgemacht, waren tapfer und fleißig, haben verwaltet und bewirtschaftet. Sie erfüllten das Abgabesoll oder lieferten noch Hunderte von Zentnern Kartoffeln mehr zur Sammelstelle. Wenn die Arbeitskräfte nicht ausreichten, verhandelten sie mit Lagerkommandanten. Sie hatten ihr Bestes angezogen und chauffierten selbst am Verwaltungsgebäude vor. Natürlich stand keine mit der Reitpeitsche in der Hand auf dem Acker, hat an ihre Stiefelschäfte geklopft und angetrieben. Arbeit macht frei. Es gibt von ehemaligen Kriegsgefangenen, die sich dankbar an die Zeit ihres Ernteeinsatzes erinnern, veröffentlichte Briefe.

»Ich habe keine Lust mehr«, sagt Gudrun. »Deine Sucht, in allem herumzuschnüffeln, ist krankhaft.« Sie läßt die Verdunklungsrollen hochschnellen und schaltet das Diagerät aus.

»Laß den Stecker drin!«

So schnell wie möglich knipst er den Rest des Photorahmens durch den Apparat. Straßen, Häuser und Landschaften schieben vorbei, bis auf der Leinwand ein leeres Lichteck zurückbleibt.

»Es gab Lager«, sagt er, »die jeder in Polen kennt. Hast du denn kein einziges besucht? Ich kenne jede Einzelheit, habe Taschenbücher darüber gelesen. Du hättest nur den Omnibussen nachzufahren brauchen, dann hättest du mehr gefunden als dieses ehemalige Lazarett und den Gutshof. In den Andenkenläden hängen Ansichtskarten, Zeichnungen von Dilettanten. Man sieht, wie einer prügelt, ein anderer drückt einen Kopf in einen Eimer Wasser, fünf hauen im Gleichschritt ihre Stiefel in irgendetwas hinein. Es sind meist Bleistiftskizzen, da wird jeder Strich kostbar. Du hättest einem der maßlos dick und krumm ausgefallenen Aufseher nur eine Brille malen müssen, dann hättest du meinen Vater gehabt!«

Die Kusine wickelt über Ellenbogen und Hand die Verlängerungsschnur auf. Am Projektionsgerät ankommend, zieht sie den Stecker heraus. Hermann reißt den heißen Apparat vom Kacheltisch und schmeißt ihn ins Zimmer, daß er scheppernd über den Parkettboden rutscht. Die Verlängerungsschnur spult von Gudruns Arm wieder ab.

»Ich glaube dir deine Einbildung«, sagt sie ruhig, »doch die Aufregung macht nur dir Spaß. Ich werde die Dias abziehen lassen und an eine Campingzeitung schicken.«

Hermann zieht sich aus. Nackt steht er im Zimmer, ein verwirrter junger Mann, der schnell atmet. Er geht auf seine Kusine zu, die neben dem verbeulten Bildwerfer steht und zum zweiten Mal die Verlängerungsschnur aufwickelt. Es ist ein angenehmes Gefühl, wenn die bloßen Sohlen auf den blank gebohnerten Dielenbrettern haften bleiben, bis der nächste Schritt sie wieder löst. Der Schweißfilm zwischen Haut und Holz kühlt.

Im Licht der Giebelfenster verschwimmen Hermanns Körperformen, dazwischen sitzen die zusammengewachsenen Augenbrauen und die Schamhaare wie auf einer Witzzeichnung. Gudrun könnte sich überlegen, ob ihm nicht zu helfen wäre, vielleicht auf der Liege an der Wand unter den bunten Fenstern. Sie könnte ihn mit Kissen zudecken, damit er warm bleibt, und ihn schnell mit der Hand erleichtern. Aber Hermann läuft an ihr vorbei, Hoden und Schwanz schlackern, sehen überflüssig aus. Draußen auf dem Plattenweg steigert er sein Tempo und nimmt an der Kurve zum

Schwimmbecken mit der Schulter noch ein Büschel Goldregen mit.

Von einem Baumstumpf macht er einen Startsprung. Nach einigen Stößen unter Wasser taucht er auf und schwimmt Schmetterlingsstil. Bei jedem Schwung steht sein Oberkörper beinahe senkrecht, die Arme kreisen und fassen nach vorn. Er schnappt Luft und taucht wieder. Sein Kopf bohrt vorwärts, die Arme ziehen rückwärts durch. So lange er im Takt bleibt und arbeiten kann, fühlt er sich wohl. Nach der Wende am Beckenrand wird er auf der Gegenbahn schneller, tobt hin und her, bis er erschöpft ist. Wie er sich auf den Rücken legt und nur noch paddelt, merkt er, daß er keine Badehose anhat. Jetzt ist das Wasser plötzlich kalt. Er stemmt sich an der Mauer hoch und blickt in ein Beet. Herausschlagende Wellen haben die Wurzelansätze der Blumen zum Teil freigeschwemmt.

Simons Haus hat in den dreißiger Jahren ein Bildhauer bauen lassen, der durch Terrakottafiguren bekannt wurde. Seine säenden Männer, die aus einem Schürzensack im Vorwärtsschritt Körner verteilen, Erntefrauen und Doppelgespanne, die stürmisch Pflüge ziehen, stehen noch in Nüssener Haushaltungen. An der Atelierfront des Hauses liegt der Garten mit dem Schwimmbecken, dahinter senkt sich das Terrain und steigt wieder zu der Stadtmauer an. Früher fuhren in der Mulde Kinder im Winter Schlitten und bauten kleine Schneeschanzen mit kurzem Anlauf, auf denen sie die ersten Sprünge übten. Die Mulde soll bepflanzt und an die Spazieranlage angeschlossen werden, die einmal die ganze Innenstadt umrunden wird. Eine sechshundertjährige Eiche, die neben dem Sockel des Pulverturms steht, wurde auszementiert und durch Eisenklammern wetterfest gemacht. Der Umgehungsplan sieht auch einen Cafépavillon vor.

Im Gasthof »Schwan«, der Familienburg, haben bis vor ein paar Jahren Flüchtlinge gewohnt. Das Gastzimmer, der sogenannte Spiegelsaal, die leere Mälzerei und der Trockenboden waren in Boxen aufgeteilt. Aus jedem Fenster ragte ein Ofenrohr, durch festgenietete Blechscheiben mit dem Rahmen verbunden. Damals hieß der Gasthof die Wanzenburg. Ein Holzschnitzer, der zwei Zimmer im Parterre bewohnte, veröffentlichte einmal eine Federzeichnung in der Zeitung. Das alte Gebäude war mit Schießscharten ausgestattet, aus denen bewimpelte Ofenrohre standen. Schläge hat der Schnitzer von den Bewohnern der Wanzenburg nicht erhalten, aber ein Tisch voll Madonnen und kleiner Jesusse kippte um. Die Wanzenburgler sägten die Dielenbretter an, so daß der Ausstellungstisch durch den Fußboden brach und die ganze Ladung Handwerkskunst in den Stadtbach fiel, der unter dem Eckzimmer hindurchfließt. In der Altstadt sollen Kinder mit angeschwemmten Jesussen gespielt haben. Madonnen, die wegen ihres Gewichts in der Tiefe segelten und oft am schartigen Bachgrund hängenblieben, standen nicht so hoch im Kurs wie die schlanken Herrchen, die in alte Konservenbüchsen gepackt und Steige hinuntergerollt wurden. Der Holzchristus, den es zuletzt aus der Dose schleuderte, hatte gewonnen.

Im Familienalbum klebt zwischen den Aufnahmen der Weberbecks, Flachslands und Leipnitzers eine Ansichtskarte, die den Gasthof mit Kastaniengarten zeigt. Frauen sitzen in langen Röcken an Tischen, eine Dame trägt einen großen Blumenhut, kann gerade noch über einen hochrädrigen Kinderwagen hinwegsehen. Hermann behauptet, daß eine Frau im Hintergrund, die eine weiße Latzschürze umhat und ihre Hände in die Hüften stemmt, Großmutter Brix sei. An Sonntagen hat sie selbst bedient und ist jeden Vormittag zur Molkerei hinausgegangen, die zum Gasthof gehörte, um die Abrechnungen zu kontrollieren. Bis spätestens sieben Uhr früh mußten die Bauern die Milch abliefern. Sie wurde sofort erhitzt und in Käserahmen geschüttet oder in der Zentrifuge in Rahm und Molke geteilt. Großmutter Brix hat auch als Erste während eines Kinderfestes im Kastaniengarten Milch in gewachsten Pappbechern verkauft. Die Becher wurden nicht weggeworfen, sondern jedes Jahr wieder verwendet. Angebissene oder geknickte Ränder, an denen Wachs abblätterte, schnitt sie mit einer Schere glatt. Deshalb gab es verschiedene Maße bis hinunter zur sogenannten Pfütze, einem Mund voll für einen Pfennig in einem Becherboden mit fingerbreitem Rand. Großmutter Brix hat den Tod ihres Sohnes, Hermanns Vater, nicht mehr erlebt. Sie starb an einer Spritzenallergie. Eine Spritze dürft ihr mir nie mehr geben lassen, hat sie behauptet, sowas bringt mich um.

Hermann hat seinen Onkel, der früh aus dem Büro nach Hause kam, überredet, in die Wanzenburg zu fahren. Sei kein Feigling, hat er gesagt, unsere Vorfahren waren arme Stinker, desto stolzer darfst du auf deine Fabrik sein.

Die beiden Autos parken unter den alten Kastanienbäumen neben einem Wohnwagen und einem Geräteanhänger. Ein Karussellbesitzer bewirtschaftet jetzt den Gasthof. Mit geteerten Überdächern und Bretterverschlägen um die Räder hat er seine Wagen wetterfest gemacht. Neben der Klapptreppe zum Wohnwagen hängt eine Hundekette, davor liegt ein umgekippter Futternapf halb unter dürren Tannenzweigen verborgen, die zum Schuhabstreifen dienten, als sie noch grün waren. Den Hund gibt es auch nicht mehr.

Einmal in der Woche gehe ihr Vater zur Moosgräfin, sagt Gudrun. Sie sei eine gebildete Dame, ihre Tochter assistiere ihr beim Entwerfen von Rauschgoldengeln, Exportware mit Wachsköpfchen und Barockborten aus erstklassigem Material. Die Rümpfe, die aus Goldkarton gefaltet werden, vergebe sie als Heimarbeit in die Siebenbürgensiedlung. Die Kusine flüstert schnell, ist schon ausgestiegen, bückt sich noch unter das Verdeck. »Ich tippe auf die Mutter, ein calvinistisches Bildungsgesicht mit dünnen Nasenflügeln. Unter fünfzehn Grad Wärme trägt sie einen Tigermantel. Bei der Tochter traut sich Simon nicht, sie ist so alt wie ich.«

»Ist dein Vetter zu faul?« Simon lehnt am Kofferraum seiner Limousine.

»Väterchen!« schreit Gudrun. Sie umarmt ihn, recht mit einer Hand durch seine grauen Locken. »Jetzt sind wir alle wieder zu Hause.«

Nachdem die Wirtschaft und die kleine Brauerei im Eckflügel verkauft worden waren, hat kein Brix mehr die Gebäude betreten. Eine Art Hühnerleiter führt in einem engen Gang zum Gastzimmer im ersten Stock hinauf. Gudrun schiebt ihren Vater, dessen Jacke sie hochgeschlagen hat, ihre Hände stemmt sie gegen seinen Hintern.

»Ich kündige«, sagt Hermann.

»Morgen machen wir einen Rundflug über Nüssen«, sagt Simon.

»Warst du schon einmal in der Wanzenburg?«

»Ich kündige!« ruft Hermann, »Chef, ich kündige!« Aber Simon scheint nichts mehr zu hören, denn Gudrun stößt die Tür zum Gastzimmer auf. Simon rückt seine Jacke zurecht und atmet durch. Von unten sieht es aus, als schüttle sich ein Erpel und gebe mit einem Schnabelhieb die Richtung an, in die er gleich abheben wird.

Es muß ein schöner Augenblick gewesen sein, als sie eintraten. Der Wirt mit Goldstiften im Mund wird genickt und einladend gewinkt haben. Hermann hört, daß die Gespräche im Gastzimmer verstummen. Alle werden zu lächeln versuchen, als sei es üblich, daß man sich nach Schichtwechsel mit Chef und Tochter im »Schwan« trifft.

Bevor sich oben die Tür wieder öffnet, läuft Hermann die Stufen hinauf. Ein Dielenbrett federt nach, der ansteigende Gang macht einen Knick. An der Decke brennt eine Birne. Hermann sieht eine Klinke, will danach greifen, bemerkt aber, daß die Türfüllung aus Milchglas halb hochgeschoben ist. Das ist die Gassenschenke, hinter der die Küche liegen wird. Er rennt weiter und stößt eine messingverzierte Flügeltür auf. Keuchend bleibt er im Pissoir stehen. Mit dem Zeigefinger tupft er an der Mauer, deren Karbolanstrich schwitzt.

Vielleicht hat Vater die Idee gehabt, in Kinnhöhe eine Röhre zu montieren. Wenn man an der Seite das Messingsteuer aufdreht, spritzt Wasser aus Löchern. Sie haben zackige Ränder, an einigen Stellen schießen die Wasserstrahlen auch nach oben. Pisser müssen wie Boxer mit dem Kopf täuschen, während sie breitbeinig stehen, um nicht getroffen zu werden. Wahrscheinlich hat Vater die Röhre mit einem Pfriem so heftig aufgeschlagen, so daß er manchmal durchbrach. Hermann geht schnell in einen Abortverschlag und riegelt die Tür zu; im Gang draußen kommen Männer näher. Ehe er sich setzt, deckt er den fleckigen Holzring mit Zeitungsfetzen ab, die an einem Draht hängen. Das Papier klebt an seinen Schenkeln fest. Da die Kabinenwände nicht bis zum Boden reichen, schiebt er die Füße, die in der Hosenwurst stecken, so weit wie möglich zur Mauer.

Hermann stellt sich die beiden Männer vor, wie sie schwankende Wasserbögen zur Karbolwand legen, und horcht.

»Die Tochter auch.«

»Bei der kommst du nicht an die Reihe.«

»Sie waren noch nie hier.«

»Er ist schlau.«

»Mich nicht, sag ich dir.«

»Ich bin auch drin.«

»Er ist unser Tarifpartner.«

»Weiß ich.«

»Allein kann er nichts machen.«

»Wenn er ausgibt, sauf ich mit.«

»Ich nicht.«

»So blöd bin ich nicht.«

»Sag ich ja.«

»Schorsch?«

»Ja?«

»Ein Schwanz.«

»Wo?«

»Oben an der Mauer.«

»Sakrament! So einer wäre was wert.«

»Hast du einen Bleistift? Da fehlt was!«

»Nein, Sauerei.«

»Jetzt bin ich naß.«

»Deiner.«

Einer hat aufgehört, nur noch Gepritschel ist zu hören.

»Das sieht man doch, daß sie will und keinen hat. So eine soll mir nochmal die Hand auf die Schulter legen, dann kriegt sie die nicht mehr weg, sag ich dir. Ich hab schon manche gepudert, darauf soll's nicht ankommen, ist doch so. Ob sie sitzt oder in der Lackiererei rumsteht, sie hat Ameisen in den Hosen, das riech ich. Bei meiner weiß ich's sofort, wenn sie zur Tür reinkommt. Aber er kann mich nicht bescheißen, wer in der Gewerkschaft ist, hat seine Rechte, ich laß mich nicht drücken, so schlecht ist der Holztarif nicht. Solidarisch, sag ich dir, das ist wichtig, sonst nichts.«

»Sag ich doch auch.«

Beide grunzen, spucken in die Rinne, haben alle Möglichkeiten ausgenützt. Hermann würde es verstehen, wenn sie beim Hinausgehen sich die Arme um die Schultern legen würden. Er wäre gern dabei. Draußen lachen sie im Gang.

Damals wäre es schwierig gewesen, die Räume des Gasthauses zu photographieren. In dem Augenblick, in dem der Verschluß vom Plattenapparat gezogen wird, muß ein Assistent, der auf einer Bockleiter sitzt, die Magnesiumpackung angezündet haben. Das Feuer frißt das Pulver weg, Licht rutscht durch den Raum, es qualmt und stinkt, Belichtungszeit und Magnesiumblitz treffen selten zusammen. Aber Adolf Leipnitzer, Bruder von Hermanns Großvater mütterlicherseits, der später Adolfo heißt, hat vom Spiegelsaal eine Rötelzeichnung gemacht. Adolf war Bankangestellter, wollte eine Silberfuchsfarm gründen und hat einen Winter lang in der Schweiz unter lauter Engländern als Rennrodler geübt. Skeletons erreichen Geschwindigkeiten bis zu hundertzwanzig Kilometer pro Stunde. Ein Mann liegt auf einem kleinen Metallschlitten und steuert durch Gewichtsverlagerung, Ellenbogen und Knie sind durch Blechpfannen geschützt. Bäuchlings stürzt der Fahrer mit dem Kopf voraus die Bobbahn hinunter, der Sturzhelm teilt den Luftwiderstand. Wenn in den Kurvenwänden die Bremssporen der Stiefel einseitig über das Eis kratzen, kreiselt der Schlitten und katapultiert sich aus der Bahn. Adolf trug einen Lammfellanzug, die Schlitten waren noch aus Holz. Auf einer Postkarte schreibt er, daß dreißig Engländer und er nachts mit Fackeln in St. Moritz über den Steilhang hinter dem Hotel Ambassador gezogen seien. Niemand habe ein Wort gesprochen.

Hermann geht hinaus und horcht. Sie werden vorn in der Gaststube sitzen und sich wohl fühlen. Eine Katze läuft den Gang herauf und scheuert an einer Pendeltür. Hermann drückt die Tür auf.

In einem Saal arbeiten Mädchen an elektrischen Nähmaschinen, Punktlampen beleuchten Nähte. Durch die fertigen Perlonblusen, die eng zusammengeschoben an fahrbaren Ständern hängen, sind Bügelrippen sichtbar. Die Mädchen blicken auf. Eines lacht und wird von einem Blusenärmel getroffen. Sie schiebt ihn sofort in die Nähmaschine. Spiegel hängen nicht in dem Saal.

»Guten Tag, Herr Brix«, sagt eine ältere Frau. »Mein Mann ist mit dem Lieferwagen zur Post gefahren. Die Pakete müssen weg.«

Sie reißt einen Bogen Papier aus der Schreibmaschine. Hermann erklärt, er habe sich verirrt, sei noch nie hier gewesen.

»Ich weiß, Ihr Onkel und Ihre Kusine sitzen im Gastzimmer. Wir machen auch bald Schluß.«

Eines der Mädchen zieht einen Vorhang zur Seite, hinter dem eine Kühltruhe steht. Kaum hat sie den Deckel aufgeklappt und eine Colaflasche herausgeholt, stehen alle Mädchen auf. Das erste Mädchen, dessen Rock beim Bücken spannt, reicht schnell Flaschen über seinen Kopf zu den Kolleginnen hinauf.

»Würden Sie bitte Platz machen?« hört Hermann sagen.

Hintereinander treten die Mädchen an den Schreibtisch, strecken ihre Flaschen vor und lassen sie öffnen. Die Frau hantiert mit einem kleinen amerikanischen Schlüssel. Sie wirft die Flaschenkäppchen in Kartons, die in einem Regal stehen. Vorn an den Schachteln stehen Namen geschrieben wie Senka, Frau Bolz, Phreni, Lore, Binder.

»Das letzte Mal habe ich Sie als kleinen Jungen gesehen«, sagt die Frau zu Hermann.

Die Mädchen trinken, zwei prosten ihre Flaschen zusammen. Wie sie wieder nähen, stehen die Flaschen zitternd auf dem vibrierenden Holzboden neben den elektrischen Maschinen.

»Wir sind erst seit einem halben Jahr zurück«, sagt die Frau. »Ich bin eine Schulkameradin Ihrer Mutter. Erzählen Sie es ihr, es wird sie interessieren. Wir machen Lohnaufträge für ein Versandgeschäft. Sagen Sie ihr, sie soll sich an das Tennisfest erinnern und daß ich Argentinien nie bereut hätte. Können Sie das behalten?«

Hermann gibt ihr die Hand und macht einen Diener. Während er hinausgeht, hört er die Frau sagen, sein Vater sei ja schon lange tot, wie sie erfahren habe.

Das Schiebefenster der Gassenschenke steht offen. Vom Gang aus sieht Hermann den kleinen Wirt, der eine Ziehharmonika umhängen hat, in der Küche schwarze Wurst aufschneiden. Ein Rädchen steckt sich der Wirt in den Mund.

»Schmeckt's?« ruft Hermann.

»Herein, Herr Brix, herein, wir haben Sie gesucht.« Der Karussellmann zeigt die Goldstifte im Mund, beim Lachen schneiden Falten durch sein Gesicht. Hermann stellt sich einen mageren Bock vor, der auf einem Felsvorsprung steht und gegen den Wind blickt.

»Wissen Sie, ich hab's vorher schon den Herrschaften erzählt, Ihr Vater, ich habe ihn gekannt, er ist bei uns gefahren, ich war noch ein Bub. Herrn Simon Brix habe ich nie auf einem Kinderfest gesehen. Mein

Alter hat damals das Karussell noch mit der Hand gedreht, den Elektromotor habe erst ich angeschafft.
Das war hier im Kastaniengarten. Und jetzt bin ich
Wirt. Der alte Herr Brix, die alte Frau Brix, manchmal
hat sie uns warmes Bier in den Wohnungen gebracht.«

Um seine Ziehharmonika greifend, gießt der Wirt
vorsichtig Essig und Öl über die Wurstscheiben und
legt Zwiebelringe dazu. Die fertige Platte hochneh-
mend, stößt er an die Bässe, so daß es den Balg ein
wenig zusammendrückt; aus der Ziehharmonika
schwimmen ein paar Töne. Dann schiebt er, die Platte
vor der Ziehharmonika jonglierend, zur Tür hinaus.

Hermann betritt die Küche. Auf dem Kombinations-
herd sind keine Flecken zu sehen, das Messer, mit dem
der Wirt Wurst schnitt, liegt parallel zum Anrichte-
brett. Der Spültisch ist leer und trocken. Hermann
gräbt mit zwei Fingern durch eine Plastikschüssel,
in der Kartoffelsalat liegt. Die kalte Schmiere
schmeckt gut.

Als er die Tür aufriß, spielte der Wirt Ziehharmonika
vor dem Tisch, an dem Onkel Simon und Gudrun
saßen. Die Gäste sangen mit. Ein paar hoben die Bier-
gläser, ließen den Chef, der rote Backen hatte und
auch trank, hochleben. Wer die Pisser gewesen waren,
konnte Hermann nicht unterscheiden.

Gudrun stopfte den schwarzen Wurstsalat in sich hinein. Als der Wirt sich Hermann zuwandte, auffordernd die Harmonika schwenkte und Durgriffe rauschen ließ, so daß die Gäste zu johlen begannen, Hermann zuwinkten, er solle sich setzen, da ist er losge-

rannt, zurück in den Gang, die enge Treppe hinunter, dann an den Kastanienbäumen vorbei, und jetzt läuft er noch, in weitem Bogen durch die Vorstadtsiedlung, wird schneller, die Schrittbetonung teilt die Kraft ein, und Druck steigt auf, als würden sich die Lungen aus den Ohren stülpen. In der gekiesten Hauseinfahrt springt er auf die Betonplatte der Senkgrube, dann hinüber zum Zaun, wo Gras wächst. In Großmutters Zimmer brennt Licht, in der Küche ebenfalls.

Genauso lautlos kommt er mit Koffer und Mappe aus der Garage zurück. Die Lichter haben gewechselt. Das Badezimmerfenster ist hell, hinter der Glasscheibe der Haustür sieht er seine Mutter telefonieren. Mit einer Hand fährt sie immer wieder an der Schnur vom Hörer zum Apparat hinunter. Auf Zehenspitzen geht Hermann vorbei.

Früher hat er oft geweint, wenn er wieder ins Internat fuhr, ein Zwölfjähriger mit schlechten Zähnen. Zu einem gestutzten Militärmantel trägt er Vaters Seidenschal. Sobald die Winkenden auf dem Bahnhof durch den Güterschuppen verdeckt werden, muß er jedesmal auf den Abort. Die Brücke über die Riesach sieht er nie, er hört sie nur in der Röhre donnern.

Aus der Telefonzelle beim Bahnhof ruft er ein Taxi. Die leuchtende Taxometeruhr tickt, stumm arbeitet der Fahrer am Steuer, in der Dunkelheit draußen schwimmen Bauernhäuser vorbei. Gleichmäßig zieht der Motor. Ich bin der Bote, ich muß zum König, ich habe einen Auftrag.

In Aulendorf, einem Knotenpunkt zwischen Friedrichshafen und Ulm, kann man die Bahnhofswirtschaft direkt vom Perron aus betreten. Hermann hat hier oft mit Freunden bis zu den Anschlüssen Karten gespielt, der Schienenbus ins Allgäu fuhr immer zuletzt. Einmal ist ein betrunkener Hopfenbauer auf einen Tisch gestiegen und hat Gläser heruntergekickt. Damals gab es schon neues Geld. Dann wurden die Diebstähle im Internat entdeckt, über hundert Zigaretten aus den Zimmern der Abiturienten.

Er ißt brockenweise eine Tafel Schokolade, mit Apfelsaft spült er nach. Matze lebt in Australien, Wolfgang spielt in asiatischen Goethe-Instituten Klavier, Sigrid hat geheiratet und schreibt aus ihrem guten, alten New York. Und die haben Kinder und der ist wieder Ralley-Sieger geworden. Der ganze Matsch steht in der hektographierten Schülerzeitung auf engzeilig lappigen Blättern, das Banderolenpapier ist oft zerrisen, die alten Zöglinge sollen spenden. Jedes Jahr kommen die Nachrichten noch ins Haus, obwohl Hermann schon lange nicht mehr zahlt.

Vielleicht ist es Schwäche oder die gelbe Beleuchtung täuscht, jedenfalls begreift er nicht, daß der Schaffner die Fahrkarte verlangt. Die Uniform kommt näher, eine Hand mit Fleischbuckeln streckt sich aus. Draußen im Gang gehen zwei Frauen vorbei, die Hermann lachen sieht, hören kann er sie nicht, denn der Zug wird lauter, fährt vielleicht abwärts und beginnt zu bremsen. Hermann springt auf und stößt mit der Schulter an den Schaffner.

»Verstehen Sie denn nicht, Sie Affe!« schreit er.

Der Schaffner geht den Gang hinunter, schlingernd stützt er sich links und rechts ab. Die nächsten Abteile stehen leer. Hermann reißt alle Türen auf, sieht gerahmte Ferienprospekte hängen und die schwarzen Fensterrechtecke sich in die Kurve neigen. Zur Kontrolle zählt er schnell auf italienisch bis zehn.

Zuerst schiebt sich der Schein, dann die Hand, daran der Arm, an dem der Schaffner hängt, am Gangfenster vorbei auf Hermann zu.

»Ich zahle, ich zahle ja!« sagt er. Er reißt seine Innentasche auf und holt das ganze Bündel Geld heraus. Hermann sieht an der Uniformjacke einen offenen Knopf, damit das schräg hineingesteckte Fahrtenbuch Platz hat. Das dicke und abgeschabte Buch wird von einem roten Gummiband zusammengehalten.

»Die nächste Station ist Ulm«, sagt der Schaffner, »dort können Sie aussteigen. Oder Sie gehen zum Speisewagen und trinken etwas.«

Hermann findet auf einem Sitz eine Handvoll Kleingeld und Scheine, daneben liegt der Zuschlag, mit Kopierstift ausgeschrieben. Er drückt seine Stirn gegen die Fensterscheibe, jeder Schienenstoß, der sich im Glas wiederholt, bringt ihn ein wenig höher. Bei der Vorstellung, wie Leute im Speisewagen essen, Kellner in weißen Jacken bedienen und mit Stoff bezogene Lampen scheinen, beruhigt er sich allmählich. Er könnte jederzeit in den Speisewagen gehen.

Adolf Leipnitzer hat als Bankangestellter in Ravensburg Schecks gefälscht. Zu einer Gerichtsverhandlung kommt es nicht, die fehlenden Beträge ersetzt die Familie. Dreißig oder vierzig Jahre läßt Adolfo, wie er nun genannt wird, nichts von sich hören. In Südamerika soll er durch Grundstückshandel wohlhabend geworden sein. Nach Kriegsende schickt er kein einziges Paket, nur Photographien seiner Töchter. Mary, die Älteste, veröffentlichte in einem Magazin einen Artikel, den Onkel Simon übersetzen ließ.

Mary kommt in Hamburg mit dem Schiff an, will nach Süddeutschland fahren, aber sie hat Angst. Die ersten beide Tage verbringt sie in einem Hotel, mit, schreibt sie, imposanter Kruste. Sie geht nicht aus, telephoniert nicht, sitzt nur in ihrem Zimmer und hört Schlager, die langsamer seien als drüben. Das Bett ärgert sie, weil es keinen Tagesüberwurf hat, deshalb nach Krankenhaus aussieht. Manchmal steht sie am Fenster und blickt hinunter. Fußgänger und Autos scheinen normal zu sein. Sie ärgert sich auch über den See in der Mitte der Stadt, auf dem Segelboote fahren. Das Hotel liegt an der Promenade.

Eine Frau, die im Speisesaal zwei Tische weiter beim Frühstück saß mit einem Pudel, beschreibt sie genau. Von drei Ringen an den Fingern rutschte einer, besonders beim Trinken. Während der langsamen Drehbewegung vor dem Mund bekam der Stein Übergewicht, trinkend spreizte die Dame ihre Finger, um den Ring durchzulassen. Sie trug ein hellblaues Strickkostüm, ihre blonden Haare waren zu einer Hochfrisur zusammengesteckt. Bauch und Hüften zeichneten sich unter der Wolle ab. Mary sah von ihrem Tisch aus Kopf und Oberkörper der Dame.

Anschließend bringt Mary Leipnitzer Zahlenmaterial, wieviel Opfer der Krieg in Europa gekostet habe, wieviel Millionen die Deutschen in Lagern, durch Sklavenarbeit oder sonstwie umgebracht hätten. Diese Statistiken sind allgemein bekannt und in viele

Sprachen übersetzt worden. Auf englisch wirken sie besonders lapidar.

In einem Kaufhaus fuhr Mary auf Rolltreppen bis zum Restaurant hinauf und ging durch die Stockwerke wieder hinunter. Sie beschreibt Deutsche, merkt jedoch an, daß jede Nation Männer mit stark durchbluteten Nacken oder Frauen habe, die rücksichtslos Tische rammen, auf denen Sonderangebote liegen. Sie betont, daß sie viele unterschiedliche Gesichter gesehen habe, ausdrucksvolle Kombinationen von Nasen-, Mund- und Augenpartien, von einer einheitlichen Rasse könne nicht die Rede sein. Sie habe unter der Warmluftdusche am Ausgang des Kaufhauses gestanden und zugesehen, wie die Leute zusammenstießen, die hinein oder hinaus wollten, keiner machte dem anderen Platz. Dann füllt sie einen Absatz über die Kreuzritter und die Kolonisation des Ostens. Natürlich habe sie auch ein langhaariges Pärchen in engen Hosen beobachtet, fügt sie hinzu, das sich ungeniert vor dem Kaufhaus küßte.

Am nächsten Vormittag ging sie, obwohl sie die halbe Nacht wachgelegen und Radiomusik gehört hatte, in den Alsterpavillon. Es war Sonntag. Erst jetzt schreibt sie über die Sprache, die sie nicht gut beherrsche. Alle Leute hätten sie angeblickt, als sie den Kellner nach einem Tisch fragte. Sie mußte sich zu einem Ehepaar mit Sohn setzen. Der Kellner habe nicht verstanden, daß sie allein bleiben wollte, redete von Tischbestellungen. Sie zählt Kuchensorten auf, gibt Schnitthöhen und Cremesorten an; wüßte man nicht, daß Tortenstücke nicht nach Kilos gewogen werden, ihrer Beschreibung nach könnte man es glauben.

Die Familie trank Sekt. In der Mitte des Tisches stand die Flasche in einem Eiskübel. Das Ehepaar hatte widerwillig Platz gemacht. Als Marys Fuß an etwas stieß, rückte der Sohn mit seinem Stuhl auf der anderen Seite ein Stück weg. Der Vater hatte eine Glatze. Zweimal schenkte die Ehefrau nach, eine Serviette um die Flasche gewickelt. Dabei soll sie den kleinen Finger wie beim Teetrinken gespreizt haben. Sprudelnd stand der Sekt mit einer Schaumkrone in den hohen Gläsern.

Mary paßte auf und hörte, was sie hören wollte. Der Mann erzählte seinem Sohn, wie feige zum Beispiel Italiener im Krieg gewesen seien, die Zivilisten hätten aus den Häusern geschossen, aber jetzt kämen viele hierher zum Verdienen. Ähnlich schildert Mary Leipnitzer seitenlang weiter, meistens übertrieben, an der Übersetzung kann es nicht gelegen haben. Nach einer Woche flog sie zurück. Den Artikel ließ sie von ihrem Verlag ans Bürgermeisteramt Nüssen schicken, Simon Brix hat ihn sofort erhalten.

Spät nachts kommt Hermann in Stuttgart an. Der Hauptbahnhof, eine Halle mit Bogenfenstern und Pfeilern im südtiroler Ducestil, ist aus denselben Steinquadern gebaut wie die Stützmauern der Queralpenstraße. Hermann scheint die richtige Stadt gewählt zu haben.

Zeitungskioske und Wurstbratereien haben schon geschlossen. Ein Mann sitzt auf dem Drehhocker eines Photomatonkastens und schläft, sein Kopf hängt unter den Markierungszeichen, die den Bildausschnitt angeben. Daneben rotiert in einem Schaufenster ein aufgespannter Regenschirm.

Auf einer Rolltreppe, die abgestellt ist, steigt Hermann unter den Bahnhofsvorplatz. Seine Mappe läßt er auf dem breiten Kunststoffband des Geländers rutschen. Später zieht er mit einigen Griechen und Spaniern durch die Stadt. Sie ließen ihn nicht bezahlen, als er in einer Unterführung am Stehtisch einer Kneipe Bier trank. Einer hatte den Griff der Reisetasche zwischen den Zähnen und schleppt wie ein Lazaretthund, ein anderer trägt auf dem Kopf Hermanns Koffer. Nur noch Ausländer sind unterwegs, die tagsüber die Dreckarbeiten machen, nachts besetzen sie die Stadt. Truppweise überqueren sie die Straßen und sprechen laut. Und dann tanzt Hermann in einem Neonschuppen in der Altstadt und zahlt für jeden seiner Freunde ein Herrengedeck, das aus einer Flasche Bier und einem Schnaps besteht, der nach Badesalz riecht. Das hat gut angefangen.

3

Er hat ein billiges Zimmer in einer Pension gefunden.
Am Morgen fährt er zu einer Autofabrik hinaus.

Noch den Geschmack der Zahncreme im Mund und
Waschwasser in den Ohren, steht er und wartet. Seine
Augenwinkel spannen. Von der zu weichen Matratze
des Bettes hat er Rückenschmerzen, die nach unten
kriechen, sich in einem Strang verengen. Gleichzeitig
muß er schauen und riechen, muß die süßlichsaure
Wärme von frischem Brot einatmen, sehen, wie sich
hinter den Scheiben der Theke die mehligen Semmeln
stapeln, deren helle Kruste splittert, wenn die Bäcke-
rin zufaßt. Ihre Hand kann drei Stück umfassen, mit
der anderen Hand hält sie die Tüte auf. Links und
rechts von ihr glänzen in brusthohen Gläsern Bon-
bonsorten. Davon will Hermann auch.

Eine Schiebetür steht offen. Dahinter beginnt eine
Höhle, wahrscheinlich der Vorraum zur Backstube.
Volle Säcke lehnen an der Wand, auf einer Truhe liegen Langbrote, deren Rücken dunkel schimmern.
Der Zementboden hat Risse und Flecken, sieht naß
geputzt aus. Die Ränder einer griesigen Mulde
bröckeln.

Hier möchte Hermann arbeiten, in Sicherheit und
Wärme seine Pflicht erfüllen, möchte kneten und
häufeln, nachts aufstehen und in weichen Sandalen
gehen. Bäcker tragen Unterhemden über hellen Hosen, manchmal greifen sie sich mit den mehligen Händen an die Brust.

»Ich komme jetzt jeden Morgen«, sagt er, wie er die Tüte entgegennimmt. Ein weißer Streifen haucht über seine Jacke. Mit der freien Hand reibt er darüber und fühlt mit dem Daumen auf der Zeigefingerkuppe nach, ob noch Mehlreste am Nagel sitzen. Hefe ist gesund, heißt es, sie treibt Krankheiten aus. Wenn sie im Mund zerfällt, in sauren Schlieren nach unten rinnt, fängt sie im Magen zu treiben an.

Hermann steigt essend in die Straßenbahn ein. Die automatischen Türen schließen, neben ihm drückt ein Gummiwulst in die Rahmenleiste. Der gelbe Triebwagen schießt den Berg hinunter. Hermann kaut schneller und gähnt, um den Druck in den Ohren auszugleichen.

Die Straße senkt sich vom Rand des Tals zum Schloßpark, Verkehrsströme treffen aufeinander und pressen sich am Hauptbahnhof vorbei durch das Tal zu den Fabriken. Hermann könnte Bäume sehen, einen Weiher, ein Schloß, Skulpturen in Gartenanlagen und eine Fußgängerbrücke, die aus einem Stück geschweißt an einem federnden Pilon hängt. Durch eine der Straßen ist Friedrich Schiller mit einem Dramenmanuskript unter dem Mantel früh morgens nach Mannheim geflohen. Damals war Stuttgart noch Residenzstadt. An allen Stationen fährt die Straßenbahn mit doppeltem Klingelzeichen durch.

Man muß es erlebt haben, eingeschlossen zu stehen, wenn im Wagen die Scheiben beschlagen und die Füße gegen Schuhrahmen stoßen. Auf seinem Oberschenkel fühlt Hermann ein Mappenschloß sich einprägen, seine Hose beginnt zu bauschen. An seinen Hintern schiebt sich ein Handrücken. Er versucht, sich umzudrehen, die Hand gibt nach. Die Straßenbahn bremst, geht neigend in eine Kurve. Alle festgeklebten Positionen rutschen oder lösen sich und werden bei freier Fahrt wieder neu gemischt. »Durchlassen«, sagt einer. »Andante, andante«, hört Hermann neben sich. Braune Haut und Bartschatten tauchen unter. Die gewölbte Druckstelle an seiner Hose findet keinen Widerstand mehr, sinkt ein. Hermann steht Rücken an Rücken.

Über den Köpfen, die sich nickend transportieren lassen, hängt Frühstücksdampf. Ein Funken würde genügen, den Wagen in die Luft zu sprengen. Hermann konzentriert sich auf die Stellen, an denen er mit anderen verbunden ist. Die Ellenbogen berühren gespannten Stoff, das Knie folgt einer Biegung, die Schulter liegt an einem Hals, der Bauch sucht einen Hüftknochen. Im milchigen Licht zittert ein Haarwirbel. Hermann spürt viele Flecken pochen, läßt oben die Schlaufe los und nimmt, zwischen dem Schulterstück des Schaffners und einem aufgerollten Ärmel schabend, seine Hand herunter. Der weiße Druckring um das Gelenk rötet sich wieder. »Alle durch«, sagt der Schaffner, der kaum Spielraum hat, seine kleine Wechselgeldorgel zu bedienen. »Ich«, sagt Hermann. Seine Hand sucht in der Tasche, schiebt seinen Schwanz, der wieder kleiner geworden ist, hinter den Saum der Unterhose zurück.

In Nüssen war er nie pünktlich gewesen, kam entweder zu früh oder zu spät. Um sich zu beweisen, daß es ihm gleichgültig war, einer zu sein, der seinen Tarif hat und wie alle auf den Akkordsatz schimpft, ging er mit Leimflecken auf der Hose durch die Stadt. Er

ließ es auch nicht zu, daß seine Mutter den Jackenärmel ausbesserte, von dem ein Lappen hing. Es war
ein amerikanisches Gefühl gewesen, dreckig zu sein,
einen darzustellen, der von unten anfängt, ausspuckt
und seinen Weg machen wird.

Jetzt ist er auch glücklich, steht neben einem weit geöffneten Gittertor der Autofabrik und beobachtet.
Straßenbahnen halten, leeren sich, fahren zur Wende-
platte. Autoreihen ordnen sich auf den Parkplätzen.
Fahrer, die schon ausgestiegen sind, winken andere
ein. Wind, Sonne und ein paar Fahnen geben dem Gedränge etwas Festliches.

Sie kommen, müssen umso kleinere Schritte machen,
je näher sie den Toren rücken. Zwei, die auf Rädern
fahren, bleiben stecken und steigen ab. Viele halten
schon die Karte im Anschlag, fiebern der Stechuhr
entgegen. Gleich wird eine Stanze leer herunterkrachen, die Werkbank sich zu drehen beginnen, frisches
Fett preßt sich durch den Konus. Sie gehen vorbei,
ballen sich, fließen nach dem Gittertor in verschiedenen Richtungen auseinander. Aber Hermann muß
nicht mitmachen, er kann stehenbleiben, bis die
Straße leer ist. Aus einem alten Sack mit hornigen
Klauen, der den anderen nachtaumelt, vielleicht an
seinen Garten denkt, sich die Beete vorstellt, die er
mit Mist gelüftet hat, dem teuren Pferdemist, den er
im Rucksack in Ölpapier eingeschlagen vom Stadtrand holt, aus dem wird die Luft weichen und wieder
wird einer sein Jubiläum haben, der hunderttausend
Autobleche in Lack getunkt hat, eines wie's andere,
hydraulisch leicht gemacht. Lachend rennen drei junge Burschen vorbei. Einer verliert eine volle Flasche,

die spritzend platzt. Ehe der Pförtner schimpfend aus seinem Verschlag gekommen ist, haben die Drei schon die Scherben von der Straße gekickt und die Zeit gestanzt. Mit einem Stück Karton hebt der Pförtner die Scherben einzeln auf und trägt sie nacheinander zu einem Drahtkorb, der auf einem Raseneck steht. Dahinter erhebt sich auf Pfeilern ein Bürohaus.

Oder Hermann fährt nicht zu der Autofabrik hinaus, sondern sieht an einer Baugrube zu.

Der Betontrog senkt sich am Kran zum Mischwerk hinunter. Hinter den Trommeln, die gerade stillstehen, ragen die Zementsilos. Hermann drängt sich in eine Lücke des Bauzauns zwischen Rentner. Neben ihm läßt einer Spucke ins Pfeifenloch rinnen und zieht röchelnd wieder hoch. Der wäre froh, wenn er wenigstens noch krumme Nägel aus Latten schlagen dürfte. Haare, die aus verknorpelten Altmännerohren stehen, haben an den Spitzen Schmutzklümpchen hängen und werden vom Wind, der aus der Baugrube über den Zaun streicht, geschaukelt.

Der Meister, der die Mischung überwacht, hält die Schalttafel der Fernsteuerung in der Hand. Wasser aus Düsen spült Kies und Sand in die sich drehenden Trommeln. Der Kran beginnt, die mit Beton gefüllte Birne hochzuziehen. Ein junger Arbeiter klettert auf den Kessel, stellt sich mit gespreizten Beinen auf den Rand, mit einer Hand hält er sich über der Kugel am Drahtseil fest. Langsam sich drehend schweben Mann und Füllbirne über die Baugrube, und tatsächlich, der Mann winkt mit seinem Plastikhelm, dann stößt er am Stahlrand des Troges Dreckstollen von seiner Schuhsohle. In Höhe der Führerkabine wechselt er den Haltegriff am Drahtseil und blickt zur anderen Seite hinab, während der Kranausleger Kübel und Mann in flachem Bogen zum Betonskelett schwenkt. Der Bau trägt oben eine Verschalung, wächst stockweise wie ein Hut, der Ring um Ring zusammengesetzt wird. Das neue Telegrafenamt, hört Hermann sagen.

Die Transportbirne bleibt über einer Holzwand stehen. Der Mann tritt einen Hebel und springt ab. Beton rutscht aus dem Kessel, eine fette Ladung. Einen Dreckschweif hinter sich herziehend, der auffächert, segelt die leere Birne über die Baugrube zurück. Hermann stellt sich vor, wie er einen Schlauch nimmt, Preßluft in den Brei hineinschickt, die schwere Masse bebt, wirft Blasen und legt sich in die Verschalung. Fugenlos sitzen die Armierungseisen im Betonbett.

Hermann kauft in einer Konditorei eine Tüte süßer Schneckennudeln und geht ins Kino. Er muß seine Begeisterung feiern. Am nächsten Tag erhält er einen Brief von seiner Mutter.

Mein lieber Sohn, schreibt sie, wir waren entsetzt. Ich hätte dich anrufen können, ich bin mehrmals vor dem Telefon gestanden und hatte schon den Hörer in der Hand, aber ich legte wieder auf. Dieser Brief, den du jetzt in den Händen hältst, hat mich viel Mühe gekostet.

Mit dem Mittagessen haben wir nicht auf dich gewartet. Deine Großmutter kam im Taxi später als üblich. Sie braucht aber wie alle alten Menschen Regelmäßigkeit, darauf achte ich. Übrigens, es wird dich interessieren, sie beschäftigt sich mit dem Gedanken, nun doch zu ihren Freundinnen ins Altersheim zu ziehen. Wie man hört, soll das Pflegepersonal im ehemaligen Schloß hervorragend ausgebildet sein. Es gibt auch Einzelzimmer, die allerdings ziemlich teuer sind. Ich kann mich mit diesem Gedanken nicht befreunden. An jenem Nachmittag erzählte sie mir, daß du mit Odendahl auf Tour gegangen wärst. Das hat mich gefreut, denn ich glaube, daß Odendahl einen guten Einfluß auf dich hat. Gestern las ich in unserer Zeitung, er habe einen Autounfall gehabt, ihm sei jedoch nichts passiert. Dein Vater ist auch immer schnell und sicher gefahren.

Meine Gedanken sind bei dir. Ich hoffe, es ist dir nicht peinlich. Denn ich glaube, diesmal geht es um mehr. Seit den Diebstählen im Internat ist es das achte oder neunte Mal, daß du weggehst. Von den Plänen, die du nie zu Ende geführt hast, nicht zu reden. Ich will nicht traurig sein, eine Mutter muß alles verstehen, muß auch noch dazulernen können, obwohl der Sohn schon erwachsen ist.

Hermann sitzt auf der Bettkante und beginnt, den Brief wie eine Ziehharmonika zu falten. Seine Füße hängen in eine mit kaltem Wasser gefüllte Plastikschüssel. Den ganzen Vormittag ist er durch die Stadt gegangen.

Die vielen Briefe, die ihm seine Mutter geschrieben hat, brachte er paketweise nach Hause mit. Sie liegen in einem Rohrkoffer, dessen Schlösser kaputt waren, so daß er immer Riemenwerk aufknüpfen und abwickeln mußte, vorsichtig den weichen Deckel öffnen, damit der Doppelzentner Post nicht durch das geflochtene Stroh brach. Seine Mutter füllt mit seinen Briefen Fächer ihres vierteiligen Kleiderschranks. Das ist der richtige Platz, sagt sie, deine Jugend, deine Sehnsüchte, Ängste und Freuden sollen bei meiner Wäsche liegen.

Hermann faltet den Brief wieder auseinander. Das Papier ist feucht geworden, er hat sich an den Fußsohlen gekratzt. In der Plastikschüssel schwimmen blonde Teilchen. Noch immer liegen im Kleiderschrank die Briefpäckchen zwischen Unterröcke, Schlüpfer, Wollhosen, Büstenhalter und Strumpfgürtel verteilt.

In heftiger Angst hat er sich an seine Mutter gedrängt, wenn er seine Fieberanfälle bekam. Sie hält ihn umschlungen, streichelt seinen Rücken, ihre Hand macht immer an derselben Stelle Halt und wandert wieder nach oben. Unter seiner Haut pumpt Hitze, seine Knie stoßen an ihre Knie, seine zusammengepreßten Beine schiebt er so weit wie möglich weg. Sobald er sich bewegt, sich streckt oder nachrutscht, wird er mit seiner Hüfte an ihren Bauch stoßen, oder sein Kinn, das an ihrem Schlüsselbein liegt, wird ihre Brust berühren. Flach an sie geheftet wird er sich auflösen, wird zerrinnen, sich ergießen, Beulen werden wachsen, ihre Wärme und sein Fieber werden übereinander zusammenschlagen. Ich bekomme keine Luft mehr, hat er gerufen und sich auf den Rücken geworfen. Bei deinem Vater haben kalte Fußwickel geholfen, hat sie gesagt.

Du wirst dich wundern, schreibt sie, daß ich deine Adresse entdeckt habe. Zunächst habe ich mir überlegt, wohin du gefahren bist. Ich dachte an Ulm, eine

Stadt, die du nicht leiden kannst, Zürich ist zu teuer, Innsbruck, das auch noch in Frage kam, ist zu klein. Also blieben München und Stuttgart übrig. Den Rest hat ein Auskunftsbüro besorgt. Es war nicht einmal teuer. Sie fragen einfach im Einwohnermeldeamt nach. Du hättest in keine Pension ziehen sollen. Falls du länger in Stuttgart bleibst, nimm dir bitte ein Privatzimmer, dieses Mal schicke ich bestimmt kein Geld.

Eigentlich sollte Großmutter an diesem Abend gebadet werden, sie wollte unbedingt in die Wanne. Ich habe lange gebraucht, bis ich sie überredet hatte, nur gewaschen ins Bett zu gehen. Diese Anstrengung nach allem wäre mir zuviel gewesen. Denn als es dunkel geworden war und ich noch immer nichts von dir gehört hatte, habe ich mir ernstlich Sorgen gemacht. Inzwischen hatte ich auch die letzten Bankauszüge geprüft und das Geld im Sekretär nachgezählt. Ob du Oma auch bestohlen hast, kann ich nicht übersehen, da sie ja nicht weiß, wieviel sie bei sich trägt. Ich kontrolliere ihre Beträge nicht regelmäßig.

Warum bist du nicht verheiratet, warum hast du keinen Beruf, warum keine Kinder? Alle deine Klassenkameraden haben eine normale Laufbahn eingeschlagen. Die Normalität, mein Sohn, verleiht Kraft und Zuversicht, ist der Brunnen, aus dem wir schöpfen dürfen. Wenn du Biographien großer Männer liest, wird dir auffallen, daß sie alle gleichmäßig gelebt haben, sonst hätten sie die inneren Stürme nicht überstanden.

Als ich zu Bett gehen wollte, hat Gudrun angerufen. Sie vermutete, daß du weggefahren bist, erzählte, du seist ziemlich verwirrt gewesen. Sie hat mir auch den Tip mit dem Auskunftsbüro gegeben. Sie ist ein großartiges Mädchen, ich weiß, daß du sie auch sehr gern hast. Mit Simon habe ich, seitdem du weg bist, noch nicht gesprochen. Er ist viel zu höflich, mir Vorwürfe zu machen.

Simon und Gudrun, wir zwei Frauen und du, das ist alles, was übriggeblieben ist. Wenn du dir das überlegt hättest, wärst du nicht heimlich gefahren. Simon wäre, glaube ich, noch einmal bereit, dir eine Ausbildung zu finanzieren. Er gibt die Hoffnung nicht auf, denn wer soll die Fabrik übernehmen? Gudrun meinte am Telefon, als ich auf dich schimpfen wollte, dann zu weinen begann, daß du trotz allem ein wertvoller Mensch seist, sie halte zu dir. Ich mußte unwillkürlich an Briefe denken, die du mir aus dem Internat geschickt hast. Du schriebst von Sport, von Hinduismus, Einzelheiten habe ich vergessen oder schon damals nicht verstanden, aber dein Eifer hat mir großen Eindruck gemacht. Mein lieber, lieber Junge, ich fürchte, du bist im Laufe der Zeit sehr enttäuscht worden. Die Wirklichkeit läßt sich nicht denken, sondern muß, wie religiöse Menschen sagen, erlitten werden. Deine Unruhe hat mir immer Sorgen gemacht. Ich bewunderte sie auch, weil sie etwas Schöpferisches hatte, doch du scheinst sie in falsche Bahnen zu leiten. Wie gern würden wir dir alle helfen. Hoffentlich bleibst du gesund.

Hermann läßt den Brief fallen. Auf der Sitzfläche eines Stuhles macht er einen Schulterstand, bis er vor Anstrengung kaum mehr atmen kann. Dann steht er wieder mit einem Segelgefühl. In den Armen, im

Rücken und in den Schläfen versinkt die Spannung. Der Brief riecht nach leicht parfümierter Wäsche, deren Weiß einen Stich ins Bläuliche trägt, Zeichen zu langer Frische, von Witwenschicksal.

Hermann trocknet seine Füße ab, krempelt die Hosenbeine hinunter und zieht Socken und Schuhe an. Das feuchte Handtuch legt er sich gerollt um den Nacken. Am Fenster liest er weiter. Schon die Briefe, die er von seiner Mutter im Internat erhielt, waren mit der Maschine geschrieben. Sie tippt mit den Zeigefingern, früher rauchte sie dazu.

Wenn ich im Frühjahr und Herbst, fährt sie fort, die Blumen auf dem Grab deines Vaters umpflanze, bist du mir besonders nahe, obwohl du mir nie dabei geholfen hast. Du hast Angst vor Toten, weil du deinen Vater kaum gekannt hast. Du bist im Grunde ein Kind geblieben. Erinnerst du dich an die Messerwunde, die augenblicklich zu bluten aufhörte, als ich dir zuredete und meine Hand neben den Einstich auf deinen Arm legte? Ich könnte lachen, denn gestern sah ich unseren Heilpraktiker, den Wurzelsepp, diesen neunzigjährigen krummen Deppen, der immer noch durch die Stadt humpelt. Vor seinem Häuschen sieht man manchmal Autos von Kunden stehen.

Vielleicht solltest du Krankenpfleger werden. Es ist ein harter Beruf, schlecht bezahlt, aber er könnte dir eine neue Ordnung geben. Wir müssen alle büßen. Ich bin nicht mehr stark genug dafür. Deine Generation kann heilen helfen. Für deinen Großvater waren wir alle Verbrecher. Ich kann nur noch an Tote denken oder meine Mutter pflegen, für mehr ist kein Platz.

Ich glaube, ich habe dir nie erzählt, wie dein Vater um mich geworben hat. Er war nicht der einzige. Es gab zum Beispiel einen Sohn aus der Daimler-Familie, der sich ernstlich um mich bemühte. So viel ich weiß, leitet er seit Jahrzehnten eine Niederlassung in Sao Paulo. Oder Alfred, aus einem Bankhaus in Frankfurt. Wir waren schon verlobt. Mit Mutter bin ich zu seinen Eltern gefahren, er hat uns die zukünftige Wohnung gezeigt, hatte Tapetenmuster bei sich, wollte, daß ich mit ihm Möbel aussuche. Irgendwie ist es mir gelungen, alles in die Länge zu ziehen. Tagelang sind wir durch Frankfurt gelaufen, der arme Alfred schwitzte, ich auch. Ein Kollier, das er bei einem Juwelier anprobieren wollte, blieb auf dem Samttablett liegen. Aus Angst und Ärger habe ich eine Angina bekommen. Wir mußten abreisen.

Hermann hat Mühe, die gelesenen Blätter, die doppelt gefalzt rutschen und wellen, aufeinanderzuschichten. Er streicht die Bogen glatt, beschwert sie mit einer Lampe.

Beim Bäcker unten kauft er Semmeln, beim Metzger eine dicke Scheibe Fleischkäse. Auf der gemaserten Schnittfläche stehen in den Fugen zwischen Fettklümpchen und Gewürzflocken schillernde Sulzflecken, die kühl auf der Zunge liegen, ehe sie zerlaufen. Er schlingt, stopft sich voll, kann nicht genug kriegen. Die Fleisch- und Brotwaren vermengen sich in der Mundhöhle, werden in die Speiseröhre gepreßt, während vorn die Zähne schon wieder Vorrat hereinreißen. Bei Leo, der im Empfang der Pension Dienst hat, kauft sich Hermann noch eine Flasche Bier. Auf der Treppe nimmt er den ersten Schluck, läßt es rinnen. Die Teppichmuster des Läufers verschwimmen. Genügend beschwert, fühlt er sich bereit für den Rest des Briefes.

Alfred sei einmal zum Skifahren gekommen, liest er im Zimmer weiter, schon im ersten Anstieg auf den Hauchenberg sei er zurückgeblieben. Ihr Vater habe sich um ihn gekümmert, sie sei vorausgelaufen. Ich war gut trainiert, schreibt sie, zwei Stunden bergauf haben mir nichts ausgemacht. Ich war als Erste in Ranzern, wo wir immer in derselben Gastwirtschaft einkehrten. Als ich vor dem Haus auf der Bank saß und mich ausruhte, kam aus dem Tobel dein Vater heraufgestiegen. Seine Ski waren zerbrochen, er trug sie auf der Schulter, seine Windbluse war zerfetzt, über eine Backe lief eine blutige Schramme. Er war mit einer Gesellschaft unterwegs gewesen, war leichtsinnig Schuß gefahren und am Gegenhang in Stacheldraht gerast. Wir haben beide gelacht, als er es mir erzählte. Ich wußte, daß er im Städtchen eine Praxis eröffnet hatte. Seine Familie besaß keine Anteile mehr von der Brauerei. Dann kam Alfred, war bleich und erschöpft, dein Großvater schimpfte. Natürlich tat mir Alfred leid, schließlich kann man nicht von jedem Frankfurter verlangen, das Skifahren zu beherrschen. Dein Vater, dessen verschorfte Backe mir großen Eindruck machte, hat sich später in einem vornehmen Frankfurter Hotel genauso sicher wie Alfred bewegt. Dein Vater war ein Naturtalent.

Mein lieber Sohn, ich will dir nur zu verstehen geben, daß du dich auf sein Erbteil verlassen kannst. Er ist nicht bei uns geblieben, sondern mußte im Osten sterben. Ich weiß nicht, was er dort alles erlebte, sicher ist, daß er viel leistete und seinem Vaterland gedient hat, vielleicht sogar wider besseres Wissen. Du hast die Unruhe von ihm, deshalb hoffe ich, daß du genauso viel Instinkt wie er besitzt, das Richtige zu tun. Laß dich umarmen und schreibe mir, wenn du Abstand gewonnen hast. Natürlich kann ich dir auch wieder Geld schicken, Inkonsequenz ist, glaube ich, ein Zeichen von Jugend. Küßchen, Mutti.

Hermann erinnert sich an ein Lied, das er als Kind im Kino gehört hat. Ein deutscher Soldat sitzt in einer zerschossenen Kirche und spielt Orgel. Sein Freund, ein dicker Kerl, der sein Gewehr stets falsch anfaßt, tritt den Blasebalg. Granaten schlagen in die Kirche, der Freund nimmt im Gestühl der Empore Deckung, die Blasebalgschlaufen hängen leer. Der Pianist in Uniform bricht mit einer Stirnwunde, noch einen Akkord greifend, an der Orgel zusammen, sein blutender Kopf schlägt auf die Tasten. Durch das Donnern der Einschläge und Brausen des Feuers hört man wieder das Lied, das »Gute Nacht Mutter, gute Nacht, hast mit Sorgen an mich gedacht...« hieß. Hermann küßt den Brief und läßt die Seiten flattern. Dann hebt er sie alle wieder auf, muß sich auf den Boden legen und mit ausgestrecktem Arm nach einem Blatt angeln, das unter das Bett gesegelt ist.

Im Foyer der Pension steht vor dem Schlüsselbrett ein Pult, daneben eine Sitzgarnitur mit zwei Sesseln. Leo, der einige Semester Volkswirtschaft studiert hat, die er, wie er behauptet, frei finanziert habe, sitzt meistens, liest nicht einmal Zeitung, sondern wartet darauf, daß Gäste kommen oder das Telefon klingelt. Die Pension gehört einem Mann, der Schwimm-

staffeln trainiert. Wimpel hängen an den Wänden des
Foyers, auf einer Konsole, die in Kopfhöhe über den
Sesseln angeschraubt ist, stehen Pokale. Zwei nackte,
zum Absprung bereite Männer aus Zinn oder Leichtmetall ragen in den Raum hinein. Die gerahmte Photographie eines Hallenbades hängt unter der Konsole.
So lange mein Chef in Form bleibt, verkündete Leo,
behalte ich meine Stelle.

»Ich suche Arbeit«, sagt Hermann. »Wollen Sie nicht
Ferien machen? Portier oder etwas Ähnliches wäre
mir das Liebste.«

Einen Jagdstand besitzen und kontrollieren können,
wer ein- und ausgeht, vielleicht ist Beute darunter.
Gestern war Hermann in eine Tiefgarage gegangen,
alle Kurven hinunter bis ins tiefste Stockwerk. Er
hatte, an die gebogenen Wände gepreßt, die Abgase
der Autos eingeatmet, dann war er durch eine Beton-
halle gerannt und hatte den Hall seiner eigenen
Schritte verfolgt.

Als er verschwitzt aus der Stadt zurückkehrte, hatte
er geduscht. Die Tür des Badezimmers lehnte er nur
an. Während er sich einseifte, sah er durch den Spalt.
Der Gast, der allein das große Doppelzimmer bewohnte, schloß seine Tür ab. Er besaß das richtige
Alter und Gewicht, ein klobiger Sack, kein Unter-
nehmer, vielleicht ein Reisender oder pensionierter
Beamter. Seine Brille anhauchend und mit einem Taschentuch putzend, war er langsam den Korridor her-
aufgekommen, blickte um sich und hustete. Hermann, der gerade seine Achselhöhlen einseifte, ver-
mied es, schmatzende Geräusche zu verursachen,
denn er sah, wie der Mann einen kleinen Finger ins

Ohr steckte und heftig zu rühren begann. Der Finger bohrte und stieß immer wieder zu. Nach einigen schnellen Rüttlern, während der Mann sich genießend auf die Zehenspitzen stellte, fiel er auf flache Sohlen zurück, schwenkte zur Treppe ein und ließ die Arbeitshand pendeln.

Hermann schloß die Tür und duschte. Das Wasser war scharf, der Seier, der an einem gebogenen Stutzen aus der Wand stand, hatte nur wenige große Löcher. Als Hermann, auf dem glitschigen Kachelboden stehend, sich abtrocknete, öffnete er die Tür wieder ein wenig. Kalte Luft zog herein, legte Streifen über seine Brust. Das vollgesogene Handtuch schmierte. Die Treppe herauf hörte er jemanden kommen. Es waren zwei Mädchen, die auffallend flache Schuhe trugen und Röcke, die aus vier Bahnen zusammengesetzt waren, so daß sie wie bei einer Turnübung wippten. Eines der Mädchen trug eine Schultertasche, aus der ein Flaschenhals ragte. Eigentlich gehörten die beiden Mädchen ihrem Aussehen nach in eine Jugendherberge. Hermann wußte nicht, ob sie Verkäuferinnen waren oder Sekretärinnen, er hatte schon einmal Leo gefragt, in den polizeilichen Anmeldungen standen keine Berufe. Das Mädchen mit der Schultertasche blieb stehen, Hermann bückte sich unwillkürlich und hielt sich das Handtuch vor. Das Mädchen streckte eine Hand aus, wartete und rückte schwungvoll ihre Tasche zurecht. Das zweite Mädchen lachte, ging einige Schritte voraus, kehrte um und küßte, sich bückend, die offene Handfläche ihrer Freundin. Die Flasche schwenkend, gingen beide Mädchen den Korridor hinunter zu ihrem Zimmer. Hermann schloß seine Tür auch.

Er hätte in die Badewanne onanieren können, doch der Schleim hätte sich schlecht wegschlemmen lassen, da der Duschstutzen fest in der Wand saß und nicht schwenkbar war. Er hätte den Plastikvorhang zuziehen müssen, damit kein Wasser auf den Boden spritzte, hätte visieren und beim Reiben überlegen müssen, den günstigsten Aufschlagswinkel einzuhalten. Um ein bißchen Freude zu haben, hätte er sich zum zweiten Mal duschen oder Wasser aus den Hähnen über die Wand der Badewanne schütten müssen. Auf jeden Fall wäre er wieder naß geworden, er ließ es sein.

Leo erzählte, die beiden Mädchen seien Zeugen in einem Prozeß. Er hatte ihre Namen in einer Zeitung gelesen. Sie verwohnen bei uns ihr Zeugengeld, hat er gesagt. Als Geburtsort hatten sie in den Anmeldungen eine Stadt im Osten angegeben. Hermann rechnete nach, ihr Alter stimmte. Vielleicht hatten sie am Rande einer Grube gestanden, in der schichtweise Erwachsene lagen, oder hatten neben einem Fahrzeug gewartet, in das Auspuffgase geleitet wurden. Sie waren noch klein, man hatte sie übersehen.

»Wir nehmen sie ins Stadion mit.«

»Ich will nichts mit ihnen zu tun haben«, sagt Leo.

»Überlegen Sie doch«, sagt Hermann, »die Mädchen haben vielleicht als Kinder viel erlebt. Seit Jahren üben sie einen langweiligen Beruf aus, aber der Prozeß hat sie wieder abenteuerlustig gemacht. Sie sind in der richtigen Verfassung, mit uns auszugehen. Reise und Aufenthalt werden ihnen vom Staat bezahlt, bessere Ferienstimmung gibt es nicht.«

»Sie lade ich herzlich zum Mitkommen ein«, sagt Leo,

»doch die Mädchen nicht. Für mich bleiben sie Gäste.«

»Sie haben keine Phantasie!«

»Ich hatte, als ich noch studierte, zwei Mädchen laufen. Tagsüber war ich in Hörsälen, nachts habe ich meine Hühner kontrolliert. Ich will nichts mehr erleben, ich will regelmäßig arbeiten und schlafen.«

Sie fahren zum Fußballstadion hinaus, in den oberen Rängen finden sie zwischen lauter Männern Platz. Unten bauen Polizisten Hindernisse auf, Flutlicht taucht den kurzgeschorenen Rasen in Quecksilber.

»In Spanien habe ich Stierkämpfe gesehen«, sagt Hermann.

Marschmusik beginnt zu dröhnen, schnelle Trommelwirbel wechseln mit Trompetenstößen ab, klingen zuerst amerikanisch, werden feierlich und branden durch das Stadion. Von den Rangwänden, an denen sich die Musik bricht, kommen verzerrte Echoeffekte zurück. Männer in Hermanns Nähe pfeifen freudig mit zitternden Lippen mit. Die Kapelle ist nicht zu sehen, vielleicht steht ein Plattenspieler vor dem Verstärker der Lautsprecheranlage.

Auf der Spielfläche formieren sich rhythmisch mehrere Hundertschaften in Doppelreihen zu Buchstaben, die POLIZEI und WACHE ergeben. In der Mitte des O und im großen A steht jeweils ein Trampolin, auf dem ein Mann Überschläge dreht. Die Buchstaben scheinen sich in der Mitte aufzupumpen. Dann fällt die Schrift wieder in sich zusammen und strudelt zu den Ausgängen. Der Lautsprecher sagt Zahlen an, die Stärke der Polizei, nennt Aufgaben verschiedener Einsatzkommandos und schließt, es sei sicher ein Vergnügen, von solchen Männern gefangen zu werden.

Über dem Stadion erscheint lautlos ein Hubschrauber. Die Maschine senkt sich schnell in ein Scheinwerferbündel, bleibt, während es im Stadion leiser wird, einen Augenblick stehen und zieht wieder hoch. Im Lautsprecher beginnt ein Walzer zu spielen. Der Hubschrauber beschreibt einen Kreis und geigt im Takt der Musik hin und her. Unten auf dem Rasen entzündet ein Mann aufgestellte Strohwände. Als er einen Helm aufgesetzt hat, betritt er das ›brennende Haus‹, wie durch den Lautsprecher angesagt wird. Langsam nähert sich der Hubschrauber und verliert an Höhe. Aus der Glaskuppel, an der der kurze Gitterrumpf mit der Druckschraube sitzt, fällt eine Drahtleiter. Der Fahrtwind drückt sie zur Seite. Die Maschine muß noch tiefer gehen, damit die Leiter trifft, schleppt sie ein Stück über die lodernden Wände hinweg. Der Mann wartet im Feuer, ist nicht mehr zu sehen.

»Sie verbrennen einen Hexer«, sagt Leo.

Der schaufelnde Rotor hält das Feuer niedrig, die Flammen drehen sich im Kreis, die Drahtleiter, die hin- und herpendelt, wirft eine brennende Wand um. Sprühendes Stroh wirbelt nach oben, wird vom Luftzug, den das Feuer verursacht, gegen die Maschine gedrückt, während ein von den kreisenden Propellerblättern erzeugtes Luftpolster nach unten stemmt. Die glühenden Strohteilchen stehen wie ein Kranz unter der Maschine. Sie steigt wieder langsam auf, unten hängt der Mann im Asbestanzug, der sich an der heißen Metalleiter festhält, seine weißen Stiefel stehen in der letzten Sprosse. Der Hubschrauber gewinnt über dem Stadion an Höhe, gleichzeitig wird die Leiter eingezogen, bis der Mann durch eine Luke in der Glaskuppel verschwindet. Ein Walzer im Lautsprecher ist auch zuende.

Leo reicht Hermann eine Bierflasche. Am Mundstück sitzt Speichel, der erste Schluck schmeckt sahnig, der zweite frischer. Hermann gibt die Flasche zurück. Sie wandert von Hand zu Hand zu einem Mann, der zwei Reihen hinter Leo sitzt. Vor sich hat er einen Kasten Bier stehen, aus dem er Flaschen nach oben und unten verteilt.

Der Hubschrauber, der einmal das Stadion umkreist hat, geht über den brennenden Wänden erneut tiefer. Das Feuer, inzwischen schwächer geworden, wird von der Luftschraube zungenförmig über den Rasen geblasen. Die restlichen Wände stürzen ein. An der Leiter hängt wieder der Mann mit einem vor die Brust geschnallten Gerät. Plötzlich spritzt weißer Schaum heraus, breitet sich über das Feuer aus und beginnt, es von der Mitte nach außen zu ersticken. Die Maschine kommt noch tiefer und setzt den Mann ab, der durch die rauchenden Trümmer stampft, sie mit den unförmigen Stiefeln auseinanderreißt. Gleichzeitig wird ein Schäferhund abgeseilt. Sobald der Hund auf dem Boden steht, schlüpft er aus einer Tragevorrichtung, einer Art Leibchen. Der Hubschrauber zieht in einer Steilkurve nach oben, Metalleiter und Seil bogenförmig hinter sich herschleppend. Von tief unten hört man den Hund vor Freude jaulen und sieht, wie er an dem Mann hochspringt. Der Mann verneigt sich, der Hund kuscht.

Der Lautsprecher sagt an, Rettung und Löschvorgang seien in einem Akt gezeigt worden. Der Hund springt in Richtung des Ausgangs, überklettert dabei Steilwände und setzt durch aufgebockte Reifen. In seinem Schutzanzug watschelt der Mann hinter ihm her, die Hindernisse umgeht er. Aus einem Portal stürzen neue Schäferhunde herein, gefolgt von Trainern. Im Stadion bellt es, dazwischen hört man Befehle hallen, die die Hunde auf die Hindernisbahn schicken.

»Ich habe auch einen Hund gehabt«, sagt Leo, »er gehörte meinem Vater, aber ich habe ihn versorgt. Ich war damals noch klein. Als er Junge bekam, mußte mein Vater alle verkaufen, die Alte auch, sonst wäre ich davongelaufen. Haben Sie mal gesehen, wie die Jungen herauskommen? Schleimige Kugeln, sehen wie Kinderlutscher aus. Die Alte drückt, bis sie leer ist, schleckt und grunzt dazu.«

»Schäferhunde sind die besten Kameraden«, sagt jemand.

Ein älterer Herr holt seine Brieftasche heraus und verteilt Photographien, die ihn zusammen mit einem Spaniel zeigen. Auf einem der Bilder ist im Hintergrund auch eine Frau zu sehen.

»Ich lasse meiner Hündin nie mehr als zwei Junge«, sagt ein anderer, »sonst wird sie zu schwach.«

»Tiere erholen sich auf natürliche Weise«, sagt Leo. »Ich kannte einen Schäferhund, der zweimal seine eigene Körperlänge hochsprang.«

Im Stadion legt ein Hund ein an einem Ende brennendes Holzscheit vor einer Kriechröhre ab, schlüpft durch den gespannten langen Sack, läuft außen wieder zurück und holt die Fackel. Trabend bringt er sie zu einem Polizisten, der sie hochwirft. Genau im richtigen Augenblick und am nicht brennenden Ende schnappt der Hund sie kurz vor dem Boden wieder auf. Zuschauer, die in der Nähe sitzen, klatschen. Vier in einer Reihe gekoppelte Hunde laufen anschließend einen großen Kreis, jeder Hund hält ein anderes Tempo ein, damit die Köpfe eine Linie bilden.

»Sie fangen im Gleichschritt Verbrecher«, sagt Leo.

»Alles Training«, sagt der ältere Mann. »Es kommt auf Fleiß und Gehorsam an. Nur so bekommt man einen vollwertigen Hund. Mein Spaniel apportiert auf Pfiff.«

»Alles Rotz!« schreit jemand von hinten.

»Das dürfen Sie nicht sagen. Tiere kennen keine Hinterlist.«

»Wer nichts versteht, soll raus!« ruft ein anderer.

Inzwischen machen die Hunde auf dem Rasen Bocksprünge. Sie stehen in Abständen quer, der letzte Hund in der Reihe springt, auf- und niedertauchend, über die anderen hinweg, es folgen der zweite, dritte und so fort, bis sich die ganze Hundereihe Richtung Ausgang aufgelöst hat. Die Polizisten folgen im Laufschritt. Mit einem Tusch aus den Lautsprechern endet auch diese Vorführung.

Hermann hat sich aufgerichtet. Säße er unten an der Aschenbahnkurve, würde er das Keuchen der Hunde hören und Schaumflocken aus den Gebissen wehen sehen. In den Ecken der Schnauzen hängen fransig gelbe Lappen. Hunde kann man unschädlich machen, wenn man ihnen ins Maul greift und die Zunge festhält.

Aus den Portalen fahren langsam zwei Streifenwagen mit drehenden Blaulichtern und eingeschalteten Signalhörnern aufeinander zu. Sie halten in der Mitte des Rasens, und aus jedem Fahrzeug quellen Polizisten, jeweils sechzehn Stück. Zwei springen aus den Kofferräumen. Ehe die Zuschauer vor Überraschung zu klatschen beginnen, verteilt sich jede Gruppe um ihr Auto, hebt es an und trägt es mit schnellen Trippelschritten wieder hinaus. Der Lautsprecher sagt an, es dürfe nicht vergessen werden, daß am Ende der Sportschau an den Ausfahrten der Parkplätze die Straßenbahnen stets Vorfahrt hätten.

Hermann hat einige Reihen weiter unten wieder den Hals gesehen, der ihm schon früher auffiel. Zwischen Hemd und Jacke, die sich in der Farbe kaum voneinander unterscheiden, sitzt ein Stück Gerüst, dessen Ränder mit Lederwülsten gepolstert sind. Durch Metallösen wird ein Band gezogen und in der Mitte geschnürt. Das Gerüst schützt wie die Montur eines Überschallfliegers. Das obere Ende des Korsetts biegt sich schnabelförmig, so daß der Hinterkopf aufliegt. Bei den kleinen Bewegungen des Halses, die das Gerüst nicht mitmacht, streifen die Haare über die Lederwülste. Das Korsett sieht lange benützt aus, hat die Farbe der Jacke angenommen. Der Invalide hebt immer wieder die Hände und schlägt sich auf die Schenkel, als sei er begeistert. Hermann fällt Knochenerweichung, Kinderlähmung ein, es ist auch möglich, daß der Mann in einem Deckungsloch gelegen hatte, während ein Panzer versuchte, das Nest auszuradieren. So einer müßte im Stadion unten stehen, ein Mikrophon in der Hand, müßte schreiend von Einmärschen erzählen, Eroberungen, Taktik, Rationen und Quoten. Polizisten und Hunde könnten als Statisten mitspielen.

Hermann steht auf. Der Invalide greift mit einer Hand an das Gerüst, drückt und zerrt, zieht ein wenig den Kopf ein. Vielleicht schmerzt ihn eine Ledernaht oder sein Rücken ist wundgerieben und er versucht, mit hohlem Kreuz kühle Luft auf die Haut zu bekommen. Langsam dreht sich der Kranke, schwenkt mit steifen Schultern mit, bis Hermann das Gesicht erblickt. Es ist eine Frau: Hängebacken und Herrenschnitt. Hermann setzt sich wieder. Der Lautsprecher sagt die Rauhreiter an.

Von allen Seiten rasen auf schweren Motorrädern Polizisten ins Stadion, die schwarze Sturzhelme und glänzende Ledergurte tragen. Sie drehen Kreise, schwärmen sternförmig auseinander, treffen sich wieder und stehen plötzlich in der Mitte alle still. Freihändig die Maschine balancierend, erheben sie sich von ihren Sätteln und breiten die Arme aus. Von oben sehen die Formationen wie unruhige vielblättrige Blumen aus. Durch das Stadion weht Beifall.

Dann beginnen Jagden. Abgesessene Kameraden, die vor Wippen liegen, lassen sich überspringen, andere schießen durch Feuerreifen oder schleppen in Säcke geschnürte Männer durch brennende Benzinlachen. Aufeinandergetürmte Schaumgummiwürfel werden mit gesenktem Sturzhelm von Fahrern berannt und auseinandergeschleudert. Hindernisse spielen keine Rolle mehr. Zwei Gruppen geben Gas, scheinen frontal zusammenzustoßen, weichen jedoch kurz vor dem Aufprall aus und fahren eng aneinander vorbei. Nach diesem Manöver schlenkern die Polizisten auf dem Rasen freihändig Kurven. Sie reißen Vorderräder hoch, einer springt bei voller Fahrt ab, seine Maschine katapultiert sich zur Aschenbahn. In einer Staubwolke bleibt das Motorrad liegen.

Zuletzt zeigen die Polizisten Pyramiden. Die Männer stehen turmhoch und halten sich an den Schultern umschlungen, während sie ein Sockel aus Maschinen durch das Stadion fährt. Federnd halten die Untermänner den Bau mit den Beinen zusammen, klammern und sind sich einig in der Anstrengung, ganz oben den Jüngsten zu tragen, der sich streckt, die Arme ausbreitet, zu fliegen scheint. Die ganze Gruppe dient ihm. Die Pyramiden fahren langsame Schleifen, staffeln sich, und wie sie feierlich hoch den Platz umrunden, flattert von jedem Obermann ein langes Band. Kraft und Freude wehen im Scheinwerferlicht vorüber. Die Zuschauer klatschen rhythmisch zur Abschiedsmusik.

In den Treppenschächten des Stadions verliert Hermann Leo. Mehrmals wird er angehoben und über die Stufen getragen, könnte sich abstoßen und über die Köpfe paddeln. Vor dem Stadion geht Hermann zum Fluß hinunter. Autoscheinwerfer streifen Gruppen von Menschen, die sich in den rauchigen Lichtbalken zu drehen scheinen. Die Startgeräusche der Wagen überholen sich. Am Ende eines betonierten Platzes findet Hermann ein Toilettenhaus.

Männer warten, haben alle eine oder beide Hände in den Taschen, einer wippt in den Knien. Sobald ein Gast herauskommt, geht der Nächste entschlossen hinein. Wahrscheinlich achten die Männer auf die

Reihenfolge. Hermann, ebenfalls die Hand in der Tasche, geht auf die andere Seite des Hauses. Das Schild über dem Eingang für Frauen ist beleuchtet, aber keine Frau kommt heraus oder tritt ein. Wie er wieder zu den Männern zurückkehrt, machen die Wartenden eine Wendung auf ihn zu. Er nickt und geht vor. Durch die Halsschlagadern spürt er die Herzschläge rollen.

Der Raum ist kaum beleuchtet und stinkt. Hermann muß sich zwischen Männern hindurchschieben, bewegt vorsichtig seine Ellenbogen, mit einer Hand knöpft er sich auf. Eng an andere gepackt, findet er eine Lücke an der Rinne, horcht und wartet, kann noch kein Wasser lassen. Neben sich hört er atmen, entfernt ein schnelles Keuchen, das wieder abbricht, dann schießt in Abständen ein Strahl gegen die Wand. Die aneinandergepreßten Leiber zittern oder holen im Takt Luft. Hermann schützt mit der hohlen Hand sein Geschlecht, das wachsen will, und versucht, es wieder in die Hose zu stopfen. Schließlich läßt er laufen. Seine Finger werden von heißem Urin naß, jetzt hat er keine Angst mehr. Hinter ihm stöhnt jemand, das ganze Rudel macht eine Bewegung darauf zu. Er wird von der Rinne weggerissen, sein tropfender Hosenladen steht offen.

Eine andere Hand sucht fischend. Vor ihm dreht sich einer im Gewühl schwerfällig um, streckt sich der Hand entgegen. Hermann möchte zuknöpfen, bringt die Ladung jedoch nicht mehr hinein, denn mit einem Ruck ist er stark geworden und fühlt fremden Stoff an seinem ragenden Schwanz. Die Erregung der anderen hat ihn eingeholt. Schiebend drängt er sich weiter zur Mitte, will mitgraben und Furchen zwischen die Männer ziehen, deren Hände ihn erreichen, ihm Schläge und Griffe zuteilen oder ihm Schäfte anbieten, die sich zuckend zwischen Fingern bewegen.

Dann fühlt Hermann unten an sich einen Mund und sieht vor sich im Dunkeln einen Mann in der Hocke kauern. Eine Zahnreihe schabt vorsichtig über die Eichel, hebt prüfend an, faßt den Stengel weiter hinten und klemmt Adern. Weit öffnet sich der warme Gaumen und bewegt leicht und naß. Hermann bekommt einen kleinen feuchten Pilz zu fassen, den er wieder loslassen möchte, doch eine Hand fordert auf, zwischen den Häuten zu suchen, zu arbeiten und den Kümmerling zum Wachsen zu bringen. Sein Handgelenk wird umklammert und rhythmisch geschüttelt, mitzumachen und tapfer zu sein wie jeder. Und wie er in dieser Mühle schwitzt, nun auch keucht und zu krampfen beginnt und den Mund unter sich bis zu den Mandeln spaltet, sieht er vor sich Leo, der allein in einem Kreis von Zapfen steht, den Oberkörper zurückgebogen, die Arme erhoben hat und frei mit dem Unterleib zuckt, schließlich sich mit schnellen Griffen selbst hilft und spritzend Zeichen gibt. Alle beginnen zu stöhnen, zu flackern und krümmen sich.

Auf der Brücke über den Fluß trifft Hermann Leo wieder. Sie stehen an das Geländer gelehnt und atmen den frischen Wind, der vom Wasser heraufstreicht. Wärme und Sättigung kreisen, sie stützen die Unterarme auf und lassen die Rücken, gegen die Geländerstäbe gedrückt, so lange rutschen, bis sie noch bequemer stehen.

»Ich bin oft dort«, sagt Leo.

»Treffen Sie sich mit Kunden?«

»Verabredet habe ich mich noch nie und in einer Wohnung würde es mir keinen Spaß machen. In einem Pisshaus kriege ich kein schlechtes Gewissen.«

»Und die Polizei?«

»Die ist zufrieden, wenn sie die Autos der Reihe nach von den Parkplätzen vor dem Stadion bekommt.«

Ein Herr, der eine Brille aufhat, bleibt in der Nähe stehen. Er faßt das Geländer an, scheint den Fluß zu beobachten, dessen weiße Schaumränder aus der Dunkelheit schimmern. Leo und Hermann sehen zu dem Herrn hinüber.

»Guten Abend«, sagt der Herr. »Ein hübscher Platz hier oben.«

»Wir haben genug«, sagt Leo.

»Wie bitte?«

»Wir haben nichts mehr drin«, sagt Hermann. »Sie müssen sich andere Sanitäter suchen.«

»Ich verstehe nicht«, sagt der Herr.

»Pfeif dir selber einen ab«, antwortet Leo.

Mit dem Zeigefinger klopft der Herr auf das Geländer und brummt zaghaft eine Melodie, dann löst er sich mit einer kleinen Wendung des Kopfes von der Brüstung. Leo und Hermann folgen ihm. Sie nehmen ihn in die Mitte und lassen ihn über ihre Beine stolpern, Hermann hält ihn an der linken, Leo an der rechten Schulter fest. Sie stoßen, überholen den Stolperer, strecken ihre Beine vor, richten den Herrn, der laut atmet, schließlich zu keuchen und zu jammern beginnt, wieder auf und fangen von neuem mit der Übung an, bis der Herr sich nicht mehr fangen kann und fällt. Sie gehen weiter, der Herr rollt auf der Straße.

Wortlos, in scharfem Tempo durchqueren sie die Stadt, sind in Form und gehen im Gleichschritt, hätten auch Häuserfassaden erklettern können. In der Pension verabschieden sie sich voneinander. Es sei ein schöner gemeinsamer Abend gewesen, sagt Leo. Hermann hört ihn, die Treppe hinaufsteigend, im Schrittakt leise furzen.

Nachts wacht Hermann in seinem Zimmer einmal kurz auf, umarmt das Kissen und bohrt seinen Kopf hinein. Langsam biegt er sich wie die Invalidin in ihrem Korsett, gleich wird er wieder schlafen.

4

Die Schüler liegen in Doppelstockbetten auf Strohmatratzen, atmen schnell vor sich hin. Rippenkörbe spannen unter den Decken, Fußknöchel stechen hervor, schaben am Holz der Bettgestelle, Arme, die herunterhängen, haben zu große Ellenbogen und Hände. Die Klostermauern schwitzen.

Hermann schläft in einem Fünferzimmer im obersten Stockwerk. Er hat ein Einzelbett. Unter seinem Fenster ragt ein Stück Eisenträger aus der Hauswand. Manchmal läßt er sich an einem Strick, den er am Fensterkreuz befestigt, nachts außen herunter, bleibt, eng an die Wand gepreßt, die Handflächen gegen den rauhen Verputz gestemmt, auf dem Träger stehen, bückt sich vorsichtig, bis er das Eisen zu fassen bekommt und rutscht dann am Seil weiter hinunter, die Beine über Kreuz als Bremsverschluß. Der Strick reibt heiße Streifen in die Schenkel.

Er wacht auf, sieht auf die Leuchtziffern seiner Armbanduhr, die zwischen Matratzen und Holz steckt. Ohne Wecker wird er jeden Morgen um fünf Uhr wach. Man muß abends mit aller Kraft an die Zeit denken, sich den Morgen vorstellen, die Zeiger, wie sie auf die Zahl fünf zurücken, muß indische Zähigkeit und Ruhe in sich sammeln. Jeder hat im Weltall seinen Platz und wird wieder erlöst. Er besitzt eine Broschüre, in der steht, wie man sich steigert. Es soll Fakire geben, die sich begraben lassen und Stunden unter der Erde liegen, ihre Herztätigkeit ist fast erloschen. Das trainierte Bewußtsein beeinflußt das unabhängige Nervensystem.

Zuerst bleibt er auf der Bettkante sitzen und atmet, bis es ihm schwindlig wird. In den Doppelstockbetten liegen die anderen in schmierigem Schlaf, einer dreht sich um, reißt die Augen auf, glotzt wie ein Fisch, schließt die Augen wieder und versinkt. Sie stinken vor sich hin. Wenn in den Korridoren der Weckdienst ruft, werden sie schreiend aus den Betten springen und sich vor den Waschbecken streiten, werden gleich wieder vom Essen reden, von Kartoffeln, Nudeln, Lauch, Pferdefleisch und dicken Maismehlsoßen mit Fettaugen. Sie können sich nicht vorstellen, daß Hunger die Haut strafft, den Kopf reinigt, die Augen schärft, die nicht. Vom Bauch hochziehende Leere öffnet die Nasenschleimhäute, vergrößert das Gehör, saugt aus der Ferne das Trommeln von Hasenpfoten ein, jede Anstrengung dreht sich kostbar und hell wie ein Wassertropfen. Im Refektorium, in dem ein Klavier steht, übt Hermann jeden Tag die Zweiunddreißigstel einer Toccata, die er ohne Pedal fehlerfrei spielt. Stahlzähne greifen blitzschnell ineinander und hämmern in dem Gewölbe ein Maschinenfest.

Hermann steht von der Bettkante auf, vom vielen Atmen bleich und zittrig. Über den Stühlen hängen Hosen und Hemden, ein Stuhl ist umgefallen, die Kleider liegen auf dem Bretterboden, der einmal in der Woche geölt wird. Im obersten Stockwerk gibt es nur noch einen Schüler, der sich selbst eine Aufgabe gestellt hat. Mit einer Stahlfeder schreibt er das Alte Testament ab, seine kleine Schrift füllt schon sieben Rechenhefte. Seine Eltern besitzen eine Gärtnerei.

In Turnschuhen und einer schwarzen Turnhose geht Hermann leise durch das Zimmer, weiß, wohin er treten muß, damit die Dielenbretter nicht seufzen. Nachdem er die Klinke langsam heruntergedrückt hat, zieht er die Tür mit einem Ruck auf. Die Margarine, die er in die Angeln schmierte, haftete schlecht, rutschte bröckchenweise ab, die Zapfen knarren schon wieder.

Im dunklen Korridor, in dem Kleiderschränke stehen, läuft er auf die blaue Nachtbirne zu. Nur er ist schon unterwegs, nimmt die Treppe, überquert den unteren Flur, wo die größeren Schüler schlafen, die noch im Krieg waren, abgeschossene Fersen haben, halbe Lungen, Auswurf, Sumpffieber; einer, der gern Tischtennis übt, hat anstelle der Hand einen Haken am Arm. Die Älteren sind in der Schule fleißig, wollen fertig werden, mehr geht in ihre Köpfe nicht hinein.

Der von Regenbächen ausgewaschene Weg senkt sich zwischen den Klosterhäusern. In seinen weichen Schuhen tastet Hermann mit den Zehen nach den Rinnen. Sich abstoßen, die Arme locker pendeln lassen, auf den Schrittakt warten, über den man nicht nachdenken darf, Beine und Körper müssen sich ergänzen und wie ein Keil vorwärtsstoßen. Die Lungen säubern sich. Neben einer Allee liegt der Faustballplatz, auf dem sich nach dem Mittagessen die Mannschaften mit Schmetterbällen jagen oder mit getupften faulen Bällen täuschen. Die Knöchel der Verteidiger sind von Rückziehern, die sie kurz vor dem Boden abfangen, aufgeschlagen. Hermann ist Ringtennisspezialist. Die Trennseile der Spielfelder, die von amerikanischen Maissäcken stammen, hängen naß und schlaff durch. Eine presbyterianische Hilfsorganisation liefert jeden Monat einen halben Lastwagen Säcke umsonst. Ein Teil wird in Ulm auf dem schwarzen Markt in Fett umgetauscht. Vielleicht darf er bald mitmachen, wenn nachts der Verkaufstrupp auf Fahrrädern losfährt, mit Wachstuch abgedichtete Koffer voll Mehl auf Gepäckständer geschnallt. Manchmal müssen die Schüler an der Grenze zum amerikanischen Sektor durch die Donau waten. Die Franzosen können mit Zigaretten bestochen werden, die Amerikaner nicht. Hermann hat sich beim Ringtennis die Warteliste hinaufgespielt, hat Fingernägel geopfert, der zu einer Brezel gebogene Gummiring klatschte bei scharfen Angaben in sein Gesicht. Wer ausgezeichnet wird, muß schnell und zäh sein, die Alten aus der neunten Klasse prüfen jeden unerbittlich, ehe sie ihn in die Schwarzhändlerriege aufnehmen. Einmal soll ein Schüler angeschossen und nachts vom Dorfarzt ohne Narkose genäht worden sein.

Am Sportplatz biegt Hermann in eine Kurve ein und läuft hinter einer Mauer, auf der bei Sportfesten die Zuschauer sitzen. Als die Donau noch durch das Tal floß, eine tiefe Rinne in die Kalkfelsen grub, wurde von den Strudeln ein Berg herausgewaschen, der mit einer grünen Baumkappe in der Mitte des trockenen Flußbettes steht. Um ihn herum führt die Trainingsstrecke, früher ein Stationenweg für Mönche. Oben auf dem Hügel steht eine aus Feldsteinen erbaute Kapelle, die Klosterhäuser liegen am Ende des Tals. Geißler sollen die frommen Brüder gewesen sein, Brotesser, Wassertrinker, die ihre Pflüge selbst zogen und dreimal nachts aufstanden, um zu beten. Der Dorfarzt behauptet, die meisten hätten Magengeschwüre gehabt, Skorbut und Rheumatismus, alles Teufelserscheinungen, die bestraft werden mußten. Hermann sieht sie auf Knien den Stationsweg hinaufrutschen, bestaunt von Bauern, die am Wegrand stehen und ihnen Speck und Zwiebeln entgegenhalten, auch etwas für ihr Heil tun wollen. Die Hälse der Brüder bleiben tief in den Kutten, der rauhe Stoff klebt an schrundigen Rücken und scheuert frisch verschorfte Wunden auf.

Auf der ersten Steigung tritt Hermann kürzer, keucht, trippelt nur noch auf Zehen. Die Nässe, die aus den Sumpfwiesen herüberzieht, läßt ihn husten. Dann wird der Weg wieder flach, führt an Felsen entlang. Der Wind, der über Hermanns nackten und verschwitzten Oberkörper streicht, verstärkt die Verdunstungskühle auf der Haut. Hinter einer Pappelreihe liegt eine Fischerei, ihre Weiher stinken nach verfaultem Fleisch und Jod.

Nachts sind sie durch ein Loch im Maschendrahtzaun gekrochen. Der Fischer, heißt es, verarbeitet alles zu Futter. Wenn man ihn auf den Dämmen zwischen den Weihern stehen sieht, eine Scheuche in zerrissenem Mantel, einen Hund neben sich, der am Strick zerrt, kann man sich vorstellen, daß er mit einem Beil in der Hand an Waldwegen lauert oder auch mit Krankenhäusern zu tun hat, in denen allerhand abfällt. Als sie den Zaun hinter sich hatten, standen sie bis zu den Knien in Brennesseln. Spucke hilft, flüsterte einer. Mit einer Taschenlampe leuchteten sie in einen Weiher, wollten die Fische blenden und an gebogenen

Gabeln aufspießen, die sie an Stecken gebunden hatten. Im Lichtkegel wälzten sich silbrige Rücken, durchbrachen die Wasseroberfläche, schossen aber sofort auseinander und ließen ein dunkles Loch zurück, sobald die gezinkten Speere zustießen. Dann füllte sich der leere Fleck wieder mit Schuppen und Kiemen. Plötzlich war der Hund da, wand sich lautlos zwischen ihnen, bellte nicht, keuchte nur, sprang hoch und wollte schlecken, rieb seine nasse Nase an Waden und Kniekehlen. Hermann fühlte den Hundekopf zwischen seinen Schenkeln und wurde beinahe hochgehoben. Als er nach unten griff, faßte er in feuchtes, klebriges Fell. Der Hund jagte sie in seiner leisen und wilden Zärtlichkeit hin und her. Ein Junge brach bis zu den Hüften in Schlick ein und hatte, mit dem Oberkörper auf einer Dammkrone liegend, sofort das Tier über sich, das die Läufe spreizte und zu rammeln begann. Der harte Docht zuckte über den Knabenrücken zum Nacken hinauf. Aus dem Maul des Hundes troff Speichel. Hermann packte zu, spürte Sehnen, glitt mit den Daumen von gewellten Muskelpäckchen ab, umschlang, als seine Hände Halt fanden, die Köpfe von Hund und Freund und geriet, sich tiefer bückend, mit einem Arm unter den Hundeleib, der seinen heißen Schwanz in jeden Widerstand bohrte. Gemeinsam hoben sie an und warfen das rüttelnde Tier hoch, das, den Rumpf hin- und herdrehend, noch in der Luft nach ihnen suchte, bevor es auf das Wasser schlug. Als der Kopf, kleiner geworden, wieder auftauchte, liefen sie zum Zaun. Im Loch verletzte sich Hermann, hinter dem Zaun folgte ihnen noch lange der nasse, bellende Hund.

Seitenstiche: Hermann wird langsamer. Zwischen Häusern, die sich Arbeiter am Berghang gebaut haben, bleibt er stehen. Nachdem er tief Luft geholt hat, trippelt er auf der Stelle und schüttelt die Arme. Der Krampf löst sich. Beim letzten Wettlauf wurde er hier überholt, hatte sich auf der ersten Hälfte zu sehr verausgabt. Die Strecke führt in einem Bogen bis zum Talausgang, an dem das Dorf beginnt. Jeden Nachmittag holt eine Gruppe in einem Leiterwagen Brot aus der Bäckerei, scheibenweise wird es zu den Mahlzeiten vorgezählt. Es gibt kein schöneres Gefühl, als warmes Brot hinunterzuschlingen, wenn man an der Deichsel hängt und zieht. Die Brocken tauen im Magen, saugen sich voll und füllen. Jede Bewegung macht Mühe, Hermann stößt Luft aus.

Am Rande des Dorfes liegt ein Zementwerk, das Tag und Nacht in Betrieb ist. Es sind alles Rote, heißt es, sie treiben Inzucht, sollen froh sein, daß sie in der Fabrik arbeiten dürfen. Mehlige Männer sprengen Kalkstein und fahren die Brocken in Loren zum Mahlwerk. Das ganze Dorf ist mit Staub bedeckt, zwischen bewaldeten Hängen öffnen sich weiße Steinbrüche. Im Blickwinkel tanzt ein Fabrikschornstein, während Hermann auf der nächsten Steigung enge Kurven macht. Nach jedem Atemzug greift ein Bein vor, Füße, Kniegelenke, Ellenbogen und Schultern scheinen einzelne Gewichte zu sein. Er würde sich gern verflüssigen.

Es holpert, knirscht, wellt sich und wirft einen ab. Nachts sind Mädchen ins Zimmer eingedrungen, haben nassen Sand und Tannenzapfen auf die schlafenden Jungen geworfen. Als Hermann aus dem Bett sprang, trat er in eine Schüssel voll Wasser. Licht, Licht an, schrie er! Er bekam keine Luft mehr, biß in ein Handtuch, griff in Fleisch, spürte Knochen, wurde geschlagen und unter einen Tisch gestoßen. Er fühlte Wasser oder Blut zwischen den Fingern, war ein Frosch, der verzweifelt ruderte, und erhielt, als er auftauchen wollte, neue Schläge. Keuchen und ein leises, vor Anstrengung verzerrtes Gelächter war zu hören. Durch Beine und Körper hindurch arbeitete er sich nach oben, bekam Sand in den Mund, Blätterfladen, erwischte endlich lange Haare, an denen er zog, bis jemand vor Schmerz schrie. Er stieß in eine Brust und war mit den Armen frei. Als er die Tür aufriß, liefen Schatten davon. Ein anderer Junge knipste das Licht an. Im Zimmer lagen Tannenzweige, umgestürzte Stühle und schmutzige Bettlaken, in zertretenen Rahmen wellten sich Elternphotographien.

Ruckweise ist er höher gekommen, liegt in leichter Fahrt auf dem Waldweg oben. Durch die Turnschuhe dringt Tau. Die ebene Strecke macht frei, gleichmäßig treibt er sich voran. Im Wald mit einem Buch in der Hand allein zwischen den gefleckten Stämmen gehen, unten sitzen die anderen in ihren Zimmern, die einmal Zellen waren, spielen Karten, würfeln und erzählen sich Schweinereien. Aber er wandert und stellt sich Pyramidenstufen vor, Tonnengräber öffnen sich, der Winkel des Opfersteins weist nach Osten, der Arm des Fakirs steht zwanzig Jahre ab, bis er verdorrt ist. Hermann läuft mühelos, das ganze Tal mit Schule, Zementwerk und Hunger hat sich seinen Bewegungen untergeordnet.

Du mußt keine Angst haben, hat sein Freund gesagt,

du gehst einfach hin und sagst, du kommst von mir. Sie wohnt in dem Anbau hinter der Konditorei, die Tür ist immer offen. Bring ihr ein Taschenbuch mit, das macht Eindruck. Sie hat ein Kind, es ist auch in dem Zimmer und riecht sauer. Sie ist dankbar für jeden Besuch.

Den Berg hinunter braucht Hermann wieder mehr Kraft, die Füße rutschen in den Regenrinnen. Durch den Lauf leichter geworden, zieht er in schnellem Tempo hinter der Mauer am Sportplatz vorbei und biegt in die Lindenallee ein. Schon von weitem hört er die Pfeifen und Becken des Weckdienstes zischen, er fühlt sich schwerelos, ein leergepumpter Sieger, kostbar und durchsichtig wie ein Zierfisch. Am Portal bleibt er stehen und muß sich festhalten, um nicht davonzufliegen.

»Ich warte«, hört er Gudrun sagen, »ich warte schon lange. Deine Füße sind sauber.«

Sie steht im Pensionszimmer und hat ihm einen Bleistift zwischen die Zehen gesteckt. Vorsichtig bewegt er den Fuß, richtet sich langsam auf, während der Bleistift auf- und abwippt, die Spitze kratzt am Holz der Bettlade.

»Automatischer Fahrtenschreiber«, sagt Gudrun, »zeichnet deine Schlafkurven auf.« Als sie hinausgegangen ist, hört er Wasser rinnen, muß aufspringen und retten, denn Gudrun hat den Hahn aufgedreht und den Stöpsel in den Abfluß gesteckt, das Becken droht überzulaufen. Die bis zu den Ellenbogen eingetauchten Arme machen Hermann wach.

Gudrun sitzt an Leos Tischchen und klebt eine Briefmarke auf eine Ansichtskarte.

»Einen Gruß an deine Mutter. Der junge Mann hier war so freundlich, mir eine Farbaufnahme der Pension zu geben. Genier dich nicht, unterschreib. Ich bin auf der Durchfahrt nach Dänemark. Simon hat dort eine kleine Fabrik für Plastikwaren gekauft. Ich soll die Produktion organisieren. Kommst du mit? Er würde dich gut bezahlen.«

»Weiß sie, daß du mich besuchst?«

»Natürlich. Sie hat mir am Telefon ihren Brief vorgelesen, den sie dir geschrieben hat.«

»Ihr seid fabelhaft«, sagt Hermann.

Leo steht an der Tür und sieht durch ein geschwärztes Stück Glas. Heute gebe es eine Sonnenfinsternis, behauptet er, der Mond habe einen Durchgang, werde die Sonne bis auf eine dünne Sichel verdecken.

»Besser, Sie kaufen sich eine starke Sonnenbrille«, sagt Gudrun. »Mit Fett und Ruß bekommen Sie keine gleichmäßige Deckschicht. Sie werden die schwarze Sonne mit wolkigen Stellen auf Ihrem Scherben verwechseln.«

»Ich habe Hunger«, sagt Hermann.

Auf ihrer Fahrt durch die Stuttgarter Innenstadt hätten sie gern eine transportable Parkuhr dabei, schließlich essen sie Schaschlik an einem Brateteiomnibus. Die scharfen Fleischstückchen spülen sie mit Limonade hinunter. Hermann reißt die Ecke eines Papptellers ab und sägt hinter vorgehaltener Hand Brotreste aus Zahnlücken. Die Kartonkanten weichen und fransen aus, neue Fasern bleiben in den Zwischenräumen stecken.

Neben der Braterei stehen auf steilen Holzrampen mit Drahtseilen befestigte Autos: Gewinne einer

Rote-Kreuz-Tombola. Der Boden ist mit Losen bedeckt, aus einem Lautsprecher tönt Schlagermusik.

»Hast du Arbeit gefunden?« fragt Gudrun.

»Weiß ich noch nicht genau.«

»Soll ich dir helfen?«

»Nein«, sagt Hermann, »fahr nach Dänemark, ich bleibe hier. Ich muß nur Geduld haben.«

»Ich will in Dänemark Wellenreiten lernen«, sagt Gudrun.

Sie ißt, streift mit den Zähnen ein von Ketchupsoße tropfendes Stückchen Leber oder Speck von dem kleinen Holzspieß, den sie mit zwei Fingern hält. Die andere Hand nähert sich mit einer Papierserviette, um Tunke aufzufangen und Mundwinkel auszuwischen. Seine Mutter mache sich Sorgen, sagt sie kauend und stößt mit den Lippen einen großen Zwiebelring an, der einen Überschlag am Holz dreht. Ob er Geld brauche? Sie habe genügend dabei. Hermann sammelt die verschmierten Papierteller ein, auch die, die andere Gäste stehen ließen, und wirft sie in einen Plastiksack, der unter dem Stehtisch hängt. Durch den Lautsprecher der Tombola wird ein Gewinn angesagt, ein Küchenmixgerät.

»Ich brauche nichts.«

»Du hast ja genügend gestohlen.«

Sie lachen und sehen einem Mann zu, der den Mixer wie einen Pokal hochhält. Leute drängen heran. Der Lautsprecher fordert zum Loskaufen auf, verweist auf den glücklichen Gewinner. Kleinere Gewinne dürfen sofort mitgenommen werden, die Autos bleiben bis zuletzt auf den hohen Rampen stehen.

In einem Kaufhaus läßt sich Gudrun Badeanzüge zeigen. Eine Verkäuferin bittet Hermann zur Umkleidebox, seine Frau wünsche Rat. Bevor er eintritt, sieht er durch einen Spalt in der Nachbarkabine eine ältere Frau aus einem schwarzen Rock steigen. Ihr Hintern hängt über den breiten Kniekehlen. Die Frau trägt schwarze Unterwäsche und schwitzt.

Hermann bückt sich, obwohl ihm die Verkäuferin den Vorhang aufhält. Gudrun blickt in einen Spiegel und kehrt ihm den Rücken zu. Unter ihren Achseln schneidet die Strippe des Büstenhalters ins Fleisch, in der Mitte scheuert die Schließe bei jeder Bewegung hin und her und gibt die Ränder einer roten Druckstelle frei. Auf Gudruns Hüften sitzt ein geflecktes Dreieck mit Schmetterlingsschleifen, Gudruns Schenkel sind zu dick. Während sie sich zur Seite dreht, sieht Hermann sie im Spiegel von vorn, kurz und stämmig mit flachen verzerrten Füßen, als stünde sie bis zum Bauch in Wasser. In der heißen Kabine flimmert es, Hermann tritt zurück, sein Hinterkopf berührt den Vorhang, aus Nachbarkabinen hört er das unterdrückte Keuchen von Frauen, die sich in Kleider und Wäsche zwängen.

»Steht es mir?« sagt Gudrun.

Gudrun bückt sich in der engen Kammer, um Schuhe anzuziehen, ihre gelben Fersen versinken im Leder. Hermann, der weiter zurückweicht, beult mit dem Rücken den geschlossenen Vorhang aus. Vor ihm biegt sich das Mädchen, deren Badehose zu platzen droht. Er könnte angreifen, herunterreißen und zustoßen. Draußen werden Kassenzettel getippt und Waren verpackt.

»Jetzt stimmen die Proportionen«, hört er Gudrun sagen. Sie hebt die Arme, unter ihren Achseln schimmern Rasurschatten.

Jeder tritt auf ein Klingelzeichen in eine Kabine ein. Sie legen die Kleider ab und werfen sie durch eine Öffnung in der Wand. Die Bündel gleiten auf Rutschen in den Keller, in dem Angestellte die Größen sortieren. In den Kabinen leuchten zu sanfter Musik optische Zeichen auf, die die Sehschärfe prüfen. Die Gäste blicken die Muster an, sind noch verwirrt, müssen genauer hinsehen, damit sie die kleinen und großen Buchstaben und gebrochenen Linien erkennen, machen einen Schritt vorwärts, stehen schon bequemer, die Augen tränen nicht mehr, die Aufgabe ist nicht schwierig, kann selbst von den Kleinsten mühelos gelöst werden, jeder nimmt unwillkürlich die gewünschte Haltung ein, dann erledigt von hinten ein Schlagbolzen, ein Hammerwerk oder ein wattierter Schuß den Rest. Der Fußboden öffnet sich, die Kabinen sind wieder leer. Auf ein Klingelzeichen treten die Nächsten ein.

»Willst du auch eine Badehose?« hört er Gudrun fragen. »Weißt du deine Größe?«

»Hier gibt es nur Thermalbäder«, sagt Hermann. »Das Schwefelwasser stinkt und macht mich schwindlig.«

»Warme Quellen sind gesund.«

»Das kann jeder sagen.«

Sie will an ihm vorbei zum Vorhang gehen, doch er streckt den Arm aus, so daß sie, auf ihren hohen Absätzen schwankend, gegen den Arm stößt und nach vorn überkippt. Er könnte jetzt um ihren Rücken greifen, sie hochheben, quetschen, sie strampeln und jammern lassen. Gudrun blickt ihn an, auf ihrer Oberlippe stehen Schweißtropfen.

»Du bist nicht schnell genug«, sagt sie.

»Es gibt in der Stadt einen Puff«, antwortet er, »das Dreifarbenhaus. Es ist billig und steht beim Rathaus.«

Hermann nimmt seinen Arm zurück. Gudrun schlägt ihm mit der Hand leicht auf die Hüfte. Für einen Augenblick fühlt er einen Finger zwischen Hemd und Gürtel stecken.

»Ich war mit italienischen Bauarbeitern drin. Einer wollte, erst das fünfte Mädchen hat ihn angenommen.«

»Und du?«

»Als die Tür zu war, haben wir versucht, durch das Schlüsselloch zu sehen. Es war verhängt oder der Schlüssel steckte. Es hat nur ein paar Minuten gedauert. Du kannst dir nicht vorstellen, wie froh die Italiener waren, als ihr Freund wieder gesund herauskam. Sie haben ihn umarmt und abgeküßt und hätten ihn am liebsten auf den Schultern davongetragen, aber der Korridor war zu niedrig.«

Hermann deutet auf den Büstenhalter ihres Badeanzugs, an dem noch das Preisschild pendelt, doch Gudrun hat schon die Bluse angezogen und muß, wie sie ihren Irrtum bemerkt, die Bluse wieder ausziehen und in anderer Reihenfolge von vorn beginnen.

»Laß dir Zeit«, sagt er und geht hinaus.

Der Vorhang der Nachbarkabine, in der die mit schwarzer Unterwäsche bekleidete Frau sich bückte, steht offen. Leere Bügel hängen an der Wand, auf der

Bank liegt ein angebrochener Kamm. Vielleicht fing die Frau an zu weinen und stieß, als sie nach einem Taschentuch suchte, an ihre Frisur, die sich lockerte, so daß der Kamm herausfiel. Oder sie kämmte sich und vergaß, ihn wieder einzustecken. Es wird eine zähe Anstrengung gewesen sein, mit den neuen Trauerkleidern über dem Arm zur Kasse zu gehen, wo ein Mädchen ungeduldig durch das Zahlloch nach dem Quittungszettel greift. Die gefalteten Geldscheine in der Börse haften, die Frau stützt sich am Kassenbord auf und fragt zum dritten Mal nach der Summe, die sie in der Kabine bei der Anprobe nicht gelesen hat. Endlich lösen sich die Lappen, werden von der Kassiererin weggefischt. Bevor das Kleingeld abgezählt durch das Loch in der Scheibe zurückkommt, drücken andere Kunden zum Packtisch weiter. Die Frau stemmt dagegen an und lächelt entschuldigend.

»Wir nehmen den Badeanzug«, sagt Hermann zu einer Verkäuferin.

Er überredet Gudrun, den Fernsehturm zu besuchen. Sie sitzen im Restaurant, das in großer Höhe wie ein Mastkorb um eine Betonröhre hängt, in der lautlos Aufzüge gleiten. Auf der Plattform des Turmes steht eine Sprossenantenne, deren Wipfel einen Ausschlag von mehreren Metern haben soll. Die Häuser der Stadt liegen in einer flachen Pfanne, die übergelaufen ist. Die fleckigen Vororte breiten sich über den Herd aus, dazwischen ziehen kreuzweise Straßen, der breite Stiel der Autobahn weist über den Herd hinaus, auf dem es leise kocht.

»Heimatland«, sagt Gudrun, »da sind wir zu Hause.«

Langsam schiebt ein amerikanischer Hubschrauber vorbei. Vor den geschlossenen Fenstern des Restaurants schaufeln zwei Rotoren, die den Rumpfschnitz in der Luft halten. Die gegenläufige Bewegung der Propellerblätter erfolgt zögernd, man könnte glauben, die Maschine müsse jeden Augenblick abstürzen. Gudrun beobachtet, in ihrem Sessel mitschwenkend, den Flug der Maschine um das runde Restaurant, bis ein Kellner, der eine Platte voll Speisen vorbeiträgt, ihr die Sicht abschneidet.

»Es gibt da unten Sekten«, sagt Hermann, »die Schwaben bringen viel Gefühl für Glaubensunterschiede auf. In Ludwigsburg zum Beispiel haben sich die Rosenbrüder eingenistet. Sie haben keine Kirche, aber Bauernhöfe, ein Netz privater Stützpunkte. Die Brüder kundschaften aus, wo Eltern sterben und eine Tochter allein übrigbleibt. Bewirbt sich ein Mann um das Mädchen, der heiraten und den Hof haben möchte, wird es gewarnt, nachts klappern Fensterläden. Der böse Blick geht um, sagen die Nachbarn. Oder der Mann bricht sich ein Bein, wenn er zu seiner Verlobten unterwegs ist. Stell dir einen Kirschgarten vor, eine Uhrenfabrik, die wie ein Sanatorium aussieht, dahinter dehnen sich Weißkrautäcker, mittendrin steht ein Bauernhof. Du hast die Hühner gefüttert, sitzt in der Küche, hörst die Uhr ticken, hast einen Rettich in Scheiben geschnitten und gesalzen und wartest, daß er schwitzt. Manchmal drückst du mit dem Zeigefinger auf den Rettichturm, damit die Schärfe herausrinnt. Nachher wirst du die Lokalnachrichten in der Zeitung lesen und vielleicht einen Schlüpfer waschen, weil es Freitagabend ist. Der Rettich senkt sich, ist milde geworden, du machst den ersten Biß. Was deinem Darm gut tut, weißt du genau.«

»Wie alt bin ich?« fragt Gudrun.

»Mindestens vierzig, besser fünfzig. Dein Vater saß wackelnd in der Sonne vor dem Haus, bis ihn der Schlag getroffen hat. Deine Mutter starb an Krebs, weil sie die Knoten in den Brüsten nicht ernst nahm. Im Alter werden die Milchdrüsen zu Erbsen, hat sie gesagt und ins Kleid gehorcht, ob die dünnen Säckchen bimmeln. Davor hast du keine Angst, denn du weißt nichts darüber. Aber du bist allein. Also klopfen zwei Rosenbrüder an deine Tür.«

»Ich habe keinen Bauernhof, und Hühner kann ich schon gar nicht leiden.«

»Dann stelle dir Dänemark vor, in dreißig Jahren. Simon ist tot, hat dir die Plastikfabrik vermacht. Dänisch sprichst du inzwischen auch. Du sitzt abends im Labor, hast einen Bunsenbrenner angezündet. Nach der Büroarbeit spielst du ein wenig Chemikerin, das leistest du dir als Direktorin. Wenn du aus dem Fenster blickst, siehst du eine Allee, Kühe und ein weißes Häuschen im Grünen. Die Angestellten sind gegangen, du bist allein in deiner Fabrik. Ein Buttermilchfrieden hängt über der Landschaft. Da geht die Tür auf und zwei Stammarbeiter treten herein. Es sind Uetz und Angele. Sie sind beide aus dem Allgäu gebürtig, vor vielen Jahren mit dir nach Dänemark gezogen. Manchmal trinkst du mit ihnen ein Bier.«

»Und du?« fragte sie.

»Ich bin in Nüssen, leite die Vorhangschienenfabrik. Vielleicht bin ich verheiratet. Ich habe zwei Kinder,

mein neues Haus steht auf dem Galgenbühl. Meine
Mutter lebt bei uns, jeden zweiten Nachmittag fährt
der Chauffeur sie ins Café.«

»Das könnte dir so passen.«

»Ich wollte nicht, Ehrenwort. Fabrik, habe ich gesagt, was soll ich damit? Aber du hast behauptet, ausgerechnet du, für eine Frau seien beide Fabriken zu
viel. Du hast so lange gedrängt, bis ich mitgemacht
habe. Für mich war es ein gutes Angebot, es ist die
letzte Möglichkeit gewesen. Ich bin inzwischen fünfzig, da bekommt man es mit der Angst zu tun.«

Sie greift über den Tisch und tätschelt seinen Arm.
Aus ihrer Handtasche holt sie Hermanns Lohnsteuerkarte, reicht sie ihm und erklärt, Simon bleibe bei seinem Angebot.

»Muß ich das gestohlene Geld zurückgeben?«

»Zerreiß es, gib es aus, deine Mutter will es nicht
mehr.«

»Dann behalte ich es.«

Gudrun sitzt in dem dänischen Labor, läßt den Bunsenbrenner flackern und schwenkt ein Reagenzglas,
in dem eine milchige Flüssigkeit aufkocht. Hinter ihr
stehen Uetz und Angele. Sie ist zu warm angezogen,
würde gern zwei Knöpfe der Kostümjacke öffnen,
hat darunter jedoch keine Bluse an. Die Jacke schließt
hoch. Draußen kommt Wind auf vom Meer. In der
Wohnung wird sie die Fenster festhaken müssen.
Zwei sind krank, sagt Uetz. Das Mädchen, das ein
Kind bekommt, sagt Angele, wird ab Montag zu
Hause bleiben. Der Vater des Kindes hat sich endlich
auch gefunden, sie wollen bald heiraten. Die beiden
Arbeiter legen jedes Frühjahr den Garten vor Gud-

runs Häuschen an, die Blumenbeete neben der Fabrik-
einfahrt halten sie ebenfalls in Ordnung. Und jetzt in
der Stille, während die ältere Frau das heiße Reagenzglas mit einer Holzzange hält und die Flüssigkeit
durch kleine Bewegungen zum Kreisen bringt, damit sich das Gemengsel teilt, beginnt Uetz zu singen,
Angele macht mit, schließlich fällt Gudrun ein. Zu
dritt singen sie ein Lied, dessen langsame Melodie an
einen Choral erinnert oder einen feierlichen Marsch.
Gudrun dreht den Bunsenbrenner aus und wandert
singend im Raum umher, Uetz und Angele bleiben
stehen. Einer versucht Kopfstimme.
»Ich hätte Hinterglasmalerin werden sollen«, sagt
Gudrun. »Madonnen mit kleinen Mündchen haben
mich schon als Kind erregt.«
»Gemalt wird nur sonntags«, sagt Hermann.
In der Mitte des Turmrestaurants führt eine Wendel-
treppe zur Plattform hinauf. Sie lassen sich vom Rük-
kenwind über den Rundgang treiben, Hermann
spuckt zwischen den Eisenstangen hindurch, die die
Brüstung sichern. Die Spucke wird vom Wind erfaßt,
zieht schlenkernd an den Restaurantfenstern vorbei
und zerstäubt.
Sie fahre heute noch bis Hamburg, sagt Gudrun, vielleicht auch die Nacht durch nach Dänemark. Auf der
Rückfahrt mache sie in Stuttgart wieder halt, er solle
in der Pension seine neue Adresse hinterlassen, ein
billiges Zimmer müsse er sich auf jeden Fall suchen.
Hermann trabt noch hinter dem Auto her und springt
auf die Stoßstange. Mehrmals klopft er ans Heckfenster, doch Gudrun dreht sich nicht mehr um. Das
Auto wird schneller, er springt ab, sieht noch die

Bremslichter aufleuchten, ehe Gudrun in die Schnell-
straße einbiegt, dann verschwindet das Auto den Berg
hinunter hinter einer Sicherheitsschiene.

Hermann wandert durch Blättertunnel, Rosenzäune
sichern Häuser, an Fenstern sind schmiedeeiserne
Gitter angebracht. Mit der Straßenbahn fährt er durch
die Stadt im Tal, auf der anderen Hangseite steht die
Ruine der Weißvilla.

Caspar Friedrich Weiß verkauft nicht. Die Stadt Stuttgart soll für das große Grundstück, das verwildert
zwischen anderen Gärten liegt, eine Million Mark ge-
boten haben. Als Weiß emigrierte, hinterlegte er nicht
einmal die Hausschlüssel bei seinem Rechtsanwalt, er
ließ alles offen stehen. Ein Beauftragter der Stadtver-
waltung flog zweimal über den Atlantik. Man kann
sich Weiß nicht dürr genug vorstellen, wenn er in seinem Rollstuhl sitzt, ein Paket Zeitungen auf den
Knien, den ganzen Tag gräbt er sich durch Nachrichten und erwartet es kaum, bis am nächsten Morgen neue Zeitungen geliefert werden. Das Haus in
Stuttgart hat sich amortisiert, soll er gesagt haben, es
war einmal das modernste Wohngebäude, Neutra hat
es entworfen, jetzt soll es zerfallen.

Hermann wartet, bis ein Radfahrer den Berg hinauf
vorbeigeschoben hat, hört auf dem kleinen Basalt-
pflaster die Schritte verklingen und geht zu der alten
Doppelgarage, die in die Hangflanke hineingebaut
wurde. Neben einer morschen Tür zieht er sich an
den Türangeln hoch. Die Unterarme auf den Mauervorsprung gelegt, wuchtet er nach, muß mit den
Schuhspitzen an den Brettern kratzen und stoßen,
damit er genügend Schwung bekommt, dann landet

er oben auf den Knien. Vorsichtig richtet er sich auf und hält den Kopf zur Seite, denn Gebüsch verdeckt einen Stacheldrahtzaun. Nach ein paar Schritten außen auf der Garagenmauer schiebt er sich gebückt durch ein Loch im Zaun, das er bei seinem ersten Besuch mit einer Eisenstange gerissen hat.

Kinder aus den umliegenden Villen haben Pfade durch das hohe Gras getreten. Hermann wechselt die Spur, taucht zwischen Büschen unter und achtet darauf, nicht in verkrustete Kotwürste einzubrechen, die überall versteckt liegen. Dem Geruch nach hangelt er sich höher, spreizt und hopst. Es muß für Kinder aus reichen Häusern ein wildes Gefühl sein, im Freien zu scheißen. Zu Hause stemmen sie, bevor sie beginnen, noch einmal furchtsam vom Sitz hoch und vergewissern sich, ob der Türriegel auch zu ist. In der Dunkelheit balanciert Hermann über Mauerbrocken eines verfallenen Teepavillons.

Hier könnten die Weiß-Töchter mit Freundinnen in der Abendsonne gesessen haben. Eine Angestellte trägt Zitronengetränke den Kiesweg herab, wird noch einmal weggeschickt, um Schallplatten zu holen. Lachend bläst die jüngste Tochter durch einen Trinkhalm ins Glas und wirft den Kopf zurück, wenn das Zitronenwasser übersprudelt. Vom Arbeitszimmer aus beobachtet Vater Weiß die Gruppe durch ein Fernglas. Leise schleift ein Foxtrott im Grammophon.

Wo haben die Liegestühle gestanden, die Korbmöbel, wo wurde Kricket gespielt? In der Ferne bewegt sich ein Gärtner zwischen jungen Bäumen und versprüht ein Insektenmittel aus einer Handpumpe. Auf einem kleinen Platz, der in den steilen Hang hineingesprengt wurde, bleibt Hermann stehen. Zwischen Plattenresten wachsen kniehohe Schößlinge. Es kann ein Chiffonkleid gewesen sein, das Frau Weiß trug, als sie auf der Schaukel saß und ihr Mann sie anschob. Das Haus stand noch nicht, Neutra visierte erst an Meßpfählen entlang. Sie lacht, zieht sich höher, steht auf dem Sitzbrett und schwingt. Ich will eine hohe Mauer um den Garten haben, ruft sie. Hermann tastet kniend über einen morschen Balken, der vom Schaukelgestell übriggeblieben ist. Er zieht ein schweres pistolenförmig gebogenes Scharnier aus dem Holz. Sicher liegt es in der Hand, mit Blättern reibt er die rauhe Rostschicht ab.

Füchse können hier gehaust haben oder eine Kinderbande wollte einen Unterstand graben. Hermann bricht bis zur Hüfte ein. Sich auf den Rücken legend, robbt er bergabwärts aus der Mulde. Zwischen Hemd und Hose krümelt Erde. Als das Haus gebaut wurde, gab es noch Arbeitslose. Ein paar haben hier über einem Feuer aus Gerüstholz und Teerpappe in Kanistern Nudelbrei gekocht. Bei Regen gruben sie in den Hang hinein und bauten ein Vordach aus Wellblechstücken. Hermann geht in die Hocke und horcht den Hang hinauf. Im Mondlicht glaubt er Gestalten zu sehen, die wie er auf das Haus zuschleichen. Vom Gartenweg tritt er ein Stück Einfassung los und wirft es gegen die Hauswand. Im Schatten der Freitreppe bleibt er keuchend stehen.

Das Haus hat drei Eingänge. Die Wirtschaftsräume lagen wahrscheinlich im Keller, denn neben einem Saal im Parterre klaffen Aufzugsluken. Als er zum ersten Mal hier war, leuchtete er in die Schächte hin-

ein, das Streichholz wurde sofort von einem Luftzug
ausgeblasen. Die teilweise eingebrochene Keller-
treppe hat er sich noch nicht hinabgewagt. Vorsichtig geht er über geborstenen Mosaikboden, die flachen Scherben knirschen bei jedem Schritt. An einigen Stellen sind im Mondlicht glitzernde Steinreste
zu Häufchen zusammengeschoben. Kinder haben
hier vielleicht gesucht oder ein Angestellter der Stadt-
verwaltung sollte den Mosaikbruch retten, begann
zusammenzukehren und gab wieder auf.

Damals wurden Glastische modern und Stühle aus
Stahlrohr, die in sich federten. Die Lackmustertäfel-
chen der Weiß-Fabrik lagen, nach Farben und Härtig-
keitsgraden geordnet, in Regalen aus Leichtmetall,
die auch Neutra entworfen hatte. An der Mauer stehen verbogene Schienen. Vielleicht hat Weiß auch
Schmiedeeisernes geliebt, ließ ein schwenkbares Gitter vor den Kamin bauen, in einem gedrechselten
Ständer hing das kunstvolle Feuerbesteck. Das riesige Gartenfenster ließ sich elektrisch senken und
heben; an den kalkweißen Wänden hingen Zebrafelle.
Stuttgarter lud Weiß wahrscheinlich selten ein, Besucher aus dem Ausland waren immer willkommen.

Hermann tastet sich eine Treppe hoch, deren Beton-
stufen mit Schutt bedeckt sind. Es riecht wieder nach
altem Kot. Im ersten Stock geht er eng an die Wand
gedrückt über einen Sims. Zwischen offen liegenden
Eisenträgern im Korridorboden zieht kalte Luft herauf. In einem Badezimmer, durch dessen Fensterhöhle Mondlicht fällt, kleben teilweise noch Fliesen,
die, auf Drahtnetze gemörtelt, sich stückweise wie

Schorf abziehen lassen. Hermann hebt eine unbeschädigte Kachel auf, nimmt sie als Diskus in die Hand, dreht sich und bleibt wieder stehen. Mit dem Schuh scharrt er ein Abflußloch frei, doch die Kachel, die er hineinsteckt, rutscht nicht weiter.

In den Zimmern haben sie in formstrengen Betten geschlafen, haben geduscht und gebadet, lagen in trogartig geschwungenen Wannen, deren Form sich in der Seifenschale, dem Waschbecken, dem Bidet und der Klosettschüssel wiederholte. Die Töchter werden trotzdem Scherenschnitte, Stroharbeiten und Postkarten von Filmschauspielern an die Wände geheftet haben. Das Zimmermädchen, das übriggeblieben war, weil niemand mehr bei Weiß angestellt sein wollte, wurde mit der Arbeit nicht fertig. Die Töchter begannen, Unordnung zu lieben. Der Koch emigrierte später mit nach Amerika.

Vielleicht wurde die Fabrik enteignet oder zwangsweise verkauft. Ein Visum kostete damals fünfzigtausend Mark, dieselbe Summe mußte als Lösegeld auf der Reichsbank hinterlegt werden. Falls die Konten schon gesperrt waren, hatte Weiß sicher vorgesorgt. Trotzdem, ob reich oder arm, sie hätten sich verteidigen müssen.

Hermann geht schnell zum Korridor zurück, neben dem eingebrochenen Fußboden schiebt er sich wieder an der Wand entlang, Beton kratzt an Hemd und Hose. Er greift in eine Nische, aus der Kabelstücke hängen. Jetzt müßte der Alarmruf durch das Haustelefon schrillen, die Türen schließen sich automatisch, unten wird der erste Angreifer von der Gartenscheibe hochgezogen. Kurz bevor das Glas in den

Metallrahmen rastet, läßt der Angreifer los und fällt. Über eine Treppe, die von einem Balkon nach oben führt, hastet Hermann zum Flachdach hinauf. Die beste Verteidigungsposition ist erreicht.

Direktoren in den umliegenden Häusern werden im Kreis ihrer Familien hinter geschlossenen Jalousien gewartet haben, bis der Sturm vorüber war. Der Weiß hat sich auf dem schönsten Gelände über Stuttgart eine moderne Burg bauen lassen, er hat sich übernommen, jetzt muß er dafür bezahlen. Aber den Töchtern wird nichts geschehen, sie gehen doch in dieselbe Schule mit unseren Kindern! Oder der Eisenbahnpräsident, der wie heute auch damals Nachbar war, saß unter der Lampe und horchte von der Lektüre auf. Am nächsten Vormittag spazierte er nach dem Frühstück um das Weiß-Grundstück, doch die zerbrochenen Fensterscheiben und Möbelstücke, die hinter der Gartenmauer im Gras lagen, konnte er nicht gesehen haben. Aus dem Kamin über dem Flachdach stieg immer noch friedlicher Rauch.

Im Parterre haben sie den Saal besetzt, verriegeln die Türen zur Küche, in der sich das Personal verkrochen hat, und schreien nach Caspar Friedrich Weiß, er solle das beleuchtete Aquarium austrinken. Einer rührt mit einem Stock darin herum, wirbelt Sand, Fische und Pflanzen durcheinander, der Einfall macht Laune. Die Glastische umzustoßen trauen sie sich noch nicht. Ein anderer, der sich beim Lachen verschluckt, rutscht auf dem Mosaikboden aus. Im ersten Stock hat Frau Weiß ihren Mann überredet, sich zu stellen. Es ist ein Irrtum, sagt sie, meine Familie wohnt seit Generationen in der Stadt. Doch die Töchter zerren

ihre Eltern zur Balkontreppe, in ihren weißen Bade-
mänteln sehen sie wie wattierte Krieger aus. Auf dem
Flachdach liegt Holz, Tassen für eine Bowle stehen
bereit, Glasschalen, Bestecke, aus den Sesseln lassen
sich die Armlehnen schrauben, die Stützen der Son-
nenmarkise haben spitze Metallgabeln. Achtet darauf, sagen die Töchter, daß die Spieße nicht stecken
bleiben, jede Waffe ist kostbar. Die Familie Weiß zeichnet sich gegen den Himmel ab, über den Hügel fährt
Nachtwind. Da und dort schlägt ein Hund an, im
Haus unten splittern die Möbel.

Werden die Chirurgen, Rechtsanwälte, Lehrer, Bank-
direktoren und Einzelhändler, die überall in der Stadt
wohnen, sich auch verteidigen, mögen sie Simoneit,
Rimpf, Jägerle, Käsbohrer oder Haller heißen? Wer
ein Haus besitzt, soll auf dem Dach oder im Garten
mit Lampen und durch Feuer Zeichen geben. Die
Stadt muß erwachen, damit jeder Zeuge wird. Sie sollen nicht mehr sagen können, sie hätten nichts gesehen, nichts gehört, gewußt, gerochen, alles sei übertrieben. Die Töchter stoßen zu, Vater und Mutter
schleudern Gläser, Splitter reißen ein Gesicht auf, das
blutend eine Treppe hinuntersinkt.

Hermann hat aus herumliegenden Steinbrocken und
Mörtelstücken einen Wall geschichtet. Die Treppe,
an die der breite Schornstein anschließt, der zum Teil
eingebrochen ist, muß verteidigt werden. Die Haus-
wände sind glatt, die Fenster sitzen ohne Gesims oder
Sandsteinverzierungen in den Mauern, niemand kann
außen heraufklettern. Der erste Angreifer, der sich
auf den Stufen zeigt, wird von einem Steinhagel ein-
gedeckt. Zur Probe schleudert Hermann zwei hand-

liche Stücke in den Garten hinunter, hört, wie sie durch die Zweige brechen, dann auf Stein schlagen und darüberrätschen. Er hat eine der Statuen getroffen, die am Fuße der Freitreppe stehen. Hermann bückt sich, hebt auf, tritt schnell zum Rand vor, wirft, taucht wieder weg, vielleicht pfiffen Kugeln über das Dach oder schlugen klatschend ins Mauerwerk. Beidhändig teilt er Brocken aus und läßt die Töchter, den Vater, die Mutter mitarbeiten. Es soll ein Familienfest sein, wenn die Nation im Topf brodelt, wie sie schon im Mittelalter gewütet hat, als Christen die Ungläubigen auf Flöße fesselten und sie brennend treiben ließen; sie in ihre Bethäuser einschlossen, an die sie Kübel voll Öl gossen; sie an Stricken hinter Pferden herschleiften; bis zum Hals eingegraben zu singen zwangen; sie an ihren Bärten in Bäume hinaufzogen oder sich ihre Kinder so lange zuwarfen, bis sich Arme und Beine von den Rümpfen lösten.

Hermann steht am Rande des Flachdachs und zerreißt Geldscheine, die Schnitzel flattern in den dunklen Garten hinunter. Er will ein Opfer bringen, freut sich, einen Einfall zu haben, glücklich atmet er schneller, aber die letzten zweihundert Mark steckt er wieder ein. Im Garten unten gleitet ein Streifen Mondlicht über die verwilderten Johannisbeersträucher. Gleich wird er wieder in den Treppenschächten mit den Schuhspitzen sichernd das Geröll auf den Stufen abtasten und, wenn er den Park durchquert hat, von der Mauer auf die Straße hinunterspringen. Zwischen Rosenhecken und schmiedeeisernen Zäunen kann er eine nächtliche Hangwanderung machen und sich stark fühlen.

5

Hinter den gelben Vorhängen stöhnt es, flüstert und ächzt. Hermann streckt sich auf dem Leintuch, greift nach hinten und stopft den Rand der Unterhose tiefer, der sich aus dem Gürtelbund geschoben hat. Dann kreuzt er die Arme wieder vor dem Kopf und legt das Kinn darauf. Die Wärme des Lichtbogens über ihm kriecht den Rücken herauf, sammelt sich zu einem kochenden Fleck zwischen Schultern und Nacken. Es ist angenehm, daß die Füße von einer harten Kissenrolle gestützt werden. Vom Gang her weht durch den Vorhang frische Luft in die Koje. Vor ihm, knapp in Augenhöhe, ist eine Klingel an der Wand befestigt. Die weiße Leitung läuft nach unten, der breite Kopf eines Nagels hält die Kunststoffstrippe gerade noch mit seinem Rand. Er könnte ziehen, die Leitung freireißen. Unter seiner Liege entlang der Stoßleiste führt sie zu einem Schreibtisch, der im Mittelgang zwischen den Vorhangabteilungen steht. Alte Frauen, die unter dem galvanischen Licht Beklemmungen bekommen, geben mit der Klingel Alarm.

Wunderbar, hat Naber gesagt, machen Sie doch mit. Es kostet ein paar Mark, aber es lohnt sich. Ich sehe mit meinen fünfzig noch jung aus, weil ich mich zweimal in der Woche kneten lasse. Die Durchblutung erreicht jedes Fältchen, meine Schmerzen werden erträglicher. Tabletten nehme ich schon lange nicht mehr.

Hermann spannt die Rückenmuskeln an, damit die

Wärme fröstelnd abfließt. Sobald er sich wieder dehnt, breitet sich die Hitze erneut über den ganzen Rücken aus. Hinter dem nächsten Vorhang hört er eine Frau sagen, sie freue sich auf die Berührung. Eine jüngere Stimme lacht leise. Es werden Gebirge von faltiger Haut sein, Zapfen, Haare und Leberflecken, die unter den Griffen der Masseuse Wellen schlagen. Hermann würde gern den Vorhang ein Stück zur Seite schieben und hinübersehen. »Galle«, hört er sagen, »vielleicht die Galle, der Arzt kann sich nicht entscheiden. Kaffee trinke ich schon lange nicht mehr. Wenn ich nachts aufwache und Schmerzen habe, sage ich mir immer, daß ich eben älter werde. Meine Kusine, sie ist zehn Jahre jünger als ich, denkt genauso.« Die Masseuse, die vielleicht gerade auf einer harten Stelle ihre Fingerkuppen spielen läßt, antwortet, obwohl sie eigentlich keine Lust gehabt habe, sei sie gestern doch ins Kino gegangen. Gleich darauf fragt sie laut eine andere Frau, die Abteilungen weiter weg liegt, ob es ihr nicht zu heiß sei, sie solle sich rechtzeitig melden. Der Frau ist es nicht zu heiß, ihre Stimme klingt nach Dankbarkeit. Hermann kennt diesen Tonfall, eine Blase, die sich zitternd ausdehnt. Die Frau liegt unter der Hitze des Bestrahlungsapparates und wartet auf Hände, die sie noch nicht kennt. Er sieht Schweißtropfen an Achselhaaren hängen, Ziegenbüschel, die eingeklemmt zwischen Oberarm und Körper steil abstehen, Falten, wulstige Nacken, griesige Hautpartien.

»Zu heiß!« ruft er.

Hermann wagt nicht, nach hinten zu blicken, hört nur, daß jemand die Kabine betritt, den Apparat ausschaltet und wegschwenkt. Die Wärme auf seinem Rücken beginnt, von den Rändern her zu versickern. Er dreht nun doch den Kopf, seine Nase drückt gegen den Oberarm. Den feuchten Dunst, den er einatmet, mag er. Die Masseuse hat einen Leberfleck auf der Backe.

»Bitte die Arme hängen lassen«, sagt sie.

»Ist mein Freund fertig?«

»Den bedient die Chefin.«

Die Masseuse drückt auf seinen Rücken, walkt und zwickt, arbeitet sich Hautfalte um Hautfalte höher, während er dagegenstemmt, sonst würde er von der Liege gedrückt werden. Seitlich sieht er Keilhosen, Stege um die Fußsohlen ziehen sie stramm. Die Masseuse steht in Holzsandalen. Im Takt ihrer Bewegungen wölbt jeweils ein Knie den karierten Hosenstoff. Hermanns Arme pendeln, seine Fingerspitzen berühren den Boden. Er erinnert sich an einen Ziegenbock, dessen ausgefahrener schlaffer Schwanz bis zur Erde hing und mit einem Strohhalm spielte, den der Bock schließlich mit einer heftigen Bewegung wegfegte. Die Dielen abtastend, findet Hermann ein Stückchen Papier, das er aufhebt. Es ist eine Rabattmarke.

»Bitte entspannt liegen bleiben«, hört er die Masseuse sagen.

Er versucht, mit der Schulter zu antworten, aber sobald er sein Gewicht verlagert, wandern die Finger der Masseuse ab. Er fühlt sich wie von kleinen Zangen gepackt. Vielleicht hat die Masseuse gehärtete Handkanten und spaltet mit einem Schlag eine Schicht Ziegelplatten.

»Bitte aufsetzen«, befiehlt sie.

Er sitzt auf der Kante der Liege und läßt die Füße baumeln. Seine Schuhe stehen unter einem Stuhl, auf dem Hemd und Jacke liegen. Mit den Faustknöcheln bügelt die Masseuse seine Schultern, stößt, stemmt, schlägt einmal im Arbeitseifer mit dem Kinn gegen seinen Hinterkopf und treibt Verhärtungen zwischen Sehnen hin und her, bis sie zermalmt sind, flach liegen und die Muskelstränge parallel verlaufen.

Hermann könnte vor Schmerz schreien. Er wird sich die Griffe merken. Schließlich arbeitet sich die Masseuse zu den Ohren hoch, es ist ein Gefühl, als würden sich die Finger langsam eingraben und den Kopfnickermuskel herausschälen.

»Hart, viel zu hart«, sagt sie.

Er stellt sich Naber vor, an dem sich die Arbeit mehr lohnt: der fleischige Rücken, der stramme Bauch und, wenn er sich umdreht, die großen Gesäßbacken, der ganze Unterarm taucht ein. Naber wird sich mit kleinen Bewegungen so lagern, daß alles bequem erreichbar ist. Seine Füße, die auf einer harten Stützrolle liegen, sollen bleich sein, mit tiefen Rillen in den Sohlen, ein Handballen reibt darüber. Die Zehen, die überraschend beweglich sind, werden einzeln gemolken. Vielleicht kann Naber mit ihnen eine Nadel halten und einfädeln. Ob Bilder mit dem Mund gemalt oder Decken mit den Zehen gestickt, die ältere Generation will Eindruck machen.

»Morgen werden Sie einen Muskelkater haben«, sagt die Masseuse, »der Körper wehrt sich.«

Sie steht vor ihm, holt wieder etwas glasige Salbe aus einer Blechdose, die in der Tasche ihres weißen Ar-

146

beitsmantels steckt. Mit schnellen Bewegungen reibt sie seinen rechten Arm ein, über Hermanns Rücken läuft eine Welle. Sie knetet den Arm wie eine Wurst, die auf einer Seite zu dick geworden ist und in gleichmäßige Form gebracht werden soll. Wenn die harten Finger bis zum Knochen durchgreifen, muß sich Hermann Mühe geben, nicht loszuschlagen. Er beobachtet die gesenkten Wimpern der Masseuse, an denen Tuschklümpchen hängen. Er bewundere ihre Stärke, sagt er zu ihr. Wieviel Kunden sie pro Tag aushalte, nach zehn Stück sei sie sicher erschöpft? Sie lächelt und schüttelt den Kopf. Sein Gelenk wird gepreßt, umschlossen, wieder freigegeben, mit festen Griffen greift die Masseuse noch einmal den Oberarm hinauf und hinunter, als müsse sie die Wurst auf beiden Seiten leerdrücken.

»Manchmal mache ich Gymnastik«, sagt er.

»Kennen Sie die richtigen Übungen?«

»Sie könnten sie mir beibringen.«

Hermann wird ein Stück nach vorn gezogen. Die Masseuse umklammert sein Handgelenk und scheint mit Daumen und Zeigefinger Elle und Speiche zu teilen. Soll er auf die Liege steigen, sich weit nach vorn bücken und mit Druck im Kopf über sie beugen? Sie zieht und zerrt, kreisende Bewegungen erhöhen den schmerzhaften Genuß. Angriffslustig steht sie breitbeinig, die Gurte ihrer Holzsandalen spannen. Hermann rutscht ein Stück von der Sitzkante, bis seine Zehen den Fußboden berühren. Sein Kopf nähert sich ihrem Kopf, sein Arm steckt zwischen den Schenkeln. Er strengt sich an, sich nicht zu versteifen, damit die Masseuse an dem lockeren Glied arbeiten kann, stemmt dagegen und fängt die Bewegung auf, die die Masseuse erzeugt. Immer heftiger fährt sie zwischen Ellenbogen und Hand hin und her, atmet schneller, ihre Lider flattern. Und dann, Hermann stützt sich auf, um nicht ganz nach vorn zu kippen, ist sie bei seiner Hand angelangt. Jetzt möchte er ein Biber sein, der die Schwimmhäute in der Sonne spreizt, möchte im Flußsand schaufeln oder in Wasser schlagen. Er taucht, zieht sie mit sich hinunter, wo sie zappelt und sich in ihn verbeißt. Finger um Finger biegt sie nach hinten, die Gelenke knacken. Ihr Daumen stempelt seine Handfläche und gibt Gegendruck. Jede Hautfalte zieht sie sorgfältig auseinander zu wunderbarer Spannung, seine Hand scheint zu wachsen, er hätte Kraft und Mut, mit einer einzigen Bewegung das ganze Mädchen umzustülpen. Sie läßt los, auf ihrer Oberlippe klebt ein Haar.

»Spielen Sie Klavier?« fragt sie.

Hermann rutscht auf der Liege zurück. Den Finger anheben, hat die Barmherzige Schwester gesagt, nicht so steif. Wenn er Pedal gibt und mit Schwung die Tonleiter nimmt, wackeln auf dem Klavier Heiligenbildchen in Wechselrahmen. Die Schwester riecht nach Seife. Manchmal rückt sie an ihrer Haube, deren Rand eine zart verschorfte Stirnrille berührt. Bei Wetterumschwung, besonders bei Föhn, hat sie die Ansage des Fingersatzes durch kleine Schläge mit einem Lineal unterstützt.

»Fertig«, sagt die Masseuse.

Während sich Hermann anzieht, hört er, wie sie sich draußen am Becken die Hände wäscht. Er quillt in Hose und Hemd. Naber wird in der Kneipe unten warten, sie haben sich dort verabredet. Hermann zahlt am Schreibtisch. Mit dem Knie zieht die Masseuse die Schublade auf und gibt Kleingeld heraus.

Er hatte ein Zimmer gesucht, genügend Geld besaß er. Häuser am Hang rochen nach frischem Leder, einmal saß er schon auf einer geblümten Schlafcouch, doch als er aus dem Fenster blickte, sah er nur Bäume, eine stille Straße und Rosenhecken. Er ging in den Stadtkessel zurück. In einem alten Haus hinter dem Marktplatz war er, den Zettel der Wohnungsvermittlung in der Hand, durch eine gepflasterte Toreinfahrt gegangen. Kinder hatten mit einer Peitsche eine Blechdose von einem Mauervorsprung geschlagen. Wer aus der größten Entfernung die Büchse traf, die hallend auf dem Pflaster sprang, hatte gewonnen. Wo wohnt Diepold, hatte er gefragt. Plötzlich war er an der Hand von einem Schlag getroffen worden. Bevor er sich umdrehen konnte, waren die Kinder schon auf die Straße gelaufen. Wütend kickte er die Blechdose gegen die Wand. Ein kleines Mädchen, das zurückgeblieben war, fing zu schreien an. Vorn in einem Toreingang standen im Gegenlicht die anderen Kinder.

Im Hinterhof waren an eine hohe Mauer Schuppen gebaut worden. Hermann stellte sich auf Zehenspitzen und blickte durch die Scheiben. Der eine Schuppen war leer, im anderen stand ein aufgebocktes Auto, auf dessen Dach Reifen geschichtet lagen, mehr als das Auto Räder hatte. Hermann hätte gern zerbrochene Kinderwagen gesehen, Gerümpel, einen Kanonenofen mit einer vom Rohr zum Fensterriegel gespannten Strippe, an der hätte dreckige Wäsche hängen müssen.

Im Hinterhaus sagte Herr Diepold, er vermiete nur an Studenten. Hintereinander gingen sie durch einen Korridor, an dem links und rechts kleine Zimmer lagen. In jedem war ein Waschbecken, stand derselbe Schrank, derselbe Tisch und zwei Stühle, ein Regal und ein Klappbett mit grünem Vorhang. Der Wirt zog, wenn sie ein Zimmer betraten, immer wieder den Vorhang zur Seite und ließ das Klappbett herunterkrachen. Decken und Kissen waren mit Gurten festgeschnallt. Praktisch, hatte Hermann gesagt und war gegangen.

Beim Wasserturm, der in der Mitte des Vorortverteilers steht, steigt er aus der Straßenbahn. Es ist spätnachmittags, Fabriken und Büros schließen. Bis in Kniehöhe reicht der Dampf, der aus den Autos strömt, an der Hand geführte Kinder husten und torkeln. Mehrmals von Fußgängersignalen angehalten, überquert Hermann von Ampel zu Ampel abschnittweise in einem großen Halbkreis den Verteiler. In langen Reihen rücken die Fahrzeuge nebeneinander vor. Er freut sich, wenn er mit schnellen Wendungen zwischen den eng aufgerückten Autos hindurch von Fahrbahn zu Fahrbahn wechselt, manchmal eine Stoßstange streift oder mit der Hand, während der Fahrer hinter der Scheibe schnappt, über eine Motorhaube streicht. Springend erreicht er die nächste Warteinsel.

In das Fabrikviertel führt eine vierspurige Straße. Zwischen Markierungsstreifen ziehen Fahrzeugkolonnen, die Straßenbahn fährt in der Mitte des Damms auf einem geschotterten Schienenbett. Über dem Tal, zu dessen Rändern Weinberge aufsteigen, hängt eine milchige Dunstschicht. Es riecht nach verbranntem Gummi und gekochtem Leder. An einem Stahlmast sitzt ein Fernsehrichtstrahler, der einer riesigen Heizsonne gleicht und das Tal mit Programm versorgt. Hermann bückt sich.

Soll man Strohblumen bemitleiden, die von Fahrtwind und Auspuffgasen zur Seite gedrückt werden? Die Stengel haben Knicke, die verstaubten Blüten wachsen nach unten. Er sieht die gelben Schöpfe rütteln, von Lastzügen verdrängte Luftmassen fallen über sie her und branden. Hermanns Hosenbeine flattern. Vom Rand der Asphaltschicht werden schwarze Teilchen mitgerissen, die käferartig zwischen Blumen und Gräsern rollen, schließlich im Kieselgries vor dem Straßengraben steckenbleiben. Neue Luftdruckwellen stoßen sie in Ritze. Hermann, immer noch gebückt, atmet fetten Verkehrsgeruch ein, hört das Schmatzen von Reifen auf der heißen Teerdecke und sieht zwischen seinen Beinen hindurch drehende Räder, deren Abstände, je länger er seinen Kopf tief hält, sich verkürzen. Er genießt Gestank und Schwindel.

Auf dem Zettel der Zimmervermittlung steht, Besuche vor sechzehn Uhr seien unerwünscht. Er hat den Termin eingehalten. Die Fensterläden des einstöckigen, stallartigen Gebäudes sind geschlossen, zur Haustür führen Stufen von der Straße hinunter. Mit festerem Unterbau und verschiedenen Asphaltschichten wuchs das Niveau der Fahrbahn. Im gemörtelten Straßengraben fließt ein schmutziger Bach, der, und Hermann läuft schnell an dem Haus vorbei, unter dem Haus verschwindet und aus einer Zementröhre an der anderen Seite des Mauerwerks wieder hervorkommt. Hermann geht befriedigt zur Tür und läutet.

Auf dem blanken Linoleum, das stegartig durch das Zimmer gelegt ist, könnte er Schlittschuh fahren. Wie die Frau, hinter der er geht, tritt er nicht auf den ausgelaugten Bretterboden und bleibt auch, wenn sie sich umwendet, auf dem Linoleum stehen. Sie fragt, wo er arbeite. An den Wänden hängen keine Bilder, außerdem scheint der Raum sehr niedrig zu sein. Unwillkürlich streckt er sich, um die Decke zu berühren, hält jedoch auf halbem Weg in der Bewegung inne und kratzt sich am Kopf.

Die Frau wird über vierzig sein, hat breite Hüften, ihre dunklen Augenbrauen sind zusammengewachsen, aus ihrer Schürzentasche ragt ein hölzernes Badethermometer. Plötzlich schwirrt ein Vogel durchs Zimmer, streift eine Quaste, die von einer Lampe hängt, und fliegt wieder zu einer offenen Tür hinaus. Hermann bemerkt, daß Licht im Zimmer brennt, gleichzeitig hört er den Fluß der Verkehrsgeräusche, der von draußen hereindringt.

»Mein Wellensittich«, sagt die Frau, »ich zeige Ihnen das Schlafzimmer.«

Wieder auf einem Linoleumsteg hinter ihr gehend, durchqueren sie einen kleinen Wohnraum, in dem Korbstühle stehen. Neben dem Ofen hängt die Photographie eines Mannes, der, wie die Frau sagt, ihr Gatte gewesen sei. Er habe als Fahrer für eine Spedition gearbeitet, vor zwei Jahren sei er tödlich verunglückt.

Durch die Fugen der Fensterläden fallen schräge Lichtbündel. Vor ihm knipst die Frau die nächste Lampe an.

Als er das Doppelbett im Schlafzimmer sah, hatte er sich schon entschieden. Die breite Lade mit weiß bezogenen Federbergen, die tiefer als die Straße stand, überwältigte ihn. Draußen rollten die Reifen in Höhe der Fenster, der Verkehr brandete über das Zimmer hinaus. Hermann hat auch kaum zugehört, als die Frau erklärte, sie könne nur eine Betthälfte anbieten, in der anderen schlafe schon jemand. Der Herr sei mit jedem Nachbarn einverstanden.

»Vielleicht mag er mich nicht«, sagt Hermann.

»Es macht ihm nichts aus. Frühstück ist in der Monatsmiete eingeschlossen.«

»Arbeiten Sie auch?« fragt Hermann.

»Ich bin bei einer Reinigungsfirma. Jeden Tag ein paar Stunden.«

Er würde gern ihre Wäsche im Schrank befühlen, die ausgefransten Kunstspitzen am Oberteil ihrer Unterröcke betasten. In der Küche stehen halbvolle Tüten mit Mehl, Grieß und Zucker, es wird sich sicher auch ein zusammengelegter, stets feuchter Lappen finden lassen, auf den die Frau schmutzige Schuhe stellt. Wo mag sie ihr Bett haben, der Käfig des Wellensittichs stehen? Dreht sie den Schlüssel zweimal um, wenn sie abends die Haustür schließt? Schwitzt sie im Schlaf auf dem Brustbein, wenn draußen Lastzüge vorbeidonnern und hochtourig schalten? In der Büffetschublade hüpft das Besteck. Sie öffnet den Kleiderschrank.

»Für Wäsche hat Herr Naber zwei Fächer freigemacht. Haben Sie Bügel?«

Am Waschtisch erklärt sie, daß das schmutzige Wasser in den verschließbaren Kübel gegossen werde. Falls er fließendes Wasser wünsche, könne er das Becken in der Küche benützen, ihr Mann habe sich immer dort gewaschen. Herr Naber sei mit Schüssel und Krug zufrieden.

»Ich gewöhne mich an alles«, sagt Hermann. »Zur Zeit habe ich in einer Fabrik Spätschicht.«

Vorsichtig klopft sie an den Seiten zwei hohe Stöße von Romanheften gerade, die auf dem Fußboden stehen und bis zum Fensterbrett reichen. Auf dem Nachttisch liegen Tuben geordnet, auf einem vollen Wasserglas liegt eine Brille, deren Stege nach unten hängen. Die Frau stellt sich auf Zehenspitzen und nimmt ein Nylonhemd ab, das über einem Bügel an der Vorhangschiene hängt. Auf dem Bett breitet sie das Hemd aus, knöpft es zu und legt es zusammen. Hermann tritt vom Linoleum auf die Dielen; es tönt hohl unter seinen Füßen.

»Der Bach«, sagt sie. »Sie brauchen keine Angst zu haben, es passiert nichts, letztes Jahr ist eine Röhre eingebaut worden.«

Noch einmal macht er Schritte über dem unterirdischen Bach auf das Bett zu, stampft auf, sieht Rattenköpfe in einer schwarzen Brühe untertauchen, an einem Zweig, der sich quergestellt hat, hängen angeschwemmte Stoffetzen und Schlammfäden.

»Ich möchte gleich einziehen«, sagt er.

»Das würde mich freuen«, antwortet sie. »Ich glaube, Sie und Herr Naber passen gut zusammen. Hänschen!« ruft sie, »Hänschen, wo bist du!« Aber der Wellensittich erscheint nicht, um eine Begrüßungsrunde durch das Schlafzimmer zu fliegen. Die Frau legt das Nylonhemd ins Wäschefach des Kleiderschranks. Hermann blickt auf die Bettdecke, traut sich jedoch nicht, darüberzustreichen. Er stellt sich vor, wie die Wölbung einsinkt. Großvater hatte ein Nachthemd an, stieg als erster ins Bett. Sie hatten in Dornbirn nur ein Einzelzimmer bekommen. Sitzend notierte er Witze in sein Merkbüchlein, die er von Einheimischen gehört hatte. Hermann war noch nie so lange wach geblieben, schwankte vor Müdigkeit, Wein hatte er auch trinken dürfen. Großvater lacht, wiederholt laut ein Dialektwort, weiß nicht, wie er es schreiben soll. Komm doch endlich, sagte er, zu waschen brauchst du dich heute nicht, vom Wasser wird die Haut nur dünner. Mit einem Ruck fällt er nach hinten auf das Kissen, macht die Augen zu und schnarcht. Das zugeklappte Merkbüchlein, aus dem Spitze und Ende des silbernen Drehbleistifts ragen, hebt und senkt sich auf Großvaters Brust. Als es abzurutschen drohte, stieg Hermann schnell ins Bett und schob es wieder auf den Berg. Noch lange hat er den Bewegungen des Büchleins zugesehen, ist Großvater noch näher gerückt, wollte endlich wissen, ob man die weißen Bartstoppeln wachsen sieht. Großvaters Lippen waren sehr rot und zitterten beim Ausatmen. Den ganzen Tag hatte Großvater auf dem Dornbirner Bürgermeisteramt in alten Geburts- und Sterberegistern nach Ahnen geforscht. Nachts wacht Hermann auf, das Licht brennt, Großvater hat ihn zum Bettrand gedrängt, sein schwerer Arm liegt auf Hermann. Die gekrümmte Hand mit den dicken Fingern hängt nah vor seinem Gesicht.

Sie werden beide darauf achten, daß die Federbetten liegenbleiben, jeder wird sie mit den Füßen festklammern, wird im Dunkeln vorsichtig mit der Hand das Leintuch abtasten, wie weit das eigene Gebiet reicht. Falte um Falte werden sie erobern bis zum Rand der Matratze, wo der erste, der dort ankommt, in die Lücke zwischen beiden Bettgestellen greift. Die Luft, die vom Fußboden heraufstreicht, wird kühlen. Dann wird einer, dessen Finger Haut berühren, unterdrückt schneller atmen und seine Hand zurückreißen. Das Gleichgewicht ist unterbrochen. Hüstelnd dreht sich jeder um und stopft seine Decke an den Seiten fest.

Hermann ist vor einem Schacht stehen geblieben. Naber hat gesagt, es sei eine Erlösung, bestrahlt und sachkundig massiert zu werden, keine Tortur, ganz bestimmt nicht, das Gewebe freue sich. Ein Oberkörper ragt aus dem Schacht. Hermann weicht mit einem Sprung aus, hätte beinahe nach dem Kopf des Mannes getreten. Der Arbeiter flucht, scheint tiefer in den Schacht zu rutschen. Er zündet ein Schweißgerät an, knallend springt vor seinem Gesicht der blaue Hitzestrahl aus der Düse. Den fauchenden Schweißhaken über sich haltend, taucht der Mann unter. Hermann friert plötzlich und stößt die Tür der Kneipe auf; vor ihm an einem Stehtisch lehnt Naber, sein großer runder Kopf schimmert wie ein Butterballen.

»Das Massieren hat gut getan«, sagt Hermann.

»Ich habe mir gerade überlegt«, sagt Naber, »wie Ihre Mutter wohl aussieht.«

»Mein Vater ist tot.«

»Sie könnten nicht mein Sohn sein, dazu sind Sie zu

alt. Kinder mag ich nicht. Aber Ihre Mutter interessiert mich.«

»Und Ihre Mutter?«

»Das ist schon lange her«, sagt Naber. »Ich denke nur noch an Gesundheit.«

Er hebt sein Glas und trinkt, kippt einen Rest Schnaps hinterher und spült mit einem Schluck Bier nach.

Vor ein paar Tagen hatte Naber Prospekte für Ölöfen gezeigt, das Glanzpapier war zerknittert und schmutzig. Auf der letzten Seite hatte Hermann gelesen, daß die Öfen 1950 gebaut worden waren. Naber behauptete, er reise in dieser Branche.

Sein Mund und seine Nase sind klein, er hat dünne Augenbrauen, doch sein Gesicht ist groß und glatt, mit vollen Backen. Er könnte Geschäftsführer in einem Restaurant sein, der sich im schwarzen Anzug langsam zwischen den Tischgruppen bewegt und nickend Gäste begrüßt. Seine gestärkten Manschetten sind lang, er achtet darauf, daß sie aus den Ärmeln ragen. Mit seinen Affenarmen pendelnd zeigt er Kraft. In der ersten Nacht, während Naber sich am Waschtisch auszog, hat Hermann auf dem linken Unterarm eine mehrstellige, eintätowierte Nummer gesehen. Begeistert blieb Hermann steif liegen.

»Es ist kein Jux«, sagt Naber, »Sie sind zu jung, Sie wissen nichts.«

»Schlägereien habe ich mitgemacht«, sagt Hermann.

»Das ist zu wenig.«

»Waren Sie im Osten? Da war mein Vater als Kommandant.«

»Die Geschichten, die Sie darüber lesen, stimmen nicht«, sagt Naber. »Sie müßten dabei gewesen sein.«

»Sind Sie in Behandlung?«

»Massieren, sonst nichts.«

»Die Schäden sollen sich erst später zeigen, nach zwanzig, dreißig Jahren zum Beispiel. Plötzlich will sich einer nicht mehr bewegen oder hat Angst vor dem Essen oder einem Feuerzeug. Sie benützen nur Streichhölzer. Warum?«

»Ich freue mich«, sagt Naber, »daß ich nicht zu arbeiten brauche, ich bin versorgt. Sie können mir nichts vorwerfen, der Staat bezahlt.«

»Und ich bin dankbar für das billige Zimmer, ich bin nur Hilfsarbeiter, ich verdiene nicht viel. Ich bin froh, daß ich nicht allein bin, wenn ich von der Arbeit nach Hause komme.«

Naber klopft mit dem Zeigefinger auf die Platte des Stehtisches. Seine Handgelenke sind in Fleisch gebettet, die Ränder der Nagelbetten sind glatt, die Nägel poliert. Vielleicht bearbeitet er sie stundenlang mit Schere und Watte, nimmt sich auch seiner Zehen an, kratzt, hobelt, feilt und tupft und hat die Füße auf eine aufgeschlagene Zeitung gestellt. Wenn er fertig ist, schüttelt er die Zeitung aus dem Fenster. Hornhautteilchen und Nagelspäne werden vom Verkehrswind der Ausfallstraße hochgenommen und über das Haus geweht. Zufrieden bewegt er seine nackten Zehen und lutscht an einer Fingerstelle, die ein wenig blutet.

»Es ist lächerlich«, sagt Naber, »Sie können behaupten, was Sie wollen, Sie sind kein Hilfsarbeiter, auch wenn Sie zur Zeit in einer Fabrik arbeiten. Mir machen Sie nichts vor.«

»Ich habe kein Geld, ich muß arbeiten.«

»Ich hatte Sie nach Ihrer Mutter gefragt, Sie haben mir noch keine Antwort gegeben.«

»Sie ist in Ihrem Alter.«

Vielleicht liest Naber auch Frauenzeitschriften, Schlagermagazine, Samstagszeitungen, streicht Angebote in Heirats- und Freundschaftsrubriken an. Das Zimmer mit dem Ehebett ist sein Stützpunkt, in dem er sich Redewendungen ausdenkt. Den Inhalt der Romanhefte braucht er als Training. Einmal in der Woche holt er Antwortbriefe vom Postamt. Oder er gibt selbst Annoncen auf, stellt sich Frauen vor, die ihm bei leiser Radiomusik schreiben, sieht sie in einem Park warten, in einem Café sitzen. Eine Dame geht unsicher auf ihn zu, an ihrem Hals breitet sich ein roter Fleck aus. Doch vielleicht genügt es ihm auch, nur einen Brief mit einem Paßfoto zu erhalten.

»Ich will nicht kleinlich sein«, sagt Hermann, »fünfzigjährige Frauen können noch eine gute Figur haben. Meine Mutter hat in ihrer Jugend gerudert, und geritten ist sie auch.«

»Danach habe ich nicht gefragt.«

»Sie müssen irgend etwas tun. Lesen allein genügt nicht.«

Stahlzähne würden zu Naber passen, er dürfte nicht so dick sein, sein Gesicht sollte Falten haben und eine grob vernähte Narbe mit Verwachsungen. Oder ein Ohr fehlt, er hinkt, könnte auch einen Arm schlenkern. Jedenfalls müßte er einen sichtbaren Schaden besitzen, der ihn ausweist. Langsam schwimmt Naber im Freibad, strengt sich an, Arme und Beine zu bewegen, vorsichtig schiebt er sein Kinn über das Wasser. Nur Hermann kann den Kopf zwischen vielen anderen Köpfen und Badekappen unterscheiden. Zwei Mädchen lassen sich nebeneinander vom Sprungbrett fallen. Wenn Naber den Beckenrand ansteuert, tritt Hermann vor. Leute bleiben stehen. Und während er zum Bücken ansetzt, sich noch einmal aufrichtet und demonstrativ gelangweilt an der Hüfte kratzt, weichen die Zuschauer zurück und bilden einen offenen Halbkreis, denn nur er darf zugreifen und den Krüppel heraufziehen, der sich schnaufend über Haltestange und Beckenrand würgt. Der Kopf tropft, an der Seite kleben lange Haare, ein Stück Schädeldecke fehlt, darüber spannt sich geäderte, pulsierende Haut. Für einen Augenblick werden im Mund schwarze Stahlstifte sichtbar, dann liegt der Oberkörper auf dem Beton. Über den Rücken schlängelt sich eine Naht. Langsam richtet sich der Oberkörper auf, Hermann stützt ihn mit einem Griff unter der Achsel. Durch die Zuschauer läuft Bewegung. Bitte, machen Sie Platz, würde er zu ihnen sagen, und während die Zuschauer eine Gasse bilden, legt er ein Badetuch um den Krüppel und trägt ihn vorsichtig zur Liegewiese, wo sie ihr gemeinsames Lager haben. Der Körper schüttelt und stößt bei jeder Bewegung.

»Gehen wir«, sagt Naber.

Außen an der Mauer der Wirtschaft lehnt eine schwarze Tafel, auf der mit Kreide Mahlzeiten und Preise geschrieben stehen. Aus dem Schacht am Trottoir leuchtet blaues Schweißlicht. Es wird Zeit, zur Fabrik hinauszufahren, die Spätschicht beginnt nachmittags.

»Ich habe eine Bitte«, sagt Hermann. Eine Brille mit kreisrunden Gläsern, wie sie unter Gasmasken ge-

tragen wurden, würde zu Nabers Gesicht passen.
»Ich brauche Rasierseife.«
»Selbstverständlich«, sagt Naber. »Noch etwas?«
»Kekse, Pralinen, oder wenn Sie zufällig eine billige
Schachtel Konfektmischung sehen. Ich habe nach
der Fabrik oft Lust auf etwas Süßes, aber richtig
essen mag ich nichts.«
»Ich werde alles besorgen und auf Ihren Nachttisch
stellen.«
Einen Augenblick wünscht sich Hermann, daß seine
Faust von Nabers Hand umschlossen wird. Ohne sich
zu verabschieden, läuft er auf die andere Straßenseite
hinüber. Ehe die automatische Tür der Straßenbahn
schließt, zwängt er sich hinein. Hermann schmeißt
Kleingeld auf den geriffelten Zahlteller, ein Geldstück fällt hinunter. Schnell geht er im Gang vor,
bleibt an der Mitteltür stehen und beobachtet, wie
Naber etwas auf einen Zettel notiert, dann betritt er
eine der Kaffeestuben, in der es eine Tasse voll für
zwanzig Pfennig gibt. Er wird an einem der hohen
Pilztische lehnen, mit einem Kunststofflöffel in der
scharfen Brühe rühren, vielleicht verdünnt er auch
mit heißem Wasser aus einer Kanne, die ein Alu-
miniummantel isoliert. Er wird sich Zeit lassen.
In einer Eisfabrik vor der Stadt hat Hermann Arbeit
gefunden. Spazierwege, die von bewaldeten Hängen
ins Tal führen, enden vor den Glasfassaden neuer Fabriken. In den Außenbezirken reicht die Hauptstraße
bis an die Grundmauern der Fachwerkhäuser, so daß
auf schmalen Trottoirs die Dorfbewohner hintereinander gehen müssen. Wenn Lastzüge vorbeifahren,
drücken sie sich an die Wände der Häuser. Auf der

Straßenseite liegende Fenster bleiben Tag und Nacht geschlossen.

Zuerst hat er im Lagerraum gearbeitet; es gab keinen Akkord, nur Kältezuschuß. Er trug Schuhe mit dicken Holzsohlen, wattierte Jacke und Hose, eine Pelzmütze mit Ohrenklappen und Fausthandschuhe, deren Daumen und Zeigefinger abgenäht waren. Die seien noch aus dem letzten Krieg, hat einer behauptet, typische Handschuhe mit Maschinengewehrfinger.

Wären an den dicken Fäustlingen nicht diese beiden Finger gewesen, hätte er noch mehr Kartons fallen lassen. Zusammen mit einem Arbeiter, der schon seit Jahren im Lagerraum schuftete und am liebsten auch dort geschlafen hätte, so wohl fühlte er sich in der Kälte, stapelte er Schachteln. Sahneeis kam nach links, Vanille mit Schokoladeüberzug nach hinten, das einfache Fruchteis, das schneller abgeholt wurde, stand an der Tür zur Verladerampe. In dem Lagerraum gab es keine Fenster, nur Neonlicht, das in den Röhren unter der Decke flackernd hin- und herschoß. Den ganzen Tag hat er schichten und kramen müssen, die Schachteln rauchten, und aus Jalousien in den Wänden krochen stinkende Schwaden, was neue Kälte war. An seinen Ohren scheuerte der Pelz. Sobald er die Klappen aufschlug, glaubte er, seine Ohren schrumpften zusammen und würden abbrechen. Auf allen Gegenständen lag künstlicher Reif, der sich wie klebriger Puder verstreichen ließ. Manchmal hat er darin gezeichnet, auch vor Wut in das Geglitzer auf den Schachteln Schweinereien geschrieben.

Sie kamen kaum mit, so schnell schossen die Kartons

auf dem Förderband durch einen ledernen Schutz-vorhang in den Lagerraum hinein. Hermann trabte von einem Stapel zum anderen, verwechselte Schoko-ladeeis mit Fruchteis, der andere Arbeiter hat ge-schrien, beide haben sie fluchend Dampf abgelassen. Manchmal hat Hermann auch nicht mehr genau se-hen können, Licht und Kälte haben sich zu Nebel ver-mischt, daß er glaubte, es ginge bergauf und bergab, der Boden, über den Schwaden zogen, wurde bucklig. Auch die Kartons auf dem Förderband hat er ver-fehlt, verschätzte sich in der Entfernung und lief, während sie von Rolle zu Rolle holperten, nebenher, griff über sie hinaus oder konnte sich plötzlich nicht entschließen, zuzupacken. Am Ende des Bandes stürzte der vorderste Karton ab und brach auf. Die Eisstengel, Eistöpfe und Eiswalzen einsammelnd, mußte er das Band hinuntervisieren, auf dem neue Schachteln auf ihn zutorkelten. Eis konnte er auch nicht essen, es war zu fest gefroren, wäre im Mund klebengeblieben und hätte die Haut von der Zunge gerissen. Kälte zehrt, hat der andere Arbeiter gesagt, du mußt Butter essen, ein Viertelpfund tut wohl, ohne Brot.

Wenn Hermann nach der Schicht die wattierten Klei-der auszog und ans Tageslicht trat, hat er sich vogel-leicht gefühlt, hätte das Wartehäuschen an der Halte-stelle davontragen können.

In den ersten Tagen war er so schnell, daß er noch die Straßenbahn erreichte, die fünf Minuten nach Schicht-wechsel abfuhr. Das war ein Fehler gewesen. Nach dem Spurt schoß ihm das Blut in den Kopf, Hände und Knie zitterten, daß er glaubte, er würde zerspringen. Gebäude und Masten, die draußen vorbeizogen, bekamen Verlängerungen, als legten sie sich im nächsten Augenblick über die Straßenbahn. Er mußte aufstehen und an eine Haltestange geklammert auf der Stelle trippeln, bis die Stauungen sich verteilten. Nach einer Woche, als er den Übergang von Kälte zu Wärme gewohnt war, wurde er an die Solebecken versetzt.

Hermann drängt sich durch Mädchen und Frauen. Der Pförtner öffnet das Gittertor so weit, daß nur drei Personen nebeneinander passieren können. In dem gläsernen Portiershaus winkt die fette Flunder mit einer Flosse; was sie sagt, ist nicht zu hören, nur ihre Schnute stülpt sich immer wieder vor. Einige Mädchen machen übertriebene Knicks. Die Flunder hebt segnend beide Hände.

Im Umkleideraum zieht Hermann Gummistiefel und einen großen Gummischurz an, der bis auf die Füße hängt. Eingewickelt steht er da und grüßt einen jungen Ingenieur, der einen weißen Mantel trägt. Wenn Hermann sich bewegt, stößt sein Kinn gegen den Latz des Schurzes, der steif hochragt. Sich windend und drehend versucht er die Verschnürung auf dem Rücken festzuknoten. Der Latz soll auf der Brust eng anliegen.

»Haben Sie sich gut eingearbeitet?« fragt der Ingenieur. Er wartet Hermanns Antwort nicht ab, geht hinaus. Als Hermann noch im Lagerraum arbeitete, erzählten Frauen, sie hätten den Ingenieur im Keller, in dem die Tonnen mit den Fruchtessenzen stehen, kotzen sehen. Er habe auf dem Boden gekniet und gewürgt. Nachdem er leer war, sei er noch lange so geblieben und habe auf die Soße gestarrt, die sich ausbreitete. Wahrscheinlich habe er überlegt, ob er die Schweinerei allein wegputzen müsse, und wenn, dann mit was. Die Frauen behaupteten, er sei gar nicht Ingenieur, sondern Student.

Hermann geht durch einen weißgestrichenen Gang. Die Wände vibrieren von den Kältemaschinen, in denen Sole unterkühlt wird. Mädchen überholen ihn, sie sprechen nicht, er hört nur ihre Schürzen gegen die Gummistiefel klatschen. »Kuckuck«, sagt eine leise.

In der gekachelten Halle stehen die Bottiche, in denen Rührwerke Essenzen, Milch, Zucker, Gelatine und Affenbrotkernmehl vermengen. Das Stärkemehl wird auch in der Textilindustrie als Kragen- und Manschettensteife verwendet. Automatische Schaltdiagramme leuchten auf vorspringenden Tafeln. Durch Röhren drängt die warme Masse in Aluminiumballons. Hermann klopft gegen eine Metallwand, der Ballon ist leer und gongt. Über den Steinboden der Halle fließt stetig ein Wasserfilm.

Die Mädchen, die an den Tischen arbeiten, spritzen, Schläuche vorn abklemmend, die warme Masse in die Fächer von Formkästen. Geschleckt wird nicht mehr, auch nicht bei neuen Serien. Manchmal hält ein Mädchen kurz auf den Gummischurz einer Gegenüberstehenden; die farbige Schmiere trifft klatschend und beginnt, hinunterzurinnen. Die Getroffene streift den Brei vom Schurz, Gesicht und Haare sind getüpfelt.

»Jetzt kriegst du auch eine Ladung!« hört Hermann rufen.

»Tu den Schlauch weg!« sagt eine andere.

»So viel Schaum hast du noch nie geschluckt.«

»Dein Schlauch hat nichts drin.«

»Mach dich selber naß.«

»Bei dir kommt ja nichts.«

Sie lachen und lassen die klebrige Soße von den Händen rinnen. Von seinem Platz aus sieht Hermann, wie eines der Mädchen, das Griffhölzchen in die gefüllten Formen steckt, ihm mit einem Bündel winkt.

»Ihr habt Schokolade in den Stiefeln«, sagt er.

»Der Kuckuck hat ein Loch im Strumpf«, antwortet ein Mädchen.

»Gleich kommt der Ingenieur und spießt Euch auf.« Eine bläst durch ihre Lippen, als lasse ein Pferd einen Furz. Sofort macht noch ein Mädchen mit, setzt die Fanfare höher an. Prustend jagen sie den Ingenieur in die Flucht, der auf einer Liste Rührzeiten abhakt. Hinter einem Mischkessel geht er in Deckung. Vom unteren Ende des Kältebeckens ruft eine Frau, mit der Hermann zusammenarbeitet, sie brauche mehr Kästen, sie lasse sich nicht im Akkord drücken.

»Bei der braucht er sich nicht anzustrengen,« sagt ein Mädchen.

»Ich habe gesehen, wie sie beide zum Abort gegangen sind. Er darf in ihre Hose gucken.«

Die Köpfe über die Formen geneigt, die Schläuche in der Hand, aus denen Vanille rinnt, arbeiten die Mädchen schnell und sicher. Geschickt steckt das Stengelfräulein Stiele in die einzelnen Segmente, die Hölzchen tanzen zwischen ihren Fingern. Hermann würde gern Maul oder Arsch sagen, aber er traut sich nicht. Jeden Augenblick kann der Schwarm aufsteigen und über ihn herfallen. Er läßt Metallkästen über eine Rampe in eine lange Betonrinne rutschen.

In der stark unterkühlten Sole des Beckens gefriert
die warme Masse in den Formen. Wenn chemisches
Wasser hineinspritzt, gerinnt die Füllung. Gewissen-
haft schiebt er und kantet, darf den Kopf gesenkt hal-
ten und hantieren, damit die Kästen richtig in der
Rinne sitzen und die Sole nicht über den Rand steigt.
Die Mädchen schreien immer noch.
»Wer macht ihm das Hemd auf?«
»Ich mach ihm das Hemd auf.«
»Wer gibt ihm ein Eis zu essen?«
»Ich halt ihm die Zunge fest.«
»Wer will seinen Kuckuck sehen?«
»Den soll er uns selber zeigen,«
»Er hat ja keinen, er hat ja keinen!«
Die Verdunstungskälte über der Solerinne sticht. Der
chemische Dampf steigt in die Stirnhöhle, wo er po-
chend nach Platz sucht, Hermanns Augen tränen.
Durch die dickflüssige dunkle Lake treiben die Me-
tallkästen. Kondenzschleier, die darüberschweben,
werden von den Holzstielen, die aus den Formen ra-
gen, in kleine Strudel geteilt. Hermann läßt wieder
einen Zehnmaster in die Kälte ziehen.
»Wieviel zahlt ein guter Freier?«
»Der geht selber auf den Strich.«
»Er soll unsre Titten zählen.«
»Da muß er Verstärkung holen.«
»Der Ingenieur, der Ingenieur.«
»Der wird auch nicht steif.«
Jetzt sich erinnern, wie leicht sich Vanilleeis mit
Schokoladeüberzug aus dem Goldpapier schält und
der vor Kälte mattfarbene Pfropfen auf der Zunge
zu tauen beginnt. Volle Lippen schließen sich über

dem Kegel, lösen sich wieder, ein sanfter Verschluß-
laut gibt leise Echo. Strahlende Zähne fassen den
Schokoladeüberzug, drücken ihn, bis die Schicht
splitternd aufbricht und süßer Sumpf herausquillt.
Zunge und Lippen balgen den Kegel schneller, der
schwankend über der Hand steht, bestürmen ihn mit
vorsichtiger Gewalt, damit er nicht schief wird oder
gar abbricht. Der Stumpf kreiselt im Mund, fängt an
zu rinnen, kann endlich ganz erfaßt und aufgenommen werden, wenn man rücklings in einer Wiese liegt,
den Rest hoch über sich oder stöhnend kniet vor so
viel Pracht.

Die Arbeiterin hebt einen Metallkasten aus dem Solebecken, Hermann greift zu, schiebt seine Hände über
die Griffe, während die Frau losläßt. Die Form zu
sich heranziehend, läßt er sie in den mit heißem
Wasser gefüllten Trog sinken, bleibt einen Augenblick darüber gebückt stehen und hält die Luft an.
Heißer Dampf schlägt in sein Gesicht. Dann hebt er
die Gitterplatte, an der die Eisstöpsel hängen, aus der
Form, schwenkt vorsichtig die wackelnden Zitzen
zur Seite und schüttelt sie auf ein Förderband. Die
Frau holt den Metallkasten aus dem Heiztrog, gleichzeitig nimmt sie Hermann die Deckplatte aus der
Hand. Hinter Hermann fährt das Speiseeis zu den
Packtischen, an denen Mädchen arbeiten, die entweder einwickeln oder das Eis zwischen Waffeln klemmen und weiterreichen. Die leeren Formen werden
von einem anderen Förderband quer durch die Halle
in die Spülküche befördert. Wieder holt die Frau
einen Metallkasten, von dem Sole rinnt, aus der Betonrinne und stemmt ihn zu Hermann hinüber. Kälte

und feuchte Hitze wechseln vor seinem Gesicht, die Arbeitsgeräusche scheinen sich in der großen Halle zu dehnen.

Erst wenn er sich einige Stunden gebückt hat, nicht mehr zur elektrischen Uhr blickt, die über dem Eingang hängt, sich nur noch auf die Hände der Frau konzentriert, die ihn bedienen, und immer wieder versucht, in den Gummihandschuhen das Loch zu entdecken, aus dem rotes Fleisch leuchtet, das die scharfe Sole verbrannt hat; wenn seine Bewegungen, die ihn anstrengen, allmählich zu schwimmen beginnen, selbständig weitermachen, beschleunigt verflüssigen, dann könnte er sich auflösen, flach werden, ein fabelhaftes System aus Sehnen, Fibrillen und Impulsen bilden, das sich durch die ganze Halle spannt: er ist eine gleichmäßig stampfende Bauchdecke, die alles verdaut.

Sobald die Pausensirene zustößt, bekommt er Magenschmerzen, die er mit ein paar Bissen aus einem Luxusbecher löscht. Den Rest läßt er über die nassen Fliesen zwischen die Beine der Mädchen schlittern. Gummischürzen werden über Köpfe gestreift und bleiben, an Trögen hängend oder auf Tischen liegend, zurück. Die Mädchen gehen hinaus, in ihren schweren Stiefeln bewegen sich Strumpfkolben. Es ist elf Uhr nachts.

Die Toten wurden in Öfen, Schachtanlagen und Gruben verbrannt oder schichtweise mit Chemikalien bestreut. Hermann stellt sich einen im Solebecken liegenden Körper vor. Die Brühe arbeitet in den Schleimhäuten, läßt das Gesicht zuerst einsinken. Haarschwaden bewegen sich fächerförmig. Noch halten eine Bluse und ein Wickelrock den Körper zusammen, bleiben die Beine, die in Kniestrümpfen stecken, auf dem Grund der Rinne liegen. Aber aus den Nähten, zwischen den Maschen, aus lochgestickten Mustern quellen schon milchige Fäden, die die Sole trüben. Teilchen schwimmen nach oben und beginnen, eine feine Kruste zu bilden. Manchmal bricht eine Gasblase auf, dann schließt sich der Schlamm wieder. Naber, der Holzschuhe und einen gestreiften Kittel anhat, rührt mit einer Stange im Becken. Kleiderfetzen, die sich um die Stange wickeln, gabelt er auf und schleudert sie in einen bereit stehenden Drahtkorb. Aus Aluminiumtanks fließt frische, ungesättigte Sole nach. Hoch oben in einem Glaskasten sitzt der Rittmeister und überblickt die ganze Anlage. Er trägt glänzende Reitstiefel, gibt durch Lautsprecher Kommandos. Hermann winkt, besitzt die Fähigkeit, sich in großen Sprüngen fortzubewegen und eine Zeitlang in Höhe des Befehlsstands zu halten, aber verständlich machen kann er sich nicht. Sein Vater hat zu tun, zündet mit einem Blick durch seine kleinen, kreisrunden Brillengläser ein paar Arbeiter in der Halle unten an, die ausgeglitten sind und vor Erschöpfung nicht mehr aufstehen. Mit heißem Wasser werden die schrumpfenden Fackeln gelöscht, Reste durch Abflußroste im Boden fortgeschwemmt. Naber zwinkert Hermann zu. Im Gegensatz zu den anderen sieht er gut genährt aus, die Arbeit an den Bottichen scheint ihn nicht anzustrengen. Der Rittmeister winkt, Hermann soll sich Gesicht und Oberkörper in der Sole waschen. Er schlafe sehr ruhig, hat Naber gesagt, er werde Hermann bestimmt nicht stören. Hermann stürzt ab, fängt sich und gleitet.

»Links halten«, sagt der Ingenieur.

In einen Pappbecher fließt ein Milchstrahl aus dem Getränkeautomaten. Hermann schwankt in der Helligkeit des Pausenraums.

»Ich nehme Sie nachher im Auto mit.«

Er nimmt neben dem Ingenieur Platz, der sich weit weg von den Frauen auf eine leere Bank gesetzt hat. Der weiße Mantel ist zu groß, die Ärmel sind aufgeschlagen. Aus den Deckenlautsprechern rinnt leise Musik. Ähnlich haben Sortierer, Fleischstampfer und Skelettierer Pause gemacht und ihre Sonderrationen an Schnaps und Hartwurst verzehrt. Nach einigen Wochen Arbeit in der Anlage sind sie selbst an die Reihe gekommen.

»Kann jemand die Musik lauter stellen? Der Schalter ist neben der Tür.«

Hermann gurgelt mit der warmen Milch, die weich gegen den Gaumen schlägt. Das nächste Mal wird er Zwieback mitbringen und ihn eintauchen. Zwei Arbeiter aus dem Lagerraum stampfen in Filzstiefeln herein. Mit den aufgeschlagenen Ohrenklappen ihrer Pelzmützen sehen sie aus, als wollten sie doch noch heute nacht zu fliegen beginnen.

»Ein Stiftzahn ist nicht billig«, sagt der eine, »er muß schließlich halten.«

»Ich habe noch alle«, sagt der andere, »ich esse jeden Tag ein Bund Petersilie.«

Zwei Mädchen schlafen mit verschränkten Armen über die Tischplatte gelehnt. Andere blättern dicht nebeneinander in einer Illustrierten, eine klopft einen

Pappbecher flach, will den gewachsten Karton weich-schlagen und einen Helm daraus falten. Nur die ältere Frau, die wie Hermann am Solebecken arbeitet, kaut noch, blickt dabei zur Wand gegenüber. Vielleicht ist sie Mitglied eines Klubs für Luftgewehrschützen oder mit einem Mann verheiratet, der immer noch mit dem Kopf voraus vom Fünfmeterbrett springt. Weiß der Teufel, was man sich nachts in einer Schichtpause alles vorstellt, Hermann muß Kraft sparen. Die Radiomusik hört auf, durch die Deckenlautsprecher ertönt mehrmals ein melodischer Dreiklang.

Wenn Hermann wieder am Trog steht und stemmt, Eiszitzen auf das Förderband schüttelt, Hitze und Kälte einatmet, könnte er an Rechenaufgaben denken. Seine Arbeit bestünde nur noch aus einer nume-rischen Folge von Impulsen und Nichtimpulsen, auf-geteilt in Bewegungen des Oberkörpers, des Kopf-nickermuskels, der Arme, Drehungen der Hände, Beugungen der Knie, er hätte nichts dagegen, sich auf einen Satz Lochkarten zu verteilen, der durch einen Datenverarbeiter geschickt wird. Jeder Ritz im Karton bedeutet einen Finger, für jede Gelenkkurve sitzen je zehn oder mehr darunter, damit die Greifer nicht rucken, sondern gleichmäßig von Abschnitt zu Abschnitt ziehen. Die Drehung des Rumpfes be-handelt ein Gitter, die Sensoren bedienen sich etwa zwanzig Vertikalen und Horizontalen. Die Problema-tik liegt im stufenweisen Gleiten der elektrischen Schaltungen, sonst rüttelt der Rumpf, führt einen Veitstanz auf, denn jede zu früh eingeschaltete Verti-kale, der kein horizontaler Widerstand entspricht, was eine Drehung des Leibes Grad um Grad erst möglich macht, führt zu Überlagerungen, jämmerlichen Knicken, und das aus den Formkästen gelöste Eis fiele in das heiße Wasserbad zurück. Beine, Kniegelenke und die Balance des Speiseeisschauflers werden nicht berücksichtigt, der Apparat steht auf einem Sockel, nur sein Oberteil bewegt sich. Hermann schaltet ein. Auch die Mädchen, ähnlich behandelt, füllen, stöpseln, wickeln ein, verpacken, haben Krusten an den Händen kleben, brechen durch Schokoladeüberzug, kommen an ihren von kalter Schmiere, Zuckerrotz, abgebrochenen Stielhölzchen und gärenden Soleflecken überzogenen Tischen ins Rudern, lassen nach und fangen erneut zu schlegeln an. Ihre Nylons schimmeln in den Gummistiefeln, Kondenzfeuchtigkeit steigt im Gewebe höher, in immer kürzeren Abständen müssen sie zum Pissen gehen. Hermann läßt eine Reihe gefrorener Königszapfen ins Wasserbad fallen, in dem sie sich schwadig auflösen. Die ältere Arbeiterin, die ihm Kästen reicht, planscht mit ihren Gummihandschuhen in der Sole. Wundschmerzen werden durch Vereisung eingedämmt; Skeletteile schimmern aus dem unterkühlten Wasser; hinter einem Druckkessel onaniert der junge Ingenieur im Takt des Rührwerks. Kurz vor Ende der Spätschicht geht es allen wieder besser.

Im Fabrikhof läßt sich Hermann von den Mädchen überholen, diesen Hühnern, Mäusen, die unter Peitschenlampen zum Ausgang laufen. Obwohl sie an der Haltestelle warten müssen, bis die Straßenbahn kommt, rennen sie alle, so schnell sie können, zu dem speckigen Häuschen, in dem Plakate von Sandbahnrennen und dem Sommerzyklus der Philharmonie hängen. Jede Nacht buchstabieren sie und klemmen die Schenkel zusammen. Vom leeren Parkplatz winkt der Ingenieur. Hinter Hermann leuchtet die Reklameschrift der Speiseeisfabrik an der Hallenwand.

Den Kunststoffhelm auf, Taschenlampe und Schlagstock am Koppel hängen haben und langsam auf dicken Gummisohlen die Schuppen umrunden, in denen Konserven, Fässer voll Schmierfett und Druckerschwärze lagern. Hund hat er keinen an der Leine. Er ist der jüngste im Bewachungstrupp. Auf der Verladerampe liegt ein zerbrochenes Vorhängeschloß; im Hof stehen zentimetergenau ausgerichtet Sattelschlepper, deren Anhänger sich in der Dunkelheit zu einer Masse vereinen. Er sollte leise pfeifen, ein Lied summen, nicht immer auf die Leuchtziffern seiner Armbanduhr sehen, zwischen denen der Sekundenzeiger in Form eines kleinen Revolvers hackt. Hermann geht an den Sattelschleppern entlang. Ob Pole, Banatdeutscher, Exilbulgare, Jazztrompeter oder Jude, der nach Australien auswandern möchte, alle umkreisen sie jede Nacht die Lagerschuppen und Armeegeräte. Mit ihren Bons dürfen sie im amerikanischen Kaufhaus einkaufen. Hermann handelt mit Büchsen und Zigaretten und spart Geld, will auf einem Motorrad durch die Schweiz fahren. Die Höfe zwischen den Lagerschuppen sind von hohen Drahtzäunen unterteilt, auf den Ecken sitzen Bogenlampen. Gegen Morgen, wenn es kälter wird und Nebel aufkommt, stehen die Bewacher unter den Lampen. Hermann macht Kniebeugen, der Uniformstoff spannt über einer Schokoladendose. Er erinnert sich an Filme, in denen sich Paare durch Zaunlücken küs-

sen. Aufnahmen danach zeigen Lastwagen, vollge-
packt mit Flüchtlingen, die in ihre Heimat zurück-
fahren. Die Musik dazu ist unerträglich laut.

»Ich werde bald heiraten.«

Sie fahren stadteinwärts, im Heckfenster schwimmt
ein Stück der illuminierten Straßenbahn mit.

»Meine Frau studiert noch«, sagt der Ingenieur, »sie
wird Kinderärztin. Wir haben uns alles genau ausgerechnet. Natürlich ist es nicht einfach, ich könnte
manchmal vor Müdigkeit umfallen, aber wir sind
froh, daß wir endlich eine Wohnung bekommen.
Wenn ich Spätschicht habe, schlafe ich bis Mittag,
dann gehe ich in die Bibliothek und schreibe für meine
Frau aus Fachbüchern ab. Sie macht bald ihr Physi-
kum. Und abends wieder Speiseeis. Wissen Sie, ich
bin Hochfrequenzler, ich warte nur darauf, daß meine
Frau fertig wird, dann suche ich mir meinen Aufga-
benkreis. Ein Freund von mir malt Kinoplakate.
Haben Sie Kummer, werden Sie belästigt? Sagen Sie
es, sagen Sie es mir, in den Lagerraum kommen Sie
nicht mehr, keine Angst, ich sorge dafür. Diese Mädchen bei uns, ich habe Mitleid, ganz klar, sie schuften
sich krank. Bei Frauen, die nachts arbeiten, verschiebt
sich die Periode, manchmal bleibt sie auch ganz aus
oder die Abstände verkürzen sich. Eine Freundin
meiner Frau schreibt eine Diplomarbeit darüber.«

»Wenn Sie sicher gehen wollen, schicken Sie Ihre Frau
zu uns in die Spätschicht«, sagt Hermann.

Der Ingenieur, der sein Auto an einer Steigung her-
unterschaltet, gluckert über dem Steuerrad, seine
Nase taucht ins Licht des Armaturenbretts.

»Ich fahre Sie, das ist selbstverständlich«, sagt er. »Ich

muß mich entschuldigen, daß ich Sie nicht schon früher mitgenommen habe.«

»Aussteigen!« sagt Hermann laut.

Er zieht die Handbremse, das Auto schlenkert aus der Spur. Die Hände um das Steuerrad geklammert und krampfhaft nach vorn gebeugt, bringt es der Ingenieur am Straßenrand zum Stehen. Hermann steigt aus und schlägt die Tür zu. Plötzlich ist er nicht mehr müde, würde gern das Auto, das wieder anfährt, an der Stoßstange hinten anheben. Beim Wasserturm hüpfen die Schlußlichter über die Bergkuppe. Er kniet auf den Mittelstreifen und legt das Ohr gegen die Straßenbahnschienen. Noch ist kein Summen oder fernes Poltern im Eisen zu hören. Die warmen Schottersteine, die sich gegen seine Handflächen pressen, riechen nach Teer und Öl. Man muß nachts liegend lauern, mit angezogenen Knieen bereit zum Sprung sein, wenn Scheinwerfer aufflammen und ein Lastwagen dröhnend den Berg herunterschiebt, muß geduckt über die Straße hetzen, den Schlüssel ins Loch stoßen, dazu leise zählen, bis die Tür wieder geschlossen ist, und mit der Schulter ans Holz gelehnt hören, wie draußen der Lastwagen vorbeifährt. Es hat acht Zahlen gedauert: gewonnen. Die Fensterläden, in denen sich der Fahrtwind verfängt, rütteln an den Riegeln.

Hermann schaltet kein Licht an. Die Schuhe in der Hand, geht er vorsichtig über die kalten Linoleumstreifen. An der Biegung zur Tür streckt er einen Arm aus. Die Tür steht offen. Er bückt sich zu tief, als werde gleich ein Firstbalken auf seinen Nacken fallen. Im nächsten Zimmer bleibt er stehen. Langsam dreht er seinen Oberkörper und könnte, er ist sich der Richtung sicher, mit einem geschleuderten Schuh einen der Strohsessel treffen. Einen Augenblick verharrt er in Werferhaltung, dann betritt er schnell und leise das Schlafzimmer. Die Tür war nur angelehnt.

In der Dunkelheit entkleidet er sich, sein Atem fächelt stoßweise. Die gestauten Unterbrechungen steigern sich, wenn er den Fuß aus der Hose hebt, das Hemd über den Rücken zieht und den Gummi der Unterhose, der den Fingern entschlüpfen und klatschend zurückschnappen will, noch weiter dehnt. Mit ausgestrecktem Arm, der sich zu verlängern scheint, hält er, während er die Socken abstreift, Balance. Dann gleitet er ins Bett.

Er kann ein Aal sein, der sich in den kühlen Tüchern windet, Körper, Arme und Beine fließen in einen Strang zusammen. Die Hände zwischen den Schenkeln, die Ballen gegen die Schamhaare gepreßt, liegt er bereit und wartet, daß das Bett neben ihm zu zittern beginnt. Er wird in die Fuge zwischen den Seitenbrettern hineintasten und die ersten Wellen spüren.

6

Hermann geht dicht neben seinem Großvater. Der Posten läßt sie passieren, hat an jedem Handgelenk Reitpeitschen hängen, die hin- und herpendeln, plötzlich in die Hände hochschnellen. Das Spiel wiederholt sich. Seit Großvaters Fabrik als Gefangenenlager dient, tragen viele französische Soldaten Trabergerten, Galoppstecken oder lange, dünne Dressurpeitschen mit sich herum. Einem Friseur, der sein Schulfranzösisch ausprobieren wollte, wurde auf die Backen geschlagen. Seine Tochter, die neben ihm stand, warf Algeriern Butter zu. Nachmittags, wenn wieder die Sperrzeit beginnt, darf niemand mehr unterwegs sein. Großvater hat seinen Passierschein auf der Kommandantur erhalten.

Ein Stück Thujahecke hängt schief. Neben den Wurzeln, die aus der Erde ragen, verläuft eine tiefe Spur. Im Fabrikhof parken gepanzerte Mannschaftswagen, an einem steht hinten die Tür offen, Hermann sieht Teppiche im Wagen liegen. Ein Marokkaner putzt im Schneidersitz Stiefel mit einer weißen Gardine. Keine Arbeiter sind unterwegs, die Rahmen transportieren und leimverkrustete Schürzen anhaben, Wachen stehen vor den Türen, ein Posten, der wieder den Passierschein prüft, trägt einen Helm mit goldglänzendem Kamm.

Als Hermann in den Kindergarten ging, dessen Spielplatz neben der Fabrik lag, besuchte er manchmal Großvater im Kontor und holte sich eine Tüte Rosinen. Einmal ist er breitbeinig die Betontreppe mit den eisenbeschlagenen Stufenkanten hinaufgegangen, mußte vorsichtig steigen und möglichst wenig atmen. Jede Bewegung scheuerte. In seiner Hose hing ein weiches Paket, sickerte schon durch und klebte auf der Haut fest. Weinend hat er an die Tür geklopft, ist an den Bürofräuleins vorbei zu Großvater gerannt, der hinter einer hölzernen Trennwand saß. Klümpchen auf dem Linoleumboden markierten Hermanns Weg. Alle haben geholfen, ihn zu säubern, haben den Inhalt eines Papierkorbs verbraucht, haben geschabt und gewischt, er hat sich aus einem Griff in den anderen gedreht. Kuvertkanten kratzten, Papier von Adressenfenstern ist abgerutscht. Die Prokuristin hatte mit alten Löschblättern Erfolg. Die Fräuleins haben den Berg Papier in eine Plane gewickelt und in die Abortanlagen getragen. Als sie zurückkamen, hat Großvater aus seiner Schublade an alle Äpfel verteilt. Bis zur Mittagspause durfte Hermann auf einem Drehhocker sitzen, warm in einen Mantel gehüllt; seine Hose wurde gewaschen und in der Leimküche vor dem Exhauster getrocknet. Im Büro arbeiteten alle wieder, rechneten Kolonnen zusammen, schrieben Briefe, und er bekam von der Prokuristin die Aufgabe, ein Paket gelbes Kopierpapier zu lochen. Als Großvater den Kassenschrank abschloß, wurde Hermanns trockene Hose gebracht. Er solle bald wiederkommen und helfen, hat die Prokuristin gesagt.

Sie gehen durch den Maschinensaal. Die Transmissionsriemen stehen in den Schutzgittern still, keine Schmirgelscheiben pfeifen mehr über Holzlaschen.

Großvater und Hermann steigen über Rucksäcke, ausgestreckte Beine, Kochgeschirre, Körper und tasten sich unter aufgehängten Uniformen hindurch. Überall zwischen den Drehbänken und Stanzen liegen Gefangene auf Polstern aus verwickelten und ineinander verknoteten Schnüren. Kurz vor Ende des Krieges wurden Lastwagen voller Fallschirmschnüre, Tabakballen und Lederseiten in die Fabrik eingelagert. Großvater mußte alle Räume zur Verfügung stellen.

Vielleicht will er nur den Zustand der Säle und Lager kontrollieren. In der Zwirnerei liegen die Gefangenen auf ausgerollten Lederseiten, genarbten, gewachsten und sämisch gegerbten, es riecht säuerlich warm wie in einem Pferdestall. Im Korridor stehen Soldaten vor einem blechernen Waschbecken nach Wasser an. Im Büro, einem Holzverschlag mit Schiebefenstern, sitzt die Wachmannschaft. Ein Franzose läßt ständig den Wagen einer Schreibmaschine anschlagen, damit es klingelt. Nachdem Großvater wieder den Passierschein gezeigt hat, darf er weitergehen. Hermann erhält einen roten Kaugummi geschenkt, der nach Schnaps schmeckt.

Von der Brücke, die in den Fabrikanbau hinüberführt, sehen sie im Hof unten einen Mann auf dem Bauch liegen. Neben ihm steht ein Marokkaner und stochert mit dem Lauf seiner Maschinenpistole an ihm herum. Die Jacke des Liegenden schiebt sich hoch, der helle bloße Rücken bekommt Male. Im ersten Weltkrieg, hört Hermann Großvater sagen, hätten sie in Galizien viele Gefangene gemacht, die mit Erdlöchern zufrieden gewesen seien, sogar im Regen.

Im hölzeren Anbau, in dessen Stockwerken nur wenige Lampen brennen, liegen die gefangenen Soldaten im Tabak. Sie haben Nester in die aufgerissenen Ballen gebaut, die trockenen Blätter fallen auseinander und bröseln. Bei jedem Schritt schieben die Schuhe Tabak vor sich her. Die Gefangenen husten, ächzen und fluchen. Hermann kann kaum atmen. Großvater fragt, weshalb die Fenster geschlossen sind. Als Antwort erhält er einen Tritt ans Bein. Hermann sieht ihn torkeln und gebückt, mit rudernden Armen rückwärtsstolpernd, nach Gleichgewicht suchen. Niemand lacht. Wenn ein Fenster geöffnet wird, sagt jemand, schießen die Franzosen an der Hauswand hoch.

Großvater erklärt, daß er der Besitzer der Fabrik sei. Er habe vom Stadtkommandanten einen Passierschein erhalten, vielleicht könne er helfen. Spuckend und schnaufend macht er Pausen. Auch in Hermanns Mundwinkeln sammelt sich Tabakstaub, der sich zu Pfropfen ballt. Der scharfe Geschmack hält die Zunge in Bewegung. Großvater wird nach einer Eisensäge gefragt, ob es irgendwo einen Werkzeugkasten gebe? Im Keller sei eine Wasserleitung. Im letzten Winter, sagt Großvater, wurde nach einem Rohrbruch der Haupthahn zugedreht. Dieser Fabrikteil werde schon lange nicht mehr benützt.

Die Holztreppe herunter tragen zwei Gefangene einen Ohnmächtigen, den sie am Eingang zur Brücke niederlegen. Niemand darf aus dem Nebengebäude in den neuen Teil der Fabrik hinübergehen. Großvater sagt mehrmals, er werde mit dem Kommandant reden, er kenne ihn, der Kommandant sei kein Unmensch. Hermann hört nur schnelles Atmen, Spucken und Husten. Unter der niedrigen Holzdecke schieben bucklige Gestalten hin und her, Flocken wirbeln hoch, Staub verhüllt die Glühbirnen. Am Eingang zur Brücke ist der Ohnmächtige wach geworden. Einem Soldat, der neben ihm kniet, schleckt er Salz aus der Hand, es muß Salz gewesen sein, sonst hätte die Zungenspitze nicht so vorsichtig gezuckt und immer nur wenig aufgenommen. In Hermanns Mund hat sich auch wieder Spucke gesammelt.

Großvater ist lange nicht mehr in die Fabrik gegangen. Später hat es Wochen gedauert, bis die Räume gesäubert waren. Den Tabak und die Lederseiten haben die Franzosen abtransportiert. Vielleicht sind einige gefangene Soldaten an Entkräftung gestorben oder erstickt, auf dem Friedhof gibt es Gräberreihen mit Holzkreuzen ohne Namen. Hermann hätte gern auf den rutschigen Lederseiten gelegen oder seinen Kopf in Fallschirmschnüre gebohrt, jetzt ruht er in der Wärme, hält die Augen noch geschlossen, spürt einen Knopf am Nasenflügel, neben dem der Kissenbezug klafft, so daß er den kühlen Geruch des Inletts einatmet.

Er hat unter feuchten Decken gelegen oder nachts auf einer Bank in einer Bahnstation, hat die Beine angezogen, um Wärme zu sammeln, Schulter und Hüften schmerzten von der harten Unterlage. Zwei Freunde aus dem Internat schliefen ebenfalls in der Schalterhalle. Irgendwann am Vormittag würde ein Zug kommen, hatte der Stationsvorsteher gesagt. Er hatte die Lichter gelöscht und war nach Hause ins nächste Dorf gegangen. Die Tür war abgeschlossen, ein Fenster blieb offen. Wenn eine französische Streife sie fände, würden sie verhaftet und in ein Bergwerk verschickt werden, er wisse nichts davon, daß sie hier schliefen. Als Hermann husten mußte, biß er in den Jackenärmel. Die enge Verbindung von Lippen, Zähnen, vertrautem Stoff, der schmerzenden Nasenspitze und dem aus der Kehle hochschießenden Reiz, der durch schnelles Atmen sich wieder löschen ließ, gab für einen Augenblick Sicherheit. Er hätte sich am liebsten mit dem Kopf voraus durch seine Beine gestülpt, daß sein Kinn auf dem Rücken hätte festwachsen können. Er wäre zu einem Paket geworden, das großem Druck standhält.

Hermann fühlt auch unter einer Zeltplane das Stroh, das sich zu Höckern und Bällen zusammengeschoben hat. Die Pimpfe, die an einem Sanitätslehrgang teilnehmen, liegen im Lagerraum einer Futtermittelfirma. Unter den vielen Decken atmen, keuchen, jammern, winseln und rotzeln die Schlafenden in nassen Hosen und Blusen. Mitten in der Nacht hat sie der Zugführer in den Hof gejagt und bäuchlings auf den Koppelschlössern in Drecklachen Drehungen machen lassen. Beine und Oberkörper müssen durchgedrückt aufgebogen werden, damit sie nicht den Boden streifen. Mit den Fingerspitzen wird den Drehungen nachgeholfen. Hermann segelt hinter den Anstrengungen her, trägt eine trockene Trainingsbluse, frische Socken, steckt bequem in einem warmen Futteral aus Decken. Seine Mutter hat ihm einen Napfkuchen und ein Glas Honig geschickt. Jedes Paket muß geöffnet werden, sagt der Zugführer, wir sind eine Gemeinschaft. Im Büro glüht der Sägemehlofen, auf dem Tisch liegen Aufsätze über das Leben des Führers. Hermann reißt das sorgfältig verschnürte Paket auf und zieht die Holzwolle heraus, die zwischen Glas und Napfkuchen steckt. Den Brief seiner Mutter knüllt er, wie der Zugführer herblickt, ungelesen zusammen. Seither liegt der Brief im Tornister unter der Wäsche. Gemeinsam haben sie gegessen und die klebrigen Kuchenstücke aus Hefeteig in sich hineingestopft. Der Zugführer wischte und klopfte, auf Schlips und Uniformbluse lagen Krümel. Draußen im Hof liefen Pimpfe über Hindernisse, andere übten in der Halle Streckverbände, einige saßen im Keller und schälten gekeimte Kartoffeln.

Honig sickert durch die Hohlräume, die die Hefe, als der Teig im Ofen aufging, hat platzen lassen. Von den Fahrtenmessern rinnt die gelbe Masse, tüpfelt das Packpapier und verschorft das Kinn. Auf den Stahlklingen bleibt ein säuerlicher Geruch zurück. Sie schlingen beide, Hermann kniet auf einem Stuhl, der Zugführer hat mit dem Ellenbogen den Stoß Hefte vom Tisch gewischt. Er läßt das Telefon läuten, draußen beginnt es zu regnen. Über den Resten des Pakets stoßen sie mit den Köpfen zusammen, Hermann lutscht an einem Stück Strippe, das in den Honig geraten ist. Dann befiehlt ihm der Zugführer, sich zum Innendienst zu melden. Abends hat Hermann in einer Hofecke mit dem Spaten ein Loch gegraben und Verpackung und das leere Glas darin versenkt. Den zugeschütteten Erdfleck hat er wieder festgetreten, als wollte er den Wurzeln eines jungen Bäumchens Halt geben.

Liegen und daran denken, wie er ängstlich oder sicher

eingehüllt gelegen hat oder andere einzeln oder ineinander verkeilt hat liegen sehen. Jetzt wartet er auf das Zittern im Nachbarbett. Vielleicht hat Naber ein Handtuch unter der Bettdecke zurechtgelegt. Sobald die Bewegungen unvorsichtiger werden und die Wellen durch das Holz dringen, wird Hermann sich aufrichten. Er könnte auch hinüberlangen und die heiße feuchte Hand, die erschreckt hochfährt, schütteln. Das kenne ich, würde er sagen, machen Sie ruhig weiter.

»An Sonntagen gab es manchmal Specksuppe«, sagt Naber. »Es waren hunderttausend Leute. Einige sind daran gestorben, weil sie das Fett nicht mehr vertrugen, viele haben die Ruhr bekommen. Aber ein Wunder war die Suppe trotzdem.«

Hermann dreht sich vorsichtig um, wagt kaum zu atmen. Einen Kissenwulst, der zu wachsen beginnt, drückt er nach unten, sieht nun Nabers runden Kopf ruhen, braun und blank poliert; ein Seehund döst. Der Dämmer im Zimmer gibt allen Gegenständen Leichtigkeit. Der Kleiderschrank scheint erwartungsvoll einzuatmen, Schüssel und Krug auf dem Waschtisch möchten schwebend näherkommen. Draußen auf der Ausfallstraße hat sich der Verkehr beruhigt, nach den Gottesdiensten wird er wieder anschwellen. Hermann, der seine Schenkel zusammenpreßt, glaubt auch den Bach unter dem Fußboden langsamer fließen zu hören.

»Mein Vater war im Osten«, sagt er, »als Kommandant.«

»Kennen Sie Rom?«

Naber hebt ein wenig den Kopf und blickt herüber.

Dem Seehund fehlen Schnauzhaare, die großen Ohren sind eine Fehlentwicklung.

»Ein Rumäne, der mit mir im Lager war«, sagt Naber, »hat mir vom Petersdom eine Ansichtskarte geschickt. Wissen Sie, wie hoch die Buchstaben auf dem Dach sind?«

»Ich war noch nie in Rom«, sagt Hermann.

»Vielleicht werden sie nachts angestrahlt oder sind aus Neonröhren.«

»Wer hat Sie befreit? Die Russen oder die Amerikaner? Haben Sie mitgemacht, als der Rest der Wachmannschaft, der nicht mehr rechtzeitig fliehen konnte, geschlachtet wurde? Soll ich Ihnen ein Photo von meinem Vater zeigen?«

Hermann wirft sich herum und will die Nachttischschublade aufziehen, in der seine Brieftasche liegt. Er umklammert den Holzknopf und rüttelt an der Lade. Die Seitenbretter klemmen. Auf dem Nachttisch sieht er Rasierseife und eine Packung Konfektmischung neben dem Reisewecker stehen.

»Die Photographie kenne ich«, hört er Naber sagen. »Ich habe Ihre Sachen durchsucht.«

»Das macht mir nichts aus.«

»Vielleicht haben Sie es sich gewünscht?«

»Ich bin froh, daß ich ein billiges Zimmer gefunden habe.«

»Den Brief Ihrer Mutter habe ich nicht gelesen«, sagt Naber, »obwohl er mich interessiert hat. Ich hatte keine Zeit mehr dazu. Wir mußten zur Massage.«

Hermann hat sich auf den Rücken gelegt. Frau Keßler wird den Wellensittich durch die Küche fliegen lassen, der Vogel schlägt Kurven vor den überraschend hellen Gardinen. Hermann robbt ein Stück tiefer, bis die Bettdecke sein Kinn berührt und seine Schultern bedeckt sind.

»Vielen Dank für die Rasierseife und das Konfekt«, sagt er.

»Pralinen habe ich nicht gekauft. Sie liegen nachts zu schwer im Magen.«

Hermann rührt sich nicht, jede Bewegung würde Naber recht geben. Er antwortet auch nicht, als Naber ihm Pfefferminzdrops anbietet, die, wie er ihn sagen hört, den faulen Geschmack aus dem Mund vertreiben. Aufstehen und sich die Zähne putzen, das macht diesem Fleischkloß wohl zu viel Mühe, außerdem müßte er sich bücken und das Gurgelwasser in den Eimer spucken. Der Knipser der Nachttischlampe knackt. Schwaches Licht hängt in der Ecke, legt auch einen Streifen über Hermanns Bettenberg.

Naber angelt nach einem Heftchen, nimmt das oberste von einem der Stöße, die im Gang neben dem Bett stehen. Draußen ist es hell und sauber, vielleicht hat es geregnet, der Asphalt glänzt schwarz. Es wird ein Genuß sein, die fettigen Seiten umzublättern und lesend zu warten, bis der erhobene Arm einschläft. In der Wärme unter der Decke taut er wieder. Der schlüpfrige Wechsel zwischen Schmerz und Erleichterung, Blasendruck und einem hohlen Ziehen im leeren Magen beginnt. Chirurg und Sprechstundenhilfe blicken einander über Mullmasken hinweg an; ein Gärtner stutzt betaute Rosen; eine Sekretärin, deren Tochter krank ist, schiebt dem Chef, der die ganze Nacht gearbeitet hat, die volle Kaffeetasse über den Schreibtisch zu, ihre Hände berühren sich, der

Chef nennt zum erstenmal die Sekretärin beim Vornamen.

»Möchten Sie auch ein Heftchen?«

»Ja, bitte.«

Hermann knickt das farbige Deckblatt und achtet darauf, nicht an den Klammern hängen zu bleiben, die das Heft zusammenhalten. Beim Blättern brechen die Spitzen leicht durch das Papier. Seinen schmutzigen Zeigefingernagel säubert er an einem herausstehenden Drahtende. Ihre Geschichten hoch über sich haltend, damit genug Licht auf die Heftchen fällt, liegen beide da. Hermann, der eine Hand unter der Decke hat, kramt, balgt, zwirbelt und stülpt, dann unterbricht er wieder. Die Stauungen steigen und sinken. Der dunkle Bach unter den Fußbodendielen und der Verkehr vor den Fensterläden summen im Dämmer mit. Gleichzeitig blättern Naber und Hermann um.

Weihnachten geht er zu Hause in die katholische Mitternachtsmesse. Die Autos rollen mit Wattehauben auf dem Dach durch den Torbogen der Stadtmauer. Im Zifferblatt der Turmuhr leuchtet zwischen den Zeigern, die langsam durch angewehten Schnee gleiten, ein kleines Fenster. Dort wohne Knecht Ruprecht, wurde früher erzählt. Hermann klopft Flocken vom hochgeschlossenen Mantelkragen. Vermummt durch die Stadt gehen, mit den Zehen an den Bug der Skistiefel stoßen; im Kriegerdenkmal neigt sich die Witwe, schwebt der getroffene Krieger über wolkigen Knien. Vor dem Kirchenportal stampfen die Besucher Stollen von den Schuhen, husten noch einmal und schlagen die Mäntel sauber.

»Meine Geschichte spielt in Norddeutschland«, sagt Naber.

»In meiner wird eine neue Wohnung eingerichtet.«

»Der Chirurg ist geschieden, sein Landhaus ist zu groß.«

»Bei mir«, sagt Hermann, »streiten sie sich wegen der Schlafzimmereinrichtung. Kinder haben sie keine. Möchten Sie Konfekt?«

Am Weihwasserbecken aus Blutmarmor bücken sich die Andächtigen und schlenkern Kreuze. Hermann möchte auch den Finger hineinstecken und an der gesegneten Feuchtigkeit schlecken. Süßliche Furcht rieselt über den Rücken, die Muskeln spannen sich, er beugt wie alle anderen die Knie. Das Gefühl, mit dieser Bewegung etwas verraten zu haben, erfüllt ihn mit Stolz. Er wird es seiner Mutter erzählen.

Sie haben sich beide auf dieselbe Seite gedreht, liegen nun hintereinander. Die Romanheftchen sind nahe vor die Augen auf die Kissen gerutscht. Manchmal klirren leise Waschschüssel und Krug oder zittert der Fußboden, wenn draußen sich Autos überholen. Die Federbetten wölben sich.

Die Gläubigen sitzen dicht nebeneinander in den Bänken, haben Kinder auf dem Schoß, stehen mitunter auf, um einen Blick zum Altar zu werfen. Deshalb sind sie nachts hergekommen, viele aus Dörfern und Einzelhöfen. Ständig pumpt es in den Reihen auf und nieder. Nasse Mäntel erwärmen sich, aus Wollmützen, Hüten, Pelzkragen und Umschlagtüchern steigt Dunst auf, schrittweise stemmt sich Hermann im vollgepackten Gang vorwärts. Ein Kind preßt Fäustlinge zum Gebet zusammen, steckt mit erhobenen

Armen zwischen Erwachsenen, die Augen hält es geschlossen. Die rote Strickmütze, die das Kind trägt, stößt ein Ellenbogen schief. Eine Frau knöpft hastig ihren Mantel auf, ihre Vogelaugen suchen nach Halt. In einer Bewegungswelle, die die ganze Menge erfaßt, wird Hermann ein Stück nach vorn getragen, die Gemeinde beginnt zu singen.

Den Text kennt er nicht, er läßt sich mitschleifen, hängt sich wie alle an die Orgelakkorde, die rechthaberisch vorausstampfen. Langsam klettern die Gläubigen Tonleitern hinauf, steigen sie noch langsamer hinunter, als seien die Sprossen glitschig. Jeder Ton wird so lange ausgehalten, bis er nichts mehr hergibt. Einmal versucht Hermann Kopfstimme und verschluckt sich. Mächtig den Atemsack ausstülpend, holt er die anderen wieder ein. Der Choral wälzt sich zu den Deckengemälden, den Mulden, Säulenköpfen und Stuckkindern.

Vor sich hin summend hat Hermann sachte einen Wind gelassen, mit der Bettdecke dichtet er am Hals ab. Lesend sind sie vereint, Naber atmet ihm entgegen, Kopf an Kopf liegen sie wie ein Paar, nur noch die Bettfuge trennt sie. Jeder liest schnell, blickt zur Kontrolle ab und zu über den Heftrand zum anderen hinüber. In die Wärme eingegraben, sind sie sich einig.

Aus kleinen, an Ketten hängenden Kupferkesseln, die Knaben mit Spitzenhemden schwenken, breitet sich Weihrauchnebel aus. Hermann sieht über die Reihen hinweg, die vor ihm knien. Eine geschwungene Holzbrüstung teilt Gemeinde und Priester. Vor Ölbildern flackern Batterien abgestufter Kerzen. Die gemalten Szenen sind kaum voneinander zu unterscheiden, meistens glüht nur ein Faltenwurf, der von einem nackten Leib fällt. Die abgebildeten Männer und Frauen, die auch Gruppen bilden und Tiere und Handwerkszeug zur Seite haben, sind in Trachten oder alte Gewänder gekleidet. Das größte Gemälde hängt über einem Marmortisch, zu dem eine Treppe hinaufführt, in einem Kranz bunter Glühbirnen. Der abgebildete magere Mann ist auf ein Kreuz genagelt, krumm und schmerzlich, dünne Haut zieht über Knochen, in der Seite klafft ein Wundschlitz. Blutbahnen laufen sorgfältig gemalt über ein verzerrtes Gesicht. Eine Spur hat beinahe einen Mundwinkel erreicht. Der Mann ist sichtbar für jeden, der ihn feiern möchte.

Kamele, Tiger, Lamas, Giraffen und Krokodile stehen zwischen Schnitzfiguren einer aufgetischten Gruppe. Alle kennen die Geschichte, an die dieses Arrangement erinnern soll, jetzt, mitten im Winter, wenn in den Kellern die Gebläse der Ölöfen fauchend anspringen und Schaumstoffstreifen Fensterfugen abdichten. Elektrische Sterne funkeln über den exotischen Tieren, aus Truhen quellen goldene Schätze. Ein Schaf kehrt auf vielen Bildern wieder, zum Beispiel über einem Felsenloch stehend, aus dem ein Scheintoter tritt; an den Beinen gefesselt über den Schultern eines Mannes liegend; mit verrenktem Hals zu diesem Kreuz hochblickend, an dem die Hauptperson hängt.

Die in Spitzenhemden gekleideten Knaben, die hin- und herlaufen und, sobald sie an dem Altar vorbeikommen, im Gehen knicksen, Weihrauchkessel schwingen oder ein großes, aufgeschlagenes Buch langsam hinter einem Erwachsenen hertragen, schwirren auseinander. Einige gehen hinter der Holzbrüstung in Deckung, andere tauchen in die Dunkelheit bei den Gemälden. Ein Knabe, der in die Gemeinde geblickt hat, vielleicht in der Menge Mitglieder seiner Familie hat entdecken wollen, wird von einem schwarzgekleideten Herrn am Arm eilig abgeführt. Eine unsichtbare Glocke beginnt zu läuten, Schellen fallen ein. In der Kirche ist es sehr warm geworden.

Wenn Hermann sein Hemd am Rücken kleben fühlt, ein ohnmächtiger alter Mann zwischen den Knienden auf dem Steinboden wieder zu sich kommt, wenn alle, die bereit sind, einmal im Jahr zu glauben, sich eng zusammenschließen, sich gegenseitig stützen und kraftlos anlächeln, dann treten im Altarraum mit Rasseln, Klingeln, Federbüschen, Rauchschwaden und steif gestickten Wimpeln an Messingstecken die Priester mit ihren jungen Dienern auf. Von allen Seiten strömen sie aus ihren Muschelverstecken herein. Ohne anzustoßen, kreuzen sie sich, schwingen Schärpen, wickeln weiße Bänder um die Hände des Ältesten, der ein stacheliges Gerät vor sich herträgt, in dem ein Edelsteinauge blinkt. Er schreitet auf den Marmortisch zu, wird umsichtig die Stufen hinaufgeleitet. Auge in Auge mit seinem komplizierten Metallgegenstand kann er nicht auf seine Umgebung achten. Ehe der Priester die Kostbarkeit abstellt, wendet er sich zur Gemeinde, stemmt das schwere Gerät mit den goldenen Spitzen, vielleicht ein Stern, eine Art Kopf oder ein ausgefranster Mund, höher und beginnt zu singen, die Knaben hängen sich an.

Hermann kniet. Küssen, das Edelsteinauge küssen, die Lippen vorstülpen, bis sie die kalte, geschliffene Oberfläche berühren. Es sind Azteken, Schirokesen, Abessinier, Ogelallahs, Inkas oder Comanchen, die, geschlitzt und bebändert, sich im Feuer des Altarraums drehen und wenden, weiße Felle schwenken, Stäbe kreuzen, Schriftrollen surren lassen, mit übertrieben langsamen Bewegungen Flüssigkeit aus Kannen in Becher gießen. Hermann rutscht auf dem Steinboden vor, könnte sich über den Rücken einer Frau legen, die vor ihm kniet. Als Kind, wenn er nachts im Schein der Taschenlampe unter der Bettdecke Bücher las, hat er sich überlegt, wie ein Lendenschurz geknotet wird, wie tief Pfeile in den braunen Leibern steckenbleiben oder wie das Blut des geköpften Hahns schmeckt. Der Rumpf zuckt auf einem Bündel Bananenblätter.

Die Knaben, die immer noch tanzend arbeiten, Bekken rasseln lassen und mit Wedeln den Weihrauch verteilen, sollen sich endlich küssen und unter dem krustigen Gewand an den Beinen des Priesters hochtasten. In Nordafrika gab es Teehäuser, in denen sich Männer an runden Tischen stundenlang rauchend und trinkend unterhielten, während sie unter den Tischen auch bedient wurden. Manchmal hat einer der Gäste knurrend seine Erzählung unterbrochen, hat durchgeatmet und, wieder beherrscht, frischen Tee nachgegossen. Münzen wurden als Lohn nach unten geworfen.

Verdunstete Nässe, Schweiß und Hitze mengen sich, er hört Klatschen und Singen, sieht, wie ein Punktscheinwerfer kreisend sucht und den Priester mit der bestickten hohen Mütze faßt. Die Orgel setzt ein, Becken dröhnen, Federbüsche wippen, die weißen Spitzenhemden flattern voran, in der großen Kirchenschüssel atmet die ganze Gemeinde in einer Bewegung. Das Schaf opfern oder irgendein anderes Symbol auspressen, Hermann beugt sich schluchzend vor und hätte die Frau vor sich hochgabeln und rüttelnd kippen lassen können. Hemmungslos offen sah er sie knien. Manche weinen. Auf dem Steinboden breiten sich Lachen von Schneeschleim aus, die von Stiefeln sickern.

Die Höhe der Buchstaben auf dem Petersdom, könnte man behaupten, steht in Beziehung zur Länge der Geschlechtsteile unter den Kutten zahlreicher Priester verschiedener Nationalitäten, die Rom besuchen.

Naber hat seine Decke mit den Füßen auf die Brüstung der Bettlade gehoben. Aus dem Halsausschnitt seines Nachthemds quillt ein Saum schwarzer Haare.

»Wie weit sind Sie?«

»Er fuhr mit Einspritzmotor«, sagt Hermann, »jetzt liegt er im Krankenhaus.«

»Bei mir hat die Großmutter den Haushalt übernommen.«

»Meine werden auf jeden Fall heiraten.«

»Meiner ist enttäuscht.«

»Ich kann kaum noch liegen, mir tut alles weh.«

»Ich bin trainiert«, sagt Naber, »mir macht es nichts aus.«

Am Ende des Hochamtes oder der Vermählung, wenn die Letzten, die hinten standen, als Erste aus der Kirche treten und die Geschichten durch Tod und Verklärung schließen, Tränen trocknen und das Gewicht der Hausschlüssel bei jedem Schritt wieder vertraut auf die Schenkel klopft, teilt sich alles in neue Einzelheiten. Der Mesner steht an der Schalttafel und löscht das Deckenlicht der Kanzel, die in die Rahmenleisten der Gemälde eingebauten Neonröhren, die Raumstrahler und den Kranz der bunten Birnen um die Kreuzigung. Nur noch die Kerzen brennen. Mit einem kleinen Bleitiegel, den er, an einen Stab geschraubt, über jeden einzelnen Docht stülpt, arbeitet der Mesner geduldig und planmäßig. In der Sakristei liegen die Spitzenhemden auf einem Haufen. Ein Junge, der sein Weihnachtsgeschenk mitgebracht hat, probiert leise die Kurzwelle aus. Der Priester schält sich aus seinen steifen Gewändern. Er ist erschöpft.

Draußen nehmen die Bewegungen zu, man kann sie sich gemalt vorstellen in Farben von schlierigen Eßtellern, von Verkehrsampeln, Bakelitjalousien, Regenmänteln, Motorradtanks, Firmenzeichen, Ohrenringen, Cremeschichten, Autopolstern, Auslagen in Metzgereien, Reiseprospekten, Urinproben, Radarnasen, von Petersilie und Skilacken. Ruckweise gewinnt der Trickfilm an Schnelligkeit: ein Schnurrbartmännchen wirft eine Angel über einem Fluß aus, gezeichnete Wellen spritzen. Die Tropfen sind so groß wie Köpfe, katapultieren das Männchen beinah um. Sofort hängt ein Fisch an der Angel, den das Männchen nach rückwärts schleudert. Eine große Frau, deren Körperränder sich fließend verändern, fängt den Fisch auf. Sie will ihn verschlingen, klappt ihre Kinnlade herunter, doch der Fisch, der plötzlich einen Frack anhat, spuckt den Angelhaken aus und schlittert auf den Drähten einer Telefonleitung davon. Die Jagd, die immer Vergnügen bringt, beginnt. Männchen und Frau müssen sich überholen, müssen geschnellt und gezerrt sich gegenseitig hindern, dürfen an Häuserwänden zerplatzen, unter schnappenden Garagentüren klemmen, von Staubsaugern aufgepumpt über eine bucklige Eisenbahn segeln. Ein Arzt, der am Wegrand Kräuter abweidet, die er mittels Spritzer aus einer Essigflasche würzt, bringt die beiden wieder in Sromlinienform. Denn der Fisch ist schnell, schwimmt vergnügt in einer Quecksilberlache, die er vor sich herschiebt. Er winkt mit den Frackschößen, räumt Polizisten, die ihn aufhalten wollen, mit Flossenwischern beiseite. Ein Eichhörnchen wohnt in einer leeren Zigarettenpackung.

Der Priester wird in sein Auto gestiegen sein, das Winterreifen mit daumendicken Stollen hat; die Gemeindemitglieder haben sich in ihre Häuser verteilt. Eichhörnchen weiß das alles, pfeift sich was. Es liebt Butterbrote aus den Taschen von Schulkindern.

Die Farben nehmen zu, die Bewegungen steigern sich, wenn das Schnurrbartmännchen und die große Frau den Fisch, der müde geworden ist und seine Frackschöße verloren hat, endlich erwischen und massakrieren. Großmutter jagt auf dem Rasenmäher herbei, der Chirurg tritt aus dem Operationssaal und setzt sich an eine Tischorgel, der verunglückte Sportlehrer umarmt seine Freundin, die Schuljugend wird mit den Altarknaben identisch. Wenn das alles in einem Wirbel geschieht und nur noch das tränende, brechende, menschliche Auge des Fisches in Großaufnahme übrigbleibt, tritt Eichhörnchen auf und rettet beißend, krallend, spuckend, zischend, mit blitzschnellen Pfoten, mit Barthaaren wie Sicheln, verdoppelt, verfünffacht, mal unten, mal oben, mit Hieb und mit Stich den trockenen Fisch, der wieder im Wasser schwimmt, bis alles in einer Explosion gerinnt.

Der Priester setzt Teewasser auf, kennt das auch. Manchmal unterbricht er in der Sonntagsschule den Unterricht, läßt die Kinder die Verdunklungsrollen herunterziehen, stellt den Leinwandständer auf und schaltet den Vorführapparat ein.

Naber antwortet nicht. Er hat sich hochgeschoben, sitzt beinah im Bett, die Kissenzipfel stehen von seinen Schläfen ab. Aufmerksam liest er die Spalten in seinem Heftchen zu Ende, das er mit beiden Händen von sich weghält. Hermann hätte gern die Photographie seines Vaters aus der Nachttischschublade zum Vergleichen. Er braucht nur ein wenig den Kopf zu heben, damit neben seinem Kissen der Kopf mit dem Haarkranz sichtbar wird. Behaglich schlüpft er tiefer. Das Federbett, gegen das er sein Gewicht preßt, riecht nach stockigen Schrankbrettern. Er atmet und spürt, wie der kühle Stoff sich vor seinen Nasenlöchern erwärmt. Vorsichtig drückt er eine größere Mulde in die Deckenfläche. Der neue Wölbungsrand drängt den Lichtkreis der Nachttischlampe zurück.

Wenn sein Vater noch leben, nun mit einem Sprechfunkgerät im Auto durch das Allgäu fahren und wieder im Kreis von Bauernfamilien Ratschläge geben würde, die Arme in einem Zuber voll warmem Was-

ser mit Desinfektionslösung badend, dann hätte er
vorher büßen müssen, zehn, vielleicht zwanzig Jahre,
aber für den Tag der Entlassung hätte Hermann alles
vorbereitet. Es wäre auch sein Fest gewesen.
Vielleicht regnet es, oder besser nicht, dann würden
weniger Neugierige kommen. Er hat das Taxi an der
Mauer halten lassen. Der Fahrer ist ausgestiegen und
als Kundschafter vorausgegangen, für fünfzig Mark
Trinkgeld macht er mit. Das ist vorbei, hat er gesagt,
wir müssen endlich Ordnung kriegen, die anderen
waren genauso, in Hamburg und Dresden sind Zehn-
tausende im Phosphorregen verbrannt. Unter dem
Armaturenbrett tickt die beleuchtete Zähluhr, aus
dem Aschenbecher ragen Stummel. Die weißen und
gelben Filtermundstücke sehen wie Ohrenpfropfen
aus. Ausschnitt um Ausschnitt nimmt sich Hermann
vor, die Fensterecke mit dem Scheibenwischer, auf
der anderen Seite steht der Wischer ebenfalls zum
Rahmen geneigt. Eingeschaltet werden die Wischer
also von außen nach innen schlagen, sind mittels einer
Übersetzungswelle an den Motor gekoppelt und nicht
batteriegetrieben. Das ist eine Erfindung der amerikanischen Autoindustrie, die inzwischen Aktien-
majorität in mehreren großen deutschen Firmen besitzt. Weiß Vater das? Hat er sich während der zwanzig
Jahre hinter den Mauern darauf vorbereitet? Wird
er staunen, daß die Fenster der Autos größer geworden sind und alle Modelle Pontonform haben, ausge-
nommen der Volkswagen, für den immer noch Reklame gemacht wird, als müßten Millionen Besitzer
in Sturmangriffen durch Schneeverwehungen, über
Knüppeldämme und durch Sumpffurten fahren. Ein

Volkswagen wäre Vater vertrauter als dieses Taxi mit Dieselmotor, das hundertvierzig fährt, was früher nur Maybach und Horch mit eingeschaltetem Kompressor geschafft haben.

Der Fahrer kommt zurück und läßt sich hinter das Steuer fallen. Trotz Bauch ist er beweglich, er führt den Stoßtrupp an. »Wenn einer frech wird«, sagt er, »dem lange ich eine, Sie können sich auf mich verlassen.«

Das Taxi biegt ein, fährt langsam der mitternächtlichen Szenerie entgegen, die für dieses Ereignis aufgebaut wurde.

Zuschauer, Journalisten und Kameraleute sind gekommen, ein Streifenwagen parkt mit drehendem Blaulicht. Ein Block junger Leute, die Bierflaschen mitgebracht haben, wollen lachend im Sprechchor Himmler wieder haben. Hermann beobachtet das Eisentor in der Mauer, das ein Scheinwerfer anstrahlt. Gleich wird die Naht der kleinen Tür, die sich in einem Flügel des Tores abzeichnet, aufbrechen, und das Licht, das auf dem ganzen Tor und einem Stück Mauer liegt, wird schärfer gebündelt darauf zurücken und durch die Luke in den gepflasterten Hof hineinreichen. Hat die Wachmannschaft Helme oder Mützen auf? Führt einer der Direktoren noch Kaubewegungen aus, weil eingeklemmte Fleischfasern der Mahlzeit, die er vor der Entlassung mit dem wichtigen Häftling eingenommen hat, ihn kitzeln? Ehe er an die Öffentlichkeit tritt, muß die Reizung unbedingt behoben sein. Heftig angelt die Zunge an Zahnhälsen entlang, saugt der Gaumen Kronen ab. Beim Anblick der eisernen Pforte, die sich öffnet und deren

Ränder im Scheinwerferlicht gleißen, fällt der kleine Trupp unwillkürlich in Gleichschritt. Der Sprechchor junger Leute rückt näher, drängt gegen das Taxi, so daß es zu schaukeln anfängt und der Fahrer durch das geöffnete Fenster boxt, bis seine Hand festgehalten wird, was neue Begeisterung entfacht. Hermann steigt auf der anderen Seite aus. Seine Haare sind gewaschen, über einem dunklen Anzug trägt er einen neuen Ulstermantel mit verdeckter Knopfleiste. Die Polizei beginnt, die Straße zu räumen. Vater erscheint in der Pforte und bleibt, wie er den Schritt über die eiserne Bodenleiste wagen soll, noch einmal stehen. Aus dem vom Scheinwerferlicht ausgeschnittenen Kranz der Schultern und Köpfe, denn das Verwaltungspersonal hat Vater zur Tür begleitet, wird demonstrativ zum letzten Mal nach ihm verlangt. Er schüttelt Hände, dann schreitet er vorwärts, scheint über das Hindernis an der Tür unten zu hüpfen, ist leicht und klein, kleiner als die Anzüge, die zu Hause im Schrank hängen. Gepäck hat er nicht dabei, er soll nicht auffallen. Geduckt geht er auf das Taxi zu, dessen hintere Tür der Fahrer von innen aufdrückt. Er zieht den Kopf ein und bewegt sich schnell, so schnell, daß die Kameras ihn mit einem Reißschwenk über das Autodach hinweg einholen müssen. Hermann folgt ihm; hupend fährt das Taxi ab.

In der Nische eines Hotelzimmers wartet ein aufgeschlagenes Bett. Nachttischlampe und eine Stehlampe brennen, auf dem Couchtisch steht eine Vase mit einem Zweig Blautannenreisig. Eine kleine Flasche Sekt wartet in einem Eiskübel. Im Schrank liegt ein weicher Lederkoffer mit einem Reißverschluß rund-

um, so daß beide Kofferhälften getrennt werden können und nicht wie üblich beim Packen, sobald eine
Kofferseite durch einen Stoß Hemden oder durch
Schuhe beschwert wird und Spannung in beiden Flächen entsteht, immer wieder zufallen. Ein Necessair
mit Zahnbürste, Waschlappen, Zahnpaste und einem
ovalen Stück Herrenseife hat Hermann auch gekauft.
Aber er hat vergessen, bei der Gefängnisverwaltung
zu fragen, ob sich sein Vater naß oder trocken rasiert.
Deshalb hat er für beide Fälle vorgesorgt, zum Stiel-
apparat eine harte Kegelseife, für den elektrischen
Rasierer nahm er einen Ersatzstecker, der auch in ausländische Dosen paßt. Er kennt die Pläne seines Vaters
noch nicht. Alles ist vorbereitet im Schein der Lampen vor den geblümten Vorhängen, lädt den Gast
ein.
Hermanns Einzelzimmer liegt nebenan, ist durch eine
Schiebetür mit dem des Vaters verbunden. Ein Schlaf-
mittel hat er nicht besorgt. Die Nacht wird kurz sein,
sie fliegen mit der Frühmaschine. Die Plätze sind
unter falschem Namen reserviert.
Der Sprung nach Süddeutschland soll überraschen.
Wichtig sind das Privileg, das Gefühl der Verant-
wortung, wenn sie, um Aufsehen zu vermeiden,
durch einen Seitenausgang als Erste zu der wartenden
Maschine gehen dürfen. Hermann stützt den Vater,
sagt eine Pfütze an, wird ihm, da auf Flugplätzen immer Wind weht, vorsorglich den Mantelkragen hoch-
schlagen. Er ist ein Sohn, der sich auskennt, das Ri-
tual beherrscht. Mit den weißen Haaren und den mageren, von schwarzen Lederhandschuhen modellier-
ten Händen sieht der Vater wie ein Dirigent aus,

dessen Gesundheit schwankt. So will Hermann ihn
vor dem Publikum haben. Die Stewardessen nicken
lächelnd.

In einem hochgelegenen Landgasthaus werden sie
absteigen. Große Steine beschweren das landschaft-
lich angemessene Schindeldach. Diese Art Dächer,
die genauso feuerfest präpariert sind wie Platten-,
Beton- und Glasfiberbefestigungen, werden in Preis
und Wirkung nur noch von Binsendächern übertrof-
fen. Hermann wird seinen Vater darauf aufmerksam
machen. Um das weiß getünchte Gasthaus läuft ein
breiter, solider Holzbalkon. In die hölzernen, naturfarben gebeizten Fensterläden sind rot paspelierte
Herzen geschnitten. Vor dem Krieg wurden Gemein-
schaftsheime und Truppenführerschulen in ähnlichem
Stil gebaut.

Mutter wohnt nicht dort oben. Hermann hat sie überredet, daheim zu warten. Der alte Mann soll Schritt
für Schritt an die neue Freiheit gewöhnt werden,
außerdem will Hermann ihn für sich allein haben. Er
hört, wie sich nebenan der Vater ankleidet, unterschei-
det das Knirschen der Schubladen und das leise Klingeln der Manschettenknöpfe. Sie sind in den Porzel-
lanaschenbecher zurückgefallen, der Alte hat mit
zitternden Händen zu hastig zugegriffen. Hermann
könnte hinübergehen und helfen, die umgeklappten
Goldbügel durch die von Stärke verklebten Hemd-
löcher zu drücken. Aber er tut es nicht. Allein soll der
Vater auch in die Hosen steigen und die schmalen Träger über die Schulter schnappen lassen. Krawatte
trägt er keine, die Gummilitze der gepunkteten Fliege
läßt sich leicht um den Kragen legen. An der Schließe

wird die Halsweite eingestellt. Wie er die Schuhe anzieht, hört Hermann ihn schnauben, diesen alten Mann, der gebückt an den Schnürsenkeln zerrt. Die Bettlade knarrt. Er hat einen Fuß auf den Rand gestellt.

Wenn der Vater angezogen ist und die Tür öffnet, darf er mit niemandem in Berührung kommen. Er soll rein bleiben. Hermann steht in der Mitte des Zimmers und hält den Atem an. Wird der Vater sich melden, schüchtern nach dem Sohn verlangen? Er klopft, einmal, zweimal, Hermann antwortet nicht. Er braucht ihn enttäuscht, ängstlich sich die Treppe hinuntertastend. Den Gruß des Etagenmädchens überhört er. Noch einmal wird er zögern, sehnsüchtig zur Glastür des Frühstückszimmers blicken, doch längst unsicher, werden ihn die Geräusche von Besteck und Geschirr endgültig hinausjagen. Hermann tritt auf den Balkon.

Er beobachtet, wie sein Vater vorsichtig auf dem buckligen Feldweg geht, frühmorgens vor einer Bergkulisse, in der entfernt eine Dorfglocke läutet. Von Gräsern perlt Tau, Rehe äsen am Waldrand, ein Jäger sitzt mit umgehängter Zwillingsflinte auf einem Schroffen. Die Vorstellungen von Freiheit, die der Vater in der Zelle entwickelt hat, sollen hier oben über ihn herfallen. Hermann schraubt ihn sich im Fernglas näher. Der Vater ist falsch angezogen, darf kein Hemd mit Fliege tragen, Hermann braucht ihn schmaler, weicher: zum Anzug hat er einen Rollkragenpullover an, damit ihn die morgendliche Kühle nicht verdirbt; am Hals, der mager aus der weichen Wolle ragt, klopft eine blaue Ader. Hermann sieht ihn zum Gasthaus zurückblicken, dem Vater steigt Röte ins Gesicht, er staunt, daß er schon so weit entfernt ist, scheu stelzt er durch die nasse Wiese. Dann steckt er den Zeigefinger in den Mund und hebt ihn hoch, um wie früher die Windrichtung zu prüfen, als er noch stark war und angab, laut und fröhlich in seiner feisten Blase pumpte. Hermann könnte ihn ganz schnell zerbrechen, daß er in einem Topf Platz hat, weg ist, so will er ihn nicht, so nicht, diesen alten Mann, der für jede Antwort dankbar wäre.

Ein Walrücken, der sich im Wasser wälzt, aufsteigende Atemsäulen, ein Pelikan sticht zu, schluckt, der Gurgelsack bläht sich, Horn- und Bakelitteile klappern. Hermann hebt den Kopf aus den Kissen. Naber steht nackt vor dem Waschtisch. Vorsichtig wischt er mit einem nassen Lappen im Schritt, drückt sanft auf, putzt, wischt auch hinten, wo eine bleiche Zone die Größe der Badehose markiert. Wie er über Bauch und Oberschenkel reibt, geht er fröstelnd in die Knie. In der Schüssel windet Naber den seifigen Lappen aus und tupft mit frischer Nässe auf seinem Körper nach. Dann hobelt er mit einem Frottiertuch trocken. Seine prallen, sauber durch das Mittelbein geteilten Brusthälften, auf denen kleine Warzenflecken stehen, wippen. Schnauzen von Meerschweinchen schnüffeln in der Luft.

Obwohl Naber dick ist, seine Körpermasse ganz den Spiegel über dem Waschtisch verdeckt, schwankt er kaum, auch nicht beim Anheben des Beins, wenn er in kippliger Balance einen seifigen Finger zwischen die Zehen einführt. Seine Bewegungen wirken schnell und sicher. Es muß eine Freude sein, ihn tanzen zu sehen mit kurzen, dann wieder überraschend langen Schritten, die alle Paare hinter sich lassen.

»Würden Sie mir bitte den Rücken einreiben?« sagt er leise.

Er schlägt das Federbett über das Fußende zurück und legt das Kopfkissen beiseite. Flach streckt er sich auf dem Leintuch aus. Nur seine weichen und gewellten Fußsohlen schlüpfen unter die Decke. Nackt liegt er auf dem Bauch und wartet auf Hermanns Hände. Über seinen Rücken läuft eine Gänsehaut. Er benützt eine Salbe, die ihm, wie er behauptet, der Stationsarzt eines Krankenhauses empfohlen habe. Sie heile zwar nicht, aber die durch Reiben erzeugte Wärme dämpfe seine Nervenschmerzen.

»Ich friere«, sagt er.

Wer hat ihn bisher bedient? Vielleicht ein Kamerad, der ein Häuschen am Stadtrand hat, zu dem Naber in der Straßenbahn hinausfährt. Hinter Hasenställen auf einer Gartenbank liegend holt er sich Linderung. Die Frau des Kameraden schreit, stampft, bekommt Brechdurchfall, will ihn, weil Naber auch im Lager war, nicht sehen. Oder bittet Naber Frau Keßler um den Freundschaftsdienst? Ehe sie zugreifen darf, wäscht sie sich feierlich in der Küche über dem Spülstein die Hände. Langsam schiebt sie das Hemd hoch, öffnet den Rücken, sieht den ruhigen Fleischberg sich ihr entgegenwölben, in den sie knetend eintauchen wird. Hermann springt aus dem Bett und zieht sich schnell an.

Die glasige Schmiere auf dem Handteller, zuerst aus Scheu vorsichtig, beginnt er zu arbeiten. Auf den

Beckenschaufeln rutschen Fettkissen hin und her. Er klopft sie, bringt sie in Kuchenform. Bei jedem Druck öffnet und schließt sich der Hintern. Aus der Spalte wächst ein Polster, rosig leuchtet darunter der Hodensack. Hermann hantelt Griff um Griff den Rükken hinauf, über den sich Röte ausbreitet. Auf den Schulterblättern stehen giftige Punkte. Er will Knochen spüren, greift die Wirbelsäule an, reizt Nervenknoten, bügeln, patschen, an den Schultern liegen verkrampfte Stränge, die Liebe brauchen. Hermann kniet auf dem Bettrand, überträgt alle Kraft auf kürzestem Weg. Die Salbenwürste, die zunächst milchig decken, bevor sie in die Haut einsickern, verteilt er immer großzügiger. Flammen sollen aus dem Körper schlagen.

Er wird ihn auseinandernehmen und die Teile wieder so zusammensetzen, wie er es sich wünscht. Zum Beispiel könnte er ihn abmagern, könnte diesen fleischigen Kerl altern lassen, daß nur noch Hautlappen am Gerüst hängen. Er sieht ihn in der Nähe des Gebirgsgasthauses am Hang liegen, sich zwischen Kiefernschößlingen sonnen. Den Rollkragenpullover hat er ausgezogen. Hermann neigt sich tiefer, will die Wärme riechen, die auf der Haut brennt, könnte sich jetzt über ihn stürzen, ihn schütteln, walken, an Armen und Beinen drehend in überraschende Lagen bringen, die neue Ansichten böten, die Knochen, das Nervengeflecht, nichts mehr würde zusammenpassen, alle väterlichen Reste müssen vernichtet werden. Hermann hat sich verausgabt, seine Handteller schmerzen. Stöhnend dreht sich Naber um und bedankt sich für die Behandlung.

Hermann ist enttäuscht, der ganze Aufwand hat sich nur für ihn gelohnt. Naber scheint tatsächlich Schmerzen zu haben, die, wie er erzählte, vom Duschen kämen. Im Winter habe er stundenlang in Reih und Glied gestanden und dann noch Güsse aus Eimern abbekommen. Einmal sei er steifgefroren wie ein Brett rücklings umgefallen. Aber im Steinbruch habe er eine Lungenentzündung wieder ausgeschwitzt.

»Warum suchen Sie sich nicht ein besseres Zimmer oder eine Wohnung?« fragt Hermann. »Sie haben doch Geld.«

Es gefalle ihm hier, antwortet Naber. Wenn er lesend im Bett liege, höre er den Verkehr und fühle trotzdem Ruhe in sich. Viel Bewegung um ihn herum mache ihn froh.

»Haben Sie das Zimmer durch eine Annonce gefunden?«

»Ich war in einem Immobilienbüro«, sagt Naber, »und habe das billigste Zimmer genommen, das angeboten wurde. Daß mir die Umgebung gefällt, ist Zufall. Eine andere Gegend wäre mir auch recht gewesen. Ich bin kein Ästhet wie Sie.«

»Wissen Sie überhaupt, was das ist?«

Vor dem geöffneten Schrank zieht Naber sich an. Mit gespreizten Knien hält er die Hose fest, schiebt das Hemd hinein und zieht es glatt.

»Sie wollen etwas erleben«, sagt Naber, »das ist ganz klar. Sie haben sich dieses Zimmer in dieser Gegend herausgesucht, weil Sie beides scheußlich finden. Sie haben zuviel Phantasie.«

Höflich weicht er Hermann aus, der in dem engen Gang zwischen Schrank und Bett zum Waschtisch geht. Hermann versucht, schneller als Naber zu sein, rutscht sitzend, um Naber Platz zu machen, über das Fußende der Bettlade, schiebt sich mit gestreckten Zehen trippelnd vorwärts. Vor dem Waschtisch gibt sich Hermann noch einmal Mühe, spritzt nicht, gurgelt beinah unhörbar ganz hinten am Zäpfchen. Wie er das schmutzige Wasser aus der Schüssel in den Eimer schüttet, achtet er darauf, daß beim Bücken sein Hintern nicht in Richtung Naber zeigt.

»Wir würden uns freuen«, sagt Naber, »wenn Sie heute mit uns spazierengingen. Wir nützen jeden Sonntag aus, wenn das Wetter einigermaßen mitmacht.«

»Und bei Regen?«

»Die Schmerzen setzen bei Feuchtigkeit nicht regelmäßig ein, ich versuche, nicht daran zu denken.«

»Ich bewundere Sie.«

Naber, noch in Strümpfen, steuert mit Schwung über einen Linoleumstreifen, es könnte ein Unglück geben. Hermann knipst den elektrischen Rasierapparat aus, den er in der Hand hält. Naber ist schon ganz nah, will ihn vielleicht herausfordern, ihm die Backe tätscheln. Ein Stoß von Angst und Beschämung schießt in Hermann hoch, gleich wird er ihm den Rasierapparat ins Gesicht schlagen.

»Ich liebe Aussichtspunkte«, sagt Naber. »Wenn Sie nach Hause fahren, müssen Sie mir unbedingt Postkarten mit Gebirgsmotiven schicken.«

»Ja«, sagt Hermann, »ja, gern.«

Surrend gleitet das Schneidegitter über sein Kinn. Naber ist an ihm vorbeigegangen, setzt sich auf den Bettrand und zieht Schuhe an. Das Frühstück sei fertig, hören sie Frau Keßler aus dem anliegenden Zimmer rufen. Naber öffnet das Fenster und legt die Läden zurück. Draußen hat der Sonntagsverkehr eingesetzt, Kaffeefahrten und Verwandtenbesuche.

Ein Kranz von Weinbergen und bewaldeten Hügeln liegt um den Stadtkessel. Marschsäulen sind durch die Täler unterwegs zu den Ebenen, in denen neue Siedlungen stehen, rechteckige oder geschwungene Spielzeugkrusten mit Gartenrändern. Die Landschaft ist geordnet.

Ein Kinderschuh liegt neben einem Waldweg, die Schnürsenkel haben sich um einen kleinen Zweig gewickelt, der wie ein Indianerzeichen in der Erde steckt. Hermann hatte als Junge, wenn er an Sonntagen mit den Großeltern und seiner Mutter spazierengehen mußte, in der Mauer eines Römerkastells einen Hüftgürtel aufbewahrt. Der verschimmelte Fetzen mit Ösen und Haken, Gummibändern und Schließen lag in einem Hohlraum, den nur er kannte. Hineinzugreifen und das Ding herauszuziehen, vermittelte dasselbe klamme Entsetzen wie der Stecken in der Hand, mit dem er in einem verwesenden Vogel stocherte, über dessen Gedärm Ameisen liefen. Durch den Arm zieht zur Schulter Spannung hoch, gleich wird die Hand wegschnellen. Danach muß man schreiend, lachend und jodelnd den Erwachsenen in Sprüngen vorauseilen.

Hermann geht hinter Frau Keßler, Naber steigt voraus. Ein asphaltierter Weg führt in Weinberge hinauf. Unten liegt der Hof einer Sektkellerei, in dem Reihen von Thermolastzügen stehen. Von den schneeweißen Wagenwänden leuchten vergoldete Reklamesprüche.

Vor Hermann schwankt der Faltenrock, schlägt bei jedem Schritt gegen die Oberschenkel, bläht sich wieder und gibt breite Kniekehlen in Perlonstrümpfen frei. Hermann möchte, nach vorn fallend, zupacken, stets sind die Beine ein Stück zu weit entfernt. In einer Zeitung hat er Amateurphotos gesehen, auf denen sich Frauen an einem Hang ausziehen. Sie schlüpfen aus den Blusen, steigen aus Arbeitshosen und krümmen sich. Einige sind schon nackt und schützen ihre Brüste mit den Händen. Im Hintergrund halten Soldaten, die ihre Ärmel aufgekrempelt und Uniformkragen geöffnet haben, Maschinenpistolen im Anschlag. Die Frauen, deren Frisuren und Schamhaare sich in der harten Belichtung gut markieren, frösteln. Tote waren auf den Photos nicht zu sehen.

Frau Keßler, die vor Hermann geht, müßte eine andere Frisur haben, kurze krause Haare, wie sie Sekretärinnen bevorzugen, die jung wirken wollen. Eine Brille mit Glimmersplittern in der Hornfassung gehörte noch dazu. Nackt ginge Frau Keßler aufrecht im Licht zwischen den Spaziergängern, nur Hermann sieht sie, der auch Salven krachen hören würde.

»Da drüben liegt das Schlößchen der Gräfin Dorothee«, ruft sie.

Der Weg windet sich um eine Flanke und steigt an der nächsten Hangseite höher; das asphaltierte Band schneidet durch Staudenreihen. Aus dem Flußtal ragt der Schornstein eines Kraftwerks, weiter hinten, wo der Neckar breiter wird, funkelt Wasser zwischen den Mauern einer Hafenanlage.

»Hier kann man durchatmen«, sagt Frau Keßler.

Hermann bleibt stehen. Auf Frau Keßlers Oberlippe und Nase glänzen Schweißtropfen. Schwitzend und mit halbgeöffnetem Mund wirkt sie wieder jung. Sie könnte die Arme in die Höhe werfen, Hermann faßt sie um die Hüften und wirbelt sie herum. Familien, die feierlich bergan schreiten, klatschen Beifall.

Naber hat eine Hand durch ein Loch in dem Maschendraht gezwängt, der die Weingärten schützt. Er rüttelt an dem Zaun, bis sich das Loch so weit verbreitert, daß er den ganzen Unterarm hindurchstecken und ein volles Gehänge Trauben pflücken kann. Geschickt schleudert er die Trauben nach oben, die er in dem Augenblick mit der freien Hand fängt, wie sie auf dem Gipfelpunkt des Schwungs über dem Rand des Zauns erscheinen. Die Beute hochhaltend, zieht er den Arm aus dem Loch zurück. Mit dem Taschentuch reibt er den mehligen Belag von den Trauben ab, befeuchtet die Fingerspitzen, tupft und prüft.

»Wenn wir blind werden oder tot umfallen«, sagt er, »habe ich schlecht geputzt.«

Die Trauben sind sauer, ihre blaue Farbe täuscht. Aber Frau Keßler kann nicht genug kriegen, pflückt mit beiden Händen Rispen leer und stopft in sich hinein. Naber hält das Gehänge, das heftig schaukelt, fest. Hermann geht ein Stück voraus, die beiden sollen sich unbeobachtet fühlen.

Auf der Bergseite des Weges sind in regelmäßigen Abständen Nischen in die Stützmauer gebaut, in denen Bänke stehen. Jede Lehne trägt auf einem Kupferschild den Namen des Bankstifters. Die Spaziergänger können beim Ausruhen an ein Korbgeschäft denken, an eine Kette von Metzgerläden, eine Rundfunkanstalt, eine private Elektrizitätsgesellschaft, an einen Zahnarzt, Fleurop, die Handelskammer, eine Schuhfabrik. Auf einem gemauerten Rondell, dessen Betonflanken die Grundrisse einer größeren Anlage erkennen lassen, weist eine Tafel darauf hin, daß hier eine Volkssternwarte entstehen werde. Mitten im Hang wird sie während der Weinernte vielleicht auch von Bauern besucht, die sich für die Deichsel des Wagens oder die Kassiopeia interessieren sollen. Hermann legt einen Geschwindschritt, wie ihn italienische Gebirgssoldaten mit geschulterten Ski bei Paraden ausführen, zur Kuppe hinauf ein. Auf den Serpentinen ziehen Prozessionen von Spaziergängern, Naber und Frau Keßler sind nicht zu sehen. Er läuft zurück.

Den ganzen Sommer im Weinberg wohnen, sich ein Nest aus Säcken in einer Hütte hergerichtet haben und nachts Baldrianwurzeln ausgraben, Kartoffeln, Rüben, die auf den freien Flecken erfrorener Reben wachsen. In der Senke bleibt er auf einem verkrauteten Stück Acker stehen. Ein Kind springt vorbei, hält zwei Stäbe hoch, an denen Zelluloidpropeller surren. Brummend folgt ein junger Vater mit ausgebreiteten Armen. Hermann, der sich in Flugzeugtypen auskennt, sich manchmal vor Schaufenstern von Spielzeuggeschäften über Neuheiten orientiert, schätzt britische Deltabomber, die Stachelrochen gleichen. Drohend steigen sie gegen die Sonne an und täuschen durch ihre Spannweite so große Trägheit vor, als würden sie jeden Augenblick abstürzen. Ihr Motorenlärm besteht aus einem kraftvollen Rauschen mit gefährlichen Obertönen.

Vielleicht haben sich die beiden verabredet, ihn allein zu lassen. Naber hat ihn angelockt, hat seine Neugierde ausgenützt, will ihn verwirren, aber in der Natur stört er. Allein wollen Naber und Frau Keßler den Ausflug genießen, wollen Arm in Arm wie alle, die in bunten Reihen den Berg bevölkern, ein Paar sein, ein Glück für jeden, der mitmacht. Hermann läuft über den Acker am Hang. Sie dürfen nicht untertauchen, er hat sie sich ausgesucht, hat sie zu dem gemacht, was er sich vorstellt. Ohne ihn sind sie nichts wert. In einem eingezäunten Rebengarten wäscht eine Familie ein Auto, Schaummittel steht hoch über dem Dach. Sie haben es fertig gebracht, trotz Fahrverbot den Wagen in ihr Grundstück hinaufzusteuern, denn was ihnen gehört, soll an Feiertagen alles zusammen auf einem Platz sein, Eigentum ist heilig. Neben dem Garten wächst ein Riegel verwilderter Brombeerhecken. Gebückt geht Hermann darauf zu.
Naber hält die Ranken auseinander, Frau Keßler pflückt. Kniend findet Hermann eine Lücke, atmet schneller. Im Dunkeln zwischen den Blättern hängen die dicksten Beeren, die in der dunstigen Wärme schneller gereift sind. Naber drängt weiter in die Hecke hinein und tritt Zweige zu einer Gasse nieder. Frau Keßler sammelt, will die Schätze vergrößern, pflückt nicht nur dunkle, sondern auch rote, unreife Beeren. Aus ihrer Frisur haben sich Haarsträhnen gelöst, die sie immer wieder aus dem Gesicht bläst. Brusttief steht Naber neben ihr in der Hecke, seine Hände, die Ranken auswählen, segnend erhoben. Sein Nacken glänzt von Schweiß. Die raschelnde Gemeinsamkeit des Paares zielt auf Hermann.

Plötzlich stößt Frau Keßler einen unterdrückten Schrei aus. Hermann, der auf ein Signal gewartet hat, bricht in die Brombeermauer ein, bis er, die Arme schützend vor sein Gesicht haltend, neben Frau Keßler steht. Anklagend streckt sie den Männern ihre Hand entgegen. Ein Dorn ist unter den Nagel des Zeigefingers gedrungen, sie kratzt an dem Stachel, spitzt die Lippen, saugt pfeifend Luft ein. Vor Schmerz macht sie eine zu heftige Bewegung, so daß die Spitze umkippt. Hermann greift zu. Der Dorn steckt quer unter dem weißen Nagelrand.

»Es tut sehr weh«, sagt Frau Keßler.

»Damit muß man in der Natur rechnen«, sagt Naber. Hermann hebt ein dürres Hölzchen auf und bricht es so lange zwischen den Zähnen, bis ein Ende zu einer Spitze splittert. Er hält die verletzte Hand umklammert und drückt an der Fingerkuppe, die dick und rot wird, langsam setzt er an, wagt einen Blick nach oben, doch Frau Keßler sieht ihn nicht an, sie blickt verlangend zu Naber. So will er sie haben. Er beginnt, mit dem Hölzchen neben dem Dorn unter dem Nagel zu graben, sie versucht, den Finger wegzureißen, aber er braucht nur ein wenig auf seinen kleinen Hebel zu tippen, und schon wendet sie sich wieder ihm zu. Sie zappelt an ihm, Naber steht allein in den Ranken.

»Sie sind großartig«, sagt Hermann.

Wortlos gibt sie nach. Mit ihrem ganzen Gewicht lehnt sie sich an seine Schulter, ihre Atemstöße treffen seine Backe. Und im Grade der Erregung, während sie erschlafft, Brust und Bauch vorstreckt, sich dem Schmerz hingibt, den Hermann mit seinem Hölzchen tief innen schabend reguliert, zeigt sich auch wieder der Dorn und schiebt sich langsam heraus. Ein wenig Blut fließt nach, rinnt ins Nagelbett. Aufblickend sieht Hermann Tränen der Dankbarkeit. Er hebt ihre Hand, die auf seiner Hand ruht, hoch, der geopferte Finger weist zum Himmel. Das Blut hat die Ränder des Nagelbetts gefüllt. Naber verdunkelt nun die Gruppe, neigt sich tiefer und nimmt den Finger in den Mund. Seine Lippen balgen die Kuppe, Schluckbewegungen des Halses deuten an, daß er an dem Finger saugt.

»Bei Verletzungen muß man sich zu helfen wissen«, sagt er. »Aber Schmerzen vergißt man schnell.«

Frau Keßler lächelt und hängt sich bei ihm ein. Schweigend treten die beiden aus der Hecke. In den Weinbergen werden Böllerschüsse und Blechklappern laut. Hermann kniet für einen Augenblick und knotet seine Schnürsenkel neu, die sich in dem dornigen Gebüsch aufgezogen haben. Die nächsten Serpentinen hinauf schreiten sie alle drei tüchtig aus.

Das erste Haus vor dem Dorf oben auf dem Berg ist eine langgestreckte Baracke mit einer Fernsehantenne auf dem Dach. Von den Bretterwänden hängen vertrocknete Rindenfetzen. An einer Pumpe füllt eine Frau einen Eimer mit Wasser. Zuschauer haben sich gesammelt. Wenn jemand lacht, blickt die Frau auf, den eisernen Schwengel behält sie in der Hand, dann beugt sie sich wieder über ihre Arbeit. Ihre hümpelnden Bewegungen wirken kurz geraten. Aus der Doppeltür der Baracke kommen noch zwei Frauen, die geknotete Tücher um die Schultern tragen. Sie bleiben gegenüber den neugierigen Spaziergängern stehen, in dem freien Raum zwischen beiden Gruppen spielen Kinder. Ein junges Mädchen, das aus einem Fenster blickt, hat sich eine Art durchsichtigen Vorhang umgelegt, am Fenster hängt kein Vorhang. Das Mädchen sieht wie eine Zehnjährige aus und ist geschminkt.

Aus der Baracke tritt ein Mann, durch die Zuschauer geht Bewegung. Herumlaufende Kinder bleiben stehen, eines steckt einen Stein in den Mund. Die Frau an der Pumpe trägt ihren gefüllten Eimer an dem Mann vorbei in die Baracke. Dabei verschüttet sie Wasser, das ihren Rock dunkel färbt. Der Mann ist stehengeblieben. Er ist klein und stämmig, um seinen braunen Hals hängt eine goldene Kette. Es scheint ihm nichts auszumachen, daß er beobachtet wird, langsam kratzt er sich unter den Armen. Plötzlich ist ein anspringender Motor zu hören, hinter der Baracke fährt ein Opel hervor, tadellos lackiert, nur die Weißwandreifen sind etwas schmutzig. Das Auto hält, ein junger Kerl steigt aus. Der Ältere setzt sich ans Steuer, fährt an, der Jüngere reißt eine Tür auf und wirft sich in die Polster. Das Auto fährt auf die Zuschauer zu, wird nicht langsamer. Hermann, der in der Fahrtrichtung steht, weicht zurück, muß stemmen und mit dem Rücken in die Menge stoßen, die kaum nachgibt. Der Opel schiebt sich immer weiter vor, teilt die Zuschauer, ruhig sitzt der Mann am Steuer. Hinten im Wagen liegt schmutziges Bettzeug, in dem der junge Kerl ruht. Die Beine hat er auf die Vorderlehne neben den Fahrer gelegt, außerdem nagt er an einem großen Stück schweizer Käse. Leise hupend fährt das Auto durch die Zuschauergasse. Der junge Mann winkt im Rückfenster mit dem Käse.

»Luft raus! Luft raus!« ruft ein Mann.

Ein älterer Herr schwenkt eine Zeitung. Einige Leute beginnen, hinter dem Auto her in Richtung Dorf zu laufen. Der Zuschauerblock dehnt sich und bekommt Lücken.

Die Kinder vor der Baracke haben Löcher in den Hemden, den Nikis, alle sind schmutzig, sie tragen verschiedene Schuhe oder sind barfuß. Einem Jungen ist der Haarwirbel abrasiert worden, vielleicht war er gestürzt oder hatte einen Hieb versetzt bekommen, auf dem Kopf leuchtet eine Schorfplatte mit gelben Rändern. Die geschminkte Zehnjährige ist nun auch bei den Kindern, dreht sich nach jedem zweiten Schritt um sich selbst, mit der Zungenspitze prüft sie immer wieder die rote Schmiere auf ihren Lippen. Unter dem durchbrochenen Vorhang, der von ihren Schultern hängt, zeigen sich kleine Brüste mit dunklen Knoten. Bonbon, rufen die Kinder, Bonbon, Lutscher, Schokoladeneis!

Hermann stößt Naber an:

»Jetzt sind Sie dran. Zeigen Sie, wer Sie sind. Sie brauchen nur Ihren Arm hochzuhalten, damit man die Nummer sieht. Es ist eine einmalige Gelegenheit. Niemand wird Sie mit den Zigeunern verwechseln.«

Frau Keßler sucht Kleingeld aus ihrer Börse, blickt Naber fragend an. Sie traut sich nicht, Geld an die Kinder zu verteilen. Die Zehnjährige ist nähergekommen; ihre Brüste sind bemalte, aufgepumpt umgeschnallte Plastiksäckchen. Die Kleine dreht sich wieder um sich selbst und schnalzt mit den Fingern.

»Sie können mit dem Mädchen tanzen«, sagt Hermann zu Naber, »sehen Sie doch, Sie müssen mitmachen, Ihnen passiert nichts. Sie tanzen mit der Kleinen, und ich stelle mich dazu. Sie sind kein Feigling, das weiß ich. Es ist eine Kleinigkeit für Sie. Wenn die Leute Ihre Nummer entdecken, gehen sie vor Ehrfurcht in die Knie.«

Vor Erregung muß Hermann lachen und sieht Naber schon die Kleine herumwirbeln. Frau Keßler singt, Naber hüpft, Hermann klatscht ein wenig zu spät den Takt und reißt Nabers entblößten Unterarm hoch. Tanzend jagen sie die Leute in die Rebstangen, bis die Straße leer ist.

In der Wirtschaft neben der Bushaltestelle trifft Hermann Frau Keßler und Naber wieder. Spaziergänge durch die Weinberge enden in diesem Lokal, in dem es zur Erntezeit jungen Wein, genannt Suser, gibt und Zwiebelkuchen das ganze Jahr über. Am Bankende neben Frau Keßler findet Hermann noch Platz. Naber sitzt an der Kopfseite des Tisches. Das Lokal ist überfüllt.

Zusehen, wie die Gäste quellen, wie sie im Dunst unter der niedrigen Decke nach Tassen und Tellern rudern, die die Kellnerin herbeischleppt. Alle wollen sofort bedient werden. Die Kinder, die eingeklemmt zwischen den Erwachsenen sitzen, scheinen größer geworden zu sein. Ernsthaft stülpen sie die Lippen vor, prüfen heißen Kaffee, der die Tische überschwemmt, die Rüssel können nicht genug kriegen. Die Kellnerin schleppt schmutziges Geschirr zur

Theke zurück, wo es der Wirt durch eine Luke in der Wand in die Küche stößt.

Freiheit sei wichtig, hört Hermann am Nebentisch sagen, aber die Wäsche müsse jeden Monat nach Hause geschickt werden. Ein Mädchen hat einer älteren Frau schweigend die Kaffeetasse weggenommen, trinkt die Tasse aus und schiebt sie der Frau wieder zu. Der bemalte Engerling mit umgehängtem Silbertaler auf der Brust tippt mehrmals vorsichtig an den Rand ihrer Lippen und prüft, ob die Schminke noch deckt. Hermann beugt sich begierig vor. Rote Wölbungen über Zähnen, ein mit bunter Salbe beschmierter Graben auf einem Plakat, der sich geschlossen hat, wieder klafft, wenn die Zungenspitze, die sich für einen Augenblick im Mundwinkel zeigt, Feuchtigkeit verteilt. Man muß klettern und mit Stahlfeder und Pinselhaaren in die Hautfalten einhaken, um vorwärts zu kommen. Da haben sie einen Kesselwagen voll Vaseline mit Farbe und Parfüm vermischt, haben Automaten pressen und schnalzen lassen, bis die Stifte in den Schraubhülsen saßen; man kann an Blumen denken, den Samt von Stiefmütterchen, an Dahlienkelche und an Vorhänge in einem Schlafzimmer; die Lippen leuchten aus einem Apothekerfenster, warnen als Begrenzungslampen eines Rollfeldes oder werden vom Kopf eines Fernlenkgeschosses getroffen und explodieren, daß Farbzacken und Lackblitze am Himmel stehen. Es ist anstrengend, die von Paste prallen Hälften in Zusammenhang mit einer Nase und Augen zu sehen.

Eine Familie sein am Tisch: Frau Keßler ist noch nicht alt genug, doch Naber paßt. Unter dem Tisch berühren sich Füße. Großmutter war nie dabei, Spaziergänge haben sie gelangweilt. Ihr Herz sei schwach, sagte sie. Aber Mutter und Großvater, die schon früher zusammen Bergtouren gemacht haben, brachten Hermann bei, wie man steigt, im Takt bleibt und auch auf ebenen Wegstrecken nicht schneller wird. Der gleichmäßige Schrittrhythmus ist das Wichtigste. Durch das Fernglas ist die Wirtschaft am Steilhang oben zu sehen, zitternd steht das Haus in der Hitze über den Serpentinen. Sie sitzen am Tisch, der Wirt begrüßt mit Handschlag. Großvater ist überall bekannt. Unter den Preisscheiben an den Holzwänden hängen einige, die Großvater geschossen hat, zum Beispiel ein Hirsch, dessen linker Vorderhuf getroffen werden mußte, oder ein Rebhuhn, das gerade aufsteigt; alle Scheiben auf eine Distanz von dreihundert Metern mit überschwerer Büchse. Auf den grünen Rändern stehen in weißer Farbe Datum und Name des Siegers geschrieben. Großvater bestellt Tee. Wenn man erhitzt ist, soll man nur heiße Getränke zu sich nehmen. Das sagt jeder, der sich im Gebirge auskennt, obwohl ein eisiges Zitronenwasser zehntausendmal besser schmeckt.

Zweimal muß Naber rufen und mit den Fingern schnalzen, bis die Kellnerin auf ihn aufmerksam wird. Sie schaukelt Geschirr vorbei, Naber nickt ihr heftig nach. Mit gesenktem Kopf tupft Frau Keßler Krümel auf dem Teller zusammen. Wenn ein Häufchen an ihren Fingern klebt, hebt sie es zum Mund. Naber holt loses Geld aus der Tasche, schiebt die Münzen auf der flachen Hand hin und her, wählt, legt wieder zurück und läßt sich auf den Pfennig genau herausgeben. Man muß Großvater gesehen haben, wie er nach der Brieftasche greift, dabei mit der Kellnerin spricht, sie nach dem Wetter fragt, lacht, einen Witz andeutet, den alle kennen, die Lederfächer aufschlägt, einen Schein herauszieht, ihn, und das kann nur er sich leisten, womöglich wieder zurückschiebt, weil der Schein zu groß ist, aber niemand sieht weg oder spricht leiser, nein, nein, Geld ist etwas, worüber man bei Großvater laut reden kann, denn es ist von ihm, er ist der Besitzer: Geld, hier das Geld, hat er gesagt, der Rest ist für Sie, wir danken für die Mahlzeit.

»Die Wirte spekulieren darauf, daß ihre Lokale in Mode kommen.«

»Sie müssen sich daran gewöhnen«, sagt Hermann, »daß die Nachfrage die Preise steigert. Der Tag hat gut angefangen, wir könnten ins Theater gehen oder in ein Konzert, ins Kino. Das Theater hier ist neu gebaut, ich habe gelesen, daß der Schauspieldirektor erst Ende zwanzig sein soll.«

»Ich war noch nie im Theater«, sagt Frau Keßler.

»Bevor die großen Transporte kamen und die Belegschaften der Baracken andauernd wechselten«, sagt Naber, »gab es bei uns eine Kapelle. Sie spielte, wenn wir stundenlang Appell standen. Einer, es war ein Bayer, durfte einen grünen Hut mit Adlerflaum tragen. Er schlug die große Trommel, jodeln konnte er auch. Seine Trommel war sehr laut, Geige und Ziehharmonika waren oft nicht zu hören.«

»Weil andere geschrien haben«, sagt Hermann.

»Das habe ich nicht gesagt.«

»Aber das meinen Sie doch. Die Kapelle spielte, wenn

Leute auf dem Bock geprügelt oder rückwärts an den Händen zur Teppichstange hochgezogen wurden. Wie lange hält man das Hängen aus? Brechen die Schultergelenke? Spuckt man Blut?«

»Sie sprachen vom Theater und ich von Musik«, sagt Naber.

»Aber Sie denken an keinen Konzertsaal.«

»Ich war dort lange Zeit. Meine Nummer auf dem Arm ist falsch, sie ist viel zu hoch. Hätte es damals, als ich in Schutzhaft genommen wurde, schon Nummern gegeben, wäre meine Nummer zweistellig.«

»Alles verlogen«, sagt Frau Keßler. »man weiß nichts Genaues aus dieser Zeit.«

»Lieber Herr Naber«, sagt Hermann. »es ist verständlich, daß Sie davon nichts mehr wissen wollen, aber Ihren eintätowierten Ausweis verlieren Sie nie.«

»Von Tätowierungen habe ich nicht gesprochen.«

»Die Schinder, mit denen Sie zusammen waren, leben zum großen Teil nicht mehr. Ich würde Amok laufen.«

»Sie sind mein Bettnachbar«, sagt Naber, »an mehr denke ich nicht.«

»Liebe Frau Keßler«, sagt Hermann, »hinaus in die frische Luft! Kommen Sie, kommen Sie, den Berg hinunter geht es leichter!«

Das Gedränge in der Tür, wenn die Kinder, zwischen Erwachsene gepreßt, zuerst über die Schwelle treten wollen, stoßen, an Kleiderstoffen reißen, in Schenkel boxen, endlich durch sind. Hermann lehnt am Treppengeländer und schaut zu, wie Frau Keßler und Naber nebeneinander aus der Tür treten, im Rahmen ein Paar.

Aber er hat keine Geduld, den Weg zurück neben ihnen zu gehen, immer wieder stehenzubleiben und in die Landschaft zu blicken; zufriedener Abstieg mit Gesprächen über das Ludwigsburger Schloß oder den Pavillon der Gräfin Dorothee oder den Fernsehturm, dessen Restaurantkropf gefährlich überlastet aussieht. Er trudelt zwischen den Weinbergen auf den Serpentinen hinunter, nimmt Kurven knapp wie ein Skifahrer Torstangen und schlängelt sich durch die Spaziergänger, die scharenweise bergauf wandern. Einmal stoppt er vor einem Kinderwagen, der quer im Weg steht. Der Schwung wirft ihn gegen eine Stützmauer, sein Kopf dröhnt. Unten angekommen, setzt er sich auf eine Bank, wird geduldig auf das Paar warten, bis es sich auf dem letzten steilen Wegstück über dem Hof der Sektkellerei zeigt.

Der Wellensittich darf den ganzen Tag im Vorzimmer und in der Wohnküche frei herumfliegen. Es ist ein kluges Tier, es schreit, sobald jemand die Wohnung betritt. Oft ruckt Mäxchen vor einem Spiegel auf der Kommode hin und her, plustert sich und macht sich selbst Gesellschaft, den Kopf dicht am Glas, als wolle er um die Ecke blicken, ob dort noch mehr Vögel sind. Es liegt auch ein Lockenwickler bereit, doch Mäxchen setzt sich nur noch selten darauf und zittert, um seine einsame Freude zu haben. Es erschöpft ihn schon zu sehr. Wenn er fressen will, fliegt er in seinen Käfig, pickt Körner, hackt in einen Möhrenschnitz oder ein Salatblatt, die zwischen den Stäben klemmen. Er bekommt auch Lebertranpillen. Frau Keßlers Fürsorge ist vorbildlich. Als sie die Wohnung betraten, hat Mäxchen nicht zu piepsen aufgehört. Er ist wieder verklebt, sagte Frau Keßler, ich muß ihn waschen.

Sie wärmt Wasser überm Gas und löst Kernseifeflocken auf, die sie mit dem Messer von einem großen Stück schabt. Hermann, der den Vogel einfangen soll, schleicht durch die Zimmer, macht sich klein, täuscht hinter dem Tisch und pfeift. Er beherrscht alle Fingerkombinationen, am höchsten pfeift er auf beiden Daumen, aber der Vogel läßt sich nicht beeindrucken. Im Sturzflug surrt er an Hermanns Kopf vorbei, bekommt Übergewicht, hängt schon zum Absturz schief, startet jedoch auf der Tischplatte durch und gewinnt langsam wie eine Transportmaschine wieder an Höhe. Sein Schwanz rudert tapfer mit. Im Käfig fühlt er sich sicher. Da er schon alt ist, kann er sich nicht mehr auf der Stange halten, sitzt auf dem Boden nicht mit gestreckten Beinen, sondern auf dem Bauch, so daß nach ein paar Tagen an seinem Hinterteil ein Kegel gewachsen und hart geworden ist. Er bringt nichts mehr heraus.

Frau Keßler badet ihn in einer Schüssel, damit er wieder freie Bahn für seinen Drang erhält. Mäxchen sträubt sich, geschickt greift sie zu und schwenkt ihn in der sanften Lauge. Der Pfropfen, der sich allmählich auflöst, färbt das Wasser. Den Rest kratzt sie mit dem Fingernagel von der kleinen Öffnung. Hermann hört nicht, daß Naber die Küche betritt, er sieht nur den aufgerissenen Schnabel in Frau Keßlers Hand und die herausstehenden Augen an dem dünnen Kopf. Sie sagt, Mäxchen schreie wie ein Kind, genau so, nur nicht so laut. Da hört Hermann hinter sich sagen, sie solle den Vogel weggeben, er tauge nichts mehr. Frau

Keßler bleibt ruhig, bis der Wellensittich wieder sauber in seinem Käfig sitzt, winzig vor Nässe. Vielleicht sollte man ihn behauchen oder einen elektrischen Ofen in Entfernung vor ihm aufstellen. Er ist schwach, kann nicht einmal mehr das Wasser abschütteln.

»Mäxchen ist zu alt«, sagt Naber zu Frau Keßler, »ich kaufe Ihnen einen neuen Wellensittich. Suchen Sie sich ein schönes, sympathisches Tier heraus.«

»Davon will ich nichts wissen«, antwortet sie. »Mäxchen bekommt bei mir das Gnadenbrot.«

»Ich bringe den Vogel in einer Tüte zum Tierarzt«, sagt Naber laut, sein Gürtel spannt sich, »das Tier merkt nichts. Es erhält eine Phenolspritze, ich garantiere Ihnen, es fühlt nichts. Phenol wirkt, das weiß ich genau, Mäxchen ist sofort kaputt. Viel braucht man auch nicht dazu, für einen Vogel schon gar nicht.«

»Der Vogel stammt aus meiner Ehe«, sagt Frau Keßler. »Wenn Sie Rache nehmen wollen, dann ziehen Sie doch aus.«

»Aber ich wohne gern hier«, sagt Hermann. »Wir dürfen uns nicht schon wieder trennen.«

»Sie machen doch, was er will.«

»Das ist nicht wahr.«

»Sie haben Angst vor ihm. Ich habe Augen im Kopf. Mein armer, armer Vogel. Sagen Sie ihm doch etwas.«

»Ich mag Vögel nicht«, sagt Hermann.

»Ihr könnt keine Kinder kriegen«, sagt Frau Keßler, »Ihr nicht! Ich weiß, wie das ist. Mir sind zwei gestorben, weil die Fruchtblase zu früh aufging. Das Wasser ist mir herausgelaufen, ich bin dagestanden und habe es zu halten versucht, aber es ist nicht wie auf dem Abort, so nicht. Ihr habt mich von Anfang an belogen. Eine alleinstehende Frau ist eben nichts mehr wert. Ihr könnt Euch nicht vorstellen, wie das ist, wenn man dasteht und das Kind plötzlich herauskommt. Ihr steht da, macht die Beine breit, immer weiter auseinander, doch es nützt nichts, der Kopf hängt schon heraus. Ihr wollt helfen und zerreißt den Rock, weil Ihr nicht mehr die Beine zu bewegen wagt. Was soll man denn tun, wenn sich ein Kind zu früh von einem trennt, in Blut und Wasser erstickt? Niemand ist da, der einem hilft, niemand. Ihr legt Euch auf den Boden und krümmt Euch nach der Nabelschnur, die ein Stück mitgekommen ist. Ihr wollt sie abbeißen, das fällt Euch noch ein, aber Ihr seid keine Turner.«

»Haben Sie Schmerzen gehabt?« sagt Hermann.

»Kaum!«

»Erstaunlich.«

Hermann steht mit Frau Keßler allein in der Küche, Naber ist ins Schlafzimmer gegangen. Der Wellensittich hat sich, zwar immer noch naß, jedoch mit abstehenden Flügeln, die ein wenig zittern, zu den Gitterstäben gewagt. An einem eingeklemmten Möhrenschnitz wetzt er seinen Schnabel. Es muß ein einziger Griff sein, den Hermann ausführt, ein einziger Schritt vorwärts, die Hände umklammern die Schultern, halten den Kopf fest, der ausweicht, über den aufgerissenen Augen beginnen die Wimpern zu flattern: Hermann küßt Frau Keßler auf den Mund. Wie er versucht hat, seine Zunge hineinzuschieben, preßte sie die Lippen zusammen. Er hat losgelassen und geht leise hustend hinaus.

Frau Keßler wird wartend in der Küche bleiben, wird vielleicht mit Gewürzen und Teigwaren hantieren oder am Herd herumklappern, sie wird keinen Entschluß fassen.

Im Schlafzimmer trinkt Naber Samos. Ein Turm Lesehefte ist umgefallen, Naber kramt und schichtet, bringt wieder Ordnung in seine Abenteuer. Ob er sich nicht vorstellen könne, fragt Hermann, daß man zu Tieren barmherzig ist?

»Wenn sie Wellensittiche liebt«, sagt Naber, »soll sie sich einen neuen kaufen. Wollen Sie einen Schluck Wein?«

Hermann sitzt auf dem Bettrand und trinkt aus einem Zahnputzglas. Der klebrige Saft rinnt wie Bonbonmasse hinunter, die Zungenspitze säubert, in der Mundhöhle hin- und herfahrend, die Schleimhäute. Es ist das Verlangen nach endgültiger Bestätigung des Geschmacks, das weitertreibt, bei Samos aber nie zu stillen ist. Als Hermann den Becher geleert hat, sieht er unten im Glas Zahnpaste kleben.

»Wissen Sie, mich interessieren auch Hunde nicht«, sagt Naber. »Wir waren hundert in der Baracke, später fünfhundert, doch als wir noch hundert waren und jeder noch einen Strohsack besaß, Platz zum Schlafen, da hatte ich eine Idee. Ich bin einer der wenigen, die davongekommen sind, obwohl ich an den Öfen eingesetzt war. Die Verpflegung konnte sich sehen lassen – Butter, Wurst, Vollkornbrot, auch Gemüse, Kaffee und Schnaps, nein, Kaffee nicht, oder nur einmal, ich weiß nicht mehr. Nach vier bis fünf Wochen Schicht ging man wie die anderen durch den Schornstein. Die Asche war ein Problem, wir hatten zu wenig Lastwagen. Also, mich hat es nicht erwischt, warum, weiß ich auch nicht mehr.«

»Warum?« fragt Hermann.

»Damals war noch nicht so viel Betrieb. Ich erinnere mich noch genau an den Lieblingspfahl im Zaun, an den einer der Wachhunde immer gepißt hat. Ich habe mich oft gewundert, daß er keinen Schlag bekam, denn der Zaun war elektrisch geladen. Eigentlich hätte der Strom in der Pisse hochfahren und treffen müssen. Vielleicht hat die Wache auf dem Turm ausgeschaltet, sobald der Hund das Bein hob. Der Besitzer des Hundes war wie alle. Wissen Sie, nur Neulinge kriegen bei Hunger und Schlägen noch eine Wut. Ob der oder ein anderer von der Wachmannschaft, das war uns egal. Aber der Hund war eine Gelegenheit. Verstehen Sie, den Hund konnten wir uns leisten, seinen Besitzer nie und nimmer. Wir haben lange überlegt, wie wir den Hund fangen könnten. Wir haben Wurst besorgt, einen Strick, einen Sack, es war reinste Generalstabsarbeit. Jeder hat nur noch an den Hund gedacht. Einer wollte einen Todkranken, der sowieso bald drangekommen wäre, in dem Augenblick in den Zaun treiben, wenn der Hund pißt, damit der Strom auf jeden Fall abgestellt wird, denn der Tote hätte aus dem Draht geholt werden müssen. Ein Freund von mir hat nur darauf gewartet, von dem Besitzer des Hundes geschlagen zu werden. Ein Tritt oder mehr hätte ihm nichts ausgemacht. Ihm war jede Gelegenheit recht, in die Nähe des Hundes zu kommen. Als er während einer Sonderbehandlung von dem Hund gebissen wurde, zeigte er uns stolz die Wunde.«

»War der Besitzer des Hundes ein Offizier?«

Naber streckt sich auf seiner Betthälfte aus. Die Flasche Samos, die beinah leer ist, balanciert er auf seinem Bauch.

»Kein Offizier, nein«, sagt er geduldig, »begreifen Sie endlich, ich kenne Ihren Vater nicht. Aber stellen Sie sich unsere Überraschung vor, als der Hund dann plötzlich da war, ein Geschenk des Himmels. Ich sehe heute noch, wie er am Barackeneingang steht, ein Engelshund, da steht er und schnüffelt, traut sich nicht näher. Hundchen, habe ich gesagt, seht doch, unser Hund ist da, unser Hundchen. Alle sind aufgestanden, denn sobald man in der Baracke war, legte man sich hin, um Kraft zu sparen. Hundchen, Hundchen, haben sie gebettelt, komm doch her. Und tatsächlich, so viel Liebe hat der Schäferhund nicht widerstehen können. Vielleicht hat ihn auch der Mief angelockt, warm war es bei uns, draußen pfiff ein kalter Wind mit Wasserschnee. Als der Hund ein Stück auf dem Gang zwischen den Bettkisten weiterging, hatten wir ihn. Natürlich hat er sich gesträubt, wollte beißen und jaulen, aber er hat keinen Ton mehr herausgebracht. Zehn oder zwanzig haben ihn festgehalten. Wir wollten ihm nicht wehtun, er sollte nur sein Bestes geben. Er hat gekeucht und sich gekrümmt, wir haben immer wieder ein wenig locker gelassen, denn die Bewegungen, die ein Hund dabei macht, sind wichtig. Unterbrechungen würden schaden. Wieviel Male er gespritzt hat, weiß ich nicht mehr. Jeder wollte zufassen und reiben und ihm Gutes tun. Wir haben an ihm herumgearbeitet, bis nichts mehr gekommen ist, doch blutig ist er nicht gewor-

den, das hätte uns verraten. Als er über den Appellplatz schlich und sein Herrchen suchte, ist er ein paar-
mal vor Schwäche umgefallen.«

»Sie müssen mit mir kommen«, sagt Hermann,
»nächstes Wochenende fahre ich nach Hause, wir
wollen meine Mutter besuchen. Sie muß Sie unbedingt kennenlernen. Meine Mutter wird Ihnen gefallen.«

Hermann hat gefunden, was er braucht. Seine Mutter
und Naber besichtigen das Versehrtenheim, das früher eine SA-Führerschule war. In neuen Pavillons
dürfen Familienangehörige der schweren Fälle
Ferien machen und aus nächster Nähe Heilungsver-
fahren und Trainingsmethoden der verstümmelten
Väter miterleben. Wo früher ein Schilderhaus stand,
vor dem die Wache mit geschultertem Spaten hin-
und herging, wurde eine Portiersloge gebaut. Die
Schranke über der Zufahrt kann elektrisch bedient
werden. Im Treppenhaus, dessen Betonkonstruktion
und Glaswand Hall geben, reitet einer die Stufen hinauf. Ein Rumpfsack hat sich affenartig an einen Kameraden gehängt, der künstliche Beingelenke schnellen
läßt. Wiegend und stampfend arbeitet sich das Gespann höher, die, die schon oben stehen, feuern durch
Zurufe an, lachen und sind grimmig froh. Einer wirft
ein Seil hinunter, schreit, Herbert solle zubeißen. Rot-
gequollen kommt sein Träger oben an. Der Rumpfsack hangelt zu einem anderen Hals, schwingt hin
und her, turnt zum nächsten, der ihn unter den Armen
kitzelt, so daß er loslassen muß und fällt. Geschickt
landet er auf den Händen und verwandelt den
Schwung durch eine Rolle in Vorwärtsbewegung.

Zwischen den durchgedrückten Armen gampt er ein Stück den Gang hinunter, bis seine Kräfte nachlassen. Dann hängt er sich an den Fuß eines Blinden.

Hermann schickt Naber und seine Mutter weiter. Er sieht sie untergehakt den Arbeitssaal betreten. Aus Lautsprechern kommt gedämpfte Musik.

»Wir haben im Steinbruch mit bloßen Händen gearbeitet«, könnte Naber sagen. »Sobald wir die vollen Loren hinaufgeschoben hatten, mußten wir sie wieder auskippen. Bei Regen sprangen sie manchmal aus den Weichen. Es gab Verletzte.«

»Wir haben nichts davon gewußt«, antwortet Frau Brix. »Reden Sie, reden Sie, Sprechen erleichtert.«

Ein Einarmiger, der mit einer Tuschfeder Ziffern auf eine gedruckte Schaltung schreibt, läßt sein Vergrößerungsmonokel aus dem Auge fallen. Es ist beschlagen, wird an einem über einen Pflock gespannten Lederlappen gesäubert. Wieder greift der Einarmige zu, klemmt sein Glas ein und beugt sich eifrig über die Arbeit, die ihn trainieren soll, sein Glied nützlich einzusetzen wie jeder.

Ein anderer, aus dessen Jackenärmeln Haken und Zangen ragen, lötet Drähte an einen kleinen Kondensator. Gewandt tüpfelt er mit flüssigem Metall und läßt den glühenden Kolben wandern. Sein Nachbar hat künstliche Hände, die an Sehnen angeschlossen sind. Das löst oft Reizüberflutung aus, so daß in den Gehirnzentren falsche Kontakte koppeln und durch die anstrengenden Bewegungen Sehfehler auftreten oder an den Genitalien oder am Nasenflügel oder irgendwo anders plötzlich sinnlos Schmerzsimulationen brennen. Er bearbeitet Bahnübergänge, Gitter und Schranken werden von unten genietet, das Blechhäuschen steckt schon in der Halterung.

Über dem Loch im Kopf eines Rüttlers flattert eine rosa Membrane im Pulsschlag. Es ist eine schwierige Aufgabe, Stirn- und Hecklampen und die Stromabnehmerbügel einer elektrischen Lokomotive zu montieren. Die Zubehörteile zwitschern immer wieder durch die schüttelnden Finger.

Ob Messingrauchfang und Kuhfänger einer Westernlok, blecherne Gebirgsbuckel eines Ecktunnels mit gebogenem Schienensatz, Seitenteile einer Bahnhofshalle, ob Windmühlenflügel, Wurzelverankerungen von Lindenbäumen oder das Laufwerk eines Autotransporters, alles wird im Therapiesaal des Versehrtenheims bearbeitet. Ausschuß, der abfällt, verrechnet die Firma für Modelleisenbahnen nicht. Sie vergibt die Aufträge über das Familienministerium.

Ein Querschnittgelähmter liegt auf einer mit Schaumgummi gepolsterten Bahre und hat über sich eine Lampe und die Fassade eines Bauernhäuschens hängen. Ein Magnet, der an einem Schwenkarm befestigt ist, hält das Blechstück senkrecht. Der Liegende pinselt Fachwerk auf, braucht keine Malschablone mehr, so oft hat er diese Aufgabe schon bewältigt. Er gehört zur fortgeschrittenen Stufe, die nach einem Akkordsatz arbeitet.

Ein Blinder schraubt Miniaturfedern in den Schleudersitz eines Sportwagens, die mitunter herausspringen. Die Kameraden fluchen und versuchen, die Geschosse mit dem Mund aufzufangen. Wer gewinnt, bekommt abends in der Kantine eine Flasche Bier bezahlt. Die ausfahrbaren Maschinengewehre, Rammstangen und Platten des Heckkugelfangs montiert ein Team Minenopfer. Ihre Gesichter und Gliedmaßen sehen wie schwarze Knetmasse aus, viele Teile fehlen. Einer trägt statt einer Nase zwischen Mund und Augen eine Art Pflugschar, die aus einer Modellserie von Schneeräumern stammen könnte.

Naber hat nicht gezittert. Er kennt alle Verrenkungen, die Verwundete ausführen, bevor der letzte Krampf sie krümmt. Auf dem Appellplatz sind Ohnmächtige im Schlamm erstickt, niemand durfte sie umdrehen. Frau Brix hat sich, wie von Hermann vorgesehen, an Naber gedrängt. Erfreut schickt der Sohn beide zur Sonderabteilung weiter.

Besuche von Angehörigen sind nicht erlaubt. Die in Kojen liegenden Rümpfe sollen im Dämmerzustand bleiben. Ausgesuchte ältere Pfleger, die besonders phantasielos sind, versorgen sie, sprechen vom Essen oder geben mit den Fingerspitzen Klopfzeichen auf übriggebliebene Körperpartien. Die Gleichmäßigkeit des Tagesablaufs ist das Wichtigste, das Umbetten, Waschen, die Urin- und Kotentnahme. Aus Mangel an Gliedmaßen oder der dazugehörigen Muskelfunktionen sind Selbstmorde der Verstümmelten nicht möglich. Sanft dirigiert Hermann sein Paar vor ein Guckloch in die Sonderabteilung, sieht es nähertreten, möchte streicheln und schieben, denn Wärme und angenehme Gefühle leichter Erregung halten die Blutgefäße offen.

»Ihr gehört zusammen«, flüstert er, »ihr seid nicht allein, ich sorge für euch.«

Einer der Rümpfe liegt genau im Blickfeld, er ist aufgedeckt. Der einseitig verschobenen Brust, die tütenförmig zum Magen verläuft, fehlen die Warzen. Das Gesicht des Rumpfes ist nur als Vorderseite des Kopfes erkennbar, eine fleischfarbene Plastikmasse füllt die Augenhöhlen aus. Schlitze darunter deuten die Nase an. Das zusammengedrückte Mundloch wird von einem Metallröhrchen offengehalten. Die Geschlechtsteile hängen wie Wurzelwerk am Rumpf. Ein kleines Mikrophon im Gehörgang, das an die Anstaltsleitung angeschlossen ist, sorgt für Stimmung. Der einarmige Torso arbeitet, befühlt eine hochgelagerte Gummifolie, setzt eine Schere an und schneidet vorgestanzte Raupenstränge für Spielzeugschlepper und Bodenhobel aus. Gummiplatte und Schere tanzen in der Luft, dann fällt die Folie auf den Rumpf zurück, die Hand legt die Schere beiseite, tastet das Bett nach der Raupe ab und läßt sie schließlich in eine Schachtel fallen.

Hermann ist zufrieden. Nach dieser Vorbereitung versetzt er seine Mutter und Naber auf eine Empore im Hallenbad. Dort dürfen sich die beiden ausruhen. Mann und Frau fassen sich an der Hand, stehen dicht nebeneinander hoch über dem Wasserbecken. Hermann hat sie endgültig zu einem Paar gemacht.

»Sie können mir alles erzählen«, will er seine Mutter zu Naber sagen hören.

»Du kannst mir alles erzählen«, befiehlt er.

»Du kannst mir alles erzählen«, wiederholt sie. »Es ist nie zu spät, an Ihrer Seite werde ich nachholen«.

»Es ist nie zu spät, an deiner Seite werde ich nachholen.«

»Erzählen, erzählen«, sagt sie, »an deiner Seite werde ich es verstehen.«

Naber ist an der Reihe. Hermann erinnert sich an Nabers Magentropfen. Leibliche Vorgänge sind dem Dicken vertraut.

»Ich habe ein Fläschchen bei mir«, sagt Naber. »Ein Schluck genügt, und die Konzentration kommt wieder.«

Das Gespräch ist in Gang gekommen, Hermann zieht sich zurück. Seine temperamentvolle Mutter wird den richtigen Ton finden.

»Siehst du den Springer? Fabelhaft!«

»Konnte ich auch.«

»Glaube ich nicht.«

»Ich war früher einmal Jugendmeister, obwohl ich als Kind eitrige Ohrenentzündung hatte. Das Trommelfell mußte durchstochen werden, im Wasser bekam ich Gleichgewichtsstörungen.«

»Schwindler!« sagt sie.

»Man merkt es mir nicht mehr an«, antwortet er ernst.

Hermann sieht die beiden sich über den Rand der Empore neigen, jeder legt den Arm um des anderen Schulter, der Arm seiner Mutter kommt ein wenig zu kurz. Unten tobt ein Lehrgang im Wasser.

Das Problem bleibt die Öffentlichkeit. Kein Amputierter läßt sich im Freibad gern auf die Narbenfurchen starren, die einen Schenkelstumpen obszön bloß erscheinen lassen, oder wedelt ungeniert lächerlich Schwimmbewegungen mit einem Stück Oberarm, das immer wieder aus dem Wasser stößt. Hier aber, in der gekachelten Halle des Versehrtenheims, fühlt sich jeder frei.

Wie Jagdhunde, den Kopf voraus mit angeklatschten Haaren, schnellen sie durchs Wasser, halten sich zum Teil nur durch Beinarbeit an der Oberfläche. Einer, der den Delphinstil versuchte, erholt sich in Rückenlage. Die Aufsicht pfeift eine Warnung. Gelächter im Wasser macht gefährlich kraftlos. Der Beinlose krault schlegelnd zum Beckenrand, stemmt sich mit Schwung hinauf, bleibt dann japsend und gekrümmt liegen. Schlitternd und klappernd bekommt er von der Aufsicht seine Kunstglieder über die nassen Fliesen zugeschickt. Bevor der Amputierte die Stümpfe in die Lederhülsen steckt, schnürt er die Schuhe an den geschnitzten Holzfüßen fest. Dabei bückt er sich nicht, hat alles, was er braucht, bequem vor sich liegen.

Ein Armloser findet kein Gleichgewicht an der Leiter, obwohl er versucht, sich sprossenweise mit dem Kinn festzuhalten. Seine Kameraden lachen und stoßen, falls sie Beine haben, ihn wieder zurück. Sein Kopf verschwindet unter Wasser, taucht auf und nimmt erneut Anlauf. Das Rudel kriecht, kreiselt, eilt klatschend in schiefer Balance zum Nichtschwimmergalgen, der Armlose begreift und verbeißt sich ins Tauende. Er wird hochgehievt und in weitem Bogen an Land geschwenkt. Sicher setzt das Paket auf.

Hermann ließ sein Ehepaar zu lange Zeuge sein. Sie eilen in den Hof, in dem eine Hochsprungübung stattfindet. Hermann muß sich entscheiden, darf nicht kurz vor dem Ziel aufgeben. Eine einsame Wanderung böte sich an, ein Abend in einer Weinlaube, eine ungerechte Polizeiverwarnung, eine Berg- und Talfahrt auf einem Volksfest, das Gewühl einer Demonstration, Kinobesuch, Besichtigung einer Sternwarte, ein Auslandsaufenthalt. Alles ist günstig, was einsam macht und konzentriert. Er wählt einen Autounfall, denkt sich Naber unterwegs zu einem Hafen, in dem festlich beleuchtete Schiffe liegen. Neben Naber sitzt Frau Brix, die zu der nächtlichen Autotour eingeladen hat. Naber beachtet nicht die hoch an einer Eisenbahnunterführung hängende Verkehrsampel. Auf der Kreuzung rasen Lichter auf ihn zu, explodieren im Auto. Splitternder Krach und Feuerwerk dauern seltsam verzerrt, sinken dann in sich zusammen, während Naber langsam aus der Tür fällt, nicht weiß, wo Frau Brix geblieben ist und, bereits liegend, über sich in völliger Lautlosigkeit das Auto noch mehrmals schwanken sieht, ehe es endlich umstürzt. Nabers Beine stecken in den Sesselpolstern, der Rand des Blechdachs drückt auf die Brust. Daß noch das Radio zu spielen begänne, wäre zuviel. Angenehm riecht die Wärme des Asphalts, die Teerdecke könnte auch eine Samtunterlage sein. Der Unfall verfeinert sich zu einem wollüstigen Triumphgefühl: in der Zeitung hat Hermann gelesen, daß in einer Düsenmaschine ein schlafender Passagier durch ein platzendes Bullauge gesogen worden war. Allein ins Leere stürzend, ist der Schläfer nachts über Persien aufgewacht.

Im Hafenkrankenhaus sieht Hermann die beiden wieder. Naber braucht keine Hilfe. Frau Brix liegt auf einer Bahre, wirft den Kopf hin und her und hält Handtasche und Schuhe umklammert.

»Nicht schlimm«, sagt sie, »nicht schlimm. Was ist passiert?«

Es ist spät abends, der Nachtdienst sortiert die Zugänge; Schwerverletzte werden sofort behandelt, alle anderen müssen warten. Naber will, wie er es gelernt hat, seine Personalien angeben. Sobald er sich in Räumen einer Verwaltung aufhält, überfällt ihn der alte Zwang. Befehle, die er hört, möchte er ausführen helfen, zum Beispiel einen Tisch wegrücken, einen blutigen Ärmel aufkrempeln, einem Ohnmächtigen, der auf einer Bank liegt, den Kopf zur Seite halten, damit er nicht an der eigenen Kotze erstickt. Naber begann nach zehn Stahlrutenhieben zu wimmern, sein Kehlkopf war vorher durch einen Stiefeltritt verletzt worden. Die beginnenden Schmerzen verengen das Blickfeld und heben Details hervor. An den Wänden blättert Ölfarbe, das Gummituch einer leeren Bahre hat sich an einer Seite aus dem Spannfalz geschoben, alle Türen haben verschnörkelte Messinggriffe.

Naber versucht durchzuatmen, blickt unwillkürlich an sich hinunter, möchte die Stiche in seiner Brust überlisten. Auf dem rissigen Zementboden entdeckt er dunkle Fußspuren. In Perlonstrümpfen war jemand unterwegs, der nicht mehr richtig gehen konnte. Die linken Abdrücke sind ungenau, nur am Außenrand deutlich sichtbar, während der rechte Fuß platt zeichnet. Hermann läßt Naber der feuchten Spur folgen und in der Röntgenabteilung Frau Brix finden, die halb ausgezogen auf einer verschiebbaren Platte unter dem Röntgenapparat liegt. Die Schwester schaltet das Rotlicht ein. Mehrmals läßt Hermann in verschiedenen Stellungen Naber sich über seine Mutter neigen, die ihm ihr von Schmerzen und Tränen aufgeweichtes Gesicht entgegenhält. Das Erlebnismaterial, das Hermann zusammengetragen hat, ist arrangiert. Zurück bleiben Berichte, Erzählungen, Dokumente, Photographien, Filme, Zeichnungen, Tonbänder, Behauptungen, aus denen Effekte geholt werden können, die sie konsumierbar machen, doch Leiden rufen sie nicht mehr hervor. Sofort muß neu erfunden werden. Hermann stellt sich vor, wie seine Mutter von Naber geküßt wird, stürmisch oder zart, oder sie richtet sich unter Schmerzen auf, weil sie nach Nabers Zärtlichkeit verlangt. Er hat das Paar, das er machen wollte, zu einem Höhepunkt geführt. Wut und Eifersucht lassen nach, Freude und Stolz über die Erfindung dauern.

7

Der heiße Straßenstaub schiebt sich unter die Zehen,
bei jedem Schritt quillt ein Wölkchen aus den Sandalen. Hermann stellt sich in den Schatten einer Haus-
ecke. Er überwacht die Straße und das im Schaufenster ausgestellte Kinderfahrrad. Wer daran denkt, gewinnt. Und schon kommt Großvater die Straße herunter, immer wieder Großvater, der auf jeden Fall da
ist, da bleibt, Macht hat, dennoch kein Vater sein will,
nicht laut ist, nicht auf Motorrädern und in Autos
sitzt, bei denen ein Funke genügt, um sie in die Luft
zu sprengen. Sein Spazierstock greift vor, die Eisen-
spitze stößt auf das Pflaster, schrammt über die Steine,
dann wird der Stock wieder angehoben, schwingt
nach hinten im Takt aus und gibt dem nächsten
Schritt Kraft. Wenn Großvater unterwegs ist, die
Jacke offen flattern läßt, darunter eine Weste trägt,
jedoch keine Krawatte, den obersten Knopf des Hem-
des hat er geöffnet, damit, wie er sagt, der Körper
atmet, wenn Großvater wie jeden Tag feierlich zur
Mittagszeit durch die Stadt nach Hause schreitet, wo
er pünktlich zum Essen erwartet wird, sollten sich
die Leute, die ihn von Bürgersteig zu Bürgersteig
laut grüßen, auch verneigen. Er besitzt eine Fabrik,
in der Galoppstecken, Peitschen und Trabergerten
hergestellt werden; früher lieferte er sogar an den
Zarenhof in St. Petersburg. Das ist eine Stadt in Rußland, die nur im Winter existiert. Hermann rennt
Großvater entgegen, die Sandalen klatschen auf das

Kopfsteinpflaster. Gleich wird er mit ihm vor dem Schaufenster stehen.

Es war ein Sommertag, etwa zehn Minuten nach zwölf Uhr, viel später kann es nicht gewesen sein, denn sie sind beide noch vor halb ein Uhr zum Mittagessen gekommen. Großvater hat nur gefragt, ob Hermann das Fahrrad gefiele, hat gelacht, nicht laut, nein, nein, triumphiert hat Großvater nie. Nickend hat er auf Hermann heruntergeblickt, auf seiner Oberlippe zuckte das sauber gestutzte Bärtchen. Dann hat er losgelassen, ist einfach hineingegangen, Hermann hat genau gesehen, wie hinter der Schaufensterscheibe der Händler, der auch die Zapfsäule bediente, der also unrein war, weil Fahrräder und Autos nicht zusammen gehörten, wie der auf einen Wink hin das kleine Rad hochhob, im Laden schwenkte und in Richtung Tür wieder abstellte. Gezahlt hat Großvater nicht, sein Wort genügte in der Stadt.

Damals hat die Reihe der Fahrräder begonnen, mit hohem Lenker, mit einem Wimpel an der Schutzblechstange oder einer Kartonrätsche zwischen den Hinterradspeichen, mit und ohne Übersetzung, schließlich bekam Hermann das französische Rennfahrrad mit schmalen gelben Reifen und verchromten Felgen, das Hirondelle de St. Etienne hieß. Heute legt Hermann keinen Wert mehr auf Spitzenklasse, er ist froh, irgendein Fahrrad zu haben, und wenn es ein Damenrad ist, das seiner Mutter gehört. Ein Wochenende zu Hause muß auf Pedalen angetreten werden. Mit den Daumen prüft er den Reifendruck.

Als er das erste Mal auf dem Sattel saß, angelte er mit den Fußspitzen, denn die schweren Pedale drehten immer wieder durch, so daß er entweder mit den Knöcheln gegen den Rahmen stieß oder sich selbst in die Hacken trat. Er wollte klingeln, traute sich aber nicht, die schwarzen Bakelitgriffe loszulassen. Der Horizont schwankte, der Straßengraben schlängelte neben dem Vorderrad mit, und Großvater schob, rief Befehle, die vielleicht die Balance oder Fahrtrichtung betrafen, doch Hermann hörte nichts, er verließ sich einfach auf die Bugsiermaschine, die japsend Dampf und Spucke abließ und immer weitermachen mußte, denn er konnte auf der Straße nicht wenden, ließ sich bis zum Bahnhof schieben, vor dem es Platz für eine zittrige Flachkurve um das Blumenrondell gab. Erst nachdem er den ganzen Weg wieder zurück geschoben hatte, erlaubte sich Großvater, Geschenk und Enkelsohn auf der kiesigen Einfahrt zum Haus anzuhalten und in die Wiese kippen zu lassen.

Hermann fühlt, daß seine Mutter ihn beobachtet. Von der Veranda aus sieht sie zu, wie sich der Sohn über das Fahrrad beugt, das sie für ihn geputzt und geölt hat. Früher lachte er darüber, sagte, sie solle die klapprige Karre endlich wegwerfen, aber je älter er wird, desto nachgiebiger zeigt er sich. Er hat sich angewöhnt, jedesmal, wenn er wieder nach Hause kommt, eine Runde zu fahren. Sie hat dafür Verständnis. Übermütig reißt er die Luftpumpe vom Rahmen, saugt aus dem Brunnentrog Wasser auf und spritzt. Der Strahl schießt hoch, doch bevor er die Verandascheibe trifft, hat Mutter schon die Fenster geschlossen. Hermann sieht sie stolz lachen. Sie kennt die Einfälle des Sohnes, sagt manchmal, mein Bub, guck mich an, ich sehe alles in deinen Augen. Da hilft nur Geschrei, das nach Kraft klingen soll und jugendlichem Übermut, Hermann springt auf, fährt los, hinaus auf die Straße, weg vom heimatlichen Haus, auch wenn er, da die Übung fehlt, das Schienbein gegen den Gepäckständer schlägt. Er landet zu weit vorn auf dem Sattel, der Knauf stößt schmerzhaft zwischen die Schenkel.

Im Internat hieß der Barren die Eiermaschine, eine französische Lehrerin gab Turnstunden. Jeder, der schwitzend in den Holmen hing, durchsackte, wieder stemmte, einen Überschlag versuchte, einen Spreizschritt, die Flanke, die Kippe, den Spagat, jeder dieser eifrigen Turner, die mit Erektionen kämpften, wütend ihre Schenkel gegen das Holz drückten, wenn sie über der Mademoiselle arbeiteten, die lächelnd, in Leibchen und Pumphosen, ihrer Ohnmacht zusah, ist einmal bei irgendeiner Übung mit Schwung auf die Stangen geknallt. Der durch die Eingeweide hochschießende Schmerz krümmt einen zusammen. Tagelang hat Hermann eines seiner Bällchen gesucht, hat gegraben, gekniffen, sich unter der Bettdecke abgetastet, bis er das Bällchen wiederfand, das sich in die Bauchhöhle hochgeschoben hatte. In dieser Nacht träumte er zum erstenmal davon, ein Mädchen zu sein.

Klingelnd fährt er aus dem Hof, stellt sich auf, um den Sprung über den Bordstein abzufangen. Mit einem doppelten Ruck holpern die Räder über die gepflasterte Regenrinne. Er fährt stadtauswärts, vorbei an der Rosenhecke, die beim Zahnarzt über den Zaun wächst, sieht den Stall, der in eine Werkstatt für landwirtschaftliche Maschinen umgebaut wurde, oder jenen Kastanienbaum, der früher in einer Wiese stand und heute ein Verkehrshindernis ist, also weg soll, denn Natur ist etwas, das sowieso da ist, nicht ständig geschützt werden muß, doch der Gemeinderat traut sich nicht zu entscheiden, wird die Straße zwar teeren lassen, aber den Baum am Stamm hinauf ein Stück mit. Und Mutter wird von Laden zu Laden eilen und zwei Taschen voll Eßwaren nach Hause schleppen: der Sohn ist da, der Sohn ist wieder da.

Das ist eine Überraschung, hat sie gesagt, als sie, einen Regenmantel über dem Nachthemd, die Tür öffnete. Er hatte geläutet und an die Glasscheibe geklopft, bis es endlich im Schlafzimmer hell wurde. Soll ich dir etwas zu essen machen, fragte sie, Eier, Schinken, ich hätte einen Rest Blumenkohl mit holländischer Soße, den ich aufwärmen könnte. Schöne dicke gelbe Soße. Bier ist auch da, du brauchst nicht leise zu sein, Großmutter ist ins Altersheim gezogen. Sie hat mir eine Szene nach der anderen gemacht, bis ich sie gehen ließ. Ihre Möbel hat sie mitgenommen. Bei mir hat sich viel verändert.

Er hat nichts gegessen, ist sofort ins Bett gegangen, in sein Bett, das in seinem Zimmer steht. Er streckt sich aus, hört noch seine Mutter nebenan. Ehe er einschläft, streicht er über die Bastbespannung an der Wand, die eine sichere Begrenzung war. In einer vertrauten Mulde einschlafen und an andere Lagerstätten denken, die hundsgemein hart waren, zum Beispiel eine Kuhle hinter einem Weinbergmäuerchen, das wenigstens den Wind abwehrte, der vom Meer heraufstrich. Großer Gott wir loben dich, hunderttausend Jahre Rheumatismus fallen bei Sonnenaufgang über einen her, das Morgenlicht liegt höllisch auf den Augendeckeln, während sich der Körper vor Kälte zusammenzieht. Jedes Härchen steht für sich auf einem kleinen Hügelgrab. Oder die Lücke zwischen Wand und Gewichtsautomat im Hauptbahnhof von Toulon. Immer wieder aufschreckend, sieht Hermann in der Notbeleuchtung, die nach Mitternacht eingeschaltet wird, weil nur noch ein paar dreckige Güterzüge durchfahren, Zigeuner, Kindermörder durch die Halle schleichen oder in Ecken arabische Teppichverkäufer ihre mit blauen Stammeszeichen gestempelten Schwänze zeigen, heiliges Volk, das gebärdenreich seinen Schlaf bewacht, herumtanzt, so daß er seine Mappe, die er als Kopfkissen benutzt, ausräumt, das Fernglas, das Hemd, den Reisewecker, den Sprachführer, und sie in die Mantel-, Jacken- und Hosentaschen steckt. Wie ein Taucher beschwert, schläft er ein. Gegen Morgen will einer der Nordafrikaner sein Körpergewicht kontrollieren, steht stolz auf dem surrenden Automaten. Hermann reißt seine Hand, die in einem Schlagring steckt, aus der Tasche, läßt sie jedoch vor Erschöpfung wieder sinken. Der Schlagring klingelt auf dem Zementboden. Hermann erhebt sich, klopft den Dampf aus den Kleidern, in denen das ganze Besitztum hängt, stampft, schüttelt sich, zieht den Steg der alten Unterhose, der sich gerollt hat, aus dem Spalt und bewegt die kalten Zehen in den schmierigen Socken. Folter und Anstrengung, an so einem Morgen ohne Wärme und Nahrung wieder in Fahrt zu kommen. Hermann war verzweifelt gerührt. Er tritt schneller.

In der Spur bleiben, das Hinterrad schwankt hin und

her. Er läßt den Lenker los, hält das Gleichgewicht mit zusammengepreßten Schenkeln, streckt die Arme aus und legt sich zurück, um den Schwerpunkt zu verlagern. Wie ein Auto hupt, läßt sich Hermann wieder nach vorn auf den Lenker fallen. Die Luft anhaltend, bricht er durch eine Barriere von Auspuffschwaden.

Kurgäste aus Rimpach, die zum Einkaufen nach Nüssen wandern, kommen auf der rechten Straßenseite entgegen. Er weicht aus. Wo früher Wiesen lagen, stehen heute Schuppen mit automatischen Förderbändern. Es stinkt nach Schweinen, in den Giebeln heulen Entlüftungspropeller.

Hermann stellt sich auf den Pedalen hoch. Bevor er sich verausgabt, keucht er schon im Takt, um sich Schwung zu geben. Die Schenkel pumpen, die Arme winkeln sich, Hermann hängt nach vorn über den Lenker. In kippliger Balance reißt sein Körpergewicht das Rad vorwärts; Fahrer von Spitzengruppen fallen bei Rennen wild schwänzelnd durchs Ziel. Er tritt bergauf, wird langsamer. Damit er nicht umkippt, nützt er die Straßenbreite zu Kurven aus. Nach einem Pförtnerhäuschen beginnt das Steilstück zum Schloß Rimpach hinauf. Gelbe und schwarze Farbstreifen flimmern vor seinen Augen. Alle Fensterläden der Häuser, die zum Besitz des Grafen von Zeil gehören, sind in diesen Farben schraffiert. An Bauernregeln kann gedacht werden, an kostbare Briefmarken von Thurn und Taxis, an Skianzüge und Bergjoppen mit Trachtenlitzen. Aus dieser Landschaft läßt sich viel stilisieren.

Hermann kennt einen Schäfer, der in einem Hochmoor wohnt. Die Torfstiche werden mit städtischem

Müll aufgefüllt. Hinter den Gräben, aus denen der bunte Schaum von Plastikabfällen leuchtet, steht ein Schafstall, eingerahmt von Schutt auf der tiefsten Stelle des Moores in der Mitte einer entwässerten Wiese, die, drückte sich der Schäfer aus, Beispiel gibt für Urbarmachung von Torfböden. Hermann ist über aufgeweichte Matratzen und den von geplatzten Fischbüchsen und mit anderen Soßen gemischten Haushaltsschlamm hinuntergewatet. Der Freund des Schäfers zu sein, war eine Auszeichnung. Er stand auf dem Grund seiner Idylle, beschützt von stinkenden Gebirgen, und empfing Besuche. Die Schafe hielt er seit Jahren im Stall gefangen, da er Versuchsreihen mit Trockenfutter unternahm. Vielleicht trieb er jedoch nachts über den Müll zu den, wie er sagte, Oberwiesen empor. Sein Gras blieb jedenfalls den ganzen Sommer stehen, eingeteilt in verschiedene Sorten, deren Namen auf gerahmten Täfelchen zu lesen waren. Der Samen stamme aus dem Kaukasus, behauptete er.

Im Wohnverschlag neben dem Stall, in dem ein Bett und ein Herd standen, beide von Abfällen bedeckt, erzählte der Schäfer von seinen Fahrten nach Rußland, als er in den zwanziger Jahren in Waggons voll Schafen wochenlang unterwegs gewesen war. Er hatte sich begeistert gemeldet, nicht als Kommunist, das nicht, sagte er, obwohl er heute stolz darauf sein könnte. Wenn er sich einmal entschieden habe, dann bleibe er dabei, ihm sei es nur um die Sache gegangen, den großartigen Plan, mit Hilfe der deutschen Regierung, die viele tausend Stück Schafe gestiftet hatte, Sibirien zu bevölkern. Damals hätten die

Menschen noch brüderlich gedacht. Die Schafe, die die Fahrt überstanden, hielten das rauhe Klima nicht aus. Wenn er nach Wochen mit neuen Schafen ankam, waren die anderen schon wieder verreckt. Vom letzten Schub verkaufte er ein paar hundert Kilometer hinter Moskau, als die Lokomotive kaputt gegangen und tagelang kein Ersatz gekommen war, dutzendweise an Bauern. Der Rest war ohne ihn weitertransportiert worden. Über den Kaukasus und die Türkei sei er allein nach Deutschland zurückgekehrt.

Sie sitzen im Wohnverschlag und trinken Bier, das Hermann mitgebracht hat. Ein Meister wird durch einen Jünger kostbarer. Abendsonne fällt durch das geöffnete Fenster, bedeckt die Bratpfanne, die Gummistiefel mit goldenem Licht, auch das totgeborene Häufchen Schaf, das auf dem Tisch liegt. Die getrocknete Schleimschicht hat die Haut zu Falten zusammengezogen. Vom Kranz der Müllberge bewacht, fühlen sie sich wohl auf dem Grund, sehen hinaus auf die überraschend grüne Weide mitten im Schutt und lassen sich, einander anlächelnd, allmählich auf Bierwolken davontragen. Hermann kann sich keine Situation vorstellen, in der Wunsch und Vorstellung inniger vermischt wären. Der Schäfer ist seine Erfindung, auf die er stolz ist. Er spricht Russisch, einige Worte Türkisch, Englisch lernt er seit Jahren; und was das neue Gerbverfahren angehe, mit dem er schon lang laboriere, die Welt werde staunen, ruft der Schäfer, der Hut ginge allen hoch, sein Trockenverfahren revolutioniere den Ledermarkt. Ob Hermann über Enzyme Bescheid wisse? Er habe sich ein Chemiebuch gekauft, werde eine einzigartige Schnellgerbung erfinden, die Sohlenhaut in zartes Kitzleder verwandle. Ob genügend Bier da sei? Hermann reicht ihm eine neue Flasche.

Der Schäfer ist auch Hörspielfanatiker, fängt die Sendungen mit einer Schleppantenne ein, die er auf die höchste Tanne bei den Müllgräben montiert hat. Der Stachelkranz für Ultrakurzwellenempfang ragt über den Wipfel. Gemeinsam lauschen Schäfer und Hermann Schicksalen. Wenn der Schäfer sich vorbeugte und den Apparat einschaltete, sah er glücklich aus. Gefurzt hat er ungeniert laut, Hermann gewöhnte sich daran. Er hört die Hufe der Schafe an die Stallbretter schlagen, das Schaben, Schnaufen, Stöhnen und Bähen drinnen in der stinkenden Finsternis. Die Tiere seien zufrieden, behauptete der Schäfer. Hermann sah einmal, wie er Schafe mit Faustschlägen auf die Köpfe auseinandertrieb.

Vom Haaransatz des Schäfers wachsen Dreckkrusten in die Stirn hinein. Zuerst dachte Hermann, es sei fleckige Bräune, obwohl der Schäfer sich nicht oft in Regen und Sonne aufhält, er sitzt meistens im Wohnverschlag und liest oder denkt nach. Über was, möchte Hermann nicht genau wissen, ein Schäfer hat ein Recht auf Geheimnisse. Vielleicht werden die Krustenzipfel von einer Krankheit verursacht, man braucht für Gerbversuche Säuren, Tinkturen, Chromsalze, muß hineingreifen in den Hautschlick und walken. Die Hände des Schäfers sind schartig. Dann entdeckt Hermann am Hals des Schäfers und auf den Ohrläppchen, die prall abstehen, dieselben dunklen Inseln. Es ist eindeutig verschorfter Dreck.

Hermann kann sich kaum zurückhalten, möchte kratzen, von den Rändern her mit dem Fingernagel die Schollen lösen, bis sie sich aufrichten, wieder kippen, nur noch an einer Stelle mit dem Nährboden verhaftet sind, schließlich abfallen, durch Eigengewicht in Teile zerbrochen. Von dem freien Fleck leuchtet frische Haut. Alle Stellen bearbeiten, den ganzen Mann, über ihn herfallen und ihn von den Plättchen befreien, die sich unter einem Vergrößerungsglas aufbäumen würden, geborstene Gebirge, Vulkane, schäumend untergehend im Meer. Hermann schwitzt vor Begierde, starrt auf die Stirn des Schäfers.

Hermanns Kopf lag, solange die Badewanne einlief, in Mutters Schoß. Zentimeterweise haben Finger die Kopfhaut nach Schuppen abgesucht, haben Scheitel um Scheitel kontrolliert und sind herabgestoßen, wenn sich ein Nest öffnete. Er hat gebettelt, bis auch er, auf einem Stuhl stehend, ihren Haarboden untersuchen durfte, wo besonders in der lichten Schläfengegend Ackerland lag, das allerdings nur vorsichtig gepflügt werden durfte. Die dünne Humusschicht ließ sich leicht wie ein Frühbeet wegkratzen. Sobald Hermann heftiger wurde, weil er in großen Zügen die ganze Ernte auf einmal einbringen wollte, sprangen hauchdünne Blutgerinnsel über die Haut. Mutters Kopf zuckte unwillig zur Seite. Du tust mir weh, hat sie gesagt, du wirst frech. Ähnliche Erfolge lassen sich auch mit der Kruste erzielen, die im Topf zurückbleibt, wenn Grießbrei gekocht wird. Sobald Blasen an der Oberfläche platzen, darf nicht mehr gerührt werden, damit der Brei ansetzt. Der Belag soll wachsen.

Seines Vaters Augenbrauen erreichte Hermann nie. Mutter steht auf einem Hocker, Hermanns Kinderschemel, der eine mit schwarzem Isolierband umwickelte Querstrebe hat. Geflicktes halte ewig, behaupten Erwachsene. Stillhalten, sagt sie atemlos und lacht, gleich ist es vorbei, gleich, tu mir um Gotteswillen den Gefallen und halte still, ein Mann muß das aushalten können. Vorsichtig setzt sie an. Zuerst vom einen Ende der Brauen, dann vom anderen her, recht sie langsam mit einem Kamm nach innen, ihr Gesicht zu ihrem Mann erhoben, der ernst stillhält. Triumphierend hebt sie eine Schuppe auf dem Zeigefinger hoch. Beim Wegblasen soll man sich etwas wünschen. Der dickste Belag sitzt über der Nasenwurzel, wo Vater eine Narbe hat. Sie muß sorgfältig bearbeitet werden, gegen den Strich, mit kurzen Zinkenschlägen oder sägend, denn im Verlauf der Furche krümelt die Schicht kaum. Vater pfeift vor Schmerz, will endlich weg, aber sie hält seinen Kopf fest, stellt sich auf Zehenspitzen und bettelt, der Kampf sei gleich zu Ende, nur noch diese eine Stelle, dann sei er wieder sauber.

Die Augenbrauen des Schäfers hätten sich auch gelohnt. Faustschläge in den Magen, damit der Kerl ruhig liegenbleibt, Hermann setzt sich auf seine Brust. Über ihn gebeugt, ackert er, zieht Fäden heraus, schwarzen Teig, monatealten Schorf, hebt Krusten ab, Mörtel, Schafscheiße. Hermann kratzt sich nun auch.

Haus Meise, liest er, Haus Bachstelze, Fink, Drossel, Rotkehlchen, Elster. Wo früher Bauernhöfe standen, gleitet er im Freilauf durch eine Kuranlage. In einem geteerten Seitenweg steht ein Lastwagen quer. Auf der Pritsche lehnen Glasplatten in einem mit Holzwolle gepolsterten Gestell.

»Raufkommen«, hört Hermann rufen, »he, komm rauf!«

Oben, in einem Neubau, kniet Magnus in einer Fensterhöhle und winkt, dann wirft er einen Mauerbrokken herunter, der in einen der aufgestapelten Papiersäcke schlägt. Kalk rinnt heraus. Hermann lehnt sein Fahrrad an den Bauzaun und macht sich auf den Weg hinauf. Er genießt den feuchten Geruch von Sand und Zement im rohen Treppenhaus, dessen Kunststeinstufen noch Gußnähte haben. Aus den Wänden ragen bunte Leitungszipfel. Fetzen von Verputzgittern liegen herum, Papier und leere Bierflaschen. Über einem Scheißhaufen, der auf eine Türschwelle gepflanzt wurde, gekonnt, wie es nur besoffene Maurer fertig bringen, tobt eine Fliegenwolke. Scheiße, immer wieder Scheiße, hart, weich, verkrustet, geknödelt, am Finger, unter Blättern verborgen, auf Wände geschmiert, durch Stoff sickernd, rutschig unter der Schuhsohle. Schon sind die wilden Möglichkeiten wieder vertan. Kriegsgefangene, die in Großvaters Fabrik gearbeitet haben, es können Russen, Polen, Bulgaren oder Tschechen gewesen sein, haben Hermann vorgeführt, wie man rohe Kartoffeln mit Viehsalz ißt. Das rote Salz stand schäumend auf den hellen Schnittflächen, dann krachten die Bissen zwischen den Zähnen.

Wenn Magnus schwitzt, stehen unter seinen Armen Tennisplätze voll Wasser. Gleich stürze er ab, schreit er, er brauche Hilfe. Gemeinsam versuchen sie, ein großes Kippfenster in Scharniere zu schieben. Über das Gesims hängend, halten sie den klobigen Rahmen waagrecht nach außen, schielen mit verrenkten Köpfen, die eingefetteten Eisenangeln weichen vor den Löchern immer wieder aus. Das Gewicht zieht.

»Meiner ist drin«, flüstert Magnus.

Hermanns Stotzen wird von der Wucht der Gegenseite, mit der Magnus zugestoßen hat, nach oben abgelenkt. Die Scheibe hängt schwer auf Hermanns Seite.

»Hochstemmen, sonst reißt der Falz!«

Noch einmal strengen sie sich an, halten mühsam Gleichgewicht und visieren, ihre Adern schwellen. Hermann hat das Gefühl, als müsse er eine faule Kuh heben und in die richtige Lage bringen. Magnus flucht dicht über dem Rahmen. Plötzlich gleiten beide Angeln in die Scharniere und drücken Öl heraus.

»Samstags arbeitet niemand«, sagt er, »ich muß alles allein machen. Guck, da drüben die Häuser, alle Fenster sind von mir, und die hier im Neubau liefere ich auch. Gibt das Untersuchungszentrum. Jede Woche werden tausend Kranke durchgejagt. Im Keller haben die Betonierer für die Röntgenkanone einen drei Meter dicken Sockel gegossen. Der Statiker hat gesagt, wenn eine Bombe einschlägt, verzieht sich der Block höchstens um einen Millimeter.«

Magnus beißt in ein Klappbrot. Sein dick vernähter Mittelfinger, mit dem er am Haken des vereisten Garagendaches gehangen hatte, drückt das Brot vom Mund weg nach unten. Biß um Biß dirigiert der Finger. In Wirtschaften köpft er Kippverschlüsse von

Bierflaschen. Magnus frißt neue Energie, über seiner Stirn steht ein Wisch weißer Haare.

»Ich muß noch eine Fuhre Fenster holen, fahr mit.«
»Der Unterstand«, sagt Hermann, »vielleicht ist er eingestürzt. Wo war er?«

Der Sack, der vor dem Eingang hing, war, wenn sie am nächsten Tag wiederkamen, von Asseln bedeckt gewesen.

»Sicher voll Scheiße«, sagt Magnus, »ganz neue und ganz alte Sachen sind meistens voll Scheiße.«

Die Asseln turnten auf der Sackleinwand herum. Vielleicht werden Tiere, die ständig in feuchter Erde stekken, von Trockenheit angezogen und wild gemacht. Er habe eine Assel mit einem Brennglas gelöchert, sagt Hermann, aus den Beinen hätten, als das Tier genügend dürr gewesen war, Stichflämmchen geschlagen, Tatsache. Magnus hört nicht zu, erzählt, daß dreihundert Mark Eigenkosten kaputt wären, wenn sie das Kippfenster hätten fallen lassen. Die Versicherung schreibe vor, daß ein so kompliziertes und schweres Ding nur von außen montiert werden dürfe.

»Aber das Gerüst ist schon weg. Mit einem Strahlgebläse haben die Maurer an einem einzigen Tag das ganze Haus verputzt. Meine Termine sind denen egal.«

Im Treppenhaus kickt er, sich schnell in den Hüften drehend, die alte summende Scheiße von der Zementschwelle in ein Zimmer. Der Knödel schleift durch Mörtelgrieß und Kalkstaub, bleibt nach einem Überschlag gepudert liegen.

Nebeneinander nehmen sie die Stufen, Hermanns Schulter schrammt über die Wand. Sie drängen und rempeln und jagen unten wie zwei Pfropfen zur Tür hinaus. Magnus springt ins Führerhaus und läßt den Anlasser orgeln. Hinten am Lastwagen hängt Hermann, sitzt noch nicht, hält das Fahrrad mit den Schenkeln fest, wird seitlich geschleift. In der Kurve zur Hauptstraße, wenn Magnus bremst, gleichzeitig schaltet und schon wieder Gas gibt, stellt Hermann mit einem Ruck das Fahrrad senkrecht und sitzt auf dem Sattel. Schlingernd gewinnt das Gespann an Fahrt.

Bomber lagen im Tiefflug hinter den Kirchtürmen. Hermann sah Punkte herausfallen, hörte ferne Explosionen. Ein Mann schrie auf dem Marktplatz, alle Kinder gehörten in den Keller der Ratsapotheke. Aber wenn endlich einmal Flugzeuge kommen, hat niemand Zeit, sich zu schützen, Bomber sind selten. Sie gehen tiefer, verschwinden hinter den Häusern, müssen jeden Augenblick aufschlagen. Johlend ist die Bande losgerannt.

Kein Silberpapier aufheben, hieß es, das manchmal vom Himmel trudelte, wenn Flugzeugformationen in großer Höhe durchzogen, der Feind hat alles vergiftet, auch die roten Streifen, die wie Löschpapier aussehen. Sie seien mit Phosphor getränkt, der sich bis zu den Knochen durchfresse. Die Befehle stimmten nicht, alle Kinder sammelten die Papiersorten. Eine faustgroße Stanniolkugel war soviel wert wie eine Fahrradlampe oder ein Dynamo.

Silbrige Trümmer, die kaum noch etwas mit Maschinen am Himmel zu tun hatten, lagen verstreut im Gras. Als Hermann grob zusammengenietete Aluminiumstücke sah, war er enttäuscht. Er hatte sich

Bomber wie fliegende Fabriken aus Stahl vorgestellt. In Fontänen von Wiesenschaumkraut war das Flugzeug auseinandergebrochen. Die Motorenkränze hatten sich in den Boden gebohrt, die verknäulten Propeller schienen nicht größer als Schuhlöffel zu sein. Andere Kinder kamen gelaufen und blieben mit Abstand stehen. Magnus hob einen Gurt Maschinengewehrmunition auf. Als er ihn sich um den Hals hängen wollte, riefen die Kinder, das explodiere. Magnus warf den Gurt wieder ins Gras. Die ganze Gruppe rückte ein Stück vor, begann, die Trümmer zu umkreisen. Es roch nach verbranntem Gummi und nach Öl. Erst der Geruch überzeugte Hermann, daß die Flugzeugteile echt waren. Benzin und Öl gab es schon lange nicht mehr zu kaufen.

Aus glasigen Köpfen am Flugzeugrumpf, die milchig gesplittert waren, ragten Maschinengewehrläufe. Hermann hatte gelernt, daß diese Waffen automatisch schossen und schwenkten. Der Bomber hüllt sich in Abwehrfeuer, das der Pilot ein- und ausschaltet, nur die Zwillingsrohre in der hinteren Kanzel wurden von Hand bedient. Bei Abstürzen könne sich der Heckschütze, hatte ein Lehrer gesagt, meistens nicht mehr retten, müsse sich durch den Rumpf, während sich das Flugzeug überschlägt, nach vorn zur Ausstiegsluke zwängen. Nur der Kommandant habe eine Chance, die einfachen Soldaten seien im voraus zum Tode verurteilt.

Hermann umging das Leitwerk und tupfte mit dem nassen Zeigefinger auf die Kanonenläufe, die aus dem Heck standen. Sie waren kalt. Über einen gelochten Rohrmantel streichend, tastete er sich höher und berührte schließlich die zu kleinen Rissen geronnene Plexiglaskanzel. Als er an einer durchsichtigen, von Sprüngen gerahmten Stelle hineinblickte, glaubte er, einen Schatten zu entdecken. Vielleicht war es ein Bündel Geschoßgurte, das von der Decke hing. Bei tausend Schuß pro Minute war, das hatte er gelernt, die glatte Führung der Munition wichtig. Fallschirme, hörte er rufen, die Besatzung sei abgesprungen, verstecke sich in den Wäldern. Einen habe es erwischt, der Kopf fehle, schon tot sei er heruntergekommen. Magnus wies über die Wiese und befahl der Bande, den Kopf, sofort den Kopf zu suchen. Hermann hing sich mit einem Satz an die steilen Läufe, die nachgaben und in Metallschlitzen nach unten sanken. Innen beschwerte kein Gegengewicht die Lafette. Kniend sah Hermann unter sich die trompetenförmigen Mündungen im Gras. Als er losließ, hoben sich die Läufe wieder bis zum Anschlag. Er ging schnell am Flugzeugrumpf entlang. Andere Kinder standen auf dieser Seite des Wracks nicht. Es gehörte ihm allein.

Er legte sich auf den Bauch und robbte durch ein Loch in der Bordwand, dessen Zacken nach innen gebogen waren. Er schlüpfte wie durch eine Reuse. Es gab Granaten mit Brennzündern, die erst durch die Aufschlagshitze explodieren. Panzerfäuste arbeiten mit demselben Effekt. Gebückt blieb er innen knien, wagte sich nicht zu bewegen. Jede Berührung löste vielleicht eine Detonation aus, oder das Metall, das ihn umgab, verwandelte sich plötzlich in giftiges Mehl. Das ganze Flugzeug würde aufstäuben und lautlos in sich zusammensinken. Als Hermann durch die abgebrochene Bugkanzel sah, fiel es ihm schwer zu begreifen, daß er wieder ins Freie blickte. Er drehte sich kniend um und tastete sich weiter in den Rumpf hinein. Langsam schob er sich über Erde, die beim Aufschlag durch die offene Ausstiegsluke gepreßt worden war. Sein Kopf streifte Leitungsfetzen, es hätte auch ein Algenvorhang sein können, den er schwimmend teilte. Dahinter lagen die Schätze.

Unter Gestellen von automatischen Maschinengewehren hindurchtauchend, die in kleinen Bordwandkanzeln standen, zwängte er sich vorwärts. Die Regale über den Bombenschächten waren leer. In den Leichtmetalleisten saßen noch die Kontakte, mit denen die Zünder kurz vor dem Abwurf geschärft werden. Hermann stellte sich den Raum voll gleißender Lichtbögen vor, die von Bombe zu Bombe springen, sie elektrisch laden. An abgerissenen Drähten hing heller Stoff, vielleicht ein Halstuch oder ein Stück Fallschirmseide. Der Rumpf verengte sich. Auf dem Rücken liegend, fühlte Hermann unter sich dicke Hülsen, er bewegte sich wie auf Rollen. Eine Geschoßspitze schob sich zwischen Hemdkragen und Nacken, tippte gegen die Haut, wanderte, als er sich zur Seite drehte, über den Hals, kletterte zum Ohr hinauf und blieb vor der Muschel stecken. Der Messingfalz der Kartusche schabte über einen Knorpel. Die winzige Bewegung entlud sich knisternd im Ohr. Hermann befeuchtete Daumen und Zeigefinger und griff nach dem Geschoß. Die Amerikaner kämpften nicht ernsthaft, hatte ein Lehrer erzählt, sie schrieben auf ihre Munition Witze. Hermann wagte nicht hinzusehen.

Über sich erblickte er eine Kuppel, in die ebenfalls ein schweres Maschinengewehr montiert war. Leere Gurte hingen herunter. Wer dort oben thronte, beherrschte den ganzen Raum. Irgendeine Strömung, Wolken oder wandernde Sandbänke, warf Schatten über das Glas. Vielleicht klebten auch Blutfladen an der Innenseite der Kuppel. Hermann stieß gegen eine Flasche, die von ihm wegkreiselte und gegen eine Metallkiste schepperte. Er glaubte, das Wrack werde in Bewegung geraten, aber es lag still wie vorher. Mit angewinkelten Armen Gleichgewicht haltend, stand er auf und ging gebückt auf die milchige Stelle im Heck zu.

Es heißt, daß ertrunkene Piraten ihr Wrack bewachen. Die Leichen stehen aufrecht auf dem Meeresgrund, leicht wie Korken, die jeder Wasserbewegung nachgeben, ihre Arme ausbreiten, sie wieder falten, die Beine schlenkern, die Köpfe schief halten, die Bäuche, die mitfließen, stark verwölben, Seepferdchen, die würdig schreiten, auf ihre Art Schritte ausführen, dann wieder Arme, Beine und Köpfe schaukelnd nachholen. Es ist ein langsamer Tanz. Haarschwaden wehen um ihre Gesichter, Hautlappen an Löchern arbeiten wie Kiemen.

Als Hermann durch eine Schottentür kroch, die Heck und Rumpf teilte, sah er einen Neger. Er hing in der Hocke an zwei starken Federzügen, die an der Decke befestigt waren, und hielt die Griffe einer Zwillinskanone umklammert. Seine Beine lagen seitlich bequem, als sei er von einem Stuhl geglitten. Über die heruntergerutschte Sonnenbrille visierte er nicht mehr durch das Fadenkreuz, sondern an den Läufen vorbei. Erstaunt vorgebeugt hielt er sich unnatürlich halbhoch, um seine Brust spannten die Haltegurte der Schwebevorrichtung. Diese fabelhafte Erfindung hält Heckschützen im Gleichgewicht, wenn das Flugzeug bockt, durch Luftlöcher sackt, Steilkurven reißt, von Detonationswellen geschüttelt wird. Die straffen Federzüge fangen ab und gleichen aus. Schütze und Maschinengewehr pendeln im Rhythmus der Feuerstöße unabhängig von den Rollbewegungen des Flugzeugs.

Es war sehr warm im milchigen Heck und roch nach Fett und geschmolzenem Metall. Der Unterkiefer des Negers stand weit nach vorn, wie von einem Schlag getroffen, die Nase saß tief hinter der Zahnreihe. Sein Gesicht wirkte lustig verkniffen. Die großen weißen Augen blickten ruhig. Der Neger glich nicht dem Neger auf Kakaoschachteln, dem einzigen, den Hermann kannte. Auf amerikanische Soldaten war eben kein Verlaß.

Vorsichtig zog er den Reißverschluß der Lederjacke auf, der Neger rutschte ein Stück nach, lag nun seitlich über dem Magazinblock der beiden Maschinengewehre. Eine Hand löste sich von den Griffen und patschte auf den Metallboden. Im Rumpf raschelte es. Hermann berührte das schwarze Handgelenk, ein Armband, das aus Gold war, fand jedoch die Schließe nicht. Der Neger hatte die Uhr verkehrt herum befestigt. Später wird Hermann Uhren auch auf amerikanische Art an der Unterseite des Gelenkes tragen. Als er das Armband öffnen wollte, begann der Neger sich zu bewegen, faltete die Arme auseinander, nickte mit dem Kopf, richtete, schon weniger schlaff, den

Oberkörper auf, schleifte die Beine nach, streckte sie und schwebte an den Federzügen nach oben. Die Hände ruderten wie Flossen mit. Hermann riß an einem der Pelzstiefel. Der Neger wurde nach unten gezogen, schlug auf, die Federgurte spannten sich und hoben den Körper wieder hoch. Aufschlag und Flug bis zur Decke, an die der Kopf stieß, waren so heftig gewesen, daß das Hemd des Toten sich aus dem Hosenbund löste. Darmschlingen glitten heraus. Hermann, der zur Schottentür zurückgewichen war, sah vor sich im sanften Licht der Plexiglasglocke den Toten an den gut geölten Federzügen auf- und abschweben mit gesträubten Kleidern, aus denen sich eine hellrote Bauchwunde stülpte. Die Maschinengewehrläufe tickten in den Führungsschlitzen des Hecks mit. Allein im Rumpf, hätte Hermann den hängenden Toten schälen, ihn ganz ausziehen können. Er hätte endlich Beute gemacht.

8

»Zum Fahrradfahren hat er nie lange Hosen angezogen«, sagt sie, »probier die Knickerbocker an. Du hast seine Figur.«

»Zu groß.«

»Tu mir den Gefallen, zieh seine Hosen an. Dein Vater wollte immer das Modernste haben.«

»Knickerbocker sind lächerlich.«

»Sie passen bestimmt. Du hast seine kurzen Beine und seinen Oberkörper. Soll ich dir helfen?«

Sie steht zwischen den geöffneten Flügeltüren des Wandschranks und hält ihm die Pumphose aus englischem Stoff entgegen. Am Bund klirren die Haken und Metallaschen des Patentverschlusses.

»Er war fett«, sagt Hermann. »In die Hosen passe ich zweimal hinein.«

»Nicht dick, kompakt war er, er hatte Kraft. Sonst hätte er nicht Tierarzt werden können. Aber seine Hände waren klein. Er war außerordentlich geschickt. Tiere hatten Vertrauen zu ihm. Wenn es damals bei uns schon Kliniken gegeben hätte, wäre er lieber Kinderarzt geworden. Dich hat er gerettet, als du etwa ein Jahr alt warst und Durchfall hattest. Du bist immer dünner geworden, wir waren sogar bei Ärzten in Stuttgart, doch nichts half. Ja, ja, guck nicht weg, alles wegen dir, es ist selbstverständlich. Schluß jetzt, hat dein Vater gesagt, ich bringe meinen Sohn durch. Und tatsächlich, er hat dich mit einem Brei, den er jeden Tag extra für dich kochte, wieder hochgebracht.

Sein Mittel hat geholfen, du bist gediehen. Es gibt eine Aufnahme, auf der du dick im Kindersitzer steckst, und dein Vater fährt dich stolz spazieren. Erinnerst du dich?«

»Und du hast nicht für mich gekocht?«

»Aber natürlich«, sagt sie, »tonnenweise. Heute gibt es eine Überraschung, dein Lieblingsgericht.«

Lachend tätschelt sie ihm die Backe, drückt ihm die Knickerbocker in die Hand. Mit einem kleinen Aufschrei eilt sie in die Küche. Teigwaren müssen nach dem Kochen abgegossen, dann in kaltem Wasser geschwenkt werden, damit sie nicht zusammenkleben. Erst wenn jedes Hörnchen in der Schüssel für sich ruht, sickert der darübergestreute Reibkäse durch den Berg und zieht Fäden. Leise schmatzend entfalten sich die Portionen beim Verteilen auf die Teller.

»Warum hast du nicht mehr geheiratet?« ruft Hermann.

Das Sieb in der Rechten, den heißen vollen Topf angestemmt, steht sie vor dem Ausguß. Rauschend schießt Wasser in das Sieb, der Strahl schaufelt die kurzen dicken Nudeln um. Für den leeren Topf sucht sie Platz zwischen schmutzigem Geschirr, das auf dem Chromblech des Spültisches steht.

»Es war keiner da.«

Einmal hatte sie ihn zu einem Goldschmied mitgenommen, der seit kurzem in der Stadt wohnte. Im ausgeräumten Festsaal einer Wirtschaft standen zwei Tische, darauf reihten sich sorgfältig ausgerichtet kleines Handwerkszeug, Kupferdrähte und Messingstücke. In einem Schraubstock steckte das Oberteil eines eisernen Kerzenhalters. Mutter und Sohn hatten in alten Korbsesseln Platz nehmen dürfen. Hermanns Strickjacke verhakte sich, am Ärmel war eine lange Wollmasche gewachsen. Er beobachtete, wie seine Mutter aufmerksam zuhörte, bei jedem fertigen Wort nickte. Ihr brennendes Gesicht hatte sie zu dem Goldschmied erhoben, der auf sie hinuntersprach, sehr höfliche Wendungen gebrauchte. Obwohl sie im Dialekt antwortete, konnte der Goldschmied von den Lippen ablesen. Er war taub aus dem Krieg gekommen. Mit Krawatte, dunkler, geschlossener Weste und halb aufgerollten Ärmeln sah er vornehmer als ein Handwerker aus. Wenn er zu laut sprach, kreischte, weil er sich nicht hören konnte, blickte Hermann weg, doch auch zu seiner Mutter, der dieses Rollen, Knallen und kopfstimmige Speicheln nichts ausmachte. Sie schämte sich nicht für diesen Mann, im Gegenteil, sie glühte, machte bei jedem Wort, das endlich herauskam, mit dem Oberkörper mit. Verwundete gleichen ein schlechtes Gewissen wieder aus. Ein weißbezogenes Bett, das im Saal hinter einem Wandschirm stand, hatte Hermann auch entdeckt. Von dem freudig lallenden Goldschmied bekam er zum Abschied eine kleine Messingschippe zum Anstecken geschenkt. Mit ausgebreiteten Armen blieb der taube Mann im Festsaal zurück, schrie immer wieder, sie sollten wiederkommen, wiederkommen, er danke für den Besuch. Mutig, fleißig, edelmännisch, hatte Mutter gesagt, sie werde Schmuck bringen zum Umarbeiten, der Herr müsse wieder Gefühl für Gold bekommen.

»Ich habe einen für dich«, sagt Hermann.

Er hört Geschirr klingen, das hart abgestellt wird.

Wie er an der Schranktür vorbei zur Küche blickt, sieht sie in den Korridor herein, hat große starre Augen. Er kenne einen, der ihr gefallen würde, könnte er sagen, einen starken Mann im richtigen Alter, der viel erlebt hat. Er schätze ihn, von seiner Seite gäbe es keinen Widerstand.

»Ich habe ihm von dir erzählt«, sagt er, nicht laut, eher leise in den Schrank hinein. »Er würde dich gern kennenlernen, er ist auch allein.«

Er hängt die Knickerbocker wieder in den Schrank. Stattdessen wählt er den dunkelbraunen Sonntagsanzug seines Vaters, streift die Jacke vom Bügel, reicht sie Naber, zieht die Hose von der Querleiste und visiert an den Falten hinunter, die vom jahrelangen Hängen wie eingefroren sitzen. Er würde hören, wie Naber sich stöhnend in die Ärmel würgt. An den großen Bauch gelehnt, zerrt Hermann an der Hose. Vielleicht ist sie verklebt, Naber hat sich wie früher tagelang nicht ausgezogen, aus dem Kleiderschrank strömt Schwäche. Hermann muß schälen, sich Stück für Stück tiefer arbeiten, unter den Bauch, um den Arsch herum, der auch überhängt. Naber konnte sich nicht sauberhalten, sondern ließ es laufen, wenn Angst und Wassersuppe Darm und Blase leerten. Hermann kniet vor dem schweren Mann, würde ihn am liebsten mit dem Kopf voran in den Kleiderschrank drücken. Endlich im Anzug, mit weißem Hemd und einem weichen Filzhut, sähe Naber feierlich aus.

An der Schranktür hängen Krawatten, gestrickt oder aus schärpenbreiter Seide. Hermann sieht zwei geflochtene Hundeleinen und eine Trabergerte mit pfitzender Schnurspitze. Seine Mutter hat ihn damit geschlagen; sie wütete und er weinte aus Haß trotz Schmerzen nicht. Ein Hund hätte damals Wunder gewirkt, ein Dackel, Spaniel, Boxer oder kurzhaariger Rottweiler, der jeden Tag Rotz produziert und Fleisch verschlingt. In Kriegszeiten, wenn Väter fehlen, gehört ein Vieh ins Haus, heißt es in Süddeutschland.

Gerührt erkennt er den Inhalt des Schrankes wieder. Kotze nennt man den schweren Umhang mit Fledermausärmeln, der so weit geschnitten ist, daß ein Rucksack darunter Platz hat. Sein Vater hatte ihn auf Motorradfahrten an. Daneben hängen der Kleppermantel, die Reithosen und Reitjacken. Eine der Photographien im Familienalbum zeigt den Veterinär aufgesessen zwischen anderen Offizieren, die Heidelandschaft dahinter könnte auch eine Steppe gewesen sein. In einem Plastiksack hängt die Ausgehuniform. Über den Achselklappen ist die Folie verstärkt worden, damit die Metallsterne und Veterinärschlangen nicht durchreiben. Mutter hat ehrfürchtig mit Klebstoff und durchsichtigem Einmachpapier gearbeitet. Unten im Sack schaukeln Mottenkugeln. Hermann erinnert sich an die messerscharfe Kastrierzange im väterlichen Instrumentenbesteck.

Auf der Bodenkante des Schrankes stehend, greift er mit ausgestrecktem Arm ins Oberfach zwischen Hüte, Mützen und Shawlberge. Ein chapeau claque, der eine Generation ruhte, haut ihm, wie er an die Krempe stößt, aufspringend gegen die Hand. Als Kind hatte er sich vor dem offenen Schrank gefürchtet. Das zeternde Rumpelstilzchen, dessen Bart im Holzscheit klemmte, riß sich immer wieder los und wirbelte alles durcheinander. Mit einem erbeuteten Hut in der Hand springt Hermann ab. Dieser alte Filz, der jeden zu einem wetterfesten Bergsteiger macht, wäre für Naber richtig. Die langen Enden der Zierschnur hängen an den Seiten herunter. Dazu würde der grüne Anzug passen mit den geräumigen Hosentaschen, in denen Naber Stöße seiner Romanheftchen unterbrächte. Auf den Seiten- und Brusttaschen der Jacke sitzen Lederknöpfe, die den Anzug sportlich machen. Naber im Jägermodell, den Kletterhut auf, einen lose gebundenen Strickschlips um, vielleicht eine Tabakspfeife in der Hand, Naber auf jeden Fall ein wenig lächerlich, damit Mutter nicht überwältigt wird, also heimatlich ausstaffiert und willig, weil ihm jede Rolle Spaß macht, die ihm Abwechslung bringt nach so viel einseitiger Vergangenheit, wird durch die Küchentür geschoben, die sich langsam nach innen öffnet bis zum Anschlag am Warmwasserboiler, und dann breitet Naber, auf der Schwelle stehend, die Arme aus und wird als neuer Bräutigam willkommen geheißen.

»Bitte essen kommen!« hört Hermann seine Mutter rufen.

Zu zweit sitzen sie am Tisch in der weißgekachelten Küche.

»Greif zu, iß dich satt, es ist genügend da.«

Sie ist wieder mit dem erwachsenen Sohn zusammen. Diese Freude, die sich auf jeden Fall in Nahrung ausdrücken läßt, offenbart sich auch in Blicken auf sein Hemd, an dem ein Knopf fehlt, der sofort nach der Mahlzeit angenäht werden muß. Nein, der Knopf fehlt nicht, ist nur andersfarbig, vom Stoff kaum un-

terscheidbar. Vielleicht hat ihn ein Mädchen angenäht, die gedankenlos irgendeinen Knopf wählte,
vielleicht war es seine Freundin. Man muß großzügig sein, mit der Jugend jugendlich bleiben. Warum
soll ein Mädchen keinen falschen Knopf annähen dürfen? Knöpfe sind kein Problem mehr. Haushalts-
schulen waren früher schon unwichtig, die Praxis
sieht anders aus. Ob Knöpfe, Hemden, Schuhe,
Strümpfe, Unterwäsche, man kauft, wirft weg, kauft
wieder, ewig Geflicktes wird langweilig. Auch die
Mode für schwangere Frauen ist hübscher geworden.

»Dein Vater hat mich einmal auf dem Küchenhocker
in der ganzen Wohnung herumgetragen. Ich hielt den
Teller noch in der Hand, ich glaube, ich hatte Blumenkohl gekocht. Er ließ mich erst wieder herunter, als
ich aufgegessen hatte.«

»Erstaunlich«, sagt Hermann. »Mein Vater war ein
Stier.«

»Ihr hättet euch gut verstanden.«

»Soll ich dich herumtragen?«

Lachend wehrt sie ab, spielt an ihren Ringen. Ihre
faltige Witwenhaut schiebt sich unter dem Gold hin
und her. Da sitzt sie ihm in der großen Küche gegenüber, mager, fleißig und aufmerksam. Der Sohn
kommt von jeder Reise verändert zurück, alle anderen, mit denen er in die Schule gegangen ist, haben
schon lange Berufe, Frauen, Kinder, Positionen, es
ist schwierig, einander zu verstehen. Diese Küche
wäre für größere Operationen geeignet, für eine
Horde von Enkelkindern, Tanten, Großeltern, Mann,
Frau, Tochter und Sohn. Seine Mutter würde den

täglichen Turnus bestimmen, über das Dienstmädchen gebieten, den Speisezettel vorbereiten, würde Gäste haben und manchmal einen Bauern darunter, den sie nicht merken lassen würde, daß er nicht dazu gehört. Im Vollen zu wirtschaften, gibt Kraft.

»Küßchen«, sagt er. »Das Essen war vorzüglich.«

Er blickt wie immer auf den leeren Teller, zum Zeichen, daß die mütterliche Kunst anerkannt wird, und steht auf. Gleich wird sie das Besteck einsammeln, die Teller unter dem Hahn schwenken, damit keine Reste klebenbleiben, soll aber keine Zeit mehr haben für eingeübte Sorgfalt, könnte sich höchstens noch an der Tischkante festhalten, dem Ansturm breitbeinig begegnen, denn er ist entschlossen und preßt, so stellt er es sich vor, seine Lippen auf ihre Lippen, die zuerst nicht nachgeben, aber dann öffnet sich der Mund, wird weicher, Hermann spürt fremde Feuchtigkeit, die sich gemeinsam erwärmt, er saugt und balgt und läßt seine Zunge vorschießen, die ängstlich vibrierend den glatten Haken einer Prothese abtastet.

»Ich gehe Oma besuchen«, hört er sich sagen.

»Das ist lieb von dir.«

Da steht sie, hält einen Satz Teller in der Hand und blickt ihm nach. Sie wird Ordnung machen in der ganzen Wohnung, in der immer Ordnung herrscht. Das Umschichten und Zurechtrücken gibt ihr Hoffnung, auch ein wenig Stolz.

»Komm nicht zu spät zurück!« ruft sie. »Wir fahren abends weg, ich habe noch eine Überraschung.«

Er schließt die schwere Haustür. Beim Ruck der Stahlzunge im Schloß dreht der Messingknauf in der Hand. Die Bewegung ist ihm vertraut, gibt ihm Sicherheit. Nach einer Mahlzeit daheim wieder ins Freie zu gelangen ist, als habe er eine Klassenarbeit hinter sich gebracht.

Oma ist freiwillig gegangen, sie bestätigt es den Besuchern gern. Ihre Tochter wiederholt, Oma sei geistig wunderbar frisch geblieben. Das hohe, kunstgeschmiedete Portal des Altersheims, dessen Lanzen- und Drehstabspitzen bronziert sind, steht unter Denkmalschutz. Der ehemalige Schloßgarten dahinter kann, als die Anlage noch Privatbesitz war, kaum prächtiger ausgesehen haben. Auf den geharkten Wegen, die in bequemen Bögen zwischen den Blumenrondells hindurchführen, spazieren langsam Einheimische, die genügend Geld hatten, sich einzuquartieren. Aber auch alte Bessarabiendeutsche, Siebenbürger, Banater, Gablonzer, Rutenen, Donezbögler und Weißrumänen sind unterwegs. Hermann verschränkt seine Hände auf dem Rücken und geht ebenfalls bedächtig. Leise sagt er ab und zu Grüßgott, obwohl er niemanden kennt. Die alten Herrschaften grüßen dankbar zurück. Ein zwergenhaft geschrumpftes Pärchen paßt Hand in Hand auf, ob sein rührendes Beispiel auch genügend beachtet wird.

Im Schloß hängt ein präparierter, auf eine Holztafel montierter Wildschweinkopf an der Wand. Die Hauer ragen in den Gang. Andere Trophäen schließen an, wie gekreuzte Pistolen, Schläger und Degen, Stiche mit Jagdszenen, auf denen eine Vielzahl Hunde und berittene Jäger ineinander verschachtelt ein einziges Stück Wild verfolgen. Es wird gebissen, hängt in Greifern oder stürzt sich, an der Flanke aufgerissen,

in einen Abgrund. Aus einem Tobel leuchtet Wild-
bachschaum zwischen Felsenzacken. Geweihe hängen auch an den Wänden: Spießer, Schaufler, Löffler,
Gabler, Sechs-, Vierzehn-, Zweiundzwanzig- und
Mehrender. Zum Teil sind die Kolben mit Bast bedeckt, der sich fetzenweise abgelöst hat und in der
Korridorströmung pendelt. Mißbildungen wie Pe-
rücken- und Hüttenrauchgeweihe, die durch Verletzungen oder Verkümmerungen der Geschlechtsorgane entstehen, wurden über Türstöcken befestigt.
Manchmal steht ein gesträubter Adler oder ein Wiesel
steif von einem Holzzapfen ab.

Durch die Gänge strömen die Insassen des Altersheims, zischelnd, in Taschentücher spuckend, unterwegs zu Bekannten, die auch schon lange von dem
einen in den anderen Gebäudeflügel aufgebrochen
sind, vielleicht einen Stärkungsschluck aus einem
Fläschchen nehmen, denn Bänke gibt es in den Korridoren nicht. Stockungen, die an Biegungen und vor
Treppenabsätzen entstehen, brauchen lange, bis zum
Stillstand gekommene Strudel wieder in Bewegung
geraten und auseinanderstreben. An Wintertagen
oder bei Regen, wenn die Fenster geschlossen sind,
ziehen sanfte Turbulenzen über die Köpfe der Spaziergänger.

Mitten im Gang stehen einige Männer und geben gebückt Ratschläge, wie eine Wickelgamasche straff gezogen wird. Die Schließe hat sich an der steifen
Hosenröhre verhakt, ist hochgerutscht, die Ga-
maschenschlingen hängen herab. Pfeifend holen die
Männer Luft. Hermann, auch in der Hocke, hat noch
nie so viele knorpelige Finger und rissige Daumen an

einem Bein gesehen. Sie tasten, zupfen, zerren am Stoff, dessen Qualität an morgendliche Märsche hinter einem Leiterwagen zum nächsten Dorfmarkt erinnert. Geblieben sind Wickelgamaschen, die ein vorgestrecktes Bein bandagieren. Der von Nässe und Schuhwichse imprägnierte Leinwandstreifen rollt ab und legt sich schindelförmig übereinander. Gebirgsjäger stürmen durch die Hohe Tatra und die Karawanken. Großaufnahmen zeigen zum Trocknen an einer provisorischen Telefonleitung aufgehängte Wickelgamaschen, ein lachender Soldat mit Schnurrbart trägt seine Gamaschen als Turban.

»Nicht zu fest«, hört Hermann sagen, »sonst gibt es Stauungen.«

Er hat ein Stück Gamasche erwischt und zieht mit. Über ihm schwankt ein Mann, der sich blindlings aufstützt. Der ganze Berg Gebückter und Kniender kommt ins Wanken, beginnt, an einer Seite einzustürzen. Zwei Frauenarme mit Runzeln, die bei jeder Bewegung wie Kolonnen von Armbändern zwischen Handgelenk und Ellenbogen hin- und herrutschen, fahren dazwischen und geben wieder Halt.

»Er hat die falschen Stiefel an.«

»Ich trage nur Schuhe mit Gummisohlen.«

»Gesundheitsschädlich.«

»Ich bin viel geklettert, sogar barfuß.«

»Bei Regen wird jedes Trittbrett rutschig.«

»Gebrochene Schienbeine können noch bei Fünfundneunzigjährigen genagelt werden. Der Nagel bleibt allerdings drin.«

»Sind die Nägel tatsächlich aus Silber?«

»Ich habe in der Hüfte Schmerzen.«

»Ein Herzschlag«, sagt jemand leise am Rand. »tut nicht weh.«

»Oma«, sagt Hermann, »beinahe hätte ich dich nicht mehr gefunden.«

»Bei uns gibt es immer Abwechslung«, erwidert sie, »ich genieße es jeden Tag.«

Hermann fragt, ob die Fensterantenne funktioniere. Großmutter erklärt, zur Zeit werde an einer Gemeinschaftsanlage auf dem Dach gebaut, die dicken Schloßmauern würden Lang- und Mittelwellen abschirmen.

»Alle sollen sich an den Radioprogrammen delektieren«, sagt sie, »nicht nur die, die sich eine Außenantenne leisten können. Mein lieber Enkelsohn, solche Einsichten lernt man in einem Altersheim.«

»Du bist eine bewundernswürdige Protestantin. Gewissenstraining bis zum letzten Atemzug.«

»Erkläre das lieber deiner Mutter.«

»Sie läßt herzlich grüßen.«

Er umarmt die alte Frau, spürt ihre spitzigen Schulterblätter unter dem Seidenstoff und legt für einen Augenblick seinen Kopf an ihren sehnigen Hals, der nach Talg riecht. Großmutter ist in einem Haus ohne fließendes Wasser aufgewachsen. Waschen nennt sie eine überflüssige Lappenparade. Ihr Zimmer ist wie zu Hause eingerichtet: der Sekretär, der aufklappbare Schachtisch, verschiedene Fußschemel, das Sofa und ein Messingbett, das überraschend frivol zwischen den dunklen Möbeln steht.

»Ein Nachmittagsschläfchen wirkt in jedem Alter Wunder«, sagt sie. »Wenn du nicht gekommen wärst, hätte ich mich hingelegt.«

Untergehakt steuern sie auf eine Flügeltür zu. Die Tür öffnet, wie oft in alten Gebäuden, nach außen. Großmutter weist in einen Saal. Aus der schwarzen Spitzenmanschette ihres Ärmels, die ein Gummizug zusammenhält, schaut der Zipfel eines Taschentuchs heraus.

»Mit einer der Damen bin ich befreundet«, hört Hermann Großmutter flüstern. »Sie war Romanistin. Ihre Kinder leben in Amerika.«

Hinter der Tür sitzt eine alte Frau auf der Kante ihres Bettes und versucht ächzend, Schuhsenkel aufzuknoten. Erbittert nimmt sie mehrmals Anlauf, bis ihre Wirbelsäule nachgibt und sie sich mit einem Finger in einer Schnürschlaufe festhaken kann. Triumphierend blickt sie Hermann an und tritt mit dem anderen Fuß den losen Schuh ab. Staunend bewegt sie ihre Zehen in schwarzen Strümpfen. Ein Hustenanfall wirft sie rücklings aufs Bett.

»Oma«, sagt Hermann, »geh bitte allein durch den Saal.«

»Wir gehen zusammen«, sagt sie, »ich tue dir den Gefallen.«

Hermann schließt die Flügeltür. »Es zieht! Es zieht!« hört er aus dem Saal rufen. Ein paar graue Köpfe tauchen auf und klappen wieder weg.

»Mein Panzerherz«, flüstert Oma. »Plötzlich ist alles zu. Ich denke, ich ersticke. Aber ich habe keine Angst, ich darf keine Angst haben, Angst ist in meinem Alter lächerlich.«

»Du bist großartig.«

Il faut faire Coué zu sagen, schafft sie nicht mehr. Keuchend hängt sie über der Brüstung eines Hospi-

talbettes, lächelt verzerrt und fächelt mit ihrer Vogel-
hand. In dem Bett ruht eine Frau, zugedeckt bis zum
Kinn. Auf ihrer Stirn liegt ein Waschlappen, neben
dem Bett steht auf einem Stuhl eine Schüssel voll
Wasser. Das kühlende Hausmittel zieht die Adern
zusammen, Wärme dehnt sie wieder. Die entgegen-
gesetzten Einflüsse rütteln am Kapillarsystem.
»Ça va encore«, sagt Großmutter.
Links und rechts vom Mittelgang stehen Betten aus
Eisen oder Holz. Schrank, Tisch und Stuhl bilden
Ecken, die durch Vorhänge voneinander geteilt sind.
Die Schwierigkeit, sich eine private Koje herzurich-
ten, besteht darin, die Vorhangschiene nicht nur in
der Wand zu verankern, sondern auch auf der frei-
ragenden Seite zu stützen. Die Löcher in der Mauer
sind bucklig vergipst, von den Latten lösen sich
Späne, ihr Anstrich ist fleckig. In schlecht gehobeltes
Holz zieht Farbe ungleichmäßig ein.
»Habt ihr keine Handwerker?« fragt Hermann.
»Zweimal in der Woche dürfen ein paar aus der Män-
nerabteilung bei uns arbeiten«, sagt Oma. »Ein guter
Einfall der Verwaltung. Weißt du, wir Frauen brau-
chen nicht so dringend eine Beschäftigung, wir er-
zählen lieber.«
»Du auch?«
»Ich spiele Schach.«
»Hast du eine Partnerin?«
»Ich lasse nach, aber ich lerne wieder Eröffnungen.
Das ist faszinierend.«
Hermann geht durch den Mittelgang und nickt nach
allen Seiten. Großmutter sagt, daß er ihr Enkelsohn
und zu Besuch sei. »Besuch«, hört er, »ja, Besuch.«

Eine Frau wirft sich in ihrem Bett herum, erwidert irgend etwas, das russisch klingt. Eine andere reißt eine Schublade auf und hält Postkarten in die Höhe. Eine dicke Alte sitzt an einem Tisch, auf dem eine Schreibtischlampe steht, die Leitungsschnur liegt zu einer Schnecke gerollt daneben. Vor einem leeren Bett bleibt Großmutter stehen. Der geblümte Vorhang ist aufgezogen.

»Hier wohnt meine Freundin. Ich bin mit ihr heute nachmittag im Café verabredet. Wir gehen nie zusammen hin, das Treffen soll eine Überraschung sein.«

»Wer ist schneller?«

»Manchmal nehme ich ein Taxi. Deine Mutter hat es mir ausdrücklich erlaubt. Hat sie für mich Geld mitgegeben?«

»Du hast doch selbst ein Konto.«

»Ich gehe nicht mehr zur Bank. Du hast ja keine Ahnung, was hier alles vorkommt. Neulich hat eine Dame Zlotyscheine aufgegessen, die ihre Tochter geschickt hatte. Vielleicht war es auch altes Geld. Sie hat geschrien, der ganze Saal lief zusammen, man mußte ihr den Magen auspumpen. Meine Freundin hat mir alles erzählt.«

Die Koje der Romanistin ist aufgeräumt. Über dem Bett hängt ein volles Bücherbrett, auf dem Tisch stehen ein Blumentopf und ein aufgeklappter Doppelrahmen aus Leder, in dem gestaffelt Photographien stecken. Unter dem Tisch liegen in einem offenen Karton Schuhe.

»Nicht jeder kann ein Einzelzimmer haben«, sagt Großmutter, »das muß man einsehen. Aber ich helfe mit meinen schwachen Kräften, so gut es geht. Im Café bezahle meistens ich. Meine Freundin mag keinen Kuchen, sie ißt gern ein gebackenes Käsebrot.«

»Bekommt man das im Café?«

»Wir schon.«

Sich an Hermann vorbeidrängend, öffnet sie den Schrank ihrer Freundin und greift in die Kleider, dann bückt sie sich mühsam, sucht weiter unten.

»Unbedingt«, sagt sie, »unbedingt.«

Einige Frauen im Saal richten sich neugierig in ihren Betten auf. Großmutter zerrt, die Schranktür stößt gegen das Bettgestell. Unter den Kleidern hervor entfaltet sich ein weißes Fell mit Pfoten und schleift über den Tisch. Großmutter hebt einen Bärenkopf hoch, der keine Augen mehr hat, im aufgesperrten Rachen klemmt ein Stück Holz.

»Ist er nicht wunderbar? Wohin auch immer meine Freundin in ihrem Leben verschlagen wurde, er hat sie begleitet. Ihr Mann hat ihn erlegt. Ich glaube in Grönland, er war Mediziner, nein, in Kanada, ich weiß nicht mehr. Er ist schon lange tot.«

Vielleicht hat Großmutter keine Kraft mehr oder ihr wird wieder schwindlig, sie geht plötzlich auf die zweite Flügeltür zu, das Fell läßt sie fallen. Es beginnt zu gleiten, wird von dem schweren Kopf vom Tisch gezogen. Hermann hört hinter sich den Eisbären aufschlagen. Beim Ausgang sitzt eine alte Frau und betet in katholischer Manier. Sie streckt Hermann die Zunge heraus. Schnell schließt er die Flügeltür, das trockene Holz klappert im Rahmen.

»Ist Mittagsruhe bei euch Pflicht?«

»Im Saal schon. Weißt du«, sagt Großmutter, »ich habe natürlich überlegt, ob meine Freundin nicht zu mir ziehen könnte, aber die Verwaltung, glaube ich, erlaubt es nicht. Mein Zimmer ist zu klein, das hast du doch gesehen. Es gibt viele Ehepaare im Heim, die nicht zusammenwohnen. Ich bin gern eine Ausnahme, schimpfen hält alte Leute lebendig.«

Sie führt Hermann zu ihrem Lieblingsplatz, einem Balkon an der Rückseite des Westflügels. Dort stehen sie und blicken über die Stadt, sehen unter sich Pflegeschwestern auf einem Rasenstück Federball spielen. Ein Sportflugzeug fliegt niedrig vorbei. Das sei der junge Fürst, erklärt Großmutter, dem das Schloß gehört habe. Manchmal, wenn viele auf dem Balkon stünden und winkten, wackle er mit den Flügeln. Sie hätte nicht gedacht, daß sie sich in einem Altersheim so wohl fühlen würde. Hermann verabschiedet sich. Großmutter wird im Lift in die Verwaltung hinunterfahren und sich ein Taxi rufen lassen.

Er hat Mühe, wieder freizukommen. Sein Weg führt ihn an einem Hühnersilo vorbei, aus Ventilatoren bläst Gestank. Tag und Nacht treibt in gleichmäßigem Kunstlicht Vitaminfutter, rollen Eier, deren Fallhöhe nach der Schalenfestigkeit berechnet ist, über einen geneigten Rost zum Förderband. Es macht Mühe, einen Bunker voll Hühnern neben rauschenden Pappeln zu sehen, die in einem Friedhof stehen. Dazu paßt eher das alte Bild des Hühnerhofes, in dem Geflügel pickt und aus dem Boden Würmer zupft, die sich stückchenweise krümmen. Auf der frisch geteerten Straße, auf der Hermann geht, stehen weiße Farbkübel. Malschablonen für den Mittelstreifen liegen auch umher. Arbeiter sind nicht zu sehen.

Kopf und Brust ruhen unter dem Kiesweg, der am Familiengrab vorbeiführt. In der Vorstellung bilden die Beschläge des Holzsarges, die Kanten des Zinnsarges und das Gerippe ein Röntgenbild. Eine Hecke, die die Anlage rahmt, wurde nicht gepflanzt, um den hinausragenden Vater, der kaum mehr Platz fand, nicht auszuschließen. Für Hermann ist Lottes Urne, die in einer kleinen Steinkapelle steht, interessanter, denn von Lotte kennt er nur eine Anekdote. Lotte ist in den zwanziger Jahren während einer Grippeepidemie gestorben, so erzählte Großvater von seiner Schwester. Sie war nicht verheiratet, wollte Photographin werden. In Lindau am Bodensee ist Lotte eingeäschert worden. Photographieren wollen und sich verbrennen lassen waren ihre Emanzipationsversuche gewesen. Großvater beschrieb den Blick durch das Guckfenster in den Verbrennungsraum. Der Sarg stehe auf einem Rost, werde nicht von den Flammen erfaßt, wie man es sich vorstelle. Bei fauchender Hitze, er habe hinter dem Krematorium einen Berg Anthrazit entdeckt, zerfalle der Sarg in wenigen Minuten. Der Inhalt, also damals seine Schwester, bäume sich nochmal auf, dann treibe das Gebläse alle leichten Aschenteile durch den Schornstein. Schwarze Rauchwolken habe er jedoch, als er hinausgerannt sei, nicht gesehen. Vielleicht sei im Kamin ein Filter eingebaut. Nach einer Stunde hätten er und sein Freund, in dessen Auto sie nach Lindau gefahren waren, ein Tonkästchen in Empfang nehmen dürfen. Das Malheur zu Hause sei geschehen, weil sie ziemlich getrunken hatten. Als sie nach der Rückfahrt den Kofferraum öffneten, lag das Kästchen zerbrochen neben dem Deckenpolster. Verzweifelt kehrten er und sein Freund Asche und Knochensplitter in eine Pappschachtel, aber sie brachten nur wenig zusammen. Ob in Lottes Urne Gartenerde oder Sägmehl nachgefüllt worden war, hatte Großvater nicht erzählt. Hermann, der vor dem Familiengrab steht, in dem schichtweise Vorfahren liegen, versteht Großvaters Taktik.

Zwischen Büschen hindurch sieht er eine Frau, die gebückt geht, sich umblickt, dann in die Hecke neben einem Holzkreuz greift und einen kurzen Rechen herauszieht. Sie rückt ihr Halstuch, das bei den schnellen Bewegungen verrutscht ist, wieder zurecht. Langsam und aufrecht geht die Frau weiter, Hermann folgt ihr vorsichtig. Vor einer von Eisenzacken gefaßten Grabstelle kniet die Frau nieder, beginnt zu harken. Sie lockert den Boden um Blumen, hebt einen Wurm hoch, der sich im Rechen verfangen hat, und schleudert ihn zur Seite. Trockene Blätter knickt sie ab und schichtet sie, zusammen mit dürren kleinen Ästen, die von einem Baum gefallen sind, auf ein Häufchen, das sie, plötzlich wild scharrend, eingräbt. Die Erde darüber patscht sie mit der flachen Hand fest und zieht mit den Rechenzinken ein Rillenmuster darüber. Während die Frau aufsteht, duckt sich Hermann hinter einen Obelisk. Poröser Sandstein ist mit Moosfäden bewachsen. Lautlos zwischen Ausschnitten von Kreuzen und Marmorengeln auf- und niedertauchend, sammelt die Frau aus Verstecken, die Hinterbliebene angelegt haben, Gartengeräte ein. Hermann sieht sie prüfend eine Blechbüchse hochhalten, dann mit einer Gießkanne zur Friedhofsmauer gehen. Auf ihrem Weg zurück setzt die Frau die volle Kanne einmal ab und spricht mit einer Ordensschwester, die einen kleinen Tannenbaum trägt. Die Wurzelballen sind in Ölpapier eingeschlagen. Hermann benutzt die Pause und wechselt von dem Obelisk zu einer Grotte. In der frischzementierten Rückseite zeigen sich stellenweise die Kanten der Stützeisen. Eine Birkenholzbank steht auf einem Rasenfleck. Hermann setzt sich nicht, möchte die Situation gefährlich scheinen lassen, will schwitzen und spähen, würde sich am liebsten einen Zweig vor das Gesicht halten oder in ein Tarnnetz gewickelt näher robben. Aus der Blechbüchse streut die Frau Insektenpulver oder Düngemittel auf ein Grab, begießt, fein durch einen Seiher verteilt, Blumen, der helle Grabstein bekommt auch einige Spritzer ab. Den Rest Wasser schüttet sie aus der umgekehrten Kanne über das Nachbargrab, klatschend schlägt es eine Furche in den Boden.

Hermann wartet, bis die Frau Rechen, Blechbüchse und Gießkanne an ihre verschiedenen Plätze zurückgebracht hat. Obwohl niemand in diesem Teil des Friedhofes unterwegs ist, sichert sie nach allen Seiten, bevor sie sich zu den fremden Verstecken bückt. Schließlich geht sie langsam auf den Ausgang des Friedhofs zu. Sie klopft ihren Rock ab, der vielleicht naß geworden ist, streicht im Vorbeigehen über den tiefen Blättervorhang einer Trauerweide.

Hermann hört das schmiedeeiserne Tor nicht ins Schloß fallen, die Frau kehrt zurück. Sofort duckt er sich wieder, geht nach ein paar Sprüngen in Stellung.

Die Frau eilt zwischen Gräbern hin und her, bleibt stehen, horcht und biegt in einen Seitenpfad ein. Hermann hält Anschluß. Im ältesten Teil des Friedhofs, in dem die Gräber überdacht und tempelartig an die Umfassungsmauer gebaut wurden, öffnet die Frau die Doppeltür eines kleinen Holzhauses. Sie hat Mühe, die Tür wieder zu schließen. Hermann kennt die Hütte, Flügeltüren und Wände sind mit Ahnengalerien bemalt. Auf Tausenden ovaler, gelblich gepinselter Blätter stehen Namen und Daten, ein Gewirr von Strichen verästelt sie miteinander. Einige hundert Jahre Familien bilden ein Netz, das durch blinde Stellen und Sprünge im Firnislack unübersichtlich geworden ist. Besucher, die Vorfahren zu entziffern versuchten, haben den Boden vor der Hütte festgetreten.

Hermann sieht zu, wie sich unter der Tür hervor ein Bächlein schlängelt, mit seiner Zunge an einem Grasbüschel leckt, das Hindernis umkriecht und auf der gestampften Erde an Fluß gewinnt. Er reißt die Tür auf. Die Frau hockt tief, verkrampft an die Ahnentafel gelehnt, ihr Halstuch ist bis zum Mund hochgerutscht. Aus dem über den Oberschenkeln gespannten Rock ragen die Kniekehlen, darunter schimmert der feuchte Bug, der sich stoßweise entleert.

Hermann schlägt die Flügeltür wieder zu und setzt zu einem Hürdenlauf über Gräber an. Beinarbeit, Atemtechnik, er nimmt die Hindernisse mit Augenmaß, das Familiengrab ist auch darunter. Am Friedhofsausgang läßt er das schwere Eisentor ausschwingend gegen die Mauer schlagen. Draußen auf der Straße ziehen Arbeiter den Mittelstreifen nach, die weiße Naht flimmert im Teer.

Hermann könnte vor einem Schaukasten stehen bleiben, in dem eine verblaßte Seite eines Herrenmagazins hängt. In der Schneiderei läßt die Familie Brix seit zwei Generationen arbeiten. Die Cordjacke, die nach dem Krieg für Hermann gemacht wurde, paßt heute noch, nur das Futter mußte erneuert werden. Sie kennen den Schneider nicht, würde er zu Naber sagen, Sie waren nicht dabei, aber ich will, daß Sie ihn kennenlernen, Sie müssen unbedingt wissen, was mir wichtig ist, sonst haben wir keinen Erfolg miteinander. Es war ein Erlebnis, als ich breitbeinig dastand und der Schneider an mir herumzupfte. Jedesmal, wenn er das Zentimetermaß anlegte und mich berührte, wurde mir heiß. Es war dasselbe Gefühl wie beim Friseur. Ich bin mir sehr wertvoll vorgekommen. Aber dann habe ich das Wichtigste entdeckt, das Ohr des Meisters. Der Mann war klein, Buckel hatte er keinen, doch dünne Arme mit dem Stecknadelkissen darauf. Sandalen hatte er angehabt, eine Strickjacke mit Reißverschluß, graue Haare standen von seinem Hals ab. Beim Rasieren hat er sie wahrscheinlich nie erreicht, dafür manchmal, wenn sie lang genug waren, mit der Schere abgeschnitten. Es ist ein richtiges Schneiderlein gewesen, das mich sogar gesiezt hat, obwohl ich noch zu jung dazu war. Eines seiner Ohren, nur eines, nicht beide, man kann es sich kaum vorstellen, war riesig. Es war eine fransige Schnecke, eine enorme Muschel, ein Trompetentrichter mit Beulen, der alt und ausgetrocknet schien, doch zwischen den blanken Knochen spannten noch rosa Hautpartien, die teilweise mit Schuppen und Flechten bedeckt waren und schieferartige Formationen bildeten. Wo bei anderen Leuten der Gehörgang beginnt, türmte sich ein abstruser Knorpel, der aussah, als hätten sich Hammer, Amboß und Steigbügel samt Trommelfell herausgestülpt, wären unter Druck nach außen gewachsen, um endlich, befreit vom Labyrinth, sich zu entfalten, Gewächse, die in keinem Topf mehr Platz haben, sondern auf der Fensterbank weiterwuchern, ungeniert Schleimhäute und Drüsen wölben, bis ein Grad an Selbständigkeit erreicht ist, der den Gleichgewichtssinn sicher empfindlich stört.

Auf seinem Weg an der von Efeu bewachsenen Stadtmauer entlang, die mit den Kirchtürmen dahinter ein photographisches Motiv bildet, fragt ihn ein Autofahrer nach der Abzweigung zum Versehrtenheim. Er erklärt und sieht durch das heruntergekurbelte Fenster auf dem Rücksitz einen Mann mit Sonnenbrille lehnen, aus dessen kurzen Hosen zwei Schenkelstümpfe stehen, die in geschnürten Lederschäften stecken. Dem Fahrer des Autos fehlt ein Arm. Hermann spricht vor Erregung Dialekt. Lachend wiederholt der Beinamputierte Hermanns Erklärungen, neigt sich plötzlich nach vorn, es sieht wie eine gefährlich überzogene Bodenkippe aus, und hält, wieder auftauchend, eine Bierflasche in der Hand. Hüpfend findet der Rumpf in seine Polsterecke zurück. Prost, hört Hermann ihn sagen, die Sicht sei schlecht, aber die Verdauung normal.

Schaukästen, die in Nüssen vor Gasthöfen hängen, sind mit Forellen vollgestopft. Sie glotzen, bewegen sich bündelweise im Kreis und schaben die Flanken aneinander. Vor der Glasröhre, durch die Luft ins Aquarium geblasen wird, schnappen die Fische und lassen die hellrote Innenseite ihrer Kiemen sehen. Hineinlangen und aus dem in Aufruhr geratenen Kessel einen Fisch herausholen, der in der Hand glitscht, sich windet, ein Paket Vibrillen, das stoßweise schlägt, als wolle es sich entleeren. Hermann steht in der Sonne auf dem Marktplatz und kann sich nicht entscheiden. Oder langsam den Finger in ein aufgerissenes Fischmaul stecken, hinter dem Kiemen pumpen. Tief in der Höhle, in der der Finger kaum noch Platz findet für kleine Bewegungen, werden gewellte Kiefernbänke fühlbar. Schleim hüllt den gespannten Schlund ein, Knorpellamellen geben schmerzhaften Druck. Geschlechtsteile älterer Frauen haben ähnliche Merkmale.

Salvador Dali ließ sich beim Onanieren photographieren. Gekrümmt liegt er auf dem Fußboden, hat die Ellenbogen angelegt, nur Hinterkopf, Rücken, Arsch, Kniekehlen und Fußgelenke sind sichtbar. Die Aufnahme ist schlecht belichtet, erst die Bildunterschrift, mit der der Exhibitionist bekennt, verleiht ihr Wirkung.

Vor dem Schaufenster eines Radiogeschäfts bleibt Hermann zwischen Italienern und Spaniern stehen. An freien Nachmittagen ziehen sie die Hauptstraße hinauf und hinunter. Im einzigen Farbfernsehgerät, das es bisher in Nüssen gibt, läuft als Testsendung eine Reportage über die Stadt. Zwischen Musiktruhen, Backröhren und Plattenspielern thront der Empfänger über japanischen Batterieradios. Den Ton überträgt ein Lautsprecher, der außen an der Ladentür hängt.

Von Ziegeldächern tropft Farbe, ein schneller Schwenk nimmt sie in Grünanlagen mit. Buchenstämme biegen sich vor Hitze. Die Witwe, die auf dem Sockel des Kriegerdenkmals sitzt, hält einen Alligator im Arm. Hermann, die Italiener und Griechen erkennen wieder. Sie sind alle schon in dem roten Schienenbus gefahren, der nun neben einer mit Tinte gefüllten Kiesgrube an Fahrt gewinnt, über eine Straße hüpft und vor einem Wald, der blau und gelb ist, kümmerlich blaß wird, schließlich zerfließt. Bekannt ist auch das Gesicht des Pfarrers, es antwortet einem Reporter. Zwei enthäutete Pfirsiche reden mit schnellen Kaninchenzähnen über Kunstschätze. Eine Totale zeigt den handgemalten Atlas aus der Sakristei der Georgskirche. In einer Folge von Großaufnahmen ziehen Wimpel als Zeichen für Raststätten auf, Garben deuten Felder an, den Bodensee peitscht ein Wal, dessen Kopf in ein Gletschertal hineinragt. Dort beginnt die Schweiz. Aus der badensischen Ecke leuchten Trauben. Der Franzose bricht durch, marschiert in Sechserreihen auf. An den zierlichen Soldaten hängen gewaltige Pulvertaschen. Aus einem Hollunderbusch blickt das Burgfräulein von Emmendingen, das eine flaschendicke Brille aus venezianischem Glas trägt und zaubern kann.

Ein Molkereiauto fährt ins Bild. Das Sonnenlicht, das auf dem Aluminiumtank liegt, verzieht die Aufnahme zu einem käsigen Negativ. Eine blaue Zierleiste und das blaue Unterhemd des Fahrers geben Notsignale. Ja, er sei zufrieden, sagt der Fahrer, er sei schon sechs Jahre hier. Hinter dem abfahrenden Molkereiwagen verhüllt eine Explosion aus schwarzem Dieselqualm das Firmament. Die morsenden Rücklichter verschwimmen zu einem Tulpenbeet. Auf der Kirchturmspitze dreht sich ein gleißender Wetterhahn.

»Festhalten, festhalten!«

»Achtung, da fliegt ein Eierbecher!«

»Der Geschirrschrank! Jetzt ist alles kaputt!«

Gudrun lacht und gleicht die Schlingerbewegungen aus, ihr Kopf schlägt an ein Plexiglasfenster.

»Wenn die Polizei kontrolliert, verstecken wir uns in den Bettruhen.«

»Ich sitze auf dem Salzstreuer.«

»Verrammelt, verriegelt, Piepszeichen aus dem Weltall. Kosmonautin Brix und Kosmonautin Gudrun beobachten. Unter ihnen liegen Saudi-Arabien und Ägypten, der dünne Strich ist der Suezkanal, der Jemen wird von einer Wolkenbank verdeckt. Die sozialistischen Völker grüßen, die kapitalistischen schweigen.«

»Das Klösterle haben wir hinter uns«, sagt Gudrun. »Jetzt beginnen die Haarnadelkurven ins Toblachtal hinunter.«

Seit Onkel Simon einen Wohnwagen besitzt, fährt er nur noch angekuppelt, um die neue Fahrweise zu üben. Obwohl es verboten ist, Passagiere im Anhänger mitzunehmen, hat er die Familie hinten eingeschlossen. Er müsse, sagte er, Gewichtsverlagerungen prüfen. Gudrun und Hermanns Mutter, die sich mit Portwein Mut angetrunken hatten, waren einverstanden. Die Fahrt führt über die Queralpenstraße nach Lindenberg, wo Toni Zenker einen Klavierabend gibt. Es ist ein ausgesuchter Kreis gebildeter Allgäuer, der sich einmal im Monat bei Zenker trifft.

»Mir wird schwindlig!« ruft Hermanns Mutter. »Es sticht in den Ohren!«

»Schlucken, schlucken, Druckausgleich.«

Bergabwärts und mit zugezogenen Vorhängen wirkt der Wohnwagen wie ein Flugsimulator. Besonders beim Schwung aus Kurven heraus, während der schwere Anhänger noch in Fahrtrichtung schiebt, gleichzeitig die Limousine in die neue Richtung beschleunigt, scheinen sich, wie bei einem Sturzflug kurz vor dem Abfangen, die Zug- und Druckkräfte auszugleichen. Frau Brix sitzt würdig angehoben in der Couchecke, hat die Arme über die Preßplattenwand gebreitet; Hermann klebt über einer Tischecke; Gudrun, die die Schraubklammer des Gasherdes festdrehen wollte, hängt schräg im Dämmer, neigt sich langsam, ein Bein angezogen, dem Kleiderschrank zu. In der nächsten Kurve wird sie, die Arme in den Wäschefächern steckend, querab im Raum stehen.

»Wo ist die Blumenvase?«

»Vor meinem Gesicht fliegt eine Mücke und kommt nicht vom Fleck.«

»Simon schaltet den Nachbrenner ein«, sagt Hermann.

Das Gespann schwingt in der Talsohle über die Toblachbrücke und nimmt, tief in den Stoßdämpfern sitzend, die Steigung nach Lindenberg hinauf. Hermann fängt seine Mutter ab, die aus ihrer Ecke heraus an ihm vorbeitrudelt, muß stemmen und sich vom

Küchenregal abstoßen, denn der Fußboden gibt keinen Halt mehr. Sie fallen beide auf die Heckbank, auf der Gudrun schon Platz genommen hat. Vor ihnen stürmt die Einrichtung des Wohnwagens bergauf. Am Riegel der Deckenluke hängt eine Korbflasche.

»Ich bin voll blauer Flecken«, sagt Frau Brix.

Der Pianist wohnt außerhalb von Lindenberg in einem umgebauten Bauernhaus. In die Fensterläden sind Herzen geschnitten, die Balkons sind mit Blumenkästen gesäumt. Das Wirtschaftsgebäude, denn Frau Zenker hält Kühe und einige Ponies, steht hinter einer Tannenreihe. Unsere Windsoldaten, nennt sie Toni Zenker. Er hat die Bäume vor dem Krieg gepflanzt, als er das Grundstück billig kaufte.

Auf einem Platz vor dem Haus parken Limousinen und Sportwagen. Simon rangiert umständlich, sucht eine Lücke für Auto und Wohnanhänger. Beim Zurückstoßen verdoppelt sich am Ende des Gespanns der Einschlagwinkel; Simon steigt aus und schreitet den Kurvenradius ab. Die Schrittzahl, die sich in Augenmaß verwandeln soll, muß in Drehungen des Steuerrads und in Rollgeschwindigkeit umgesetzt werden. Das verlangt Geduld und Aufmerksamkeit. Die eingeschlossene Familie hämmert gegen die Wohnwagentür. Ein Motorroller, der auf der Gegenseite parkt, wird mitgeschleift und langsam auf den Kofferraum eines Sportwagens hinaufgeschoben. Simon steckt Gruß und Telefonnummer auf einen Zettel geschrieben unter den Scheibenwischer. Den Motorroller wuchtet er, als er den Caravan aufgeschlossen hat, zusammen mit Hermann wieder von dem Autoheck herunter.

»Schlecht gebrannter Lack.«

»Der Lenker hat keinen Gummigriff mehr.«

»Kann ich doch nicht wissen!«

Die Frauen sind ins Haus vorausgegangen. Zwischen den Balkons wurde die Fassade bis zum Giebel hinauf mit hölzernen Schindeln benagelt, die Sonne und Regen gebräunt haben. Diese Farbe verleiht dem Haus Stabilität.

Zu essen und zu trinken gibt es bei Zenkers immer erst nach der Musik. Wir wollen den Alltagsstaub mit Tönen abwaschen, erklärt Toni, jede Zelle soll durchtränkt sein. Kranke erhalten Sauerstoffduschen, Gesunde regenerieren sich durch akustische Signale, die sie als ästhetisch empfinden. Schönheit sei eine Rhythmusfrage. Bienen, Hühner, sogar Kühe besäßen Trittfolgen, mit denen sie Empfindungen ausdrückten, auch Himmelsrichtungen, Nahrungsmengen und Temperaturgrade. Soziologisch hierarchische Muster der Verhaltensforschung kehrten in den Intervallmöglichkeiten mechanischer Instrumente wieder, die Menschen erfunden hätten. Zenker hatte in Fabriken Tonbandaufnahmen gemacht. Wenn er das Gespräch drei betrunkener Schichtarbeiter abspielt, für die er am Tresen gezahlt hatte, und die Bandgeschwindigkeit verlangsamt, so daß der breiige Jargon zu wellen und magisch zu fließen beginnt, knödelt, Blasen wirft, Lücken paukt und wieder zu einem zähen Credo Anlauf nimmt, möchte er, sagte er einmal, vor Schuldgefühlen weinen. In diesen Augenblicken sei seine Überlegenheit nichts wert, zugleich sei er sich aber der Lächerlichkeit seiner Rührung bewußt, denn er habe nur ein Stückchen aus dem Überfluß an Wirklichkeit gespeichert und manipuliert. Zenkers Tonarchiv hat Seltenheitswert. Bei Nebel über megaverstärkte Lautsprecher vom obersten Balkon in die Landschaft hinausgeschleudert, erzeugen die Laute ein Freiheitsgefühl. Zenker trinkt nicht.

Die Gäste sitzen auf Biedermeierstühlen, die zum Teil Lehnen aus geschwungenen Hölzern ohne Polsterfüllung haben. Söhne eines Brauereibesitzers haben mit Zenkers Töchtern bunte Reihe gemacht. Kunstmaler und Mosaikhersteller, die für Kirchen und Arbeitsämter entwerfen, nehmen an den Außenseiten Platz. Neu hinzugekommen ist die Inhaberin von zwei regionalen Zeitungen. Sie trägt ein schwarzes Umschlagtuch aus andalusischer Spitze. Ob barfuß in Sandalen, in Sporthemd oder Krawatte, alle sind sie willkommen, auch der indische Werkstudent, der mit einer Zenkertochter verlobt sein soll. Altbekannt sind ein junger Cellist aus Lindau, dessen Vater einen Milchkiosk betreibt, oder der Prokurist der Raiffeisenkasse Ravensburg, der abstrakt malt und darüber lacht. Hermann sitzt gern neben ihm. Manchmal tauschen sie, während Zenker spielt, obszöne Photos aus, das heißt Hermann, der keine besitzt, gibt die zurück, die er von dem Prokuristen bekommen hat.

Gudrun und Hermanns Mutter sitzen in der vordersten Reihe. Onkel Simon steht neben einem Schreibsekretär und tastet an Einlegearbeiten entlang. Er sucht nach Fugen, die sich geworfen haben, bewundert die Unverfrorenheit, wie er sich ausdrückt, mit der früher Bauernschreiner skrupellos

Birken-, Buchen-, Tannen- und Ebenholz zusammen verarbeiteten.

Materialmüdigkeit, ein Begriff, den der Flugzeugbau hervorgebracht habe und der auch bei der Fabrikation von Vorhangschienen berücksichtigt werden müsse, scheine bei diesen alten Stücken noch keine Rolle zu spielen. Gegen seinen Willen fühle er sich dadurch in seiner Arbeit bestätigt.

Wer von den Gästen Lust hat, nimmt aus einer Schale chinesische Handschmeichler: Elefanten, Marktfrauen, Pelikane, Hocktempel, Biber, Karpfen, Priester oder Zwiebelknollen aus Speckstein geschnitzt, die Konturen nur angedeutet, so daß bei den Roll- und Schleifbewegungen der Tastsinn die Umrisse der Figur immer wieder neu entdeckt. Haptisches Wohlbefinden vertieft auch andere Sinneswahrnehmungen. Ein schwarzer Konzertflügel steht auf einem schwedischen Fleckenteppich. Darüber hängt eine Filmleinwand.

Zenkers Haarkranz loht. Berühmte Klavierspieler haben oft dicke Hände, kraftvolle Pranken mit Gelenkknoten, bei Jazzpianisten arbeiten sie wie ein Hammerwerk. Zenkers Hände bestehen nur aus Sehnen, tippen überlang. Jede Taste wird empfindlich abgeschmeckt. Der Vortrag beginnt mit Mussorgskijs Bildern einer Ausstellung.

Gefühl denunziert, Präzision gibt Übersicht vor, denn nicht die Musik ist wichtig, sondern der Ertrag aus ihr. Beherrscht steuert Zenker über Tupferakkorde aus Sekundpackungen. Ab und zu drückt er auf die Fernsteuerung des Projektionsgeräts. In Grandmama Moses' Schneelandschaft klingeln Schlitten, aus einer Holzkirche bricht Segenschein, bunte Kinder bewerfen sich mit Schnee, zierliche Obstbäume tragen Flockentüten. Oder Chagalls Hahn hängt schief, kreist mit den klebrig Liebenden über einem russischen Pultdach, das Violinmännlein hebt ein Bein, Katz und Maus, Löwe und Hund, Schlange und Jungfrau befreunden sich. Mussorgskij hat, rührselig betrunken und als Kanzleibeamter im Justizministerium von Petersburg hockend, nicht gewußt, wie vorteilhaft er ausgebeutet werden kann. Dieser Säufer, der mit Revolutionären sympathisierte, war genauso unbegrenzt leidensfähig wie das bürgerliche Pack, das sich, in einem Biedermeiersalon sitzend und mit chinesischen Handsteinen schmeichelnd, durch ihn bestätigt fühlt. Hermann streckt die Beine, würde gern in die Hosentasche langen und sich an den Schenkeln kratzen. Vor ihm beugt sich der Nacken seiner Mutter. Der Kunststoffzipfel des Reißverschlusses steht über den Kleiderausschnitt hinaus. Es muß eine gewaltige Anstrengung für den Erfinder gewesen sein, die Idee des Knopfes in kleine Zähne zu verwandeln, die sich, durch eine Metallzunge geteilt, gegenüberstehen und in einer Art Gebißführung wieder schließen. Die Schönheit der gleichmäßig winzigen Abstände bietet die Leichtigkeit eines Trugschlusses.

Sprünge im Glas, Radiolarien, Wetterkarten, Zellschnitte, Geißeltierchen, Spiralnebel, Korallenbänke, Schrotthaufen, Lungengewebe, Magnetfelder und manchmal auch ein Breughel, es gibt nichts, was zu Musik nicht passen würde, so lange die Finger arbeiten, der Fuß sanft Pedal gibt, und Zenker im Takt oder synkopisch die Dias knipst. Flutend biedern sich Läufe und Imaginationen an. Jeder Kunstdruckhaushalt repetiert seine eigene Volkshochschule. Gegenlichtaufnahmen im Wald machen den feierlichen Tanz von Staubteilchen in Sonnenstrahlen sichtbar.

Eine Etude von Tscherepnin bricht zum Höhepunkt auf. In Kreuzgriffen blitzen Vierundsechzigstel, S-Dur schlingt sich zum Fis-Moll, wechselt zu C-Dur, steht keß auf einer Terz. Dann stürmt wieder die Schule der Geläufigkeit vor, angenehm gereizt durch kleine Mißtöne. Musik wird mit Hörgewohnheiten verwechselt. Im letzten Satz läßt Zenker ein Tonband mitlaufen, auf dem er die Geräusche einer Gesenkschmiede zu hallenden Ping-Pong-Bällen aussteuert. Die Zuhörer dürfen sich über Klavier und Fabrik hinausprojizieren. Leck mich am Arsch, wo ist der nächste Schneider, hat ein Gewerkschaftler gesagt, als er in den Aufsichtsrat gewählt wurde. Doch Zenker, der Goethe-Institute in Südamerika bereist hat, verzweifelt an der Fülle der Möglichkeiten. Ihn überwältige der Summton einer Peilantenne, sagte er. Leicht zu behaupten, wenn man die stumpfsinnig tagelange Lochstreifentipperei nicht kennt, die die Rechenanlage vorprogrammiert, bis endlich Elektromotoren den riesigen Drahtkorb in die gewünschte Sekundlage schwenken können, die auf der Koordinate irgend eines Radiohaufens im Weltall liegen soll. Verstärktes Fiepen tänzelt auf einem Leuchtschirm mit. Es sind diese Effekte, die der Phantasie von Gebildeten ein Alibi geben, doch wenn Zenker, dreigestrichen orgelnd, Tonband, Tscherepnin,

Illustrationen, sein ganzes rotzfrommes Kalkül vergißt und mitsingt, fistelnd Läufe einholt, die Gesenkschmiede anbuht, meckert und japst, gibt er allen Zuhörern wieder Mut. Sie lachen und tuten drauflos, schlagen sich auf die Schenkel, pfeifen sich eins, schaukeln auf den Stühlen hin und her, so daß Biedermeierbeine aus dem Leim gehen. Vom Bücherstoß fällt das Diagerät, scheppert über das Parkett und wirft einen verrutschten Chagall in die Ecke. Gleich wird die Projektorlampe ein Fenster in ein Diapositiv brennen und das russische Liebespaar zum Schmelzen bringen.

»Mussorgskij ist tot«, singt Zenker allein weiter, »hol ihn der Teufel, wir wollen Schinkenröllchen!« Die Töchter tragen Platten herein, die Regie hat geklappt. Die Gäste greifen nach aufgespießtem Futter, Mayonnaise quillt aus Schinkenlippen, angenehm frisch teilt der erste Biß ein eingewickeltes Gurkenstück. Ein Gast möchte lieber Bier statt Martini.

Ein Freund der Zenkers kommt zu spät. Er ist Schriftsteller, überall dabei, spricht auch im Fernsehen. Das Gesicht des Autors blieb unter einem grauen Lockenkopf jung. Seine kleine Nase nimmt Witterung auf, erfaßt sofort den günstigsten Auftrittswinkel. An der Flügelmulde, die Rückendeckung gibt, findet der Schriftsteller seinen Platz.

Hermann hat zuviel gegessen, besonders von der Füllungsschmiere, die, sobald sie auf der Zunge liegt, schäumt. Es müssen geheimnisvolle Gartenkräuter eingemengt worden sein, wie sie nur in der Pflege von Frau Zenker gedeihen, denn Speichelferment und feingehackte Pflanzenteile gehen eine stille, explosionsartige Verbindung ein, die den ganzen Mund füllt, kurze Zeit anhält und in der Speiseröhre wieder in sich zusammenfällt. Nach jedem Bissen steht eine Speisewolke im Mund, die zu einem kühlen, bitteren Säftchen gerinnt, was zum nächsten Happen reizt. Hinter dem Zuhörerkreis, der wie üblich den Schriftsteller umgibt, macht Hermann schnell ein paar Kniebeugen für die Verdauung. Er zieht den Magen ein, so daß der Gürtel ein Stückchen abwärts rutscht, stramm auf den Hüftknochen sitzt. Die Bewegung vermittelt neue Kraft, die engen Hosen strahlen Potenz aus.

»Kinder«, sagt der Autor, »ich bin extra hingefahren, man muß es gesehen haben, es ist ein phantastisches Stück. Sicher, die Naivität stammt aus dritter Hand, denn ich kenne kein einziges Bauerntheater, das nicht aus der klassischen Literatur geklaut hätte. Aber das spielt keine Rolle. Die Anstrengung, mit der der Apotheker als Ritter und die Tochter des Molkereibesitzers als Burgfräulein sich in ihre Rollen werfen, haut einen vom Klappstuhl. Das Hochdeutsch samt Dialektspitzen wurde wochenlang geübt, in der Emphase bricht die Heimat wieder durch: kummt, Fräulein, kummt, Ihr habt ein schönes Fiedle! Und die Buben als Pagen oder geknechtete Söhne machen laut mit. Nein, es ist nicht der Tell, ich habe den Titel vergessen. Die Fabel ist simple Stanzarbeit, kann ausgewechselt werden. Ob Türkei, Hohenzollern oder Helsingör, das interessiert mich nicht. Ich will kein Alibi für Kunstgenuß, sondern den Rohzustand. Kreisrunde Backen haben sie gehabt, knallrot wie

Bahnwärterkellen, der Schweiß ist ihnen tassenweise heruntergelaufen.«

»Läuft Staatsschauspielern auch«, sagt eine Frau.

»Kein Berufsschweiß, Märchenschwitze, liebe Dame! Sie können doch nicht behaupten, daß Sie sich freiwillig hinstellen würden, um zu demonstrieren, Sie seien nicht die, die Sie tagsüber sein wollen oder müssen.«

»Ich darf, ich habe geerbt.«

»Sie haben trotzdem keine Chance, höchstens, wenn Sie viel geerbt haben. Aber die Tipse im väterlichen Betrieb oder der Apotheker, der sich schon lange vornimmt, Kundengeschwätz mit einem Tonband unter dem Ladentisch aufzunehmen, doch er traut sich nicht, sie stellen sich hin, versuchen Gänge, lernen auswendig und wollen schon nach der ersten Probe ihre Kostüme anziehen, die noch im Heimatmuseum hängen.«

»Belletristik«, sagt Hermann leise. Zwischen Köpfen hindurch sieht er das Nest grauer Locken auf dem Kopf des Autors.

»Es gibt jetzt zusammenklappbare Fahrräder, die man in den Kofferraum legen kann. Man fährt hinaus in den Stadtwald, wo der Parkplatz sonntags eine Mark kostet, schraubt für die ganze Familie Fahrgestelle zusammen und strampelt los, damit endlich einmal wieder Luft durch Bluse und Hemd weht. Natur ist nicht Reflexion, sondern Erlebnis plus Anstrengung.«

»Er beobachtet gut«, hört Hermann neben sich sagen. Der Prokurist aus Ravensburg stopft die Glut seiner Pfeife mit dem Daumen nach, die Hornhaut trägt einen Aschenrand vor dem gelben Nagel.

»Die Verwandlung, Wandlung, Messe, das Autodafé, das ist es, was oben auf den Brettern brennt, die sich jeder gern unterschieben möchte, der Asphalt tritt oder einen Traktor mit angehängtem Häufler über endlose Reihen junger Kartoffelpflanzen steuert. Die Spieler haben vibriert, waren nicht mehr Apotheker oder Tochter, der Ritter wartete sein Stichwort nicht mehr ab, ist dem Burgfräulein zu früh ins besinnliche Beiseite geplatzt, das keimende Liebe den Zuschauern verständlich machen sollte. Ihr lieben Leute, wo passiert denn sowas, daß eine künstlich hergestellte Situation, die jeder zum Erbrechen auswendig kennt, plötzlich wieder echt wird!«

»Ja, echt wird«, sagt Zenker.

»Nein, nicht echt! Es ist eine fromme Lüge, sich Bühnenaktionen als vollständige Verwandlungen vorzustellen. Burgfräulein und Ritter bleiben Privatpersonen in Kostümen. Doch die Anstrengung, das Scheinwerferlicht, die erzwungene Zeit, die geplante Tätigkeit, die Zuschauer und die Blamage, wenn es nicht klappt, all das zusammen macht die Akteure verletzlich und zugleich autark. Ob wir wollen oder nicht, auf der Bühne rollt alles in dem Tempo, mit der Lächerlichkeit, Genauigkeit und Sentimentalität ab, die nur ein Spiel erreicht. Ich will sagen, für den, der spielt, gibt es auf der Bühne nur die Wirklichkeit, die er sich selbst macht. Bühnenexistenzen sind einmalig.«

»Es sind verschiedene Stichworte gefallen«, sagt Zenker, »nicht nur für Künstler.«

»Wenn Sie sich getroffen fühlen wollen«, sagt der Schriftsteller, »dann los.«

»Nein, Sie sind noch an der Reihe.«

»Ich habe nur erzählt, was ich erlebt habe.«

»Das passiert jedem von morgens bis abends, auch wenn er es nicht formulieren kann.«

»Sind Sie neidisch?«

»Im Zweifelsfalle«, sagt Zenker, »habe ich meine Familie, die mich in Anspruch nimmt.«

»Und wenn es zu anstrengend wird, genießen Sie es, sich ans Klavier zurückzuziehen und eine Sonate zu üben, die ein anderer hergestellt hat, der in dem Augenblick, in dem Sie seine Noten lesen, für Sie Autorität ist. Nein, nein, Wirklichkeit schlägt uns alles aus der Hand. Wir erkennen nicht, wir erleiden.«

»Brother, slow down«, sagt leise der Prokurist.

»Bitte, ich habe nicht recht verstanden? Es stimmt, ja es stimmt, ich bitte um Verzeihung, es wird notgedrungen immer privater. Ich habe nichts gegessen, nichts getrunken, Herr Zenker hat mich eingeladen, ich störe sein Fest.«

»Im Gegenteil!«

Zenker drängt durch die Zuhörer und stellt sich ebenfalls in die Flügelmulde. Hermann arbeitet sich ein Stück vor. Er zwinkert seiner Mutter zu, die ihre Perlenkette betastet.

»Walter«, sagt Zenker, »Sie erinnern sich doch an den Sonntag?

»An was Sie wollen, Toni.«

»Der Sonntagnachmittag in Ihrem Garten am See, die Kinder draußen, wir drinnen.«

»Es war heiß.«

»Sie haben über Ihren Kreislauf gejammert, das hat uns beide weich gestimmt, vielleicht verbündet. Die

Frauen, die dieses Thema langweilt, sind mit den Großen, meinen Töchtern und Ihrem Ältesten, Ruderboot gefahren. Zurückgeblieben sind wir und die zwei Jüngsten.«

»Jesus Christus, ich erinnere mich. Wir hatten Sommerföhn. Die Schweizer Gletscher sahen wie Altweiberhände aus, Unterdruck, Überdruck wechselten stündlich, gleich, dachte ich, knallen die Adern durch.«

»Bitte, Walter«, sagt Zenker, »es ist meine Geschichte. Ich bekomme sie sonst nicht mehr zusammen.«

»Der Teufel hole Sie, wenn Sie zu wenig draus machen. Nur das Resultat interessiert.«

Hermann sieht Gudrun neben ihrem Vater stehen. Die Zuhörergruppe gerät, da Frau Zenker sie verläßt, ins Schwimmen. Positionen täuschen hin und her, formieren sich neu und enger. Hermanns Familie bildet nun einen Block. Bei Gefahr schließen sich die zusammen, die sich gut kennen. Der Pianist steht allein. Neben ihm setzt sich der Schriftsteller auf den Flügeldeckel, ist wieder eine Handbreit größer geworden. Eine Frau lacht nervös. Der indische Werkstudent hat die Arme vor der Brust verschränkt, seine Jackenärmel sind zu kurz. Seine Plexiglasuhr auf dem dünnen Armgelenk hat kein Zifferblatt. Das Getriebeeingeweide liegt unruhig bloß, in der Mitte sitzt eine winzige Batterie, die jahrelang Kraft spendet. Die obszöne Uhr läuft lautlos.

»Jetzt machen wir auch Bauerntheater«, sagt der Autor. »Ich schwebe auf einer schwarz angemalten Gewitterwolke, die der Maschinist, der Bier trinken gegangen ist, auf halber Höhe stehenlassen hat. Und

Sie, Toni, sind Neptun, der die blonde Kunigunde ins Wasser lockt. Hat jemand etwas zu rauchen?«

Er bekommt eine Zigarre gereicht, gibt sich Feuer und beginnt, den Rauch zu kauen. Wenn er einzieht, schnappt er gierig nach dem Qualm und läßt für einen Augenblick in seinem Kindermund die Wölbung der Zunge sehen. Der feuchte Frosch saß vor der Königstochter und wollte zu ihr ins Bett.

»Wir hatten uns gestritten«, sagt Zenker.

»Hoffentlich! Du lieber Himmel, machen wir ein Ende. Ich erzähle Ihnen, wie es war, als ein Teppichhändler vor meiner Tür stand und mir eines seiner Prachtstücke andrehen wollte, oder ich beschreibe Ihnen den Blick durchs Fenster während einer Fahrt auf der Autobahn, als Schnee mit Regen vermengt fiel und die Scheibenwischer es kaum schafften. In fremden Häusern sich die Hosen auszuziehen, macht mir nichts aus. Das gehört zu meinem Beruf.«

»Ich will nicht recht behalten«, sagt Zenker, »das ist Ihr Problem. Mir fällt auf, daß Sie jetzt immer lauter werden. Sie haben damals erzählt, daß Ihr Jüngster sich einer Bande Nachbarskinder angeschlossen hätte. Sie waren stolz darauf.«

»Soll ich ihm vielleicht Judogriffe beibringen, damit er sich zu behaupten lernt? Er kommt nach Hause, hat eine Schramme über der Backe, ein bösartiges Ding, sagt kein Wort, weint nicht, sitzt verbissen am Eßtisch, lügt, er sei hingefallen oder erfindet irgendeinen anderen Quatsch, aber gesteht nicht ums Verrecken, daß er Streit mit seinen Freunden gehabt hat. Ich will Sie nicht mit Umwelttheorien langweilen, doch sicher ist, daß ich froh sein kann, wenn mein

Sohn stundenlang weg ist und in unserem Hecken-
rosenviertel ein paar wilde Spielkameraden aufge-
trieben hat. Und jetzt fällt mir auch der Anschluß ein.
Meine Herrschaften, Toni und ich, wir haben uns wegen der Sonntagsschule gestritten. Er schickt seine
Jüngste in den Kindergottesdienst, ich meinen Sohn
nicht, aber ich verstehe, daß er im Dorf auf Sitten
Rücksicht nimmt, denn was er denkt, ist egal, doch
Kinder wollen wie alle sein.«

»Moment, bitte!« hört Hermann seine Mutter rufen.
Tatsächlich, sie meldet sich mit hochgetrecktem Arm,
alle blicken sie an. Sie nimmt den Arm wieder zurück,
ihre Hand greift an die Perlenkette, die schneller in
Bewegung gerät. Ihre Backen sind hochrot. Sie fragt,
ob Kinder nicht an Gott glauben dürften oder könnten? Sie gäbe es zu bedenken. Hermann bewundert
sie.

»Natürlich«, sagt der Schriftsteller, strahlt, springt
vom Konzertflügel, vielleicht kneift seine Hose im
Schritt, dieser wunderbar lockere Kerl, der alles aussprechen soll, das verlangt die Gesellschaft von ihm,
macht ihn besonders, zu einem Vorbild, genießerisch
beutet er aus, jetzt fühlt er sich wohl, hängt sich ans
Reck und nimmt Schwung.

»Alles aussprechen«, sagt er, »nicht faul sein, wenn
ich schon Rezepte verteilen soll. Zeigen, wie eine
Kiste zusammengenagelt wird, oder Flugzeugtypen
auswendig lernen. Jesus Christus hat im heißen Sand
Sandalen angehabt, getan hat er viel. Natürlich gibt
es Sterne und Elfen und die Schneekönigin und Eski-
mos, und Sauerstoff ist etwas, was nach nichts
schmeckt, aber notwendig ist. Ich mache keine Unter-

schiede zwischen Geschichten. Mein Magen und ein Kindermagen sind gleich groß, ich schaufle auch alles hinein. Toni ist von Kindern fasziniert, ich nicht. Ich erzähle nicht auf seine Kosten, denn ich habe ihm in unserem Garten freiwillig die Häufchen unter den Hecken gezeigt. Die Bande hat ein neues Spiel erfunden, macht mein Grundstück voll. Wie Nashörner stecken die Kinder ihr Revier mit Losungen ab. Vielleicht befummeln sie sich auch gegenseitig, ich hab's nicht gesehen, ich fände es natürlich. Alle zehn Meter lassen sie im Gebüsch einfach die Hosen herunter und setzen eine gedrehte Tüte als Markierung. Ein harmloser Wettstreit. Ich frage mich nur, woher sie die enormen Mengen nehmen, die sie für den großen Garten produzieren müssen. Meine Frau und ich ziehen dann los und schippen die Bescherung in den Bakelitschubkarren meines Sohnes. Am nächsten Tag ist alles wieder voll. Fabelhaft.«

Die Zuhörer sind dankbar. Sie haben ein Beispiel bekommen, das nützlich zu sein scheint, können lachen, sich gegenseitig ohne Scheu anblicken, stellvertretend hat einer für sie ausgesprochen und ihnen Bestätigung gegeben. Die Bescheidenheit des Autors leuchtet. Da steht er, hat den Kopf gesenkt, nagt an der soßigen Kippe, hat abgerahmt, ist zufrieden mit sich, baut in Gedanken weiter aus.

Zenker lacht nicht, wartet Ruhe ab. Blindlings schenkt er aus einer Flasche Gläser voll. Seine geäderten Nasenflügel und sein Strichmund bilden ein gefährlich demütiges Muster.

»Die Geschichte ist noch nicht zu Ende«, sagt er. »Wir haben beide aus dem Küchenfenster geschaut.

Ihr Sohn saß auf dem hohen Abfalleimer wie auf einem Thron. Er lehnte sich nicht an den zurückgeklappten Deckel, hielt sich nur an dem scharfen Metallrand fest. Ich habe die kleinen Schenkel genau gesehen und den roten Strich. Gedrückt hat er mit aller Kraft. Ob er etwas herausgebracht hat, weiß ich nicht. Aber er hat auf meine Tochter, die neben dem Kübel stand, so laut er konnte hinuntergeschrien, ich bin ein Christ, ich bin ein Christ!«

»War es wirklich so?«

»Das wissen Sie doch.«

»Ich hätte es nicht besser erfinden können.«

»Das ist gelogen.«

Daß der Schriftsteller den Pianisten noch zu umarmen versucht hat, nützte nichts mehr. Frau Zenker hat Gulaschsuppe angeboten, die volle Terrine blieb auf dem Konzertflügel stehen. Der Prokurist aus Ravensburg hat sich mit der Schöpfkelle eine heiße Ladung direkt in den Mund geschüttet, dann ist auch er gegangen.

Hermann sitzt allein im Fond der Limousine. Er liebe sie alle, sagt er, selbstverständlich zahle er das gestohlene Geld zurück. Ob jemand ihm einen Vorschuß leihen könne, zum letzten Mal?

Onkel Simon fährt schnell, der Wohnwagen sinkt in die Achsen ein. Ein schwerer Anhänger stabilisiere die Spur, sagt er, es sei erstaunlich, wie sicher er sich fühle, seit er hinten eine Last hängen habe. Hermann könne jederzeit in die Fabrik eintreten, doch Geld leihe er ihm nicht. Denn Geld sei kein Problem. Hermanns Mutter schließt sich dem Urteil an. Gudrun wedelt mit ein paar Scheinen über ihrem Kopf. Geld sei wirklich kein Problem, sagt sie, Hermann triefe vor Selbstmitleid. Über ihr leuchtet die elektrische Cockpituhr am Dachrahmen.

Die Scheinwerfer schneiden ein Reh aus der Dunkelheit und verlassen es wieder. Das Licht greift auf der Straße vorwärts, liegt vor der nächsten Ortschaft auf einer Tankstelle. Es sei zum Lachen, sagt Hermann, ob sie ihn einer Prüfung aussetzen wollten? Davon könne keine Rede sein, erwidern sie im Chor.

9

Das kennt er: Lohnstreifen, die immer zu schmal sind und sich in der Hand ringeln. Man muß beide Papierenden anfeuchten, damit man die Auszüge in Ruhe lesen kann. Es ist ein geiles Gefühl, in den schweren Cellophanbeutel zu greifen und in Münzen zu graben, Zehner, Fünfziger, Markstücke, die Scheine sind im ersten Augenblick zu leicht für verdientes Geld. Dieser wöchentliche Abstieg hat keinen Zweck.

Onkel Simon würde ihn bald ins Angestelltenverhältnis übernehmen, das ein Gehaltskonto krönt. Jeden Freitag zur Bank hetzen, ein Lehrling flüstert, über den Schalter gebeugt, den Kontostand. Da ein Angestellter heimlicher ausgebeutet werden kann als ein Arbeiter, bleibt er seiner Firma länger treu. Langsam wächst zwischen ihm, dem Firmenchef und der Bank ein Vertrauensverhältnis.

Hermann steht vor der deutschen Botschaft in Paris und zählt die vergoldeten Speerspitzen auf dem Zaun. Er hat kein Geld, seine Kleider hängen im Schrank des Stuttgarter Doppelzimmers. Seine Mutter hat ihm eine Reisetasche voll Unterwäsche und Pullover mitgegeben. Sie sei guten Muts, hat sie gesagt, sie warte auf ihn.

In einem Lastwagen, der einmal in der Woche schweizer Käse nach Frankreich transportiert und Camembert und Brie zurückbringt, konnte er mitfahren. Fahrer und Beifahrer verlangten jeder zwanzig Mark und ließen ihn erst außerhalb Nüssen zusteigen. Auf Seitenwegen war er um die Stadt marschiert, mußte noch eine Stunde an der angegebenen Stelle warten, bis der Lastwagen kam. Bekannte, die vorbeifuhren, haben überrascht aus Autos gegrüßt und das Gaspedal durchgedrückt. Beinahe wäre er umgekehrt. Der hohe Ritt durch die Landschaft hat ihn dann entschädigt.

Er liegt in der heruntergeklappten Schlafkoje, die an zwei Ketten hängt. Das säuerlich riechende Wachstuch klebt an seiner Backe und zieht, wenn sein Kopf durch einen Stoß hochgeworfen wird, wie Leukoplast ab. Unter ihm sitzen die beiden Fahrer, die für ihn arbeiten. Der eine steuert und schaltet, der andere balanciert ein Kofferradio auf den Knien. Im Ausschnitt der Windschutzscheibe fliehen Bäume und Häuser vorüber oder überholende Autos schmelzen weit vorn auf der Straße beim Einscheren über den Mittelstreifen weg. Hoch oben auf der Pritsche spielt Geschwindigkeit keine Rolle mehr. Ein Pflug bahnt sich seinen Weg.

»Die laß ich verhungern«, hat der Chauffeur gesagt und ist manchmal kilometerlang halb links gefahren. Im Außenspiegel morsten Lichthupen, hinten drängelten Autos, die sich am liebsten unter die Kardanwelle des Lastzugs geschoben hätten, um durchzukommen. Hermann lachte am lautesten, wollte im Führerhaus anerkannt werden.

Oder er umkreiste fachmännisch den Lastzug, wenn der Füllstutzen im Dieseltank steckte. Die Kanister hängen an den Flügelenden, fassen für die ganze Nacht. In zehntausend Meter Höhe wird Treibstoff übernommen. Der Sicherungsstößel sitzt im Kupplungsloch, Preßfett quillt über die Ränder und schmiert in den Kurven, der Bremsschlauch schwingt bei hoher Geschwindigkeit über die Toleranzgrenze. Auf der Leuchtreklame der Tankstelle kreist eine Radarschrift und schickt krumme Piloten durch die Unterführung in ein Restaurant gegenüber. Auf der Betonbahn beschleunigt ein Raumkreuzer, der Dosenmilch für eine Außenstation geladen hat, und hebt ab. Seine Positionslichter werden kleiner im All.

Hermann prüft auch die Zwillingsreifen des Anhängers, legt seine Hand auf den heißgelaufenen Gummi, kratzt mit dem Fingernagel im dünnen Profil. Der Fahrer flucht, kickt mit dem Fuß dagegen, um den Druck zu kontrollieren. Hermann solle seine Eier schleifen lassen, sagt er, die Felgen seien noch lange nicht durch. Erst als Hermann ihm einen Liter Kaffee bezahlt, wird der Kapitän wieder gnädig. Der Beifahrer trinkt Flaschenbier. Mit einer Leichtmetallgabel gräbt er Hohlwege durch einen Berg Röstkartoffeln, in denen Speckadern glänzen. Als Nachtisch nehmen die Fahrer bunt lackierte Aufputschpillen.

Bevor sie weiterfahren, stehen sie gemeinsam im Pissoir vor der Rinne und messen die Karbolwand aus. Für Hermann, der dicke Männer in dreckigen Unterleibchen gern mit Abenteuer verwechselt, klingt jeder Strahl wie Musik. Neben sich sieht er eine blaurote Eichel mit enormer Unterlippe im Dämmer schwanken. Die Größe entspricht seiner Vorstellung von Natürlichkeit und Mutterwitz. Hoch oben, in einer ausgesägten Lücke der Holzwand, brennt eine Birne, verteilt Licht ins Pissoir und über einen Abortverschlag. Am Ausgang hängt ein dünner Pfefferminzautomat.

Auf der nächsten Strecke darf der Beifahrer arbeiten, der Chef schläft in der Koje. Sein Kopf ruht, in eine Decke gewickelt, am Seitenfenster, sein Bauch, der aus dem gelockerten Hosenbund hängt, bebt im Takt über die Betonfugen der Fahrbahn. Bergabwärts, während der Motor bremst und der Beifahrer doppelt kuppelnd in den kleinsten Gang hinunterschaltet, dringen Hitze und Ölqualm durch die Pedalschlitze in die Kabine. Hermann knöpft sein Hemd auf, sieht sich in Tropenuniform unterwegs. Sie haben Nitroglyzerin geladen, der Anhänger schiebt, beginnt auf der buckligen Piste gefährlich zu tanzen, die vollen Kanister geraten in ihren Aufhängevorrichtungen aus der Balance, die explosive Flüssigkeit schwappt. Da hilft nur noch eine steile Talfahrt, die im Leerlauf durch die Senke reißt und, die Fliehkraft ausnutzend, den Gegenhang in einem Schwung nimmt. Denn sobald die Kupplungsstange nicht mehr führt, sondern stößt, wird sich das Sprengstoffkommando in einen Engelsblitz verwandeln, der pulverisierte Baumkronen und verdampfte Eisenteile mit sich risse. Heilige Mutter Maria, wir küssen unsere Amulette, in unseren Bartstoppeln turnt der Schweiß. Am Armaturenbrett leuchten die wundertätigen Neonzeichen von Fatimas Kirchturmspitze und der Kuppel des Petrusdoms. Der Copilot schlägt, einen Kühlzug überholend, ein Kreuz und stellt sich auf das Gaspedal. Eine Handbreit neben der Ausstiegsluke schiebt die Bordwand des anderen Frachters vorbei.

Die zusammengepreßte Luft pfeift auf Nietenköpfen. Hermann ist stolz. Hinter ihm dreht sich in der Koje der Kapitän auf die andere Seite und stinkt zufrieden auf seine Mannschaft hinunter.

Die stundenlangen Vororte von Paris sind zweistöckig. Kolonialdörfer sehen ähnlich aus. Die Fahrt endet in einem Transporthof, den deutsche Chauffeure besetzt halten. Sie erklären elsässisch sprechenden Spediteuren, wie Ein- und Ausfuhrgenehmigungen ausgefüllt werden. Hosenträger knallen. Hermann faltet das Zentrum seines Stadtplans zurecht. Paris, hat seine Mutter gesagt, sei eine verführerische Stadt. Die verschiedenfarbigen Metrolinien schneiden übersichtlich durch Häuserblöcke, die Stationsnamen klingen nach Religionen, Ärzten, Schlachten, Erfindern, Adel, Gartenarchitekten, Literatur, Nordafrika, Maltechniken und Gesellschaftssystemen.

»Es ist ein Irrtum, dem alle erliegen, die Paris besuchen und ein wenig Französisch beherrschen«, sagt ein Sekretär. »Jedes Mädchen glaubt, es sei zweisprachig und könne verdienen. Ich gebe Ihnen Adressen von Hilfsorganisationen. Die Botschaft sieht sich nicht verpflichtet, jeden abgebrannten Touristen wieder auszustaffieren. Seit wann sind Sie hier?«

»Seit heute morgen.«

Beim Verlassen der Botschaft fällt Hermann in der weißlackierten Diele der Teppichboden auf. Es sind genau dieselben dämpfenden Beläge wie zu Hause, die sich über Treppen, durch Korridore und das Empfangszimmer spannen. Auf gläsernen Tischchen liegen Frauenzeitschriften, an den Wänden hängen Stiche und sumpfige Ölbilder, die von Barockrahmen zusammengehalten werden. Im gepflasterten Hof sitzt auf einer Gartenbank ein Chauffeur und hält sein Gesicht in die Sonne. Vor dem Springbrunnen glänzt eine schwarze Limousine. Wenn der Wind Wasserschleier zur Seite weht, zieht ein Hauch Traurigkeit über den Kühlergrill. Aus den offenen Fenstern des Palais ist das Picken von Schreibmaschinen zu hören.

Draußen, in den Schaufenstern und Cafés, spiegeln sich Königssöhne, es können Assyrer, Abessinier, Somali, Bantu oder Senegalesen sein. Hermann schleicht am Trottoirrand entlang, läßt ihnen Platz. Unter Piquéwesten federn trainierte Brustkörbe, dunkle Schäfte steigen über Krawatten auf, tragen Schädel, schönre kennt er keine, zwischen den Jochbeinen vibrieren Sarazenernasen. Hinterköpfe wölben sich über Intelligenzquotienten, gegen die sein alemannischer Hippel flach wirkt. Man muß auch die blauen Augen gesehen haben, die über alles hinwegblicken. Zur Warnung blitzen Gebisse, die jeden Knochen meistern. Die Königsadler schlendern umher und sprechen fließend Französisch mit einem leisen Knurren bei Nasallauten. Ihre langen Arme pendeln. Ab und zu stoßen sie gestärkte, abstechend weiße Manschetten über den Handgelenken zurecht. Ihre Beine greifen in Zeitlupe aus, die Füße ein wenig nach innen gekehrt. Hermann kommt kaum mit. Es sind Diplomaten, Studenten oder Agenten. Am Zebrastreifen wartet er, bis sie vorausgegangen sind.

Einem dieser Paradiesvögel folgt Hermann in eine Kaufpassage, sieht ihn an Schallplatten- und Textilgeschäften entlangstreichen. Seine gestreifte Jacke, helle Hose und schreibtischbraune Haut kommen erst richtig zur Geltung, wenn der Reiher sich in Kunstlicht sonnt. Vor einem Kaschmirpullover plustert er sich, dreht jedoch ab, wie einer von der Pelikansorte daherwatschelt und palavern möchte. Der hochmütige Unterschied zwischen einem französischen und einem amerikanischen Neger ist eklatant.

In einem überdachten Innenhof nimmt der Reiher ein Täßchen Mokka zu sich. An einer marmorierten Theke lehnend, spielt er mit einem Onyx, der an seinem kleinen Finger steckt. Stein und zarte Fingerkuppen, auf denen Perlmuttnägel schimmern, brechen sich vielfältig im Chrom der Espressomaschine. Durch eine Milchglasscheibe, die in einem Metallrahmen zwischen Stühlen steht, zeichnet eine hochgezogene Schulter. Blondinen werden niedersinken und die Hosen des Königstigers nach Flecken abtasten.

Hermann bedient, neben dem amerikanischen Neger stehend, einen roten Colaautomaten. Er wartet, bis der Pappbecher des anderen voll ist, dann stellt er seinen unter die vereiste Düse. Schwarzer Saft schießt heraus. Auf dem Boden der Einspritzmulde, in der der Becher wackelnd stand, liegt kein einziger vergeudeter Tropfen. Wenigstens beherrschen die Amerikaner, ihre Portionen automatisch sauber zu verteilen.

Hermann benutzt die Métro, hält auch den Stadtplan richtig, weiß jedoch nicht, wohin er fahren soll. Er braucht irgendeine Vorstadtgegend, ein Viertel ohne kapitale Häuserfassaden und Messingtürschilder. Wo ärmere Leute wohnen, würde er sich zu sprechen trauen. In der Nähe von Bahnhöfen fühlt er sich heimisch, findet den Gare du Nord und den Ostbahnhof, dahinter beginnt ein Kanal. Die rosa Häuserfüllung auf der Karte wird von Straßen aufgeteilt. Schon glaubt er, sich besser auszukennen, liest, daß es eine Station Stalingrad gibt. Mit dem Finger die U-Bahnlinie entlangfahrend, erreicht er die Endhaltestelle.

Abenteuerliche Bezeichnungen kreisen ihn ein: an der Haltestelle Louis-Blanc wird Weißwein getrunken, über dem Quai de Valmy zieht Pulverdampf, in der Rue de l'Aqueduc gibt es Papageien zu kaufen, im Hospiz Dubois löffeln Veteranen ihre staatliche Suppe, auf dem Boulevard de la Chapelle führen Nonnen kleine Mädchen spazieren, das Atelier du Materielle Roulant ist eine Karosserieschneiderei, in der Rue Bellot haben die Brüder Montgolfier ihren ersten Warmluftballon aufgeblasen, auf dem Place du Maroc finden Reiterattacken statt, es kartätscht an der Porte de Flandre, im Bassin de la Villette schwimmt eine Kinderleiche, in der Nähe liegt der israelitische Friedhof, alte Tänzerinnen wohnen in der Rue Lally-Tollendal, Ärzte in der Rue Clovis-Hugues, bei Jean-Jaurès wird wieder geschossen, ein Stückchen hinter Stalingrad kreuzen sich die Métrolinien, dort steigt er ans Licht: geheimnisvolle Telefongespräche, Sondermeldungen mit drei Takten Beethoven, Volksschule, neue Geschütztypen, Nahkampfspangen, Winter, Hunger, Russen, Skifahren, mit Kandiszucker gesüßter Tee.

Nur linke Schuhe, Sandalen, Pumps, Stiefel und

Gummigaloschen stehen auf dem Gehsteig nebeneinander, davor hockt ein Marokkaner oder Algerier auf den Fersen. Oder sind es lauter rechte Schuhe? Wer gebrauchte Schuhe kaufen will, nimmt sie sich aus der Reihe und probiert an. Neben den Schuhen liegen Schrauben, Nägel, Scharniere und Stifte zum Verkauf geordnet aus. An einer Ladentür hängt die Hälfte einer Kuh, Muskelpartien und das ausgeweidete Innere sind mit arabischen Schriftzeichen bemalt. Vielleicht haben die Bezeichnungen religiöse Gründe. Auf der anderen Straßenseite stehen zwei Polizisten mit umgehängten Maschinenpistolen, an einem Stock tragen sie eine Stacheldrahtrolle.

Die Jacke, le veston, die Bluse, la jackette, die Weste oder wie das immer wieder ähnlich heißt, wenn man es nicht genau weiß. Jemand verlangt nach seiner Jacke, die weich ist, Golffalten auf dem Rücken und denselben rehbraunen Ton hat wie die Hose. Ein Marokkaner lächelt ihn an.

Aus einem blauen Omnibus steigen neue Polizisten, die ebenfalls paarweise Stacheldrahtballen tragen. Niemand beeilt sich. Eine Orange, die auf der Straße rollt, wird von einem Polizisten mit dem Schaft der Maschinenpistole zum Trottoir zurückgeschlagen. Hermann und sein Kunde betreten ein Hotel.

Hier scheinen sich alle zu kennen, Türchen auf und zu, jeder hat ein Schlupfloch, aus dem es schnattert. Verschluß- und Schnalzlaute knallen, Sand reibt in der Kehle, Konsonantenbündel überholen stoßweise Vokale und jagen in die Mundhöhle zurück, in der sie endgültig vernichtet werden, damit nichts mehr an die ›nächtlich flüsternde Lieblichkeit‹ der östlichen

Laute erinnert, wie es in Sprachlehren heißt, sondern nur noch lautmalerische Wurzelstücke übrigbleiben, in denen die Schrecken mohamedanischer Religionskriege nachklingen. Auf arabisch wird jedes Wort demagogisch und zu einer Schweinerei. Arabische Flüche nutzen hemmungslos Familienbeziehungen aus und schließen sie kurz. Kind und Großmutter treiben es auch miteinander. Hermann macht sich klein. Auf einem Treppenabsatz kommt er an einem jungen Mann vorbei, der durch den Hosenladen zwei Finger steckt, auf denen gedörrte Aprikosenhälften sitzen. Mit der anderen Hand ißt er.

In einem Zimmer, das voll Kleider hängt, liegen auf dem Boden zwei Schläfer auf je einer Matratze. Das Bett daneben steht leer. Der Kunde, der hinter Hermann eingetreten ist, legt den Finger auf die Lippen. Um einen Wandspiegel leuchten elektrische Christbaumbirnen in Wandfassungen. Der Marokkaner zieht seine Schuhe aus und möchte die rehbraune Jacke anprobieren. Einer der Schläfer dreht sich auf den Bauch, der andere rührt sich nicht, hat die Arme gekreuzt über den Augen liegen. Seine Taschenuhr, deren Kette um die Finger gewickelt ist, beginnt aus der offenen Hand zu rutschen. Es schließt im Schlaf die Hand sich wieder um die Beute.

Die Jacke paßt. Der Marokkaner fragt, ob auch die Hose verkäuflich sei? Hermann versucht zu erklären, daß er ohne Hose verloren ist. Hier, die Wahrheit, der Beweis, sagt er, die Notwendigkeit oder wie er sich ausdrücken soll, er habe nur eine Hose, eine einzige, die Jacke sei keine Wichtigkeit, aber die Hose, für die habe er eine Berechtigung, eine fähige, einmalige, ein Mann ohne Hose sei ein Gespenst, ein Risiko, eine Fatalität, ein Affe, Papagei, Tänzer, ein Stiel ohne Schaufel, eine Tüte. Dieses Wort fällt ihm auch noch ein. Einer der Schläfer spuckt unter das Bett, vielleicht hat er auch etwas gesagt. Für die Jacke, die der Marokkaner nicht mehr auszieht, erhält Hermann Geld.

Stacheldrahtwalzen sperren die Trottoirfront und die Seitenstraße zur Hauptstraße hin ab. Die Polizisten räumen den Markt, drängen die Nordafrikaner tiefer in das überfüllte Viertel hinein. Der Händler linker Schuhe schleppt sackweise seine Ware weg. Der Nagelverkäufer sammelt die besten, schon gerade geklopften Sorten mit einem faustgroßen Magneten auf. Die Eisenstifte sträuben sich, bilden Ketten und Schöpfe. Hermann umklammert den Griff seiner Reisetasche, mehrmals wird er nach dem Preis gefragt. Einen seiner drei Pullover könnte er verkaufen, doch eine Schachtel voll Brillen oder eine verbeulte Heizsonne möchte er nicht dafür haben.

Maschinenpistolen stochern in die Menge, liegen auf Befehl in einer Reihe quer, die Polizisten rücken vor, stoßen und rempeln. Ausfälle und Schrittempo der Räumungskette wechseln planmäßig ab. Junge Araber tauchen schreiend und trillernd vor der Sperrkette auf, einer, der am höchsten springt, reißt Grimassen, hat plötzlich auch zwei Hüte übereinander auf, dann fliegt er gekrümmt zwischen den Polizisten hin und her, wird weitergereicht, kann sich nicht mehr aufrichten, und scheinbar immer mehr an Gewicht verlierend, schwimmt er die leere Straße hinunter, biegt sich ganz zusammen, wird vom Gefängniswagen geschluckt. Die Araber halten Ausweise mit roten und grünen Querstrichen in die Höhe. Ein Wald von Armen zeigt Legalität.

Hermann beginnt zu rennen. Die ausschwingende Reisetasche streift einen Turm Plastikwaren. Er hört es klappern, ein hüpfender Eimer überholt ihn. Gleich werden Berber, Rifkabylen, Tuaregs, Zenagas und Puls aus den Caféhöhlen stürzen, in Wut gebrachte Hamiten treiben sich Dolche durch die Arme, die Hetzjagd nimmt kein Ende. Wo ist der Eiffelturm? Hermann umarmt einen Laternenmast, kann vor Seitenstichen nicht mehr weiterlaufen. Die Nordafrikaner sind seltener geworden, einer säubert langsam und erholsam mit einem langstieligen Besen den Rinnstein. Über jedem Dreckhaufen, den er zusammenschiebt, macht er eine Pause. Sein Kollege bereitet auf dem geschlossenen Deckel des Abfallkarrens eine Zwischenmahlzeit. Hermann gibt es auf, sich nach der Silhouette des Eiffelturms zu orientieren.

An einem Karren kauft er Bananen. Wo es billige Hotels gebe, fragt er den Bananenmann. Der scheint schon lange auf einen Kunden gewartet zu haben, heftig patscht er Hermann auf die Schulter, reißt Strünke auseinander und schält zum Beweis, daß er es gut meint, eine große Banane, deren Gipfel er auffordernd abbeißt. Hotel, sagt er, ein Hotel sei eine böse Frage. Der Bananenmann ist breit und alt, auf seinem Kinn wächst eine Warze. Über seiner Stirnglatze, mit der er Schaufenster einschlagen könnte, sträuben sich Fledermaushaare. Zu einer Uniformjacke trägt er kurze Hosen. Vielleicht arbeitet der

Bananenmann für eine Untergrundbewegung. Am Karren brennt eine Petroleumlampe.

Sie sprechen miteinander, tatsächlich sie sprechen, verstehen sich ausgezeichnet. Der Zug fährt? Nein, der Lastwagen, das Auto, das große Auto mit Gewichten, darin ist er gefahren. Er hat nicht viel Geld, aber das macht nichts, ist nicht wichtig. Er ist zum erstenmal da, hier, sofort vorhanden. Er ist da, und es gefällt ihm. Wer unterwegs ist, hat Freude. Sind die Bananen teuer?

Nein, die Bananen sind nicht teuer. Bananen oder Orangen, Früchte des Sommers werden verkauft. Sie sind weniger teuer. Söhne und Töchter, die ganze Familie wohnt in Tunesien. Dort sind sie, erhalten Geld von ihm. Wer fleißig ist, kann Geld schicken, jahrelang, doch nicht im Winter, da gibt es keine Früchte und kein Papier, das erlaubt, zu arbeiten. Im Winter verschwindet die Arbeit, ist nicht mehr da. Im Winter ist alles anders. In welchem Land wohnt er, wo hat er Mutter und Vater?

In Deutschland. Das ist ein großes Land. Es liegt in der Mitte Europas. Es ist ausgezeichnet, besonders gut, hat eine Wichtigkeit in der Geschichte. Die Geschichte des Landes ist ein Wirbel, eine Turbulenz, eine bestimmte Sorte von Kämpfen, von Gewalt, Geschrei, Ringereien. Es ist ein Kriminal, eine Geschichte von Detektiven in Uniform, ein wunderbarer Schmutz, in dem immer etwas passiert.

Nein, er ist kein Flüchtling! Er soll nicht glauben, daß er einer ist, der ohne Papiere arbeitet. Er hat alles dabei, die Genehmigung für den Aufenthalt, den Standplatz, die Erlaubnis für die Arbeit, auch Beschäftigung. Jeden Monat bekommt er den Stempel der Verlängerung. Er muß nur hineinspazieren in die Präfektur, das Haus für Fremde auf der Insel der Cité, also der Stadtmitte. Chatelet steigt er aus der Métro und geht über die Brücke. Er kennt jeden Stein und jeden Polizisten. Guten Tag, sagen sie, guten Tag, sagt er. Er klopft nicht an, er geht einfach hinein, er hat ja die Kenntnis schon seit langer Zeit, er irrt sich nicht, legt nur den Schein auf den Tisch, hält ihn fest und krrr!, schon hat er den Stempel, die Erlaubnis. Er ist wohlgelitten und gut bekannt, hat ein normales Leben in der Stadt. Mit den anderen, diesen Marokkanern und Algeriern, diesen Leuten da, macht er keine Mischung. Fürwahr!

»Brix«, sagt Hermann.

»César«, sagt der Tunesier.

Er weiß alles, kennt sich in diesem Viertel aus. Das Vertrauen, die Vertraulichkeit gibt er als Geschenk. Man hat es nötig, einander zu helfen.

Hermann bedankt sich, sagt, seine Hand auf den Magen legend, daß er geschlossen sei, gestopft, eine Schüssel voll Brei wie bei Kindern.

Kinder, sagt César, Kinder machen das Lachen, sind gut, vorzüglich, in diesem Moment sei er sein Kind. Sie hätten Frieden geschlossen, würden sich freuen, seien lustig, die Bananen hätten keine Wichtigkeit mehr. Und Hermann muß es sich gefallen lassen, daß der Tunesier ihm auf den Magen klatscht, dabei tiefer gerät, so daß Hermann Blasenstiche bekommt. Die Freundschaft ist geschlossen.

Nachdem César ein Segeltuch über der Ladefläche festgeschnallt hat, beginnt er, den Karren zu schieben.

Die Petroleumlampe schwingt am Steg hin und her. Hermann hilft dem alten Mann. Gemeinsam bugsieren sie den Bananentransporter in eine Einfahrt hinein, in der schon andere sorgfältig zugedeckte Karren stehen. Frühmorgens bringt ein Lastwagen neue Ware. Der Patron, dem alles gehört, vermietet die Karren an Marktleute, die auf eigene Rechnung verkaufen und die Bananen bei Lieferung sofort bezahlen müssen. César scheint mit dem System zufrieden zu sein, erklärt, seine Chance sei das Vertrauen, das zwischen ihm und dem Patron bestehe. Die Kaution auf einen Karren beträgt eine Monatsmiete, bei Neulingen mehr. César verkauft seit Jahren, nicht nur Bananen und Orangen, auch Zitronen, Melonen, Birnen und Äpfel. Kartoffeln kennt er nicht, sagt, Kartoffeln habe er noch nie verkauft, mit Kartoffeln wolle er nichts zu tun haben. Vor Lachen tanzt er auf der Stelle. Aus dem dunklen Hof kommt Echo zurück.

Dieser schartige Kerl nützt Mangel an Erfahrung aus, weil es für einen Waldschrat wahrscheinlich keinen größeren Triumph gibt, als etwas zu verachten, das er nicht kennt. Hermann zeigt ihm seinen Paß. Da kaut César ehrfürchtig, prüft Format, Papierqualität, Stempel und Unterschrift, fischt eine Brille aus der Jacke und kann nicht genug kriegen, Einband und Goldprägung des Passes zu loben. Er entdeckt, daß auf Hermanns Photo der Scheitel verkehrt herum sitzt. Der Ausweis stimme nicht, sei falsch, schlecht gemacht, was er dafür bezahlt habe, ob der Name echt sei? Erst wie Hermann seinen neuen Freund vor die Spiegeltür eines Cafés zieht, zunächst keine Anhaltspunkte findet, die Fledermaushaare prüft, die Warze, das eine hängende Augenlid, endlich eine Zahnlücke als Gegenbeweis findet, da glaubt ihm César wieder. Ladungen von Schotter, Knochen, Süßholzlatten, minderwertigem Futter muß der Bananenmann schon zermalmt haben. Die Reichen seien schuld, sagt Hermann, eines Tages werde es ein Massaker geben. Aber der Tunesier begreift nicht, antwortet, er bezahle seine Taxen immer pünktlich. Im Café, durch dessen Fenster sie blicken, hat kein einziger Franzose eine Baskenmütze auf. Diese Enttäuschung ist für Hermann auf jeden Fall eine neue Erfahrung.

César lädt ins Kino ein. Die Straße, unter der eine U-Bahnlinie verläuft, zittert und blendet. Aus vergitterten Entlüftungsschächten steigen Warmluftsäulen und Métrogeräusche. Vor einem Radiogeschäft bleibt César stehen. Eine innen installierte Fernsehkamera nimmt Zuschauer auf und überträgt die Bilder auf einen Schirm. César reckt sich, macht Faxen und sich selbst Mut, eine Banane zu verschlingen. Sich essen zu sehen, bereitet ihm Vergnügen. Wie er die Schale mitkaut, erhält er von Zuschauern Beifall. Liliputaner. die die Fernsehkamera entdecken, zetern so lange, bis sie von amerikanischen Soldaten hochgehoben werden.

César führt sein Kino vor. Der Eingang ist mit Plakaten verschalt, auf denen Blut und Flugzeugtrümmer tropfen. Dies sei das einzige Kino, sagt César, in dem man zwei Farbfilme hintereinander sehen könne. Im geschnitzten Vestibül schüttelt er herumstehenden Nordafrikanern die Hände. Seinen Gast stellt er nicht vor. Hermann darf sich auch nicht an der Bar eine Tüte Reisflocken kaufen, César drängelt und pufft und ist erst zufrieden, wie sie direkt unter der Leinwand Platz nehmen. Auffordernd, das Genick auf die Lehne gestützt, legt er sich in seinen Sessel zurück. Über ihnen donnert ein Bombengeschwader in Farbe, in Landschaftsaufnahmen frißt sich immer wieder die Pestschrift französischer Untertitel.

Césars Hände finden keine Ruhe, sie reiben an der Sessellehne, zaubern schon wieder eine Banane aus der Jacke. Draculanägel ritzen die Schale auf, der matte Kolben wächst im Widerschein, soll angefeuchtet und gekaut werden, bricht jedoch, bevor César ihn in seiner ganzen Länge anbieten kann, unter der Last des Eigengewichts ab. Hinter Hermann knistert jemand mit Cellophantüten. Césars Pranken, Wunderkerzen, Griffel, Samtpfoten und Klauen mit entzündeten Nagelbetträndern sind immer noch unterwegs, schließen Jackenknöpfe, öffnen sie wieder, spielen mit Hemdknöpfen, lassen sie in Löchern hin- und herschlüpfen und streicheln schließlich Césars Brust. Auf der Leinwand reißen Explosionspilze kleine schwarze Löcher in eine grüne Reislandschaft. Der Schaden ist von weit weg gesehen gering. Das Geschwader legt sich im Steigflug schief und zieht über Wolkenbänke in den Himmel hinein. Kopfstimmen eines Knabenchors hellen die Motorengeräusche auf. Durch die Bomberkanzeln schwirrt Codesprache: die Lilie blüht, der kleine Hamster ruht im Ohr, das Lätzchen ist gerissen, Erdbeerflecken und Puffreis.

César hat sein Messer gezogen und schnitzelt an einem schweizer Käse. Vielleicht will er Schimmel ausschneiden oder zusätzlich Löcher bohren. Der Daumen prüft die Klinge und verliert ein Flöckchen Hornhaut. Wellenbewegungen auf der Leinwand, wenn Sonnenschein sich im Wasser bricht, bringen Glanz auf ein Stück Käse, lassen es schwitzen. César teilt in Streifen auf, bietet eine Portion an, die, auf seiner Flosse liegend, näherkommt, drohend sich zu Hermanns Mund aufrichtet, ein alter, gelb verschorfter Riegel schweizer Käse: Feuer, Notausgang und Bombenkeller.

Nahrung, flüstert César, der Bauch sei ein Tier, das Futter braucht, die Vögel im Nest machen den Mund auf, das kleine Lamm will einen Finger.

Hermann kann nicht mehr unterscheiden, ob César den Käse meint oder den Zeigefinger, beide bewegen sich vor seinem Gesicht hin und her, bleich und schlüpfrig im schwachen Licht. Der säuerliche Geruch hat sich verdichtet, der ganze, mit Plüsch und Schnitzereien überladene Zuschauerraum scheint eine Wäschetruhe zu sein, die sich dampfend öffnet. Hermann zwängt sich aus der Reihe.

Vor ihm tanzt der Strahl einer Taschenlampe. Die gedrechselten Emporen hängen tief, er zieht den Kopf ein.

Doch César gibt nicht auf. Auf der Straße hört ihn Hermann hinter sich laufen. Eine Touristengruppe bietet für einen Augenblick Deckung, aber schon taucht neben einer Schulter wieder Césars Gesicht auf, vor Anstrengung in die Länge gezogen, die Warze auf dem Kinn keucht mit. So viel Kummer kann Hermann nicht widerstehen, er reißt einer Frau einen Südwester vom Kopf und stülpt ihn César über. Dann springt er eine Treppe hinauf, nimmt immer zwei Stufen auf einmal, wechselt im Sprung den Schritt.

Unten irrt der alte Zwerg umher, seine Plastikkapuze glänzt. Heilige Mutter Gottes von Tetuan, Melilla und Sidi-bel-Abbes! Einsam wird César in die Kanisterstadt zurückkehren, nächtlicher Regen klopft aufs Blech.

»César!« ruft Hermann, »César, le grand!«

Und während das nordafrikanische Trickmännchen zappelnd an der Treppe hängt, daß seine mageren Knie zu Stecknadelkissen werden, rennt Hermann auf der anderen Seite den Berg schon wieder hinunter, angetrieben von Rührung und Triumph. Gleich wird er abheben und mit ausgebreiteten Armen über die Dächer segeln.

10

Charcot knöpft die Spritzdecke fest, läßt seinen Zweidecker über die Graspiste hoppeln und hebt ab. Nach
einer wackligen Platzrunde geht er auf Beobachtungs-
höhe. Sein flatternder Strickschal ist am ganzen Front-
abschnitt bekannt, er knotet ihn kürzer, seit der Schal
während eines Sturzfluges in die Steuerdrähte des
Leitwerkes geriet und sich erst nach überzogenen
Kurven und Trudelmanövern löste. Auf Flugblättern
des Gegners wird der Kapitän nur mit Schal gezeichnet. Alle Rümpfe der Staffel sind vom Motor bis zum
Schwanz mit Wellen bemalt, die erhöhte Geschwindigkeit vortäuschen, wenn sich die Flugzeuge gegenseitig überholen.
Unten liegen die Gräben mit Sandbrandungen, dazwischen dunkle Granattrichter; Balkenlöcher und
Häusereinfassungen römischer Anlagen könnten
nicht schöner aussehen. Damals wurden Geologen
auf die Möglichkeiten der Luftphotographie aufmerksam. Gesteinformationen ließen Erdöl vermu-
ten, Archäologen entdeckten aus großer Höhe vor-
geschichtliche Massengräber.
In der Ferne reitet ein Dreidecker auf einer Wolkenbank. Charcot tritt Pedale und rafft den Schal; seine
Motorradbrille, deren Gläser von innen beschlagen,
schiebt er auf die Stirn. Zum Kampf muß er frei sein,
zieht auch die Handschuhe aus. Die Gleichgewichts-
verhältnisse seines Apparates sind bei Seitenwind un-
günstig, der Dreidecker besitzt mehr Stabilität. Noch

weit voneinander entfernt, werden beide Maschinen durch Böen auseinandergerissen, die Flugzeuge müssen kurven und kopflastig wieder die Turnierbahn ansteuern. Der Dreidecker schiebt um sich selbst, steht beinahe in der Luft und macht sich mit stärkerem Motor über einem Waldstück breit, das der Zweidecker, der in Kaltluft absacken würde, meidet. Am Rande eines Hügels erhält er neuen Auftrieb, seine Segeleigenschaften jagen ihn in die Nähe des Gegners. Der eisenbeschlagene Propeller hilft mit.

Endlich den Herrn Feind im Visier, wackeln beide mit den Flügeln. Die Maschinengewehre beginnen zu hacken. Der Zweidecker schießt mittels einer Übersetzungswelle im Zwischentakt durch die Luftschraubenumdrehungen hindurch, manchmal wird der Propeller getroffen. Charcot fliegt deshalb gleichmäßig Halbgas und zielt mit seinem ganzen Körper. Der Dreidecker besitzt zwei in Rumpfnähe auf die Mittelflügel montierte Maschinengewehre. Seine Feuerkraft muß jedoch durch komplizierte Steuerbewegungen ins Ziel dirigiert werden, da die starren Läufe bei waagerechtem Anflug den Gegner höchstens an den Flügelenden treffen. Der Dreidecker tanzt und zeigt, immer wieder zur Seite ausweichend, Bereitschaft zum Kampf. Nur wenn er schräg liegt, decken sich Verlängerung durchs Fadenkreuz und Schußwinkel im Feind. Der bullige deutsche Apparat streut torkelnd Geschosse nach allen Seiten, der französische stürmt zielgerichtet. Die Erfolgsaussichten beider sind mäßig.

Nach zwei Anflügen, von denen sich der erste in einem Wolkenstreifen verzettelt, so daß die Gegner sich erst durch Ferngläser wiederfinden, nimmt der Franzose eine Bahnstrecke als Orientierung. Der Deutsche akzeptiert die Kampfbahn. Vielleicht hatte der Dreidecker Vergaserschwierigkeiten, vielleicht drückte ihn auch Fallwind, der sich auf seine Stockwerkflügel schlimm auswirkte, er sackte ab, während der Zweidecker wie eine Libelle, die einen feurigen Giftfaden spie, über ihn hinwegschnitt. Die obersten Flügel des Dreideckers klappten zusammen, Bespannung, Drähte, Leisten und Rippen lösen sich voneinander, Einzelteile sind in der Luft, werden unschlüssig langsamer, hängen als Schleppe der Maschine noch einen Augenblick nach und trudeln schließlich einzeln weg. Aus dem Dreidecker ist ein Zweidecker geworden, der schlapp in einer Kehre hängt. Die Telegrafenmasten entlang der Bahnlinie drohen in Propellerhöhe.

Charcot gab, neben dem Deutschen fliegend, noch einmal Mut, die Hürde zu nehmen. Vorausspurtend stellte er mit einer Punktlandung seine Maschine an das Ende eines Kleefeldes, so daß der Deutsche noch genügend Platz fand, seinen Apparat ausschleifen zu lassen. Als das Flugzeug endlich zum Stillstand kam, brach die nächste Lage Flügel ab. Charcot hat dem Deutschen, den ein Schulterdurchschuß behinderte, noch aus dem Sitz geholfen und ihm auch die Lederjacke aufgeschnitten. Der vor Schmerzen verzerrt lächelnde Gegner stellte sich als ein Hauptmann Wagner vor.

Eine Postenkette näherte sich, geschossen hat niemand. Charcot startete wieder und hob niedrig über Pickelhauben hinweg. Viele sahen seinen Schal gefährlich lang in der Nähe des Leitwerks flattern. In beiden Ländern wurde die Episode nach dem Krieg publiziert. Zeichner haben daraus Titelbilder für Familienzeitungen gemacht. Der Arm des Deutschen blieb steif.

Bin gut gelandet, schreibt Hermann auf einer Postkarte nach Hause, Wetter ausgezeichnet, Geld willkommen, Rückkehr gewiß. Erbitte Anschriften aller Onkel und Tanten in Paris. Der alte Stadtplan stimmt noch.

Adressen sind das einzige Kapital, das er besitzt. Auf einem Zettel, dessen Kniffe brüchig werden, stehen Namen, Métrostationen, Telefonnummern, Stichworte, teilweise durch Pfeile miteinander in Beziehung gesetzt. Berufsbezeichnungen fehlen. Außerdem notiert er französische Vokabeln, auch Redewendungen, die Sprachbeherrschung vortäuschen. Wenn wir hineinwerfen, können wir telefonieren, also sind die Wirwerfen-hinein Münzen für Fernsprecher. Oder wer die Platte putzt, flieht das Feld, den Campus, haut schleunigst ab, sonst hat er eine Schnauze, muß also still sein, denn Flüssiges, das heißt Geld, ist selten.

Joseph Moloumbetès, bei dem Hermann wohnt, ist Krankenpfleger und hat oft Nachtdienst. In Mozambique wird er einmal selbständiger Arzt sein. Wenn er morgens nach Hause kommt, möchte er noch seine Fälle anpreisen. Hermann bleibt freundlich, zahlt nichts für die Schlafstelle, hört zu, gähnt, ißt einen Apfel, den der Mediziner mitgebracht hat, und kann sich erst zurücklegen, wenn Joseph vor der Waschschüssel steht. Ein Fall von Gelbfieberverdacht, den er gepflegt hat, erzählt er, wisse eine freie Stelle, wohne zur Zeit in der Portiersloge der deutschen Gewerkschaftsvertretung. Salbeiblätter zur Zahnreinigung, Fenchel gegen Husten auf die Brust, Nelke frißt den Zehenpilz; Kamille, Kamille senkt in den Magen Stille. Da liegt er und genießt Heiltropfen in der Nasenmuschel. Das Gerinnsel wandert in die eustachische Röhre, der Rest versickert am Gaumenzäpfchen, das gereizt vibriert. Moloumbetès schleudert seine Decken zur Seite und holt aus seiner Mappe einen Strauß Nelken, den er von einem Nachttisch gestohlen hat. Mit medizinischen Werken baut er auf dem Tisch Stützmauern, denn das Zahnglas ist zu klein, es droht umzukippen. Hermann wird endgültig wach, Moloumbetès schläft endlich ein. Hinter dem gelben Plastikvorhang macht sich Sonnenschein breit, die gelbe Plastiktapete läßt das Zimmer schrumpfen.

Joseph ist glücklich in der Kammer, die ihm ein Apotheker für monatlich hundert Francs vermietet. Er empfindet es immer noch als ein Wunder, daß er diese Plastikhöhle überhaupt gefunden hat. Auch Hermann fühlt sich auf seiner Luftmatratze geborgen, schaukelnd liegt er in feuchter Wärme, in der Reisetasche keimen die Socken, die Tochter von Lou Charcot-Wagner hat ihm ein Heftchen Métrobilletts geschenkt. Der Tag ist gesichert.

Tante Lou ist die Stiefschwester von Tante Maria aus Ulm, deren Urgroßvater Mosaiktechnik in Venedig lernte. Lous erster Mann, ein Restaurantbesitzer, hieß Charcot, Wagner war ihr zweiter Mann gewesen. Sie lebte schon in Frankreich und schrieb Beiträge für Magazine. Nach dem Krieg hatte sie sich von Charcot scheiden lassen und heiratete dessen ehemaligen Gegner. Diese Ehe hielt nicht lange. Aber Charcot und Wagner machten gemeinsam ein Restaurant auf, in Genf oder Zoppot. Tante Lou besitzt Photos und Kunstdruckmappen, gemalt hat sie auch einmal. Ihre fünfzigjährige Tochter spricht Arabisch und soll mit einem maltesischen Arzt verheiratet gewesen sein. Die Insel Malta hat dreihundertfünfzigtausend Einwohner und dreihundertfünfzig Kirchen; das Malteserfieber ist eine Infektionskrankheit, die von Wiederkäuern und Menschen übertragen wird; Malteserkreuz nennt man ein achtzipfliges Startzeichen zur Erzeugung ruckartiger Bewegungen für periodisches Weiterschalten eines Filmstreifens um ein Einzelbild.

Hermann schwitzt. Zwei dünstende Körper sind für das kleine Plastikzimmer zuviel. Moloumbetès pfeift schlafend leise durch seine Wulstlippen. Auf dem Boden stehen Plastikschüsseln, in die der Mediziner Unterzeug und Hemden zum Aufweichen eingelegt hat. Joseph besitzt Extrabürsten für die Krageninnenseiten, die Borstenhärte ist genau abgestimmt, damit der Hemdenstoff sich nicht zu schnell abnutzt. Hermann steht auf und schlägt sein Wasser in das kleine Waschbecken ab. Da der Abfluß die morgendliche Menge nicht verkraftet, unterbricht er sich und verteilt einige Spritzer auf die Einweichschüsseln. Auf Strümpfen schleicht er hinaus. Nachdem er den Hof überquert hat, betritt er durch den Hintereingang eine Wirtschaft. An der Theke genehmigt er sich ein Achtel Roten. Ein Schuß Wein auf nüchternen Magen macht beinahe unbesiegbar.

In der langen, bösartig abgewinkelten Portiersloge der deutschen Gewerkschaftsvertretung, die auch ein Gang zu einem Kanalgewölbe oder ein Pulvermagazin sein könnte, wohnen sie zu dritt. Einer kocht, einer putzt, einer kontrolliert das Fensterchen. In der gepflasterten Toreinfahrt läuft ein Diesellastwagen im Leerlauf.

»Sascha hat gesagt, er hätte Cum mit einem Paket in einem Taxi gesehen. Mir schuldet er fünfzig. Das Aas wohnt warm in einem Hotel, aber Photograph ist er nie und nimmer.«

»Ich sage euch, in Spanien kommt jeder durch. In Spanien gibt es Amerikaner, die photographieren Ärsche für zwei Dollar das Stück. Nach einem Monat hat man soviel zusammen, daß man ein halbes Jahr in Jugoslawien bleiben kann.«

»Stimmt nicht, Kitz hat es mir genau erklärt. Sie kennt ihn schon, als er noch Schmuggler war. Nichts ist dahinter, nichts, denn Schmuggler war er auch nicht.«

»Doch, er hat einen gekannt, der zwischen Tanger und Sizilien als MG-Schütze auf dem Bug eines Schnellboots hin- und hergefahren ist.«

»Und ich kenne einen, der heißt Tonio. Erst neulich habe ich mit ihm Kaffee getrunken. Er besitzt zwei Kisten voll Briefmarken. Sortieren kann er sie natürlich nicht, aber er verkauft sie säckchenweise oder klebt Bilder damit oder ißt sie als Brei. Ich sage euch, wenn Cum die Adresse nicht hergibt, mache ich auch keine Übersetzungen mehr für ihn. Der Chefdolmetscher der Vereinten Nationen leiht mir Samstagsonntag sein Auto. Da ist er in New York und arbeitet. Ich hab mit ihm zehn Anis getrunken. Eine fabelhafte Erscheinung. Er kennt die Adresse eines griechischen Schiffsmaklers.«

»Alles gelogen, den Chefdolmetscher kenne ich auch. Er läßt sich blondieren und stammt aus Budapest. Nach dem Sechsundfünfziger-Aufstand ist er Friseur geworden. Mich hat er nach einer Druckerei für Flugblätter gefragt. Ich habe ihm geraten, er soll sich für einen mehrtägigen Hungerstreik am Eiffelturm festbinden lassen. Der Bock näht Vorhänge in Heimarbeit. Wenn man ihn danach fragt, fängt er an zu weinen. Wo sind die Eier?«

»Brauche ich für mein Deckverfahren.«

»Die Eier gehören mir.«

»Du kannst das Eiweiß haben. Zehntägiger Dotter gibt ein herrliches Bindemittel.«

»Wo ist meine Hindi-Sprachlehre?«

»Bring dich selber um.«

»Schläfst du heute nacht hier?«

»Ich habe es vor.«

»Du schläfst heute nacht nicht hier.«

»Ich schwöre dir, ich kriege den Scheck von der Amexco. Frag George, ruf ihn an, er hat seinen schon.«

»Ich schlafe auch nicht hier, heute ist Kontrolle. Sonst bin ich meinen Job los. Wenn ich nicht sofort die Hindi-Sprachlehre finde, bekomme ich einen Anfall.«

»Ich habe eine Kirche entdeckt, in der ich zweimal pro Woche nachmittags üben kann. Ich stehe vor der kleinen dreckigen Backsteindrüse und überlege gerade, ob ich mir Turnschuhe kaufen soll oder nicht, da kommt ein Pfarrer, geht die Stufen hinauf und schließt die Tür auf. Ich denke immer noch an die

Turnschuhe, einen ganzen Korb voll im Preis herab-
gesetzt vor einem Schuhgeschäft in der Nähe, die
Steppnähte sahen aus der Entfernung unverschämt
schnell aus, plötzlich höre ich Musik. Ich gehe hinein, auf die Empore hinauf und drücke über den Pfarrer hinweg Register. Der Choral war zu dick orche-
striert. Der Pfarrer hat es eingesehen.«

»Alles Ablenkung. Keiner kann heute nacht hier
bleiben.«

»Und wenn ich einen Schrankkoffer ausräume und
mich hineinlege?«

»Die Gewerkschaftsvertretung ist offiziell.«

»Die wissen doch selbst nicht mehr, daß sie überhaupt existieren. Dick gewordene Spanienkämpfer
sind ungefährlich. Von Picasso soll es ein Photo geben, wie er einen spanischen Grenzpfahl anpißt.«

»Nein, nicht Picasso, ein Photo von Dali. Er liegt von
hinten aufgenommen nackt auf dem Fußboden und
onaniert, aber man sieht es kaum.«

»Meier-Andechs wohnt seit zwanzig Jahren im Haus.
Er weiß ganz genau, was hier unten vor sich geht,
doch er sagt nichts und bezahlt mich pünktlich. Sehr,
sehr anständig.«

»Sein Fehler.«

»Wißt ihr überhaupt, daß ich eine Schwester in einem
englischen Internat habe? Wir könnten sie besuchen.«

»In der Spielzeugabteilung eines Kaufhauses habe
ich ein Luftkissenboot gesehen. Ich brauchte ein
neues Hemd, beinahe hätten sie mich erwischt. Ein
Indonesier ließ vor Wut drei Flaschen Rotwein fallen,
als sie ihn an der Kasse einklemmten. Eine wunderbare Schweinerei, aber ich war durch.«

Hermann hatte es sich in der Portiersloge auf einer Kiste bequem gemacht. Der leerlaufende Diesel füllt die Toreinfahrt mit Qualm. Vielleicht hätte Hermann Kuckuck rufen oder ein Brustkreuz zeigen sollen, Zehensandalen, Ansteckblumen, gelbe Schals, Lederringe mit Porzellanperlen, im städtischen Untergrund führt jede Nationalität ihre eigene Zeichensprache. Griechen schlagen sich gegenseitig an die Hüften, junge Amerikaner erkennen sich an den sorgfältig über den Schultern zerrissenen Hemden, Schweden tragen Mädchenpullover, die einen Streifen Haut freilassen. Hermann hat an das Fensterchen geklopft und wurde eingelassen.

Wenn der jüngste des Trios mit seiner kleinen Bürste in die Cremedose tupft, bleibt nichts von der rissigen Wichse daran haften. Er drückt und schabt und balanciert Bröckchen hoch, die er auf halbem Weg wieder von den Borsten verliert. Schließlich schmiert er seine Schuhe mit den Fingern ein. In der Ecke zieht sich einer einen Smoking an. Der Suppenkocher nimmt über den Topf gebeugt ein Dampfbad.

»Ich habe aus Wuppertal einen Steuerbescheid erhalten. Wie soll ich das nun machen?«

»Du mußt bezahlen.«

»Ich war Chemograph.«

»Und ich dachte, du warst Tankwart.«

»Keine schlechte Idee! Ich kenne ein Mädchen, ihr Vater, glaube ich, besitzt eine Tankstelle, draußen in Versailles. Vielleicht brauchen sie jemanden für den Nachtdienst.«

»Wer will mitessen?«

»Ich komme von Moloumbetès«, sagt Hermann.

»Wer bindet mir meine Smokingschleife?«

Hermann hat als einziger saubere Hände. Dreimal
setzt er an, bis der Knoten in der Mitte hält. Der
Smokingmann lädt ihn zu einem Teller Suppe ein. In
der Toreinfahrt hört der Dieselmotor zu laufen auf,
der Schatten der Plane bleibt auf dem Portiersfenster
stehen. Hermann wird aufgefordert, sich aus einer
Schachtel voll indischer Blumenseife zu bedienen.
Keller und erste Etage des Gewerkschaftshauses wurden als Lagerräume an eine Großhandlung vermietet.
Hermann füllt sich die Taschen. Es sind kleine, stark
parfümierte und bunt eingewickelte Dreiecke. In
einem Kranz von Veilchen tanzt eine Art Indianer
mit einer Perle auf der Stirn um eine Vase. Die Bewohner der Portiersloge loben Geruch und Schaum.
Hermann findet in der Schachtel eine vorgedruckte
Versandliste, die Rubriken sind nach Seifennamen
unterteilt. Man kann an Jugendstilkurven denken,
Friseursreklame, Schallplattenhüllen.

Moloumbetès hat Viktor gepflegt, der jetzt einen
Smoking trägt. Viktor behauptet, es sei eine Gallen-
kolik gewesen und nicht Gelbfieberverdacht. Das
Essen in Spanien, wo er auf einer Insel lebte, habe ihn
ruiniert. Mit zwei Schrankkoffern voll Anzügen ist
er nach Paris gekommen, Geld hat er keines mehr.
Auf seiner Stirn liegen blaue Adern, ein Kranz Nak-
kenhaare ripst über den Jackenkragen.

»Ich muß meinen Ehering verkaufen. Seine fünf
Diamantensplitter bedeuten die fünf Zeitungen
meines Schwiegervaters in Argentinien, der den
Ring meiner Frau geschenkt hat. An so einem
Ring hänge ich nicht, ganz klar. Und meine Frau

sicher auch nicht. Ich werde ihr eine Postkarte schreiben.«

Viktor möchte seinen dreizehnjährigen Sohn nachkommen lassen, der ein begnadeter Zeichner sei und wie ein Raffaelengel aussehe. Den blondlockigen Bengel vor sich herschiebend, sieht er Salontüren aufgehen. Herren, die Kunstdruckmappen herstellen oder mit Zahngold handeln, würden beim Anblick von so viel Unschuld wieder über Geld reden. Vielleicht springe auch noch ein Kurzfilm dabei heraus. Viktor ist von seinen Einfällen begeistert, macht ein paar Steppschritte. Aus der Toreinfahrt fährt endlich rückwärts der Diesel ab.

»Heute ist Empfang beim deutschen Botschafter«, sagt Viktor, »ich habe keine Einladung, aber ich komme trotzdem hinein. Wo kriege ich den Ehering los? Mayonnaise esse ich nicht, sonst gibt meine Galle wieder Dauerfeuer. Vielleicht Lachsbrötchen? Nein, auch nicht. Eier, einen trockenen Hühnerschlegel, keinen Rollschinken, Schwein ist auch verboten. Fisch vertrage ich jede Menge, zum Beispiel eingelegte Heringe. Vielleicht gibt es getrockneten Heilbutt? Zu Empfängen in der deutschen Botschaft in Madrid wurden ganze Barockbrunnen aus Salatschüsseln auf die Büfetts gebaut. Die Soßen tropften von Schale zu Schale. Für Salate könnte ich sterben. Mein Sohn denkt genauso. Gezeichnet hat er schon als Vierjähriger. Mit Rötelsteinen, die er am Flußufer fand, ritzte er Palmenlandschaften in die Garagenwand. Damals wohnten wir noch in Donaueschingen. Er ist ein bißchen krank. Lunge wie Mozart. Seine erste Freundin habe ich ihm ausgesucht.

In Oran saßen wir einmal zusammen ein paar Tage im Stadtgefängnis. Salate gab es natürlich nicht, aber Läuse und Stechmücken. Eine Ratte hatte sich in die Sammelzelle verirrt. Die Araber haben sie mit den Pfoten an die Gitterstäbe gebunden, und dann schlitzte sie einer mit seinem Daumennagel auf. Die Ratte hat geschrien, bis sie leer war. Rattenblut soll gut gegen Warzen sein oder gegen Pockennarben oder alte Geschwüre oder Beulenpest, behaupten die Nordafrikaner. Nächtelang habe ich nicht geschlafen. Wenn ich meinen Sohn nicht bewacht hätte, wäre er totgefickt worden. Mein Gott, endlich einmal wieder Gurkensalat mit einer sanften Senfsoße essen oder Rettichsalat in Sauermilch, Fenchelstücke mit Öltröpfchen darauf, geriebene Möhren, Tomatenscheiben, frische Endivienlocken oder von mir aus auch einen Schlag Kartoffelsalat, der ehrlich stundenlang im Magen liegt. Ich muß sofort in die Botschaft.«

Hermann begleitet Viktor, hofft auf die Adresse der freien Stelle, von der Moloumbetès erzählte. Als Vorschuß bietet er die Hälfte seines Billettheftchens an. Auf dem Handteller läßt Viktor einen kleinen Kompaß tanzen, in dessen Unterseite ein Bleistiftspitzer eingebaut ist. Die deutsche Botschaft liegt in der Nähe der Untergrundstation Roosevelt.

»Kenne ich«, sagt Hermann, »sieht aus wie ein Hallenbad. Zwischen Reklametafeln hängen von hinten beleuchtete Mosaikkopien berühmter Futuristen. Ich dachte, der Tunnel explodiert, als ich zum erstenmal durchfuhr.«

»Wir gehen zu Fuß«, sagt Viktor, »der Ehering muß

mindestens hundert Francs bringen, sonst schäme ich mich.«

Viktor behauptet, daß er im Krieg die Tochter des Botschafters versteckt gehalten habe, damals sei der Botschafter noch Redakteur gewesen.

»Und die Mutter?«

»Weiß ich nicht, er war geschieden. Sitzt mein Smoking, liegen Schuppen auf dem Kragen? Wenn ich nur Hosenträger hätte, ich habe abgenommen. Die Tochter kam weinend zu uns. Meine Frau kannte sie vom Tennisspielen. Wir wohnten damals in Darmstadt, nein, in Donaueschingen, nein, kann nicht sein, in Frankfurt wollte ich Medizin studieren, also haben wir noch in Darmstadt gewohnt. Mein Schwiegervater bezahlte alles. Er ist erst nach dem Krieg ausgewandert. Ich bete ihn an. Er ist so korrupt, daß jede Fensterscheibe, die er ansieht, einen Riß bekommt, deshalb trägt er Tag und Nacht eine Sonnenbrille, sonst würde er sich ständig in seinem eigenen Haus erkälten.«

Viktor bekommt einen Hustenanfall, Hermann lacht auch. Hand in Hand irren sie vor Autokühlern umher, bis ein Schülerlotse sie in Sicherheit führt. In einem Uhrenladen bietet Viktor den Ehering an. Eine Frau, die eine Brille an einer goldenen Kette umhängen hat, fragt nach Viktors Identitätskarte. Sie betrachtet den Ring, sagt Grüßgott und Soldatenbraut, sie sei einmal in Hamburg gewesen, der Salzwassergehalt der Nordsee sei höher als der der Ostsee. Mit Gravur ist der Ring für sie wertlos. Sie läßt ihre Brille wieder fallen, auf der Brust hüpft sie nach. Die Herren sollten ins türkische Bad gehen, dort sei Tag und Nacht internationaler Markt.

Viktor braucht Stärkung. In einer Straßenwirtschaft machen sie Pause und trinken Milchkaffee. Viktor sitzt zurückgelehnt und visiert durch seinen Ehering, den er abgezogen hat, die Sonne an.

»Meine Frau und ich, wir haben dieses Mädel versteckt, zuletzt dachte ich, wir hätten eine Mastgans unterm Dach gezüchtet. Sieht man mir an, daß ich bald fünfzig bin? Man glaubt eher, ich sei ein ramponierter Dreißiger. Ich hasse Mädchen, junge Frauen ekeln mich an. Erst wenn sie Falten in die Augenwinkel bekommen, mürbe werden, ertrage ich sie wieder. Meine Frau ist alt, sehr alt, aber einen Sohn hat sie noch ausgetragen. Es war eine Meisterleistung. Sie hat Dehnungsspritzen erhalten, hat Yogaübungen gemacht, zuletzt half ein Kaiserschnitt. Operationskinder sind die schönsten, das wußten schon die alten Ägypter. Sobald wie möglich lasse ich meinen kleinen Engel hierher kommen. Das Mädchen, was sage ich, diese Menstruationsmaschine, diese Bienenkönigin, die wir vollgestopft haben, jeden Tag dreimal, hat uns mehr Sorgen bereitet als der ganze Krieg. Vor Angst haben wir sie das erste Jahr nur in einen Kübel machen lassen, den ich immer leerte. Nachts ist sie im Garten spazieren gegangen, also konnte ich auch nicht schlafen, weil ich aufpassen mußte. Gelesen hat sie, Englisch gelernt, Französisch, Kroatisch, ich glaube, sie hat meine Bücher auch noch teilweise aufgegessen. So gut wie bei uns in ihrem Hänsel-und-Gretel-Verschlag war es ihr noch nie ergangen. Ihr Vater hat sich nicht blicken lassen. Manchmal hat er in einem Schön-Wetter-Postkarten-Code telefoniert, er hatte Angst um seinen Redaktionsposten. Wenn uns damals nicht Amerikaner, sondern Russen befreit hätten, wahrhaftig, ich hätte ihnen unsere Gänseliesel auf einen Teewagen geschnallt entgegengeschoben. Der Botschafter muß zahlen.«

»Und wenn seine Tochter nicht da ist?«

»Sie ist da, ich habe ihr geschrieben.«

»Stimmt das auch alles?«

»Darauf kommt es doch nicht an!«

In Goldwarengeschäften, die sie auf dem Weg zur Botschaft besuchen, werden sie den Ehering auch nicht los. Die Expertise fehle, heißt es. Hermann tauscht mit Viktor die Anschrift von Lou Charcot-Wagner gegen die Adresse der freien Stelle, von der Moloumbetès erzählte.

»Wir sehen uns bestimmt wieder«, sagt Viktor. »Gestern habe ich einen kennengelernt, der einen Pilotenschein besitzt, aber kein Flugzeug. Vielleicht läßt sich etwas vermitteln. Wie gesagt, stets auf der Spur bleiben.«

Hermann sieht ihn durch ein Portal gehen, vorbei an einem Diener, der eine blaue Jacke mit Goldknöpfen trägt. Viktor zeigt etwas vor, vielleicht seinen Paß oder einen alten Eisenbahnfahrschein. Limousinen biegen in den gepflasterten Hof ein, Hermann steht draußen. Die Springbrunnensäule steigt und fällt gleichmäßig senkrecht, gegen Abend geht kein Wind. Später wird leise Musik zu hören sein. In Werbefilmen tanzen Paare unter Kronleuchtern, an offenen Balkontüren wehen leichte Kleider vorüber, in einem vergrößerten Kristallausschnitt bricht sich Kerzenlicht. Sorgfältige Lippen öffnen sich mit einem kleinen

340

schmatzenden Laut, der sich im Gedächtnis wiederholt. Zeichnung und Glasur sind unzerstörbar.

Am nächsten Tag stellt sich Hermann bei Karen Reibnitz vor. Er sehe vertrauenerweckend aus, sagt sie.

»Das Mädchen, das ich hatte, war schlampig. Auf Staubflöckchen in den Ecken soll es nicht ankommen, wenn ich Zeit habe, helfe ich mit. Hausarbeit ist der beste Ausgleich für meinen Beruf. Aber mein Sohn macht mir Sorgen. Das Mädchen war ihm nicht gewachsen, jetzt liegt er im Krankenhaus und hat eine Gehirnerschütterung. Er braucht einen großen Kameraden. Ich wäre Ihnen sehr dankbar. Das Mädchen und er sind im Bois Fahrrad gefahren, und schon lag er unter einem Auto. Ich habe das Mädchen sofort entlassen. Wissen Sie, ich habe soviele Termine, daß ich mich beim besten Willen nicht um ihn kümmern kann. Er heißt Paul, Sie können es auch französisch aussprechen, er versteht beide Sprachen. Im Winter ist er bei seinem Vater in Frankfurt. Schulaufgaben, ein bißchen Haushalt, das wäre alles. Und wenn das Telefon klingelt, lassen Sie sich bitte die Nummer geben, ich rufe dann zurück. Die Agenturen und Photographen haben es eilig, manche sind auch unhöflich. Einverstanden?«

Stehend überragt sie Hermann um einen Kopf. Sie trägt keinen Schmuck und keine Schminke, ihre Knie und Ellenbogen sind zu groß. Ruhig blickt sie auf ihn herunter, nur mit ihren langen Haaren hat sie ständig zu tun. Strähnen, die sie aus ihrem Gesicht streicht, fallen sofort wieder zurück. Wenn sie spricht, werden rosa Fleischzipfel zwischen ihren Kinderzähnen sichtbar.

»Haben Sie Reverenzen?«

»Den Leuten, die ich hier kenne«, sagt Hermann, »würden Sie nicht trauen.«

»Ich kenne einen Mörder. Man sieht es ihm nicht an. Er ist Tapetenstilist. Ich weiß, daß er seine Frau umgebracht hat. Brauchen Sie sofort Geld?«

»Nächste Woche. Wenn Sie wollen, rufen Sie meinen Onkel in Süddeutschland an. Er besitzt eine Fabrik. Sagen Sie meinen Namen und machen Sie ein R-Gespräch. Es wird bestimmt angenommen.«

»Sonst noch Witze? Auf dem Garderobentisch finden Sie die Hausschlüssel. Kaufen Sie bitte eine Gurke, Pfirsiche und vorgeschnittenes Toastbrot. Es ist eine Sorte mit bretonischem Namen. Dann muß die Treppe naß gewischt werden bis zum nächsten Stockwerk hinunter. Ich erwarte Sie wieder übermorgen nachmittag. Die Hausschlüssel werfen Sie bitte durch den Türschlitz. Und tun Sie mir den Gefallen, fahren Sie ins Hospital Hotel-Dieu, besuchen Sie meinen Sohn. Versuchen Sie, sich mit ihm anzufreunden. Das ist das Wichtigste. Er mag Eis und farbige Socken. Im Bett möchte er immer seine Strümpfe anbehalten. Geld liegt in der Schlüsselschale.«

An der Wand hängt die vergrößerte Photographie eines Frauenkopfes. Auf einem Glastisch liegt ein aufgerissenes Paket Wunderkerzen. Einige sind abgebrannt und haben Rußflecken auf dem Glas hinterlassen. Zwischen der gegabelten Zimmerantenne des Fernsehapparats baumelt ein Strohstern. Karen Reibnitz geht hin und her, sammelt Tücher und Schuhe in eine große Ledertasche. Aus der Küche ruft sie, sie brauche auch noch einige Rollen Traubenzucker, aber ohne Kakao- oder Pfefferminzgeschmack. Wenn er Bier trinken wolle, im Eisschrank stünden Dosen.

»Bier macht mich wach«, sagt sie, »Kaffee schläfert mich ein.«

Hermann sieht zu, wie sie ihre Schuhe anzieht. Sie nimmt keinen Schuhlöffel mit langem Stiel, bückt sich auch nicht, sondern sinkt in ihrer ganzen Länge teleskopartig ein, hält die dünnen Arme auseinander, ein Kleiderinsekt, das schwierige Haltungen liebt, hilft mit dem Finger an der Hakennaht nach, dann schlüpft die Ferse in den Slipper. Feine Kettenglieder halten den Rist. Eine Haarsträhne zurückschleudernd, geht sie an Hermann vorbei. Ihr Gestell zeigt modellartige Bewegungen: Spreizschritt, Hüftknick, Gänsehals, Boxabwehr, Hocke im Vakuumraum, Haarwaschen, Coltanschlag, da läuft die Maus!, denken, der Zahn tut weh, Flugzeugtreppe, so war ich als Kind, Männer, schwerer Rucksack, Karate, Strumpfhose und Herbstsonne. Sie ist an ihm vorbeigegangen und gestolpert. Vielleicht trägt sie Schlüpfer mit Blumenmuster, ihr Strumpfhalter könnte gehäkelt sein, rasiert ist sie sicher.

»Vor der Schwelle zum Schlafzimmer muß ein Stück Teppichboden befestigt werden«, sagt sie.

»Haben Sie Hammer und Nägel?«

»In der Küche, unterste Schublade.«

Es ist ein Werkzeugkasten aus Bakelit mit Fächern und einem Tragebügel. Putzmittel, Möbelspray und eine Schachtel voll Geschenkpapier und Zierbänder stehen ebenfalls in der Schublade. Erst was gefaltet, entknotet, in neuer Ordnung griffbereit in der Lade ruht, gehört endgültig Karen Reibnitz. Zwei Rohre eines Staubsaugers findet Hermann auch. Sie hat, als sie sich ein neues Modell kaufte, die alten Teile nicht weggeworfen. Vielleicht versuchte sie, die Kunststoffrohre von beiden Seiten mit einem Flaschenputzer zu reinigen, hat visiert, geblasen, schließlich einen um einen Kochlöffel gewickelten Lappen hineingestoßen. Sie hätte mit einer Blockflöte verlängern können, einem dünnen Besenstiel, einem Schraubenzieher, du lieber Himmel, es gäbe noch abschraubbare Bleistiftabsätze, Spiralen von Nachttischlampen, Schleuderstangen von Gardinen. Den Beutel des Staubsaugers, in dem kein Flöckchen sitzt, hat sie wahrscheinlich so lange über dem Waschbecken, der Abortschüssel oder einer ausgebreiteten Zeitung geschüttelt, umgestülpt und geklopft, bis er rein war. Bei der Hausarbeit trägt sie einen Ärztemantel.

Hermann kniet vor der Tür zum Schlafzimmer und hämmert Polsterstifte in den Teppichboden. Am liebsten würde er jede einzelne Masche, die vom Rand absteht, befestigen. Unebenheiten auf der gummierten Unterseite des Bodenbelags kratzt er ab. Wie Karen Reibnitz aus dem Schlafzimmer tritt, geht er noch tiefer, liegt beinahe. Langsam dreht er den Kopf.

Sie wartet vor der Schwelle, ihre mageren Beine zittern ein wenig, sie wagt nicht den Schritt über das Hindernis. Unter den Perlonstrümpfen kleben lange Haare. Ihr Blutdruck wird kaum bis zu den Zehen reichen, kleinen Weißlingen mit geriffelten Nagelkäppchen; in den Rillen löst sich die Haut, hinterläßt Schrunden, die, sobald sie ausgetrocknet sind, neue Talgabsonderungen hervorrufen, so daß die Haut, die nachgewachsen ist, sich wieder löst. Und während Karen Reibnitz nun doch zum Schritt über Hermann ansetzt und für einen Augenblick gegabelt über ihm schwebt, könnte er hinauflangen. Er erobert die Strumpfenden, nimmt mit dem Daumen Druckpunkt auf den Stöpseln des Halters, gleitet unter den Gummibändern, die den Schlüpfer auseinanderziehen, weiter. Die Hände um die Schenkel gelegt, würde sein Griff die Schamlippen öffnen.

Hermann hämmert den nächsten Polsternagel ein. Der Messingkopf erhitzt sich unter den heftigen Schlägen und versinkt im Gewebe. Nur noch ein Schimmer ist zu sehen.

Später durchsucht er die Wohnung. In einem Fach des Kleiderschrankes liegt ein Bikini aus schwarzem Leder. Ein durchsichtiger Regenschirm, der in der Garderobe hängt, hat ein Loch, das sich beim Aufspannen vergrößert. Die Cellophanhaut schmilzt lautlos. Im Küchenschrank stehen Nudelschachteln, auf denen Karen Reibnitz in Brustformat eine Nudelschachtel vorstreckt, auf der sie wieder eine Nudelschachtel hält. Keine einzige Schachtel ist angebrochen. Im Badezimmer findet er keine Filter, Meßapparate, Schläuche, Pasten oder Gleitmittel. In einem weißen Arzneischränkchen liegen Kamillendosen, vier oder fünf Stück. Ein Klistierballon, der ihm entgegenkippt, ist an der Seite aufgeschlitzt. Die dicken glatten Gummilippen reiben aneinander. Er entdeckt keine Rollen, Walzen mit Reißleinen, von Schutznetzen überzogene Filetstücke, einknöpfbar, einlegbar, zum Falten, Stopfen, Turnen, Wasserski laufen. Am liebsten würde er vor Enttäuschung mit

einem Lippenstift Geschlechtsteile auf den Toiletten-
spiegel malen. Karen Reibnitz versucht abends, während sie Gesichtsmilch einreibt, die Zeichen zu ent-
rätseln und beruhigt mit einem kühlen Waschlappen
ihre Naht. Vor Wut pißt Hermann ins Waschbecken.
Innen an der Porzellanwölbung bleiben gelbe Tropfen
hängen.

Aber er putzt auch, wie es ihm befohlen wurde, haut
den nassen Lumpen über die Treppe hinunter. Wenn
er eintaucht und in der Brühe rührt, wächst im Eimer
der weiße Schaumhut ein Stück höher, steht leise
knisternd. Die Zementstufen sind schlecht gegossen,
überall zeigen sich Risse. Bei jeder Handbewegung
wächst die Ungerechtigkeit. Die Nagelhaut am Daumen brennt, das scharfe Dreckwasser bereitet im
aufgeweichten Bett eine Entzündung vor. Einem
Mann, der die Treppe hinaufsteigt, spritzt Hermann
ein wenig Schaum nach. Auf der dunklen Anzug-
hose klebt eine Flocke, reitet neben der Bügelfalte
mit.

Hermann räumt auf, kauft ein, auch eine Gurke, die
er im Wohnzimmer auf den Glastisch legt. Im Kinderzimmer sucht er nach bunten Socken. Entweder hat
Karen Reibnitz übertrieben oder alle Socken vernichtet oder der Sohn existiert nicht oder Hermann
soll auf die Probe gestellt werden. In den kleinen
Unterhosen, die in einem Schrank aus Birkenholz liegen, stecken keine Haschischpäckchen, sie hätten
aber auch in einem aufgeblasenen Wasserball Platz.
Hermann schüttelt den leeren, leichten Ball. Schnee,
Pulver, Kif und Pot, mit einem Bagger holt er ein ver-
dächtiges Stück Knetmasse vom Teppich. Auf dem

Laufwerk des Baggers fehlen die Raupen, er findet sie in einem Gebirgshäuschen. Unter einem Wandbehang, auf dem aus rotem Filz Max und Moritz kleben, steht das Wort Tresor an die Tapete geschrieben. Die dünnen Bleistiftbuchstaben sind kaum lesbar. Neben dem Kinderbett liegen Modezeitschriften, Hermann blättert, Karen Reibnitz führt Kleider vor. Sie sieht jünger aus als in Wirklichkeit, hat ein gespanntes Mädchengesicht mit großem Mund. Einige Photographien sind mit Fettstift übermalt worden, jedoch nur bis zum Hals.

Hermann fährt zum Hospital Hotel-Dieu, Socken kauft er nicht. Er sei ein Cousin aus Deutschland, erklärt er in der Anmeldung. Paul liegt in einem Saal bis oben zugedeckt. Auf seiner Stirn klebt eine Briefmarke. Ein Mädchen im Bett daneben läßt von ihrem Bein, das in einem Streckverband steckt, ein Auto herunterfahren. Auf dem Zuggewicht des Galgens sitzt eine Strickmütze.

»Hör mal, du bist doch Paul?« sagt Hermann. »Die Schwester hat es mir gesagt.«

»Ja, Monsieur.«

»Ich komme von deiner Mutter.«

»Ich darf mich nicht bewegen.«

»Aber sprechen darfst du.«

»Nein, Monsieur.«

»Du tust es aber.«

»Ja, Monsieur.«

»Ist das eine ausländische Briefmarke?«

»Weiß ich nicht. Sie gehört Marie-Chantal.«

»Deine Mutter hat mir erzählt, daß du vom Fahrrad gestürzt bist. Ich fahre auch gern Rad. Vielleicht können wir, wenn du wieder gesund bist, zusammen eine Tour machen.«

»Ja, Monsieur.«

»Im Bois? Oder hast du Angst?«

»Ich soll nicht viel sprechen.«

»Tut es noch weh im Kopf?«

»Ich hätte gern eine Sonnenbrille.«

»Wenn ich wiederkomme, bringe ich eine mit.«

»Merci, Monsieur.«

Einige Kinder haben sich aufgerichtet und blicken neugierig herüber. Ein Kind nagt an einer Stange seines Gitterbettes, ein anderes sitzt mitten im Gang auf einem Stuhl und angelt mit einem an einer Schnur befestigten Magneten kleine Metallfische, die ihm zugeworfen werden, vom Boden hoch. In einer Ecke wird laut gelacht. Der Krankenhaussaal mit den weißen Betten, den kleinen Nagern, weißen Lampen und weißen Nachttischen, auf denen Spielzeug steht, scheint plötzlich nach dreißigtausend Liter Sauermilch zu riechen. Hermann hebt Pauls Decke hoch, Pauls Füße sind bloß.

»Was willst du eigentlich«, sagt Hermann, »Strümpfe oder eine Sonnenbrille oder beides?«

Paul weint mit angelegten Armen, lautlos und trokken. Beim Schluchzen runzelt sich seine Stirn, so daß die Briefmarke in Bewegung gerät und wie ein Schmetterling auf den Hautfalten zu klettern beginnt. An der Ponyfrisur bleibt die Marke stecken. Wie Hermann sich wieder aufrichtet, steht hinter ihm eine Krankenschwester, die irgend etwas sanft Mahnendes mit durchgebogenen Fingern sagt. Sie trägt Ohrclips in Apfelblütenform.

In einem Korbstuhl vor einem Café ruht sich Hermann aus. Ein Stiftzahn wackelt, mit einem Kaugummi, den er hinter die Zahnreihe klebt, stützt er ihn. Er steht auf und geht weiter, zwei Nordafrikaner folgen ihm. Kinoeingänge, das Schaufenster einer Apotheke, an einem Kiosk kauft er eine alte deutsche Zeitung. Die Nordafrikaner bleiben auf der Spur. Neben einem Mann stellt sich Hermann an den Straßenrand, hält demonstrativ die aufgeschlagene Zeitung.

»Sie bekommen die heutige Ausgabe am Ende des Boulevards«, sagt der Mann. »Sie haben Glück, ich gehe jeden Abend hier spazieren.«

Die beiden Nordafrikaner gehen über die Straße. Der Mann, der sich als Monsieur Feldheim vorstellt, wohnt in der Nähe.

»Zuletzt habe ich in Stuttgart gewohnt«, sagt Hermann.

»Mein Bruder leitet dort eine Druckerei.«

»Ich kenne nur die Weiß-Villa.«

»Drei, vier Häuser daneben stand unser Haus. Die Familie Weiß hat nach uns gebaut, ein herrliches Gebäude. Man sollte es unter Denkmalschutz stellen. Ich glaube, es war ein Entwurf von Neutra. Neutra lebt noch oder ist erst vor kurzem gestorben, ich weiß es nicht. Er war ein Fanatiker der klaren Linie. Das Haus muß Millionen gekostet haben. Die Stuttgarter haben der Familie den Aufwand nie verziehen.«

Sie stehen in einem Treppenhaus, das mit Kunstmarmor verkleidet ist. Feldheims Hände sehen aus, als würde er sie ständig waschen. Ballen und Fingerkissen haben ausgelaugte Rillen.

»Haben Sie längere Zeit in einer Molkerei gearbeitet?« fragt Hermann.

Feldheim zieht seinen hohen Magen ein und blickt auf seine Hände hinunter. Er dreht sie hin und her, dann stöpselt er mehrmals schnell hintereinander mit dem Daumen in die andere Handfläche.

»Ich muß Ihnen unbedingt etwas erzählen«, sagt Hermann. »Als der Krieg zu Ende war, hat es bei uns nur Käse gegeben. Stellen Sie sich vor, kein Hunger, zu trinken hatten wir auch, aber es gab nur Käse, schweizer Käse, ballenweise. Ich stand mit unserem Dienstmädchen in der Molkerei, zum ersten Mal in meinem Leben war ich in einem Käsekeller. Hunderte von Rädern, wie man bei uns die Ballen nennt, lagen in Regalen. Ich erinnere mich noch an die feuchte Wärme. Ein Molkereiarbeiter hat einen Laib aus einem Regal geholt und auf einem Tisch zerschnitten. Ein Ballen wiegt, glaube ich, zwei Zentner. Wir hätten ihn nicht tragen können. Der Arbeiter stützte sich auf die Rinde, die ein wenig federte, und stach mit einem langen Messer zu. Hinter uns wartete eine Schlange von Leuten. Ich werde nie die Hände des Käsers vergessen, geschwollene weiße Schaufeln. Fräuleinchen, hat er gesagt, Fräuleinchen, das ist beste reife Ware, ein Anschnitt wie ein Engelsärschlein.«

»Moment«, sagt Feldheim, »das erfinden Sie jetzt, das hat er nicht gesagt. Habe ich Recht? Sie müssen mir nicht schöntun, das haben Sie nicht nötig.«

»Also, nochmal von vorn«, sagt Hermann. »Der Ballen hat gefedert, als der Käser hineinstach. Und ich stand neben dem schwitzenden Dienstmädchen. Sie hatte ein Dirndl an mit Puffärmeln. Ich wäre am liebsten in ihre Schürzentasche gekrochen. Der Käser hob einen halben Laib hoch, streckte uns das enorme Ding entgegen, hat freihändig einen Zentner gestemmt, das Dienstmädchen beugte sich vor und roch an dem weißen Käse. Als der Laib über mir immer größer wurde und ich mich auf die Zehenspitzen stellte, um auch nahe heranzukommen, habe ich mir gewünscht, daß der Brocken mich erschlägt. Habe ich Ihnen nun alles erzählt? Ich bin heute ziemlich schwach, ich war lange zu Fuß unterwegs. Ich muß mir wieder ein Heft Métrobilletts besorgen. Können Sie mir Geld leihen? Meine Familie gibt es Ihnen zurück. Kennen Sie Viktor oder Madame Charcot-Wagner oder den deutschen Botschafter? Seine Tochter soll im Krieg ungeheuer fett gewesen sein.«

»Armer kleiner Scheißer«, sagt Feldheim. Er nimmt Hermanns Kopf zwischen die Hände und schüttelt ihn ein wenig. Die Handballen drücken auf Backen und Nasenlöcher, die Finger klemmen die Ohrläppchen ein. Hermann bekommt kaum Luft.

»Riechen Sie«, sagt Feldheim, »riechen Sie. Wissen Sie, ich lerne gern Leute kennen, aber ich kann auch darauf verzichten. Wenn ich alle Schwänze, die ich schon in der Hand hatte, zeichnen würde, hätte ich eine Sammlung, größer als ein Pilzkatalog. Sie können mitkommen oder nicht, wie Sie wollen.«

»Ich breche Ihnen das Schlüsselbein.«

»So sehen Sie nicht aus. Also, was ist?«

»Einer meiner Stiftzähne wackelt.«

»Ich koche uns etwas Leichtes.«

Feldheims Studio besteht aus Vorhängen und einem großen Bett. Nebenan wohne eine Mulattin, sagt

Feldheim, er habe sie ein einziges Mal auf der Treppe gesehen. Sie drehe, wenn sie einen Kerl bei sich habe, das Radio voll auf, dann erst komme sie in Fahrt. Die Füllung der zugenagelten Tür sei zu dünn. Er habe sich schon oft bei der Hausverwaltung beschwert.

Im Badezimmer steht ein kleiner Gasherd mit zwei Brennflächen. Ein Schlauch führt zu einem Anschlußstutzen, der neben dem Fenster in der Wand steckt. Im Bidet liegen Kartoffeln und Gemüse, schlappe Lauchblätter hängen über den Rand.

»Das ist mein Reich. Heute vormittag habe ich Pudding gekocht. Wollen Sie probieren?«

In der Badewanne schwimmt ein gefüllter Aluminiumtopf. Feldheim rührt vorsichtig mit der Hand im Wasser, das Puddingschiff beginnt zu treiben, stößt gegen die Hähne und fährt schaukelnd, eine Kiellinie hinter sich herziehend, auf Feldheim zu.

Es dauert lange, bis Hermann zu essen bekommt. Feldheim schnitzelt Gemüse und schält Kartoffeln, fragt, ob Hermann Teigwaren in Form von Sternchen, Hörnchen, Plättchen, Locken oder Rhomben bevorzuge, er habe verschiedene italienische Muster vorrätig. Es mache ihm Spaß, immer wieder neue Sorten zu entdecken. Eine Schürze trägt Feldheim nicht, doch die Schuhe hat er gewechselt, die gelben Lederriemen seiner Sandalen kreuzen sich über dunklen Wollsocken. Hermann sitzt im Studio, das elektrische Kerzen beleuchten, und blättert in einer Mappe. Ein Teil der Zeichnungen und Graphiken scheint aus Büchern zu stammen, herausgerissene Illustrationen mit Seitenzahlen und französischen oder englischen Titeln, manchmal in Dialogform.

»Fahren Sie diesen Sommer nach Vichy?« steht unter einem Aquarell.

»Nein, eine Roßkur ist billiger.«

Ein Pferd umklammert mit den Vorderhufen eine Dame, die auf einem Bett liegt. Der steife Schwanz des Pferdes ist so dick wie ein Oberschenkel ausgefallen.

»Das regt mich nicht auf«, sagt Hermann.

Feldheim steht in der Badezimmertür und hält eine Klarsichtpackung Suppensternchen in der Hand. »Blättern Sie weiter«, sagt er, »es wird Ihnen Freude machen. Ich habe einen ganzen Schrank voll davon. Die vielen Möglichkeiten, selbst wenn sie lächerlich übertrieben wirken, beschäftigen Ihre Phantasie ganz bestimmt. Eine Illustration bietet mehr als ein Erlebnis. Sie können wiederholen, sobald Sie Lust darauf haben. Ich wette, Sie bekommen eine Erektion.«

Feldheim geht in die Küche zurück. Hermann setzt sich anders, seine Hose klemmt. Die Erektion, die er hatte, klingt schon wieder ab.

»Mögen Sie Frauen gar nicht?«

»Doch, doch«, sagt Feldheim, »ich war verheiratet, aber ich bin bequem. Wenn ich väterliche Gefühle habe, dann gebe ich ihnen nach, doch Konsequenzen brauche ich nicht zu fürchten. Es ist für mich zum Beispiel eine Genugtuung, Ihnen jetzt eine Suppe zu kochen, vielleicht, weil Sie in Stuttgart gewohnt haben. Mein Heimatgefühl reicht gerade für einen vollen Teller. Auf der Kaminkonsole steht die Photographie meiner Schwester. Jeden Sommer begleite ich meine Schwester ins Gebirge, wir machen leichte Partien mit Seil und Führer, nichts Anstrengendes.«

Feldheim steht wieder in der Tür. Er schlägt sich auf den Hosenladen, dreht sich um und sticht mit einer Gabel in den Topf, rührt die aufkochende Suppe hinunter. Der Gabelgriff ist mit einem Taschentuch umwickelt. Die Einlage gedeihe großartig, ruft er, nur Fleisch fehle, dafür habe er mehr Sonnenblumenöl genommen.

Geweihformen spielen eine Rolle, besonders bei federgezeichneten Jünglingen, die sich liegend oder kniend gegenseitig hochstemmen. Schönheit wird in Einzelheiten vorgegeben, wie Haare als Lorbeerblätter, Mandelaugen und geschlängelte Lippenkurven. Die schmerzliche Magerkeit der Körper vergrößert die Geschlechtsorgane. Entweder stecken sie vorn oder hinten schon drin oder werden in Anschlag gehalten, auch Ziegen lachen ihnen entgegen, ein Fahrradsattel dient als Unterlage. Ein zu einer Brücke gebogenes Mädchen bietet zwischen ihren Schenkeln genügend Platz für einen Wimpel und grätige Schraffuren. Schamhaarberge sehen wie Sommerhüte voller Früchte und Federn aus. Hermann blättert immer schneller, ist schon verwöhnt. Hinten in der Mappe findet er postkartengroße Photographien, auf denen Körper, die Stellungen ausführen, ohne Gesichter abgebildet sind: zwei an einer, drei als Stern, Schaukel, Leiter, Hengst und Euter, vier im Angriff, die Fünfte trauert, Mensch, du kriegst die Tür nicht zu! Er hört zu blättern auf, die einzelnen Organe könnten auch Fischteile darstellen, Melonen, Kissenzipfel, Pulswärmer. Blitzlicht ebnet Unterschiede ein, gezeichnete Effekte reizen die Aufmerksamkeit eher.

»Wir müssen schnell essen«, ruft Feldheim, »ich bekomme Besuch! Hat Ihnen die Sammlung gefallen?«

»Damit ließe sich Geld verdienen.«

»Ich sehe mir die Bilder manchmal an und bin immer wieder erstaunt, wie weit die Wirklichkeit von der Phantasie entfernt ist. Doch ich habe mir noch nie die Mühe gemacht, Arrangements nachzuahmen. Ich müßte mich verkleiden oder Haustiere halten, es wäre anstrengend und umständlich. Ich denke nur daran, Ihnen wird es genauso ergehen. Plötzlich im Fahrstuhl oder in einem Restaurant beobachten Sie jemanden, und schon mischen Sie mit, stellen sich die Hand am Latz vor oder wie Sie eine Bluse aufknöpfen. Sie drehen sich um, öffnen die Lifttür, lassen den Vortritt, spalten in Gedanken eine Sechzehnjährige, dann gehen Sie freundlich weiter. Vorsicht, blasen, Sie verbrennen sich sonst die Lippen! Die Leichtmetallöffel halten die Hitze zu lange.«

»Ihre Frühlingssuppe schmeckt ausgezeichnet«, sagt Hermann, aber Feldheim lächelt nicht einmal. »Holen Sie sich oft jemanden von der Straße? Für eine gute Suppe tue ich viel.«

»Sie sind ein Onanist«, sagt Feldheim, »sonst wären Sie nicht so gierig auf Erlebnisse.«

Sie sitzen sich, über ihre Teller gebeugt, an einem Biedermeiertisch gegenüber. Klare Fettaugen kreisen auf der Brühe, Teigsternchen und Kartoffelscheiben bilden eine schlüpfrige Grundschicht, über der Karottenstücke kanten, die, sobald der Löffel eintaucht, hochsteigen und Petersilienlocken nach sich ziehen. Hermann versenkt Weißbrotstücke in der Suppe und wartet, dann beschreibt der gehäufte Löffel eine vorsichtige Kurve zum Mund.

»Ich schlucke so gern.«

»Das haben Sie nett gesagt«, sagt Feldheim. »Wollen Sie nun mit mir vögeln oder nicht?«

»Ich habe es noch nie getan.«

»Sie haben Angst. Stoßen oder gestoßen werden, es wäre mir egal.«

»Ich habe mich auf die Suppe gefreut, besonders auf Gemüse.«

Feldheim schöpft Hermann noch einmal nach, hoch bis zum Rand, an dem die leichten Teigsternchen hängenbleiben.

»Sie haben einen Fehler gemacht«, sagt Hermann, »Sie hätten mit mir nicht deutsch sprechen sollen. Französisch verstehe ich schlecht, ich hätte mir mehr vorstellen müssen, nun bin ich satt. Haben Sie zufällig ein bißchen Schokolade?«

Feldheim hat keine Schokolade im Haus, bietet dafür getrocknete Trauben an, einen alten Preßriegel, den er vor Monaten aus Spanien mitgebracht habe. Die geschrumpelten Beeren schmecken stockig. In einem runden Spiegel, der gegenüber an der Wand hängt, sieht sich Hermann essen.

»Sie sind gut eingerichtet. Ich gucke mir katholisch entgegen, ich wäre es gern geworden.«

»Ich hasse kokette Männer«, sagt Feldheim, »sie sind unsicher und unehrlich. Wenn Sie noch eine Mutter haben, rate ich Ihnen, fahren Sie nach Hause und verkriechen Sie sich bei ihr.«

»Haben Sie noch eine?«

»Gottseidank. Ich besuche sie, so oft ich kann. Sie

wohnt in Bad Cannstatt. Eine bezaubernde Frau, immer noch mobil, sie ist Mitte achtzig. Ich weiß, was mir gut tut.«

»Sie könnten mein Vater sein.«

»Das wünsche ich Ihnen nicht. Ich würde Sie so lange von ein paar Kerlen ficken lassen, bis Sie reif fürs Rote Kreuz wären. Und ich wette, nach einer Woche würden Sie mir Ihre Verlobte vorstellen.«

»Sie meinen ein Mädchen?«

»Was denn sonst«, sagt Feldheim, »Ihre Koketterie ist widerlich! Ich habe Ihnen eine Suppe gekocht, mehr nicht, wir haben zusammen gegessen, es war meine Freundlichkeit, die Sie ausgenützt haben, aber ich hatte nichts dagegen. Es ist mir gleichgültig, welches Loch Sie bevorzugen. Für mich ist das kein Problem.«

Feldheim steht auf und stellt die Teller zusammen.

»Und der Pudding?« fragt Hermann.

Teller und Terrine aufeinandergetürmt, in der das Besteck klingelt, dreht sich Feldheim auf halbem Wege um und erwidert sanft, er bitte um Verzeihung, daß er den Pudding vergessen habe. Doch sie haben keine Gelegenheit mehr, sich die Süßspeise zu teilen: Jeannot tritt ein.

»Jeannot, Jeannot«, hat Feldheim gesagt, hat im Badezimmer die Teller abgestellt, ist im Türausschnitt wieselartig aufgetaucht und wieder verschwunden, vielleicht hat er die Terrine in der Wanne versenkt, vielleicht hätte er noch gern seine Sandalen versteckt, aber die Halbschuhe standen im Wohnzimmer, Jeannot, Jeannot, tournes moi le dos. Es ist kinderleicht, auf französisch zu reimen. Befriedigt lehnt sich Hermann zurück.

Jeannot läßt einen Schlüssel um seinen Finger kreisen. Er ist lang und dünn und hat Kraushaare. Hermann beugt sich, als er gegrüßt wird, ein wenig vor, macht einen Hüftknicks. Dann nimmt er ein Streichholz vom Tisch und stochert demonstrativ in den Zähnen.

Jeannot, dieser würdige Hering, schlägt die Hände auseinander, schlägt sie wieder zusammen und spricht leise und stoßweise ungnädig auf Feldheim hinunter. Auf den Jackenellenbogen trägt der steife Prinz Filzherzen. Er kennt sich im Zimmer aus, wagt aber nicht, am Bett vorbei zum Biedermeiertisch zu gehen, denn dort sitzt ein anderer, der gegessen hat, es ist eine Schande, die Deutschen halten immer noch zusammen. Jeannot sei müde, sagt Feldheim.

Er geht auf Hermann zu, quer durch das Zimmer, als wolle er Jeannot den Gang vormachen. Es sei ein Vergnügen, sagt er, von einem zum andern blickend, zwei junge Männer als Gäste zu haben. Jeannot zieht murmelnd Jacke und Hemd aus. Über seinem blauen Unterhemd hängt an einem Kettchen ein goldenes Kreuz.

»Er soll sein Amulett küssen«, sagt Hermann.

Feldheim übersetzt lächelnd, scheint froh zu sein, daß er vermitteln darf. »Jeannot sagt, Spott treffe ihn nicht, er arbeite den ganzen Tag.«

»Darf ich sein Kreuzchen küssen? Ich möchte wissen, ob es salzig oder süß schmeckt oder nach Lavendel?«

»Er sagt, Sie sollen den Mund halten, genauer, die Schnauze!«

»Er ist zu mager und hat zu viele Zähne im Gesicht.«

»Wenn er Sie einmal auf der Straße treffe, nimmt er Sie auf den Kotflügel. Er sei wirklich müde.«

»Ich hoffe, daß für ihn etwas von der guten Suppe übriggeblieben ist.«

»Jeannot wohnt nicht immer hier«, sagt Feldheim. »Er ist Konditor, muß jeden Morgen um drei Uhr aufstehen.«

»Nicht einfach für Sie«, sagt Hermann.

»Er ist nicht anspruchsvoll. Ich helfe ihm, so weit meine Kräfte reichen. Außerdem, ich kann ausschlafen. Mein Dienst ist freiwillig.«

»Sie sollten Minister für Jugend und Sport werden.«

Sie lachen beide. Jeannot, der nichts verstanden hat, wird wütend. Schuhe, Hosen, Socken, in einem Wirbel von Kleidungsstücken schlägt das Kreuzchen gegen Jeannots Gesicht. Blank steht die Elfenbeinlatte da, trägt nur noch einen glänzenden Slip. Rippenbögen, Zwerchfellflügel, Lorbeerblätter und Geweihformen spielen wieder eine Rolle. Jeannot schlüpft ins Bett, dort fühlt er sich sicher, er kaut am Bezug. Feldheim steht daneben, wird sich auch ausziehen, wird Vorwürfe hören und gut zureden müssen. Drei Uhr morgens wird er im Bademantel durch die Wohnung taumeln und das Frühstück vorbereiten. Einmal in der Woche wäscht Feldheim Jeannots Hemden, beugt sich über die Wanne, schwenkt, schwer atmend, die Nylonfladen durchs Wasser, ein dutzendmal hin und her, damit kein Waschpulver im Gewebe hängenbleibt. Jeannots Haut ist empfindlich. Die Hemden naß hochnehmen, alle Knöpfe schließen, sonst gibt es falsche Falten. Es ist anstrengend, aber auch befriedigend, wenn die Hemden sorgfältig nebeneinander auf den Bügeln hängen. Der kleine Haushalt atmet Frische.

Joseph Moloumbetès, der keinen Nachtdienst hat, liegt im Plastikzimmer auf der Luftmatratze und liest ein Lehrbuch. Heute darf Hermann das Bett benützen.

Onkel Simon hat geschrieben, daß er zu Besuch käme, die Frauen hätten ihn beauftragt. Der Brief wurde auf einer elektrischen Schreibmaschine getippt, die Sätze sehen wie gedruckt aus. In der harten Schönschrift wirken ein ausgeixtes Wort und ein verbesserter Anfangsbuchstabe schweinisch. Onkel Simon hat den Brief also selbst geschrieben. Geld liegt nicht bei. Onkel Simon denkt an nichts.

»Los, aufstehen«, sagt Hermann, »nimm ein paar Klassiker zum Verkaufen mit. Oder leihst du mir einen Zehner?«

»Corneille et Céline, deux pis dans une piscine«, antwortet Moloumbetès.

»Céline donne à Corneille son pis comme merveille.«

»Céline sans pis tant pis, Corneille avec deux tant mieux.«

»Hast du denn keine Freundin oder eine Schwester oder irgendein dunkles Mädel, das mich schon lange kennenlernen möchte? Ja, ja, guck nicht so dumm.«

»Tant pis, l'Académie sans Céline et Corneille dans une piscine.«

»Céline et Corneille donnent les pis comme merveille à l'Académie.«

»Mais hélas quelle horreur l'Académie sans auteurs.«

Hermann nimmt eine Rasierklinge mit, die zur Hälfte

in einem Stück Holz steckt. Nordafrikaner, die keine Arbeitserlaubnis haben und deshalb auf Touristen angewiesen sind, benutzen manchmal solche Instrumente.

Moloumbetès kann sich kaum von seinem Lehrbuch trennen, einer Beschreibung des menschlichen Nervensystems, der willkürlichen und willentlichen Reize, Impulse und Programmkombinationen. Joseph bewundert seine Handfläche, auf der eine Fliege gelandet ist. Sie bewegt Beine, ortet, kitzelt den Krankenpfleger, der dankbar ist für jeden kleinen Hinweis, der Theorien sinnlich verdeutlicht. Die Fliege hebt ab und surrt, von neuen Eindrücken gesteuert, in sinnlosen Winkeln und zusammengesetzten Richtungen, die rechnerisch wahrscheinlich schwer zu erfassen sind, zum Fenster. Sie stößt ans Glas, rutscht ab. Joseph umarmt Hermann, doch Hermann hat von Theorien genug, schiebt seinen Freund zur Tür hinaus.

Einen Freund haben, ein Opfer, das langsam reift, das gelobt und geknetet wird, das sich anlehnen darf und plötzlich wieder allein steht. Als Hermann auf dem Schulhof Magnus mit einem Stein besiegt hatte, schenkte er ihm einige Tage später eine Luftdruckpistole. Hermann besaß außerdem noch ein Luftgewehr. Sie gingen beide als Trapper, drei waren Indianer, die nur Pfeil und Bogen, Speer und Holzpfeile besaßen. Hermann saß hinter der Himbeerhecke und warf Steine in Richtung Gartenhäuschen, in dem die Indianer Deckung gesucht hatten. Magnus kroch, die Pistole zwischen den Zähnen, auf dem Bauch durchs Gras, wollte das Blockhaus im Sturm nehmen. Als einer der Indianer auf eine Buche kletterte, beschoß ihn Hermann so lange, bis der Indianer sich aus halber Höhe herunterfallen ließ. Ein anderer Indianer, der eine gestrickte Skimütze mit Hühnerfedern trug, wagte sich ins Niemandsland vor und wurde von Magnus, der aus dem Gras hochsprang und dem Feind eine Stanniolkugel auf den nackten Schenkel schoß, hinter die Himbeerhecke getrieben. Ein aus dem Fort geschleuderter Speer und ein Holzbeil verfehlten ihr Ziel. Der Speer segelte flach ins Blumenkohlbeet, verletzte einen Kopf, das Beil fiel in den Brunnentrog und schwamm gleich wieder oben.

Der Gefangene wollte sich nicht ergeben, schlug um sich und stieß Kriegsrufe aus. Hermann schoß ihm aus nächster Nähe leer in den Rücken. Der Luftdruck klappte den Hemdkragen hoch. Vor Schreck ging der Gegner zu Boden, und Hermann sah, wie Magnus sich auf ihn kniete und mit Schenkeldruck festhielt. Ergib dich, ergib dich, rief Magnus und lud, als der Gefangene weiterzappelte, über ihm die schwere Mauser. Die Pistole knickte, die Spitzkugel, die Magnus aus dem Mund nahm, in dem er seinen Munitionsvorrat aufbewahrte, ohne sich zu verschlucken, schlüpfte in den Lauf. Dann legte Magnus auf die Stirn des Gegners an, die sich ihm folgsam entgegenhob, nach so viel Mut und Verzweiflung endlich Ruhe haben wollte. Hermann hätte sich noch dazwischenwerfen können, doch er blieb gebannt stehen, sah Mündung und Stirn beinahe zusammenwachsen, es war ein großartiges Bild hinter der fröhlichen Hecke, Bienen, die gierig herumflogen, standen für einen Augenblick regungslos in der Luft, und dann explodierte auf der Indianerstirn eine Blüte, wurde größer, rann auseinander. Der Kopf fiel nach hinten und begann zu schreien. Er ist tot, rief Hermann, tot, du hast ihn totgemacht! Er sah aufgerissene Augen und eine Hand, die immer wieder versuchte, die Kugel zu finden, die nicht tief steckte. Der kleine Bleibecher, auf den im Lauf der Luftdruck einwirkt, schimmerte aus einem sauber ausgeschnittenen Hautrand. Magnus wehrte sich nicht, als Hermann mit dem Lauf gegen den Hals, dem Schaft auf den Hüftknochen schlug, Kolbenstöße warfen Magnus um. So lag er, bis Hermann sich am Korn die Hand verletzte, weil das Gewehr an der Federspannung aufsprang. Im Gras saß der erschossene Indianer und zupfte sich die Kugel aus der Stirn. Blutbahnen bemalten sein Gesicht.

Die schönsten Plakatwände hängen in den Tunnels der Untergrundbahn. Sie gedeihen in den warmen Betonröhren und multiplizieren sich hinter vorbeijagenden Fenstern. Eine eckige Kuh beherrscht ein Grasgebirge, ihr Blick richtet sich auf eine Käseschachtel. Schlachtschiffe aus Wolle, die Geschütztürme und Radaranlagen dicht gewickelt, hissen Firmenflaggen vor einer Großmutter, die lächelnd an der ganzen Fabrikation strickt. Ihr Zeigefinger, der den Werftfaden führt, deutet überlang. Drei blaugrundierte Plakate schließen an. Auf dem ersten ist ein Panzerschrank abgebildet, der uneinnehmbar aussieht. Man könnte bei so viel Glanz glauben, die elektronischen Sicherungen ticken zu hören. Auf dem zweiten Plakat ist der Panzerschrank kleiner geworden. Vor ihm knien nackte Aluminiummädchen, die mit Haftminen und Schweißgeräten hantieren. Ein Mädchen reitet auf einer Gasflasche und stimuliert Ventil und Druckmesser. Auf dem dritten Plakat ist der Panzerschrank weit aufgesprungen nähergerückt. Im Stahlfach steht ein volles Mayonnaiseglas. In der nächsten Station stemmt eine junge Familie, die bei der Nationalbank spart, den Eiffelturm. Endlich hat ihn Hermann wieder gesehen. Dick angezogene französische Soldaten, die sich auf dem unterirdischen Bahnsteig in Reihen aufstellen, verdecken das Bild. Der Zug fährt wieder an. Unterwäsche zieht mit und endet vor einem Tunnel.

Moloumbetès liest, diesmal ein Taschenbuch, das er gefaltet hält. Breitbeinig die Schlingerbewegungen des Wagens ausgleichend, bringt er es immer wieder auf Sehhöhe. Obwohl noch Plätze frei sind, hat er sich nicht gesetzt, Hermann steht ebenfalls. Auf einer Längsbank sitzt eine ältere Nordafrikanerin, ihr ausgetrockneter Kopf sieht wie eine raschelnde Mohnkapsel aus.

Er liest und grüßt nicht, der samtfarbene Krankenpfleger will nichts sehen. Die alte Frau, die ihm gegenüber sitzt, rutscht zur Seite, eine blonde Rechthaberin läßt sich neben ihr nieder. Zwei Kinder, die weiter vorn in den Armen ihres Großvaters sitzen, starren sie an. Hermann möchte Mitleid haben und sich ausgeschlossen fühlen. Die Marokkanerin spuckt irgend etwas in die Hand, vielleicht Nußschalen, und traut sich nicht, das Zeug unter die Bank zu wischen, versenkt es schließlich in ihr Taschentuch. Moloumbetès müßte sich neben sie setzen, die Beine ungeniert in den Gang hineinstrecken, der Frau, wenn sie spuckt, den Kopf stützen, laut unterhalten sich die beiden in einem kreischenden Dialekt, ein Fahrgast, der zur Tür geht, steigt unsicher über ihre Beine. Das wäre die Ordnung, die Hermann in diesem stinkenden Métrowagen erleben möchte. Ohne Ungerechtigkeit geschieht kein Fortschritt. Er schlägt seinem Freund das Buch aus der Hand.

Joseph hebt das Buch sofort wieder auf. Die Seitenzahl scheint er sich gemerkt zu haben, er knickt den Papprücken an der Stelle, an der er beim Lesen unterbrochen wurde. Wie Hermann noch einmal ausholt, demonstrativ langsam mit hochgerecktem Arm, steckt Moloumbetès das Buch ein und zeigt auf die Handschlaufe, an der er sich festgehalten hat. Er brauche keine Sicherheit, sagt Hermann, er könne freihändig stehen. Die Fliehkraft des Zuges in einer Kurve ausnützend, läßt er sich auf die Längsbank fallen. Die Marokkanerin rutscht zu der blonden Rechthaberin zurück. Die Alte sitzt in der Klemme.

Hermann streckt die Beine aus und beginnt zu summen. Den beiden Kindern, die ihn beobachten, wirft er Luftküsse zu. Der Großvater setzt eine Brille auf. Moloumbetès läßt sich nicht herausfordern, wiegend hängt er an der Handschlaufe, dieser sanfte Pfirsich, der nach jeder Trockenrasur eine Fettcreme benützt, sonst gingen seine Backen in Flammen auf. Seine Jacke ist hochgerutscht, die Krawatte schlägt eine Beule zwischen den Revers. Hermann könnte den Hals der Marokkanerin streicheln oder in den schmutzigen Rock fassen, doch so viel Mut bringt er nicht auf. Wie der Zug hält und die Marokkanerin aufsteht, ist er erleichtert. An der Tür läßt er die beiden Kinder

stolpern. Eines boxt, nach Halt suchend, dem Großvater in den Rücken. Hermann folgt der Marokkanerin und gibt Joseph Zeichen. Die Marokkanerin geht
schnell in eine der beleuchteten Röhren hinein, die
den Bahnsteig mit anderen verbinden. Der Schnabel
eines Schwans aus blauen Kacheln weist an der Wand
in dieselbe Richtung. Im leeren Gang picken die Vo-
gelschritte der Marokkanerin. In einer sanften Kurve
führt der Weg bergan, scheint sich im entfernten Gegenlicht zu verengen. Hermann zieht seinen Freund
hinter sich her, sie gehen beide auf Gummisohlen.
Durch das unterirdisch verzweigte Viertel streicht
warmer Wind.

Amalaswintha hieß sie, Tochter Theoderichs des Großen, als er unter der Bettdecke das dicke Buch las.
Das Nachthemd klebte hochgerutscht am Hals.
Schwindlig wurde ihm, weil er in der Hitze tief unten
zu wenig Luft bekam, und wenn er die Decke hob,
glaubte er, die Kälte des Zimmers würde ihn erste-
chen. Irgendeinem hinterhältigen Weib, auch einer
Königstochter, aber älter und zäher, war mit einem
Messerchen ein Auge herausgeschält worden, und
nun wollte sie Rache nehmen im römischen Bad. Er
hatte weitergeblättert, denn Teja und Totila, die
schnell und sicher ihre Streitäxte handhaben, Gas-
sen schlugen, im Sattel spalteten, waren schon tot.
Die einäugige Vettel, die ihren Sohn auf dem Thron
sitzen sehen wollte, lachte häßlich, dann drehte sich
ein Marmorblock in der Wand und schloß die Halle
fugenlos. Aus silbernen Röhren strömte heißes Wasser. Der Kampf war furchtbar, auch im Bett, denn
das Wasser stieg immer höher. Im kochenden Dampf

bog sich die Frau, hat gekeucht und geschrien und an den glatten Wänden gekratzt, bis von den Fingern Blut tropfte. Sie bettelte um einen Dolch. Wer schön war, hatte damals auch Mut. Der glatte Leib tobte, im Nebel schimmerte eine Hirschkuh, auf dem Totenhemd lag ein goldenes Kreuz, eine Hand zerquetschte Trauben. Zuletzt, als Amalaswintha unterging, schwamm ihr Schleiergewand auf dem Wasser. Hermann lag in einer Lache unter der Decke, sein Ohr, an das die Taschenlampe gerutscht war, glühte.

Hermann und Joseph, die in einem Gang laufen, sehen, wie sich am Ende einer Treppe die pneumatische Eisentür schließt. In der Ferne preßt sich ein Zug in die Bahnsteigröhre. Ein Lautsprecher sagt den Stationsnamen an, der nach einer alten Temperaturbezeichnung klingt. Réaumur liegt auf der Strecke in das Araberviertel. Hermann holt seine Rasierklinge aus der Tasche.

»Rien médecin«, ruft er, »viens, viens! Ayant pitié, je coupe ton nez.«

»C'est verboten«, sagt Joseph, »je t'aime, je t'aime.« Auf der Schneide der Rasierklinge sitzen Krümel, die Hermann vorsichtig abstreift. Ein Wollfädchen hält noch Balance, schwebt aber, sanft angeblasen, hinterher. Es genügt, wenn die Klinge in der hohlen Hand gezeigt wird. Touristen, die nicht zahlen wollen, schmilzt sie durch die Backe. Im klaffenden Schnitt zeigen sich Stockzähne.

Er sehe seine Jacke, behauptet Hermann, am Métroausgang der Mann in der braunen Jacke, die Jacke mit den Golffalten auf dem Rücken! Der Algerier, dem er sie verkaufte, habe ihn betrogen.

»J'ai oublié mon identité«, sagt Joseph.

»Tu ne meures si tu as peur.«

»Alors cesse la rime, commence avec le crime.«

»Et toi regarde tes plis quand tu ris.«

»Déjà tu sues mais ne tues.«

»Notre Français ne suffira jamais.«

»C'est vrai.«

Auf den Treppenstufen stehen gelbe Reklamesprüche geschrieben, die mit Schuhen zu tun haben. Les bottes sind hoch, souliers sind klein, chausse-pied du kriegst den Fuß nicht rein. Der Algerier ist nicht mehr zu sehen.

Aber Hermann entdeckt einen Mann, der ein Fahrrad in eine Einbahnstraße schiebt. Das Prachtexemplar stampft vorwärts, die Brust der Fahrtrichtung entgegengewölbt. In den Gummistiefeln, deren Schäfte bei jedem Schritt an die Waden klatschen, stecken geflickte Hosen. Merkmale wie auf alten Photographien sind noch: abgeschabte Jackenärmel, aus denen Gestricktes ragt; die Brotzeittasche hängt an einem Schulterriemen, wird von einer Flasche nach vorn gezogen; der Schal hat sich zu einem fettigen Strick um den Hals gerollt; Bartstoppeln, Zigarettenloch, an einer Augenbraue fehlt ein Stück. Schuften, schimpfen, ein ehrlicher Schläger sein, es wird auch eine Frau geben, die sich am Wochenende stempeln läßt. Hermann fällt vor Bewunderung in Gleichschritt. Am Fahrrad walzt ein Plattfuß.

Hermann erinnert sich an ein Bild. Als er Geometer werden wollte und mit Schmutz protzte, sah er von Sonne und Regen verschieferte Erdarbeiter, die einen ganzen Tag Abzugsgräben geschaufelt hatten, in einem Weiher baden. Es dauerte lange, bis sie sich nackt ausgezogen hatten und sich ins Wasser wagten; schwimmen konnte keiner. Zu den von Arbeit verbogenen Gestellen paßten nicht die weißen Hintern, diese Trommeln, Tüten, harten Schüsseln und schief gefüllten Ballons, und daß aus ihnen auch noch täglich Scheiße in verschiedenen Formen kam, war kaum mehr vorstellbar. Russisch würde Hermann den Eindruck nennen, wenn er an den Geschichtsunterricht in der Schule oder an alte Filme denkt. Der letzte Zar, nackt badend, sieht auf einer verregneten Kopie genauso ungelenkig aus.

Das gepflasterte Gäßchen, in das das Opfer eingebogen ist, steigt an. Am Straßenrand parken keine Autos mehr. Fahrräder werden in die Wohnungen mitgenommen, gehören, an Tischbeine oder Bettpfosten gekettet, zum Besitz. Mitten in der Stadt herrscht historischer Friede. Hermann ist vorgesprungen, hat seine Rasierklinge gezogen und macht Front. In der gestreckten Hand zeigt er das Messerchen, läßt es im Schein einer Gaslaterne blitzen. Langsam auf den Idioten zugehend, wiegt er sich in den Hüften und würde gern schreien, um sich Mut zu machen. Notgedrungen fällt ihm auf dem geschichtlichen Boden auch das richtige Wort ein.

»Revolution«, ruft er, »Revolution, Revolution!«

Das muß man gesehen haben, eine Arbeiterfresse zwischen Angst und Wut, wenn die Kollegen fehlen, die sonst immer da sind, auf dem Güterbahnhof, an der Bohrmaschine, in der Kirche und vor der Theke sowieso. Solidarität entsteht nur mitten im Gebrodel.

»Kerlchen«, sagt Hermann, »mein Himmelsschlüssel, mein Wiesenschaumkraut, schau meinen Rasierschnipsel an, mit dem ich deine Schnauze verbreitern werde. Das hast du nicht erwartet, daß ausgerechnet ein Boche dein Geld haben möchte. Komm, Väterchen, schmeiß dein Fahrrad weg und geh in Stellung. Vor Strenge und Humor habe ich Respekt. Polier mir die Visage, hau mir den Arsch voll. Schon als Kind haben mich Sprichwörter und Befehle beeindruckt. Du hast ja keine Ahnung, wie wohl mir eine Tracht Prügel tun würde, von einem wie dir, zu dem ich aufschauen, dem ich zuhören möchte, wenn er auf seinem Thron Knochen knackt. Scheißerchen«, sagt er und macht einen japanischen Angriffssprung, der plump und kraftvoll ausfällt, »Väterchen, schlag doch zu, verlaß dich nicht auf andere, hoble mir die Fresse blank. Schau mein Messerchen an, das kennst du doch, zweimal die Woche schälst du damit deine Backen, du beschissener Naßrasierer, denn vor einem elektrischen Apparat hast du natürlich Angst. Man kriegt einen Schlag, winseln deine Kollegen. Du hast keine Ahnung, welche Wunder du mit einer elektrischen Zahnbürste erleben könntest. Sie zischt, schlägt Funken aus Plomben, ein elektrischer Stuhl wäre nichts dagegen. Mein Nußknacker, mein Froschkönig, bleib stehen, laß die Socken in den Gummistiefeln dampfen. Fremde, die nicht Französisch sprechen, sind ungerecht, ich weiß. Du könntest mit der Fahrradkette zuschlagen, aber dir fällt nichts ein. Verflucht nochmal, bleib stehen, sonst schneide ich dir die Fresse tatsächlich auf. Ich bin allein mitten in Frankreich!«

Während Hermann mit ausholender Bewegung die

Rasierklinge wieder einsteckt, reißt der Kerl das Fahrrad herum, springt auf und fährt trotz Plattfuß los, die Felge scheppert auf dem Pflaster. Moloumbetès läuft voraus, Hermann hinterher, muß hetzen, die Panik wegtrampeln, bis er völlig ausgepumpt ist. Wie sie alle in die Hauptstraße einbiegen, liegt er schon an der Spitze der Stafette, der Radler fährt am Schluß. Im Plastikzimmer legt er sich ins Bett, zieht auch Josephs Pyjama an, verkriecht sich in dem fremden Geruch. Mit angezogenen Beinen ißt er in der Dunkelheit noch einen Apfel. Nach dem letzten Bissen schläft er ein, die Backe auf das nasse Kerngehäuse gepreßt, das sich allmählich erwärmt.

Am nächsten Morgen kommt ein Telegramm von Onkel Simon. Zeit der Ankunft und Hotel sind angegeben. Hermann ruhte noch in der Wärme, als der Postbote an die Tür klopfte. Im richtigen Augenblick hat Onkel Simon seinen Besuch angesagt. Sofort bekommt Hermann wieder Mut, telefoniert mit Karen Reibnitz und fragt, ob sie ihn brauchen könne. Sie habe nicht mehr mit ihm gerechnet, antwortet sie, habe alle Termine abgesagt, ihr Sohn sei wieder zu Hause. Hermann solle sich ein Taxi nehmen, sie werde versuchen, für heute einen Auftrag zurückzuholen. Er fährt an ihrem Haus vor, läuft hinauf, bittet ungeniert um Geld, bezahlt den Chauffeur. Wieder oben, gibt er Karen Reibnitz das Wechselgeld zurück.

Im Kinderzimmer sitzt Paul auf dem Boden und baut an einem Krankenbett aus Lego mit Wänden dick wie Mauern. Es gehe ihm gut, sagt er, in die Schule dürfe er noch nicht. Im Wohnzimmer telefoniert Karen Reibnitz unter ihrem photographisch vergrößerten

Kopf. Sie trägt einen Latzanzug aus Cowboystoff. Alle Türen stehen offen, der Teppichboden fließt durch die ganze Wohnung.

In der Küche findet Hermann Gelegenheit, seinen Überschuß an Kraft los zu werden, übersieht mit Kennerblick einen Berg schmutziges Geschirr. Er greift zu. Zuerst stellt er zwei Töpfe und eine Pfanne zur Seite und sortiert große Teller und Schüsseln aus, damit Gläser und kleines Porzellan in der Lauge genügend Platz haben. Eine Sauciere, an der Tomatensoße klebt, weicht er im größten Topf ein. In Arbeitsgänge aufgeteilt, steht das Geschirr auf dem Linoleum, aus dem Gasboiler strömt heißes Wasser über die erste Lage im Becken.

Wer sich über den Trog beugt, befindet sich im Zentrum. Aus dem Wasser steigt der Zitronengeruch des Entspannungsmittels, das Hermann aus der Familiendose hineingespritzt hat. Fett und Teig lösen sich in Flocken vom Geschirr und versinken.

Die Stielbürste drückt Sauberkeit in die Teegläser, Schaumblasen hängen am Glas, rotieren und erschlaffen. Im zweiten Becken, in dem ein neues Schichtsystem herrscht, rinnen sie ab. Kurze Wirbel über Untertassen, am Rand klebt Dotter, der Fingernagel hilft kratzend nach. Ein verirrter Aluminiumdeckel, der erst später an der Reihe wäre, bietet Erholung. Die von Gashitze eingebrannte Bräune läßt sich erfahrungsgemäß nicht lösen. Besteck, das in der warmen Tiefe in viele Einzelheiten zerfällt, macht nervös. Mit einem Griff eine ganze Hand voll Messern, Gabeln, Löffeln, schon der Länge nach sortiert, heraufzuholen, verrät Übung. Die Perlonbürste frißt Matsch von der Klinge. Kaffeelöffelchen werden durch Strömungen blankgerieben. Die Bürste verheddert sich im Schneebesen. Dieses Instrument reagiert, wenn seine Stahlschlingen lasch sind, heimtückisch. Hermann bewundert die ins Holz eingeschraubte Bleikugel, der einseitig beschwerte Griff liegt gut in der Hand. Einfallsreiches Werkzeug macht Freude. Hermann pfitzt über den Schaum. Die Pfannenschaufel aus Plastik bleibt grau. Da hilft kein Scheuern mehr, der Schmutz sitzt in Haarrissen. Das von Fett und Speiseresten belastete Wasser ist träge geworden.

Kein Platz mehr für Bosheiten, wie sie Hermann noch auf der Taxifahrt einfielen, als er sich Karen Reibnitz in ihrem kühlen Zimmer vorgestellt hat, mit heraushängendem Fädchen im Schritt. In Gedanken hatte er eine Nylonschnur daran geknüpft, die an der Türklinke befestigt war. Sobald er die Tür geschlossen hätte, wäre der rosa Tampon herausgerissen worden wie bei Wilhelm Busch dem Bauern der Zahn. Dankbar bückt er sich nach Porzellan, läßt weiße Tellerminen in die Brühe gleiten, in der sie ruhig schimmern. Im Becken daneben beginnen Stapelschwierigkeiten, wenn das Schwarzgeschirr an die Reihe kommt.

Kartoffelreste und angebackene Fleischfasern verlangen Handarbeit mit Stahlwolle. Der Bürstenstiel schluckt zu viel Kraft. Bis zum Ellenbogen taucht Hermann in einen Topf, scheuert und tastet mit den Fingerspitzen über glitschige Buckel, die stehengeblieben sind. Er schabt und ackert, Widerstände beschleunigen, machen die Aufgabe erst lohnend, bis vor wütendem Eifer Tunke über den Beckenrand schwappt. Hermann zieht den Bauch ein, das warme

Wasser hat durchs Hemd geschlagen. Unterhalb des Nabels erkaltet das Wasser, breitbeinig steht Hermann da und hebt den triefenden Topf hoch, der so viel Mühe machte und nun glänzt. Auf dem Wulstrand überholen sich schillernde Schlieren, die keinen Abfluß finden. Vorsichtig stülpt er den Topf zum Abtropfen über das Porzellan. Die Pfanne putzt er oberflächlich. Dann zieht er den Stöpsel und schaut zu, wie das dicke Wasser sinkt. Am schmatzenden Loch hilft er mit der Bürste nach. Schaum muß mit frischem Wasser hinabgeschwenkt, gestoßen, erschreckt und flachgedrückt werden, der steife Schaum läßt sich immer zu viel Zeit. Das Werk ist getan, das Becken strahlt. Auf seinen Händen, die er nicht abtrocknet, spürt er Nässe verdunsten, auf der Haut beginnt eine dünne seifige Schicht zu spannen. Das hat er wieder erleben wollen, das ist seine Art weinerlichen Gefühls.

»Jetzt machen wir alle einen Ausflug in den Bois!« ruft er.

Der Bois ist kein Wald, sondern ein lichtes Gehölz mit Büschen und Laubbäumen, deren Stämme zum Teil von Eisengittern geschützt werden. Sonntags toben Kinderhorden herum, die Eltern sitzen auf Wiesenflecken, nur werktags macht der Bois den vornehmen Eindruck einer Malschule. Manchmal sind neben den geteerten Sträßchen auch Reiterinnen unterwegs. In Abständen folgen ihnen langsam Männer in Sportwagen. Hinter den Mietpferden heulen sie immer wieder im Leerlauf auf.

Alle Schaukeln, Rutschen und Drehkränze mit Sitzen aus Hartgummi sind besetzt, auf einem Weiher gleiten von Tauen gezogene Gondeln im Kreis. Die geschmiedeten Kähne sind alt. Staubkörnchen tanzen in Sonnenstrahlen, an einem Stand verkauft ein Rasputin Speiseeis.

Am Billethäuschen läßt Hermann Karen Reibnitz bezahlen. Sie zieht einen Schein aus ihren gelochten Sommerhandschuhen, das Wechselgeld gibt sie ihrem Sohn. Paul darf das leerlaufende Steuerrad aus Aluminiumspeichen bedienen. Die Familie nimmt vor Hermann Platz.

Die Gondel teilt einen Blättervorhang aus hängenden Eschenzweigen und zieht wieder ins Freie. Gipszwerge und Rehe stehen am Ufer, Wimpel sind über die Wasserstraße gespannt, in einer Pagode spielt ein Orchestrion. Lärm, der von anderen Schiffsbesatzungen herüberweht, die mit den Händen rudernd nachhelfen oder im Kahn aufstehen, stört nicht, macht den Frieden eher deutlich. Von einer venezianischen Brücke lassen junge Frauen leere Bonbonpapiere segeln. Unter Wasser steigen Blasen auf, die Ölkäppchen tragen. Wenn man sie antupft, platzen ihre kleinen Regenbogen.

Viele Male sind sie im Kreis gefahren, am Zahlsteg hat Paul jedesmal Geld aus dem Boot reichen dürfen. In den Pausen, wenn neue Gäste zustiegen, das Karussell mitten im Weiher stillstand, hat Hermann keine Angst mehr gehabt. Er hätte noch lange so kreisen können, bequem in der Gondel sitzend, die Hände auf das warme Schiffmetall gelegt, vor sich das Modell, das sich manchmal zurücklehnte, an seiner Brust ausruhte.

»Radfahren«, sagt er beim Aussteigen, »hier kann man sich Räder leihen, sie sind weiß gestrichen, ich

habe sie gesehen, auf der anderen Seite des Bois'
gibt man sie wieder ab.«

Paul müsse sich noch schonen, sagt Karen Reibnitz,
eine leichte Gehirnerschütterung brauche auch Zeit
zum Ausheilen, doch spazierengehen dürfe er.

Sie blicken ihr beide nach, wie sie quer über die Spiel-
zeugarena geht, ein langer und schlaksiger Cowboy,
dessen Hüften vom häufigen Pistolentragen in Bewegung sind. Ihre flachen Schuhe wirbeln Staubwölk-
chen hoch. Am Taxistand, neben dem sich auch der
Sattelplatz für Leihpferde befindet, steigt sie in ein
Auto. Als sie abfährt, spuckt Paul auf den Boden und
hat Tränen in den Augen.

In einem Pavillon kauft sich Hermann eine Sonnenbrille mit dickem Rand, Paul bekommt einen glänzenden Plastikgürtel, der, als Schulterriemen getragen, wie ein staatliches Emblem aussieht. Um keine
Zeit zu verlieren, beginnen sie gleich im Häuserviertel
neben dem Park.

Quelle misère, mon frère aveugle et muet, s'il vous
plaît, heißt das Sprichwort, das Hermann sich ausgedacht hat. Paul führt, als sei er schon lang mit seinem
blinden Bruder auf Tour. Erwachsenenarbeit macht
mehr Spaß, als hübsch, sauber und gesund zu bleiben.
Beim ersten Mal wird nach Pauls Spruch die Wohnungstür wieder zugeschlagen. Hermann blickte
noch durch die Gläser, denn Paul streckte zwar die
Hand aus, aber dann verbeugte er sich. Ein kindlicher
Bettler überzeugt durch Arroganz, ein erwachsener
Blinder durch kindliches Vertrauen. In einem leeren
Hauseingang üben sie nochmal. Immer wieder läßt
sich Hermann mit geschlossenen Augen auf eine Mar-

morwand zuführen, in die Spiegel eingelassen sind.
Paul sagt den Spruch, Hermann legt seine Hand auf
Pauls Kopf, Schulter oder Nacken und kontrolliert
im Spiegel, welche Haltung am besten wirkt.
Sich wissentlich blind zu bewegen, erzeugt eine Art
Schwimmgefühl. Die Füße betreten doppelten Boden, der Körper scheint zu wachsen, bekommt Aus-
leger und schwammige Ränder. Vor Geräuschen weichen Konturen zurück, man tappt leeren Bewegungen nach, möchte sie wieder füllen. Wer mogelt und
kurz die Augen öffnet, wird enttäuscht. Im Raum,
der sich in der Vorstellung dehnte, stecken die Gegenstände an den gewohnten Plätzen. Nach einigen Versuchen hat sich Hermann überwunden, läßt die Augen geschlossen. Schritte von Passanten, Lachen, Ge-
sprächsfetzen, klappernde Kisten, Hundegebell, Glastüren und startende Autos hallen, als trage er Kopfhörer, in denen die Geräusche je nach Entfernung verschieden schnell ankommen. Die unbekannte Umgebung verdichtet sich.
Pauls schwitzige Kinderhand drückt in jeder Kurve
so lange, bis Hermann die Biegung ausgeführt hat.
Kühle fällt nicht unbedingt mit Dunkelheit zusammen, aber Geräusche scheinen in Schatten reiner zu
klingen. Paul sagt eine Stufe und eine Lifttür an. Wie
der Lift sich zu heben beginnt, dreht Paul Hermann,
der mit dem Gesicht zur Holzwand steht, um.
»Ich glaube, hier hängt irgendwo ein Spiegel?«
»Stimmt«, sagt Paul, »neben den Knöpfen.«
»Ich sehe mit den Fingerspitzen.«
»Aber bitte nicht mit den Augen, sonst mache ich
nicht mehr mit.«

»Ehrenwort.«

Hermann und Paul stellen ein elegisches Paar dar, dessen Vater Physiker gewesen sein könnte, die Mutter tanzte im Ausland, oder umgekehrt. Von dem bürgerlichen Tryptichon sind nur die Söhne übriggeblieben, die ihr Elend verkaufen. Hermann wischt Eitertropfen aus den Augen und setzt die Brille wieder auf. Paul hat geklingelt: im Luftzug seufzt eine schwere Tür.

»Merci Madame«, sagen sie gemeinsam, »merci, Madame, merci.«

Gott schütze Sie, müßte noch folgen oder ähnlicher Papp. Hatte sie einen Hund auf dem Arm, geraucht hat sie nicht, vielleicht trocknet sie sich gerade die Hände ab? Ihre Stimme klang überzeugend.

»War sie schön?«

»Sie hat eine goldene Brille aufgehabt«, sagt Paul, »mit verschiedenen Gläsern.«

»War ein Glas milchig?«

»Ja. Die Frau war riesig.«

»Sie ist auf einem Auge krank oder blind, so eine gibt natürlich immer. Das gilt noch nicht. Wieviel?«

»Zwei Francs.«

»Sie ist dumm. Hätte sie mehr Phantasie, also Angst gehabt, einmal blind zu sein wie ich, hätte sie mehr gegeben.«

»Sie war nett.«

»Gib das Geld her.«

»Kriege ich nachher ein Eis?«

In die nächste Etage steigt Hermann auf einer Himmelsleiter hinauf, Treppen überzeugen Blinde. Die Augen möchte er nie mehr öffnen. Aveugle et muet le cœur est près, s'il vous plaît. Neben ihm atmet das Kind, das seine Hand nach oben drückt. Sie landet auf einem Metallknauf, der sich graupelig anfühlt. Es kann ein Löwenkopf oder eine Blume sein.

»Aus Messing oder Eisen?«

»Gold, auch das Schild an der Tür.«

»Dann sind es Ausländer, vielleicht Fürsten. Wie heißen die Scheißer?«

»So einen langen Namen kann ich noch nicht lesen.«

Hermann zieht an der Klingel, die leise schnarrt. Seine feuchte Hand riecht nach Metall. Er legt sie auf Pauls Schulter und reckt den Kopf, um die entrückte Horchhaltung einzunehmen, die Blinde lieben. Die Tür öffnet sich, Paul sagt sein Sprüchlein, jemand lacht leise, außerdem riecht es nach Kaffee.

Hermann erfaßt ein hämisches Vertrauen zu seinem inszenierten Schwebezustand, den er jederzeit unterbrechen könnte. Die künstliche Anstrengung wird immer wertvoller. Eine Hand auf Pauls Schulter, läßt er sich leiten, berührt eine Holzkante, die wahrscheinlich zu einer Flügeltür gehört, wortlos betreten sie eine fremde Wohnung, angeführt von einem Unbekannten, den nur Paul sieht. Schritt für Schritt dringt Hermann tiefer in eine geile Sanftmut ein. Entfernte Straßengeräusche lassen die unsichtbare Wohnung groß erscheinen. Paul spricht Französisch, eine ruhige Stimme antwortet.

»Que Dieu vous bénisse«, sagt Hermann, »le diable est aimable.«

Die Vorhänge in dem Zimmer sollen aus rotem Samt sein, und in der dunkelsten Ecke hängt über einem Stereolautsprecher oder einer Porzellanschale ein Friedhofsgemälde, das mit bunten Glassplittern besetzt ist. Die Wohnung könnte einem emigrierten ungarischen Adligen gehören. Hermann solle vorsichtig gehen, sagt Paul, überall auf dem Boden stünden Krüge und Vasen. Hermann steuert rückwärts und glaubt, aus verschiedenen Entfernungen den Widerstand der Hindernisse zu ahnen. Erleichtert spürt er, wie seine Kniekehlen einen Gegenstand berühren. Ein Sofa, sagt Paul. In den Bezugstoff sind Muster eingewoben, die sich hart anfühlen. Im neunzehnten Jahrhundert wurden Stickereien durch Metallfäden kostbarer gemacht. Aus der Lehne ragen Holzschnörkel.

Hermann fühlt sich auf seinem Opernplatz wohl. Es ist eine günstige Herausforderung, irgendwo mitten in der Stadt in einer verhängten Wohnung zu sitzen. Vielleicht trägt der unsichtbare Hausherr Kniehosen oder läßt seit Jahren seine Fingernägel wachsen. Bei Tag geht er nicht aus, das Zimmer riecht stockig, fein vermischt mit Kaffeeduft. Zittern im Parkett wird von Métrolinien herrühren, die sich unter dem Haus kreuzen.

»Paul«, sagt Hermann, »bist du noch da?«

Er wagt es, seine Sonnenbrille abzunehmen, reibt in den Augenwinkeln, den Kopf horchend zurückgeneigt: er bleibt blind. Dann setzt er die Brille wieder auf.

»Paul, ißt du oder hast du etwas zu trinken bekommen? Du mußt übersetzen.«

Keine Antwort. Vielleicht ist Paul auf ein Zeichen hin in Strümpfen aus dem Zimmer geschlichen. So viel Vorleistung hat Hermann nicht erwartet.

Worte wie Palmen, Ballustrade, Korridor, Kanapee, Büfett, Kristall, Ottomane, Erker, Fußschemel, Gehänge, Perserteppiche und Lüster fallen ihm ein. In der Küche brennt eine Gasflamme. Die Anordnung der Möbel stellt zugleich den Lageplan der Fallen dar. Der Mörder, der sich an Bürgertum sattrinkt, ist nicht weit.

Die Wohnung liegt in phosphoreszierendem Dämmer. Der Hausherr hat sich, betäubt durch schwere Wildbretgerichte und heißen, gewürzten Wein, in ein abgelegenes Prunkzimmer zurückgezogen. Er entkleidet einen Knaben, den ihm der Zufall, auf den er angewiesen ist, geschenkt hat. Er knebelt, betastet und frottiert, bis das Opfer reif ist. Die Vergewaltigung hält an. Anschließend wird aufgeschlitzt und Glied für Glied zerstückelt. Manchmal findet der Hausherr auch Vergnügen am Spalten von Brustkörben, um das Atmen der Lungen zu schlürfen, oder öffnet Bäuche, schnüffelt hinein, erweitert die Wunde mit den Händen und setzt sich in die Lücke. Während seine Härte sich im Eingeweide löst, wendet er sich hin und her und beobachtet die letzten Zuckungen.

Die Wut des Hausherrn verdichtet sich. Bisher hat er seine Sinne mit lebenden oder verendenden Wesen beruhigt, nun benötigt er mehr. Er wird Tote lieben. Portieren dämpfen seine Schreie. Als leidenschaftlicher Künstler umarmt er seine Opfer und veranstaltet Schönheitskonkurrenzen. Wer den ersten Preis erhält, dessen Haupt trennt er vom Rumpf, hebt es an den Haaren hoch und küßt es auf die Lippen, durch die manchmal noch Reflexe stolpern. Bei jeder leisen Zuckung schluchzt er vor Dankbarkeit. Wenn der Vorrat an toten Kindern erschöpft ist, weidet er eine schwangere Frau aus und steckt sich den Fötus auf. Dann fällt er in einen kurzen Schlaf. Diener tragen belegte Brote herein und stellen einen Samowar auf. Kandiszucker liegt in einer Porzellandose, deren Deckel einen Eulenkopf darstellt.

Nach der Pause, die Stärkung gebracht hat, setzt der Virtuose seinen Grausamkeiten eine neue Beize zu. Sobald ein Kind, das er aufgehängt hat, im Augenblick des Erstickens zu zappeln beginnt, nimmt er es wieder vom Haken, setzt es behutsam auf seine Knie, muntert es auf, liebkost es, trocknet Tränen. Es brauche keine Angst mehr zu haben, flüstert er, er rette ihm das Leben. Doch wenn das Kind, neuen Atem schöpfend, sich an ihn schmiegt, schneidet er ihm sacht von hinten den Hals ein und läßt es schmachtend erschlaffen. Das lockige Haupt, schon ein wenig gelöst, grüßt ihn noch einmal mit Strömen von Blut, das für den Hausherrn wichtiger als menschliche Nahrung ist. Er knetet den Leib, wendet ihn hin und her bis zum letzten Tropfen. Knurrend vor Freude nimmt er sich den zierlichen Kadaver vor, denn er selbst will sich auch leeren, doch Frieden wird er nicht finden. Im verwachsenen Garten hinter dem Haus fliegt ein kleiner Engel vorbei. Silence is golden, singt ein hoher Knabenchor.

»Ich habe Katzen gesehen«, sagt Paul, »und Hunde und Affen, alle aus Porzellan. Eine Giraffe, sie ist unbezahlbar, stößt mit dem Kopf an der Decke an. Man hat sie an einem Flaschenzug außen am Haus hochgezogen. In der Transportkiste hätten tausend Hasen Platz gehabt, hat der Herr gesagt. Die Kiste steht noch im Hof, wir können sie besichtigen.«

»Ich bin blind.«

»Weiß ich doch.«

»Du mußt Französisch sprechen. Aveugle sans Dieu, la mort vient peu à peu.«

»Er ist nicht da.«

Während Hermann sich an Pauls heißer Hand über Teppichmoos führen läßt, glaubt er, ein Grammophon zu hören. Vielleicht singt der Hausherr in einem entfernten Zimmer. Jetzt schon die Augen öffnen, wäre Frevel. Ob sie beobachtet würden, fragt er leise. Paul verneint. Unten auf der Straße gehen sie schnell außer Sichtweite. Der Blinde eilt voraus und zieht das Kind hinter sich her. Wie sie stehenbleiben, merkt Hermann, daß seine Augen aufgegangen sind. Die Sonnenbrille dämpft das ungewohnte Licht, am Kinderhals strahlt ein Saugfleck, der sich in der Mitte ventilartig verdickt.

»Paul, ist dir schwindlig, fühlst du dich schwach? Lehn dich an mich. Nein, laß mich los! Du sollst loslassen! Mach den Mund auf! Hast du schon immer einen so langen Eckzahn gehabt? Was hat der Mann mit dir gemacht?«

»Als er mir alles zeigte, hat er einen Pickel an meinem Hals ausgedrückt, aber Geld gab er mir keins.«

Das Kind, das Hermann auffängt, ist schwach geworden. In Hermanns Armen hängend, rülpst es ihm matt ins Gesicht. Die dünnen Lider beginnen zu zittern, die Ponyfrisur klebt an der Stirn.

»Ich habe dreimal geschworen«, flüstert Paul, »daß du wirklich blind bist, doch ableiten habe ich nicht mehr können, weil der Mann mir jedesmal die andere Hand festgehalten hat. Kriege ich nun Brandwunden?«

»Nie im Leben.«

»Ich glaube, der Mann war kirchlich. Er hat immer Sohn zu mir gesagt.«

In einem Straßencafé, in dem es Gulaschsuppe gibt, bekommt das Kind wieder Farbe. Paul darf auch von Hermanns Bier trinken. An einem Flippautomaten, dessen Atombomber und Sängerinnen beleuchtet sind, schießen sie sich frei. Paul, der noch nie geflippt hat, hüpft, wenn seine Zahlenserien in die Tausender hinaufklettern, begeistert vor dem gläsernen Pult. Ein Kontaktpilz, der am Kopfende der schrägen Bahn wie ein Polizeilicht morst, bringt bei jedem Treffer fünfhundert. Hermann ärgert sich, daß er weniger als Paul erreicht.

»Wir müssen nach Hause, deine Mutter wartet.«

»Nur noch einmal, bitte.«

»Ta gueule, mon petit, la corde au cou est servie, je te dis.«

»Vous n'êtes pas mon père, mais mon frère.«

»On dit au passé défini, ils s'en allèrent.«

»Pas de singeries, je suis sincère.«

»Cela suffit.«

»Au miniprix.«

»Sappristi fais pipi.«

»Jamais de la vie.«

»Quelle superchérie.«

»Sisi. Je voudrais avoir un lit.«

»Allons-y.«

Mit dem Bus fahren sie nach Hause, stehen im Heck auf der offenen Plattform, Paul hat sein Kinn auf das Geländer gelegt und läßt sich schütteln. Seine Zähne klappern. Hermann hält Paul am Rücken fest, greift den Pullover wie ein Fell; ein müder kleiner Hund zu halbem Preis.

Vor der Haustür möchte Paul Hermanns Sonnenbrille haben. Es sei wichtig, sagt er. Vor einer Plakatwand, unter der ein wenig Gras wächst, bohrt Paul mit Schuhspitze und Absatz ein Loch, in das er die Sonnenbrille und den Plastikgürtel, den er als Blindenführer um die Schulter getragen hat, versenkt. Mit Steinen und einer zerbrochenen Flasche, die er, die Zacken nach oben, in das Geröll steckt, schließt er das Versteck. Nun sei er bereit, hinaufzugehen. In der Wohnung läuft ein Plattenspieler. Am Ende des Korridors steht Karen Reibnitz an den Türrahmen gelehnt und wippt im Takt der Musik. Ihr bodenlanges Kleid bewegt sich unten mit.

Sein Onkel erwarte ihn, sagt Hermann. Sie geht, schon weniger wippend, zum Garderobentischchen, auf dem die Schale steht, in der Geld und Hausschlüssel liegen.

»Wieviel?« sagt sie.

»Nach Belieben.«

»Ich frage, wieviel pro Stunde?«

»Darüber habe ich noch nicht nachgedacht.«

»Wer arbeitet, bekommt Geld. Also, wieviel?«

»Sagen wir, zehn Francs die Stunde? Oder weniger? Ich weiß es nicht.«

»Fünf. Sie fangen in der Kindermädchenbranche ja erst an.«

»Und wieviel kosten Sie als Modell?«

»Hundert pro Stunde, Tagespauschale fünfhundert.«

»Dann möchte ich gern sieben oder acht Francs.«

Im Kinderzimmer baut Paul an dem dicken Hospitalbett aus Legobarren weiter. Hermann riecht, als er sich zu ihm hinunterbeugt, feinen Schweiß und Reste von Haarschampoon. Das Bett sehe doof aus, sagt er, Paul solle lieber ein Boot bauen oder einen Lift, nein einen Flippautomaten, auf dem man bis zu einer Million spielen könne. Paul steht auf, schließt die Augen und marschiert mit ausgestreckten Armen von seinem Zimmer zur Wohnungstür, die er, immer noch blind, für Hermann öffnet. Was diese Kinderei bedeute, fragt Frau Reibnitz. Ihr Sohn antwortet nicht, Hermann geht hinaus. Auf der Treppe merkt er, daß er Herzklopfen hat.

Paul wird, nachdem er die Tür geschlossen hat, noch blind in der Wohnung herumgetappt sein, an seiner Mutter vorbei oder sie umkreisend, Hermann hätte es sich gewünscht. Manchmal blinzelt Paul, um in Kurven nicht anzustoßen, nimmt aber dann seinen Flipper in Arbeit, der genaues Augenmaß verlangt.

In der Untergrundbahn zählt Hermann sein Geld. Den Stadtplan auf den Knien sucht er Stationen heraus, die in der Nähe des Hotels liegen. Er hat gespart, weil er kein Taxi genommen hat, am liebsten wäre er zu Fuß gegangen. Hermann lehnt sich mit ausgestreckten Beinen zurück und merkt, daß er in einem Wagen erster Klasse sitzt.

Vor dem Hotel – es heißt Dauphine – sitzt in Ritterrüstung Jeanne d'Arc auf einem Pferd und hält zurückgebeugt eine Fahne in der Hand. Auf dem Sockel des Denkmals ruhen sich in der Mittagspause gern Schüler aus.

»Woher hast du meine Adresse bekommen?« fragt Hermann.

»Von dem Detektiv, den deine Mutter bezahlt.«

Auf die Frage, warum Onkel Simon nach Paris gekommen sei, sagt Onkel Simon, der Hotelportier habe Ballettkarten besorgt. Ob er ihm das Vergnügen eines gemeinsamen Theaterbesuches gewähre?

»Und wenn ich nicht mitgehe?« sagt Hermann.

»Dann erhältst du deine Eintrittskarte trotzdem. Du kannst sie verkaufen, die Aufführung ist ausgebucht. Ich mußte Schwarzmarktpreise bezahlen, und der Hotelportier hat nochmal zehn Prozent draufgeschlagen. Geld brauchst du doch auf jeden Fall. Oder bist du aus einem anderen Grund hierher gekommen? Siehst du, es bleibt dir gar nichts anderes übrig!«

»Gut, wir gehen. Ich binde mir sogar eine deiner Krawatten um.«

»Deine Mutter läßt dich herzlich grüßen«, sagt Onkel Simon, »und deine Kusine auch. Wir haben dich alle gern.«

»Ich euch auch.«

In seinem tiefen Sessel lächelt Onkel Simon und klebt sich ein Stück Silberpapier, das er vom Hals einer Bierflasche gewickelt hat, auf die Oberlippe. Vorsichtig seinen Einfall balancierend, steht er auf. Beim Portier, der ihm die Ballettkarten überreicht, segelt sein künstliches Bärtchen davon. Der Portier nimmt das geriffelte Papier vom Reservierungsbuch, auf dem es gelandet ist, knüllt es zusammen und wirft die kleine Kugel in einen Aschenbecher. Onkel Simon nickt kaum merklich. Ein so zartes Einverständnis zwischen Gast und Bedienstetem ist nur in einem erstklassigen Hotel möglich.

»Warst du schon einmal in Paris?« fragt Hermann.

»Als Sanitäter. Ich habe nicht widerstehen können und kistenweise Champagner und Pelze nach Hause geschickt. Das Zeug war spottbillig.«

»Würdest du das heute von Spanien oder Griechenland aus auch tun?«

»Natürlich nicht, bei uns gibt es doch alles.«

»Du bist kein Sieger mehr«, sagt Hermann, »aber ich bin einer.«

»Wärst du stolz darauf, wenn dein Vater jemanden umgebracht hätte?«

»Hat er tatsächlich?«

»Weiß ich nicht. Er war ein vorzüglicher Reiter. Ich habe ihn bewundert, er war älter als ich.«

»Du bist gut in Form, Onkelchen.«

»Im Ausland immer.«

Arm in Arm verlassen sie das Foyer. An der Drehtür zwängen sie schnell nacheinander in ein Segment und schieben mit aller Kraft, so daß die Dichtungsbürsten Staub aus der Fußmatte wirbeln. Ein eintretender Gast wird zwei Umdrehungen lang in dem gläsernen Käfig mitgezogen, dann in das Hotel hineingeschleudert.

Onkel Simon und Hermann trinken in Bars. Ein Transvestit, der Striptease vorführt, fragt, den Daumen unter die Schließe seines Büstenhalters geklemmt, ob er sich ganz ausziehen solle. Seine silicongespritzten Brüste schnellen hin und her. Die Brustspitzen sind zu klein, harte Nippel, geschminkte Piepser, Nieten, Papillen, leere Rosenspitzen, es wäre besser, sie würden abgeknipst. In einer anderen Bar wird von Männern, die Löwenfelle um haben, auf einem Tablett eine nackte Frau hereingetragen. In ihrem Schoß sitzt eine Taube. Auf einen Signalpfiff aus dem Zuschauerraum fliegt der Vogel davon. Ein leiser Tango setzt ein.

Onkel Simon, der aufs Zimmer gebracht werden muß, wiegt schwer. Im Lift liest er laut die angeschlagene Speisekarte, im Korridor oben probiert er eine Sesselgarnitur aus. Reden, sagt er, endlich alles zu Ende reden, miteinander sprechen, so lange reden, bis nichts mehr da sei, zerreiben, auspumpen, vernichten. Seine grauen Locken hängen feucht über die Ohren. Mit einem Gummibaumblatt versucht er, den Schnurrbartscherz zu wiederholen, doch das harte Blatt, dessen Stiel ihm in ein Nasenloch gerät, bleibt nicht liegen. Rudernd kommt Onkel Simon aus seinem Sessel hoch.

»Onkelchen, du mußt ins Bett.«

»Ich habe einen Finnen gekannt, der Spiritus trank, nein Eierlikör, nein Wacholderschnaps. Er hat seine Hand auf den Tisch gelegt und mit dem Messer zwischen jeden Finger gestochen, ohne sich zu verletzen, blitzschnell hundertmal hintereinander, bis die erste Straßenbahn kam.«

»Möchtest du etwas essen?«

»Ich kenne einen Textilfabrikanten, der hat sich morgens ins Flugzeug gesetzt und ist nach Spanien geflogen, ohne Gepäck, in kurzen Hosen, nachts ist er zurückgekommen.«

Noch im Korridor beginnt Onkel Simon, sich auszuziehen. Als seine Ärmel wegschlüpfen, möchte er ein Ringer sein. Hermann stößt ihn vorwärts. Bei den Hosen fällt ihm ein Drahtseilakt ein, den er auf der Teppichkante in seinem Zimmer nachahmt. Über ein

Smyrnamuster gebeugt, tastet er sich Schritt um Schritt vorwärts, winkt und teilt Kußhändchen aus. Wie er abzustürzen droht, tritt er einfach aufs Parkett und erklärt, er sei betrunken. Der schnelle Positionswechsel begeistert ihn. Auf Socken gleitet er im Schlittschuhschritt ins Badezimmer.

»Ich merke alles«, sagt er. »Du strengst dich an und ärgerst dich, aber es rührt dich auch, daß sich dein alter Onkel lächerlich macht.«

»Ich bin auch betrunken.«

»Warum gibst du dir dann Mühe?«

»Weil ich müde bin.«

Über dem Waschbecken bewegt Onkel Simon die Zahnbürste im Mund. Im hellen Ausschnitt des Badezimmers flattern Hemdzipfel und offene Manschetten, darüber stößt der graue Lockenkopf auf und ab.

»Siehst du mich?« sagt Onkel Simon.

Bevor Onkel Simon nach seinem Schlafanzug greift, befiehlt er Hermann, sich umzudrehen. Dann liegt er im Bett und kaut, den Blick zur Zimmerdecke gerichtet. Vielleicht kämpft er Speichel hinunter oder er hat einen neuen Einfall, der wieder versiegt. Onkel Simon schläft. In einem Mundwinkel atmet ein Bläschen ein und aus, wird größer, platzt beinahe, schrumpft wieder und trocknet zu einer kleinen weißen Flocke ein, die genau in die Lippenecke paßt. Hermann hat seinen Onkel lieb. Er faltet ihm die Hände über dem Schlafanzug.

Aus der Anzugsjacke, die über einem Stuhl hängt, holt Hermann Onkel Simons Brieftasche. Sie ist gefüllt. Dazu würde passen, daß der Onkel die Augen zum letzten Mal öffnet und Hermann leise zu singen beginnt, einen kirchlichen Text, als blicke er in ein Gesangbuch. Beruhigt schließt der Onkel seine Augen wieder. Hermann zählt tausend Mark in die eigene Tasche, den Rest läßt er im Fach gegenüber den Ausweisen stecken. Onkelchen, Onkelchen, sei ein Held. Auf Zehenspitzen geht Hermann aus dem Raum, das Nachttischlämpchen läßt er brennen.

Der Portier, der vertraulich grüßt, bekommt nichts ab. Hermann genehmigt sich ein Taxi. Schläfrig beobachtet er die schnurrenden Ziffern im Zähler. Dem Fahrer steht, als er sich umwendet, Licht vom Armaturenbrett wie geronnenes Blut in einer Hasenscharte.

»Ça va, Monsieur?«

»Okay, Monsieur.«

Frühmorgens steht Hermann reisefertig im Plastikzimmer, Moloumbetès ist vom Nachtdienst noch nicht zurückgekehrt. Hermann wird ihm alle Pullover schenken, auch das Paket Waschmittel, das er gekauft hat. Wenn Onkel Simon erwacht, wird er bereits in großer Höhe unterwegs sein.

Moloumbetès bringt ein Paket Euter vom Großmarkt mit. Hermann verabschiedet sich, Joseph fängt zu weinen an. Nicht so schnell, sagt er, eine Abreise müsse doch gefeiert werden.

Gemeinsam machen sie sich über das Euter her, das sie aufgeschlitzt unter dem Hahn reinigen, auf einer festen Unterlage walken und mit Gewürzen einreiben. Im Hof stellt Hermann den Benzinkocher auf und pumpt Druck in den Tank. Nonnenhaft liegen die Zitzen in der Pfanne, eine hängt tröpfelnd über den Rand. Der aufgehäufte Milchsack, den sie wegen seiner schamlosen Größe um die Hälfte amputiert haben, sinkt in sich zusammen, die Zapfen beginnen zu wellen, Bräune wächst, blättert ab, verrußt zu wirbelnden Teilchen, Qualm und Gummigeruch breiten sich aus. Der Luftdruck treibt immer mehr Benzin in die Verbrennungsösen. Auf der Opferplatte schmilzt das stinkende und zischende Euter, der Benzinkocher hüpft, und wie er schließlich explodiert, Funken stieben und klebrige Fleischstückchen den Hof tüpfeln, umarmen sich die Freunde in dem brennenden Regen, der Segen bringen wird.

II

Das alte, zittrig liebe Heimatgefühl beginnt in der Frankfurter Wartehalle, wenn Hermann aus dem Bus mit den nach Froschschweiß riechenden Haltestangen steigt und endlich aufrecht die Rolltreppe hinauffährt. Sein Hintern surrt vom langen Sitzen. Absprung, bevor die gezinkten Stufen ineinandergreifend unter die Bodenplatte ziehen. Im Flugzeug waren zweite und erste Klasse durch eine Falttür getrennt, die ein Nürnberger Stich schmückte. Bei jedem Öffnen wellten sich Stadtmauern und Kirchtürme, Kunststoffplissees verschluckten Patrizierhäuser. In der Gegend des Griffs ernteten Bauern.

Draußen heben Flugzeuge ab; in Höhe der Panoramascheibe, die wie eine Fernsehbrille getönt ist, legen sie ihr Fahrwerk ein, stimulieren Tempo und Optimismus, und Hermann möchte, während Düsenlärm und Lautsprecherdurchsagen sich überlagern, am liebsten hier! hier! rufen.

Ein Fürst fährt einen Monstranzwagen durch die Reihen der Gäste, bietet Eisbomben, Vormittagsblut, Knäckerchen und Früchte an. Aus belegten Broten hängen Schinkenlappen, die an der Verpackungsfolie kleben. Der Fürst hat Colaflecken auf seiner Livree. Beim Geldwechseln rührt er in einer Nickelschatulle. Hinter ihm geht die Flugplatzschlampe. Sie trägt eine Wickelschürze, unter der Unterrockzipfel zum Vorschein kommen, sobald der Hintern in Bewegung gerät. Die beiden Stoffsorten sind verschieden schwer. Hermann steht auf, denn die Schlampe schiebt auf ihn zu, mit ihrem Stahlstöckchen einen Fetzen Papier, eine leere Zigarettenpackung oder ein Stück Kaugummi aufspießend, aber Kaugummi und gehärteter Kautschukboden haben verschiedene elektrische Ladungen, sie ziehen sich an wie Staubsaugerschnauzen Dreck oder Bakelitlockenwickler Haare, oder Haut Perlonpullover, oder Wäscheklammern Slips, oder Blockflöten Feuchtigkeit, das Warenangebot ist riesig. Der Fürst hat seinen Monstranzwagen zum Büfett gerollt, hinter dem Knaben Waffeleisen bedienen.

Hermann stellt sich vor eine Vitrine. Durch Uhren und gestaffeltes Besteck hindurch beobachtet er, wie die Schlampe mehrmals mit dem Absatz auf den Kaugummi tritt. Dann macht sie einen kleinen Ausfall, trippelt, stößt gegen einen gefleckten Fußball, den ein Kind in einem Netz über der Schulter vorbeiträgt, hat sich vielleicht in diesem Augenblick an ihren Sohn erinnert, der sich morgens die Haare naß kämmt und den Spiegel vollschlonzt, bückt sich nun, so daß die Wickelschürze hinten hochgeht und einen lila Fetzen freigibt, mit dem Küchentische gefegt werden können, polkt an dem grauen Stück Pfefferminzgaumen und läßt es in ein Abfalleimerchen fallen, das schaukelnd an ihrem Arm hängt. Hermann hat vom Zugucken rote Ohren bekommen.

Der Lautsprecher sagt das zweimotorige Flugzeug nach Stuttgart an. Auf unrentablen Nebenstrecken besteht das Stewardessengespann meistens aus einem Lehrling und einer ausgelaugten Höhenkranken, die heiraten möchte. Beide sind vorzüglich geschminkt.

Wo ist die gewachste Tüte? Früher wurde Pferden, während der Fuhrmann in der Wirtschaft trank, ein Sack voll Häcksel vorgebunden. Die Pferde fraßen und schnaubten hinein, so daß der kleingeschnittene Plunder hochwirbelte und sie, um wieder Luft zu bekommen, weiterfressen mußten, bis der Sack leer war. Hermann freut sich, daß fast alles brauchbar ist.

Er ist nicht da, hat Frau Keßler gesagt, er ist nicht mehr da, glauben Sie mir. Warum soll ich mich von einem ruhigen und sauberen Mieter, der immer pünktlich bezahlte, trennen? Aber er ist weg. Wenn Sie mich nochmal anschreien, hole ich die Polizei. Sie sind mir noch einen halben Monat Miete schuldig. Er wollte für Sie bezahlen, doch ich habe abgelehnt. Sie können Ihre Sachen holen, es hängt alles im Schrank, ich habe nichts angerührt. Seine Romanhefte hat er dagelassen, ich lese sie nicht, sie gehören ihm.

»Wo ist Mäxchen?«

»Der Vogel ist tot. Er war doch schon alt.«

»Fast hätte ich die Nummer der Straßenbahn nicht mehr gewußt. Vom Bahnhof, wo der Bus ankommt, bin ich zu Fuß gegangen, dann ist mir die Nummer wieder eingefallen.«

»So schlecht ist die Verbindung aber nicht.«

»Habe ich nicht behauptet.«

»Sage ich auch nicht.«

»Hoffentlich.«

»Wenn Sie wollen, können Sie hereinkommen. Herr Naber hat mir ein paar Ansichtskarten geschickt. Der hat sein Glück gemacht.«

»Putzen Sie noch immer in der Versicherung? Sie sollten sich im Flugplatzgebäude bewerben, da ist mehr los, außerdem wird es besser bezahlt.«

»Woher wissen Sie das? Ich bleibe, wo ich bin.«

»Ich muß heute weiter.«

Das Häuschen zittert immer noch. Unter dem Luftdruck vorbeifahrender Lastzüge knirschen die Fensterangeln, eine Spur Blumenerde zeichnet Wirbel auf dem Gesims.

»Ist Mäxchen schon lange tot?«

»Am Wochenende begrabe ich ihn.«

Sie öffnet den Eisschrank. Im obersten Fach liegt neben den verkrusteten Kühlschlangen der Vogel auf dem Rost, eingehüllt in eine Cellophantüte, die mit einem gelben Band verschnürt ist. Die Krallen sind zu sehen, der Schnabel, der ein wenig die Folie beult, klein und frisch ruht Mäxchen mit geschlossenen Augen. Hermann könnte an den schwindsüchtigen Mozart denken, der unter einer großen Perücke gestorben ist. Das Federkleid hat in der Kälte seine Farbe behalten. Eine Dose Wurstscheiben und eine beschlagene Milchtüte räumt Frau Keßler ins nächste Fach.

»Er ist in meiner Hand gestorben«, sagt sie. »Ich habe seine letzten Zuckungen gespürt.«

»Hat er Sie dabei angesehen?«

»Das kann ich nicht beurteilen.«

»Sie haben sicher weinen müssen.«

»Das werde ich erst tun, wenn ich ihn der Erde übergeben habe. Für mich lebt er noch.«

Beinahe quetscht sie seine Hand am Dichtungsrahmen, so plötzlich schlägt Frau Keßler die Eisschranktür zu. Innen poltern Lebensmittel nach. Ein Detektiv sei dagewesen, sagt Frau Keßler, habe nach ihm gefragt, Herr Brix könne ihr nichts mehr vormachen. Seine Kleider habe sie in einer Liste aufgeführt, er könne vergleichen, nichts fehle, und den Koffer habe sie mit einem Reinigungsmittel geputzt, damit kein Schimmel ansetze. Der Bach unter dem Zimmerboden sei angeschwollen, seit eine Umleitung gebaut werde.

»Herr Naber hatte Rheuma«, sagt Hermann.

»Das hat er mitgebracht.«

»Wie geht es ihm?«

»Davon schreibt er nichts.«

Er brauche sofort die Adresse, sagt Hermann, den Koffer, die Kleider, sie könne alles verkaufen oder verschenken oder zu Mus kochen oder zu Putzlappen verarbeiten, die Adresse, verdammt nochmal ein bißchen dalli, die von Naber natürlich, wenn sie ihm nicht sofort die Adresse gebe, werfe er Mäxchen unter den nächsten Lastwagen.

»Die Polizei hat also recht.«

Der Detektiv sei von einer Privatagentur, erklärt er, seine Mutter schicke ihm immer wieder einen nach, um ihr Gewissen zu beruhigen. Ob das eine Vogelliebhaberin nicht verstünde? Hermann ist laut geworden und näher gerückt, wollte vielleicht etwas anderes sagen, zum Beispiel, daß er froh sei, wieder hier zu sein, und nicht wage, das Hinterzimmer zu betreten, in dem das Ehebett steht. Das Kopfkissen roch nach Druckerschwärze, nein Stockflecken, nein nach der vertrauten Grenze, wenn die Glühbirne der Nachttischlampe eine Handbreit Luft erwärmt hatte.

Naber lag im Nachbarbett, das er leise erzittern ließ, herübergetastet hat er nie.

»Warum weinen Sie?« sagt Hermann zu Frau Keßler.

»Weil ich Angst habe.«

Dann geht er, reißt die Ansichtskarten, die sie von Naber erhalten hat, aus der Hand. In Stempelform steht als Absender ›Café Monte Kaolino, Oberpfalz‹ über den Adressenlinien, in der Provinz kennt Hermann sich aus. Einmal arbeitete er für kurze Zeit in einem Reisebüro, kleingedruckte Fahrpläne spornen seinen Ehrgeiz an.

Kombinationen aus Schnellzügen, Wartezeiten, Schienenbussen und Lachsschnitzeln an Bahnhofsbüfetts, kaltem Zigarettenrauch und Fahrkarten begeistern ihn. Fragen nach Anschlüssen werden, je tiefer er ins Land gerät, dialektreicher. Dicke Finger handhaben Kopierstifte, doch er überspringt, nimmt ein Taxi von einer Bushaltestelle zur anderen und fängt, als ein Omnibus schon abgefahren ist, ihn am Ortsausgang wieder ab. Das einzige Loch im Fahrplan ist gestopft. Früher hat er als Autostopper gelernt, Überredungskunst anzuwenden, um in Städten bis zur nächsten Überlandkreuzung gefahren zu werden. Fußmärsche kosten Zeit, zum Beispiel durch französische Straßendörfer, die stundenlang traurig Haus um Haus tröpfeln.

Hermann stellt sich vor, nach Lappland geflogen und mit Rucksack unterwegs zu sein. Er sucht einen bestimmten Wasserfall, der wegen seiner Geräuschlosigkeit, hervorgerufen durch starke Aufwinde, berühmt ist, verläuft sich an einer Flußgabel und findet den Weg im sumpfigen Moos nicht mehr zurück.

Konserven hat er dabei, auch Streichhölzer und eine Luftmatratze, aber Lederstrumpfs Abenteuer gedeihen besser zu Hause im Bett. Ein Wasserflugzeug, das wahrscheinlich über dem Waldgelände Brandwache fliegt, taucht am Horizont auf. Hermann winkt mit seinem Hemd, die Maschine landet gegen den Strom, zum erstenmal in seinem Leben hat er ein Flugzeug gestoppt. Den Heimflug nimmt er wie in der ersten Klasse, die nassen Strümpfe und Schuhe hat er ausgezogen, sie hängen über dem Radiator der Funkerkabine. Mit Geld ist alles möglich.

In kleinen, von Spritzkalk gerahmten Schaufenstern hängen Strickwaren in den neuesten Pulloverfarben, oder Mittelstreifen schwingen auf den verbreiterten Asphaltstraßen hügelauf und hügelab bis zur tschechischen Grenze. Vor Brücken und Kreuzungen geben gelbe Rundschilder die Marschgeschwindigkeit für Panzer und Armeekonvois an. Ein Arzt mit Berufsplakette an der Windschutzscheibe fährt langsamer als üblich, wird an Blutdruckwerte und Adrenalinausstoß der Fahrer, die ihn schneiden, denken. Nach Tälern und Waldstücken warnen Tafeln vor Seitenwind. Zwischen Wiesen wächst Mais in dichten Riegeln, manchmal hümpeln auch Kartoffelfurchen, oder Zuckerrübenblätter täuschen mit ihrer hartgewachsten glänzenden Oberfläche exotische Pflanzungen vor.

Nahrung im Rohzustand macht ungeduldig, wird erst im Zeitraffer gefilmt wieder verständlich. Da keimt ein Blättchen, tropft, setzt Länge an, läßt die klebrigen Knoten und Follikel springen, geimpft durch sichtbar gemachte Sonnenstrahlen im Gegenlichtverfahren eines Filters, Musik setzt ein, schwindelt über Zeit und Mühe hinweg, Feuchtigkeitswerte, Photosynthese, Krümelgefüge und Bakterienhaushalt sind bekannt, die Ähre steht, holt Bewegung aus der Windkonserve, und im Transfokatorschuß auf den Halm und anschließend langsamen Schwenk über die vielen satten, deutlich beladenen Rispen hinweg wiegt sich das Feld, rutscht aus dem Bild, am Horizont rudern Latten eines Mähdreschers.

Der Dieselmotor dröhnt. Nach einem gut durchforsteten Waldrevier, in dem die gleichförmig starken Stämme versetzt stehen, damit die Baumkronen Platz finden für genügend Licht, wird eine Kohlengrube in der Landschaft größer. Mitten im Grünen liegt Industrie, am Rande aufgehellt von Siedlungshäusern, zeigt Fördertürme und eine rußige Kokerei, deren eiserne Schachteln aufklappen und leuchten. Kühlschlangen überqueren in Stockwerkhöhe Straßen, Netze sichern Schwebeloren, Halden und blinde Maschinenhallen, alles ist vorhanden, die Einzelheiten stimmen, sind nur übersichtlicher geordnet. Das Werk arbeitet, in seinem Windschatten liegt ein dreckiges Dorf, ein neues Verwaltungsgebäude und ein Hallenbad sehen wie gestiftet aus. Der Bus fährt im zweiten Gang.

An der Ausfallstraße steht ein kleines Erzbergwerk mit Gleisanschlüssen und dampfenden Sintertürmen. Das Röhrenwerk gegenüber hat die Größe eines Holzlagers. Nach der klassischen Dreierkombination von Kohle, Erz und Veredlung beginnen wieder Felder, die Dunstglocke versickert an einer bewaldeten Bergflanke. Im vierten Gang rollt der Bus über eine

Bitumendecke. Tiefflieger seien zu beachten, steht auf Schildern geschrieben, und die Grassoden der Bankette nicht befahrbar. Die nächste Ortschaft liegt in Rufweite.

Im Bus riecht es nach Schweiß und Kleidern. Landweiber, die ins nächste Städtchen zum Einkaufen fahren, haben meistens zuviel an. Hermann bohrt in ein Loch im Wachstuchsitz. Mit dem Finger holt er ein wenig Heu heraus und schnüffelt daran. Wie er auf das Häufchen spuckt, entwickelt sich vertrauter Hodengeruch. Vor Hermann zeigen sich dicke rote Ohren in einer Frisur, eine schaukelnde Dauerwelle verdeckt sie wieder, am Hals pumpt eine Schlagader, die ein Scheuerstrich der Jackenborte überquert. Hermann blickt schwitzend aus dem Fenster. Draußen stehen Pappeln, das bedeutet, daß die Wiesen naß sind.

Dann sieht er endlich den Berg, den er von Nabers Postkarten her kennt, glanzkaschierten Farbaufnahmen mit gezacktem Rand, aus der Vogelperspektive aufgenommen. Umgeben von Wäldern, rostigen Getreidefeldern – der belichtete Film wird rotstichig gewesen sein – blaugrünen Wiesen und ausgerichteten Tannenschonungen, die bei näherem Hinsehen zum Teil auch Autos auf Parkplätzen darstellen, erhebt sich ein weißer Sandkegel, rosa Schraffuren fließen über eine Gipfelstation hinaus. Blauer Himmel an der oberen Kante, der auf Ansichtskarten eine ländliche Szenerie erst zu einer Landschaft macht, könnte auch eine eingefärbte Gewitterfront sein. Masten einer Überlandleitung teilen das Bild auf. An einer Abzweigung ist Hermann aus dem Bus gestiegen, geht nun auf die künstliche Industriedüne zu. ›Willkommen im sommerlichen Skiparadies‹ liest er auf einem Wegweiser.

Hinter einer Schranke beginnt der Sand, der laut einer Instruktionstafel reiner als Meeressand sei, mehrfach ausgewaschener Quarzsand von achtfacher Körnung, Millionen Tonnen lägen auf Halde, der Abtransport lohne sich nicht, das Sommerparadies sei eine Schenkung an alle Erholungsuchenden. Bei der Gewinnung von Kaolin falle Sand als Nebenprodukt ab, wenn im Tagbau gewonnene kieselsaure Tonerde so lange geschwemmt werde, bis eine milchige Flüssigkeit zurückbleibe, die in industriellen Gaspfannen erhitzt zu Kaolinpulver verdampfe. Der Puder wird zur Herstellung von Papier und Porzellan benötigt. Das Werk liegt jenseits der riesigen Halde. In großer Höhe ticken Förderbänder, die Abraum hinauftransportieren, ein Buchstabe einer in der Sandflanke verankerten Reklameschrift, die nachts sicher leuchtet, ist umgestürzt. Ein Wasserball trifft Hermann. Mit der Schuhspitze tupft er ihn wieder hoch und faustet ihn zu einer Gruppe zurück.

Vor einer maurischen Wand lassen sich Gäste in Liegestühlen bräunen. Gegen die starke Reflexion, die der Sand verursacht, benützen sie Wattebäusche auf den Augen. Einige haben Skistiefel neben sich stehen. Am Ende der Mauer erhebt sich ein pilzförmiger Kiosk, dessen Kappe mit Eis- und Limonadereklame bemalt ist, und vielleicht ist es die Hitze oder weil Hermann nur eine Dose Lachsschnitzel an einem Bahnhofsbüfett gegessen hat, er bekommt Herzklopfen, dazu eine leichte Art von Drehschwindel, läßt seine Mappe fallen, reißt das Hemd auf, streckt den Kopf in den Schatten des Kioskdaches vor und sieht über blasige Schultern hinweg, gerahmt von verschwitzten Bubenköpfen, im Dunkeln des Pilzes Naber hantieren. Naber ist genauso fett wie früher.

Lutscher am Stiel, Sprudel, Kaffeebohnen mit Schokoladeüberzug, der Kiosk ist in Fächer und Durchreichen aufgeteilt, so daß der Verkäufer nach allen Seiten Sicht hat und bedienen kann; Anstecknadeln und Filzkäppchen. Es gibt gläserne Trinkstiefel, Petroleumlampen mit elektrischen Birnen, Aschenbecher und Eßbestecke verschiedener Fluggesellschaften. Der Preis steht in Bleistiftziffern auf Kleber geschrieben, die Naber, sobald der Gegenstand verkauft ist, sich auf den Handrücken heftet. Wenn die Skala bis zum Ellenbogen reicht, macht er Pause und addiert. Wetterhäuschen und Plaketten, Naber arbeitet schnell. Besonders teuer sind Porzellankühe, in deren Rücken Streichhölzer stecken mit bunten Köpfchen. Es gibt auch Wimpel, kleine Negerinnen, Holzarbeiten, Plüschtiere, Orden in Form gekreuzter Ski, Tuten, Fett- und Deckemulsionen, die aus Dosen auf die Haut gesprüht werden. Aus einer Tiefkühltruhe, in die Naber immer wieder hineingreift, steigt Nebel auf. Käufer von Familienpackungen erhalten fingerlange Eßpaddel, die Kinder als Dolche verwenden. Wimperntusche und Lippenstifte stecken in Papptafeln.

Hermann hat sich bis an das Brett gedrängt, das um den Kiosk läuft. Umgekippte Becher liegen in Soßenlachen. Das kennt er aus der Speiseeisfabrik, wo Rühr-

automaten das Gemisch vorbereiten, versteift durch
Affenbrotkernmehl, das auf italienisch farina de caru-
bo heißt und auch für Kragenecken als Textilspanner
verwendet wird. Es ist eine Freude, nur Verbraucher
zu sein.

»Herr Naber«, ruft Hermann, »Herr Naber!«

Ein Mann in Badehosen trägt Abfahrtsstiefel vorüber. Mädchen in Bikinis haben ältere Modelle ohne
Schnallenverschlüsse an verknoteten Schnürsenkeln
um den Hals hängen. Die Stiefel federn auf den Brüsten, manchmal trifft ein Absatz genauer. Bei jedem
Schritt im heißen Sand gibt die Unterlage nach. Wie
Hermann Schuhe und Hemd in die Mappe stopft,
klingelt der Reisewecker, es ist sechs Uhr. Zur selben
Zeit hat sich Hermann morgens im Bahnhof Nürnberg wecken lassen, wo er auf einer Bank geschlafen
hatte. Er geht zur Talstation. Im gläsernen Maschi-
nenhaus arbeitet die Drahtseiltrommel, dahinter sitzt
ein Mann auf einem hohen Sattel und bedient Lauf-
und Bremshebel.

Endlich hat Hermann begriffen, natürlich, der scharfe
Sand, die Stiefel, der Quarzschmirgel beschädigt die
Ski. Die Läufer bringen ihre Schuhe mit, leihen sich
aber die Bretter bei der Liftgesellschaft, die dadurch
zusätzliche Einnahmen macht. Eine harte Lack-
schicht oder aufgeklebtes Zelluloid mit eingepreßten
Führungsrillen präparieren die Laufsohlen. Neben
der Talstation, aus der große Schlitten starten, die
Gäste transportieren, steht ein Gestell voll Leihski.
Sicherheitsbindungen, deren Backen und Federzüge
mittels einer einzigen Schraube verstellbar sind, passen sich jeder Schuhgröße an.

Beide Schlitten, der eine oben, der andere unten, bleiben stehen. Der Berg leert sich. Auf der Piste schwingen Läufer zwischen Torstangen, Schuß fährt keiner, der kurze Auslauf bis zur Caféterrasse ist von Zuschauern, die zum Teil Sonnenmasken in Katzen- oder Fledermausform tragen, überfüllt. An Film- schauspieler Luis Trenker kann gedacht werden, an Wilderer oder den Freiheitskämpfer Jennerwein, der, auf seiner Flinte sitzend, in Farbaufnahmen über steile Hänge zu Tal reitet. Wer stürzt, schreit vor Schmerz, der Sand arbeitet auf der Sonnenbrandhaut wie Glas- papier. Aus Leitungen links und rechts der Piste stei- gen Wasserfontänen auf, die sich überschneiden und gartenlaubenartig über der Bergkuppe gestaffelte Re- genbögen bilden. Im bunten Reigen wird, je nach Druck auf- und abtanzend, das flimmernde Freizeit- gelände, das Eintritt kostet wie Fontainebleau, naß- gespritzt. Die Zuschauer im Tal rauschen mit.

Dunst von Schweiß und Sonnenöl schmiert die Be- wegungen. Kleine Mädchen stecken in schweren Ab- fahrtsstiefeln, stapfen durch den Sand, ein Mädchen kippt um und richtet sich, festgeschnürt an den Füßen wie ein Taucher, gestreckt wieder auf. Lederwülste reichen über die Knöchel, gepolsterte Zungen schüt- zen die Schienbeine. Braungebrannte und behaarte Männer sehen aus, als wollten sie das ganze Freizeit- gebiet asphaltieren, jeder zeigt Kraft und Gewandt- heit, zieht den Bauch ein, möchte schnell sein in der Hüfte, Brustkörbe dehnen sich, legen Hohlkreuze bloß. Absichtlich stößt Hermann gegen einen Frauen- hintern. Freund Magnus hat als Sport Frauen auf der Straße an die Brüste gegriffen. In japanischen Freibädern soll es Kamikadsehorden geben, die mit dem Kopf voraus Mädchen in den Bauch rennen. Wer fällt, wird von der Horde abgedeckt, ausgezogen, gekniffen, abgetastet, überall wird gebohrt und untersucht. Das Opfer bleibt liegen, die Bande verstreut sich wieder in der Menge und sammelt sich an einer anderen Stelle zu einem neuen Angriff. Auf der Caféterrasse trinkt Hermann warmen Apfelsaft, der im Mund einen dünnen Geschmack zurückläßt. Mit einem Gläschen Weinbrand spült er nach. In der Hitze beizt der Verschnitt in Nase und Ohren. Am Berg haben die Transportschlitten den Betrieb wieder aufgenommen, Läufer kurven und ecken über die frisch genäßte Piste, die in der Sonne Streifen zieht. Sand sirrt im Wind.

Lager gab es viele, hat Naber einmal gesagt, ob Kommandant oder Blockwart oder Küchenbulle oder Abspritzer oder sonst ein Sanitäter, ich erkenne keinen mehr. Auch Schriftliches ist mir egal. Wenn ich Kopfweh habe, nehme ich Tabletten. Hallenbäder, wo Duschen Pflicht ist, besuche ich auch wieder. Nur rammelnde Hunde kann ich nicht leiden, ich kriege Sodbrennen vor Wut und Enttäuschung. Man sollte sie totschlagen.

Hermann ist zum Kiosk gegangen und beobachtet Naber, der an einem Stieleis schleckt. Besuch habe er gern, sagt Naber. Er trägt ein grünes Papphütchen, an beiden Seiten hängt die zerschnittene Gummischnur herunter, die zu kurz ist für Nabers dickes Gesicht. Einmal gerät ein Gummiende beim Essen zwischen Eis und Mund, das Hütchen verrutscht, Naber entscheidet sich für das Eis und nimmt die Kopfbedeckung ab. Dabei pfitzt die Schnur über die Backe und hinterläßt einen dünnen feuchten Streifen.

»Viel Betrieb hier«, sagt Hermann.

»Ich stoße mich gesund«, sagt Naber. »Wenn ich noch ein Karussell und eine Bobbahn hätte, könnte ich Millionär werden.«

»Haben Sie den Kiosk gemietet?«

»Provisionsbasis, gehört der Molkereigenossenschaft. Aber den Andenkenplunder habe ich eingeführt, an dem verdiene ich allein.«

»Ich glaube, Sie haben ein wenig abgenommen.«

»Stimmt nicht, ich gleiche das nachts wieder aus.«

»Dann geht es Ihnen gut?«

»Warten Sie, bis ich fertig bin.«

Naber wendet sich zur anderen Verkaufsluke und reicht jungen Männern Kämme. Zwischen Campingplatz und Wald liegt ein Freibad mit Stufenbecken, die Hermann auf den Ansichtskarten für Schleusen gehalten hatte. Das Freizeitarsenal vervollständigen Sprungtürme, Rutschen, Wippen und ein hoher Drehkranz, mit dem man sich, an Schlaufen hängend, herumschleudern kann und im richtigen Augenblick über die gekachelte Einfassung hinweg ins Wasser schlenzt, was akrobatische Körperbeherrschung verlangt. Die jungen Männer kämmen ihre nassen Haare. Sie gehen dabei in die Knie, nützen die Kioskscheiben aus. Naber stellt sich drinnen hinter das Glas, damit es besser spiegelt.

Im Tiefflug schleppt ein Reklameflugzeug ein Gitter hinter sich her, an dem Buchstaben befestigt sind. Mehrmals kreisend macht das Flugzeug auf einen Spruch aufmerksam, taucht dann wieder hinter die

Wälder, die bis zur tschechischen Grenze reichen. Dort werden Soldaten aus Langeweile durch Ferngläser alles verfolgen, was sich bewegt.

Hermann möchte gern schwimmen, müßte sich aber eine Badehose leihen, einen Schein wechseln, seine Mappe in der Garderobe abgeben und wüßte wieder nicht wohin mit der Aluminiummarke, ans Handgelenk oder die Hose. Er setzt sich in den Sand und macht um sich einen Rand. Am Berg sind noch Transportschlitten unterwegs, in denen halbnackte Läufer sitzen mit aufgestellten Skilatten. Über der Kuppe fliegt ein Verband Krähen, der von Touristen, die nicht skifahren, gefüttert wird.

Flutlicht beginnt am Hang zu flackern und springt über die Piste hoch. Die Krähen werden aufgeregt flattern, doch wie jede Nacht sich an die Helligkeit gewöhnen. Wer füttert, wirft die Brocken ungezielt in die Dunkelheit über sich, aus der die Vögel herabstoßen, die wieder aus dem Lichtkreis jagen.

Nabers Wohnwagen ist eine einachsige Holzkonstruktion mit Hubdach und Aluminiumhaut. Beim Parken wird das Gewicht des Anhängers durch ein ausgeklapptes Bugrad unter der Deichsel abgefangen. Aus der Flanke ragen Schraubkappen für Strom- und Wasseranschlüsse, denn auf großen Campingplätzen sind Zapfsäulen üblich, auch für Zeltbewohner. Gemischt stehen Wagen und Leinenhäuser nebeneinander an den Versorgungsstraßen, die Abstände sind vorgeschrieben. An Tafeln angeschlagene Lagerordnungen verbieten nach zehn Uhr abends Musik und lautes Sprechen. Autos dürfen nur zum Manövrieren im Campinggebiet gefahren werden, Parkplätze stehen außerhalb kostenlos zur Verfügung. Aufseher weisen in freundlich bestimmtem Ton darauf hin, Vorschriften einzuhalten. Mit Leuchtfarbe getränkte Armbinden hüpfen je nach Temperament der Kontrolleure zwischen den dunklen Lagerblocks, bleiben bei Spaziergängern, die unterwegs sind, stehen, wandern vielleicht ein Stück mit und beziehen neue Positionen. Es herrscht erholsame Stille, auch um die niedrigen Zweimannzelte, die meistens jungen Leuten gehören. Hier hat niemand Angst vor der Jugend.

»Ich fühle mich wohl«, sagt Naber. »Wenn ich nach dem täglichen Durcheinander endlich meinen Wagen betrete und das Heckfenster aufklappe, weiß ich, daß ich heimgekehrt bin. Die Ordnung, die ich kennengelernt habe und brauche, ist vorbildlich. Jahrelang habe ich gesucht, ich dachte an Japan, habe mir japanische Filme angesehen, aber die meisten waren verstümmelt. Kinobesitzer wollen nicht begreifen, daß Filme aus einem übervölkerten Land natürlich länger sein müssen als bei uns. Wo mehr Leute wohnen, werden Unterschiede geringer, doch die Disziplin nimmt zu. Das verlangt Genauigkeit und Zeit. Ich wollte zur Post, zur Eisenbahn, in einen großen Betrieb. Sitten, verstehen Sie, Regeln sind wichtig, sonst wird man nicht glücklich. Besäße ich höhere Schulbildung, wäre ich in die Finanzverwaltung, in irgendein Ministerium gegangen. Ich hätte mein Ressort ausgebaut. Hier, auf dem sommerlichen Campingplatz, sehe und spüre ich ein wenig vom Glanz der Ordnung. Ich möchte daran mitarbeiten.«

Er kenne zum Beispiel einen Arzt, sagt Naber auch, der seit Wochen mit seiner Familie in einem Zelt wohne und sich erhole, obwohl er Darmkrebs habe und nicht mehr lange lebe, höchstens ein Jahr. Der Arzt habe von seiner Krankheit in Fachausdrücken geredet, seine Angst sei weg gewesen. Methode helfe, wie eine Litanei.

»Lesen Sie noch Romanheftchen?«

»Nicht mehr, aber ich habe viel aus ihnen gelernt. Als Sie in Stuttgart in dem Ehebett neben mir lagen, hätte ich mich gern mit Ihnen darüber unterhalten, doch Sie brauchten Ihren Schlaf nach der schlimmen Arbeit in der Speiseeisfabrik. Nicht die Einzelheiten in den Heftchen waren wichtig, die ungeheure Menge der Schicksale hat mich beeindruckt. Ich habe tausend Heftchen gelesen, ohne nachzudenken, das bedeutete tausend Personen, die miteinander zu tun hatten. Ich kann erst nachdenken, wenn ich viel in mir habe, ohne Unterschied, sonst merke ich nichts.«

Hermann sitzt im Bug auf dem herausklappbaren Schlafsofa, Naber hat es sich im Heck bequem gemacht. Um hinter dem Eßtisch Platz zu finden, legt er die Beine auf die Couch. In seinen kurzen Hosen sieht er wie ein Tropenoffizier aus.

»Wenn Sie Neger wären«, sagt Hermann, »könnten Sie nach Südafrika auswandern. Dort gibt es Reservate mit Reihenhäuschen, die entlang der Strom- und Wasserleitungen stehen.«

»Ich bin kein Neger.«

»Ich denke, Sie sind Jude?«

»Ich hatte Sicherheitsverwahrung. Man kam damals automatisch ins Lager.«

»Schade, wirklich schade.«

Naber sieht plötzlich nicht mehr drohend dick und

unbeweglich aus. Seine Leiden, die genügend Raum gefunden hatten, schrumpfen.

»Ich bin müde«, sagt Hermann. »Ich habe heute nacht kaum geschlafen. Der Weg war ziemlich kompliziert.«

»In Amerika und sicher auch in Rußland«, sagt Naber, »gibt es Gebiete, die völlig abgeschlossen sind, Atomzentren, Wüstenzonen für Raketenversuche. Jeder, der dort arbeitet, ist registriert, wird gefilzt und überwacht und hat ein Täfelchen mit Paßphoto und Namen am Hemd hängen. Der farbige Rand gibt den Rang an. Wenn das Täfelchen zu leuchten beginnt, ist man radioaktiv gefährdet. Bei soviel Kontrolle kann nichts mehr passieren. Es ist das Paradies.«

»Vorher müßten Sie aber noch eine Abendschule besuchen, das Abitur nachmachen und auf die Universität gehen.«

»Leute, die den Boden putzen, Abfälle wegfahren, in der Kantine bedienen, sich um den ganzen Dreck kümmern, muß es auch geben.«

»Nur Wissenschaftler und Techniker sind erwünscht«, sagt Hermann. »In Vakuumräumen wird montiert und hinter Bleiglasschirmen mit Zangen angefaßt.«

»Ich bin also zu dumm, um ins Paradies zu kommen?«

»Nein, zu alt. Sie haben zuviel erlebt.«

Naber zwängt sich von der Couch hoch. Der Wohnwagen, dessen freistehendes Heck Stützen sichern, zittert. Wiegend und sich vorsichtig auf dem engen Raum zwischen Ecken und Kanten der vielen, sorgfältig eingebauten Schränkchen, Halter, Ausziehflächen und Versenkladen bewegend, geht Naber zum Herd, der sich aus einem feuerfest verzinkten Schacht hebt. Der Spiegel darüber gehört zum Waschbecken, das in die Herdmulde eingehängt wird. Der Konstruktionsfehler verlangt Geduld, nicht nur, weil Kochen und Waschen nie gleichzeitig geschehen können, sondern auch Dampf und Fettdunst ständig den Spiegel beschlagen. Er koche nicht mehr, sagt Naber, wärme nur noch auf.

Der Ansatz des Öffners an der Blechkante locht tief, rutscht nicht ab. Zügig schraubt Naber eine Büchse auf, die am Schlüssel baumelt. Langsam neigt sie sich zur Seite, der Deckel wellt, kommt hoch und gibt Soße frei, die, sobald genügend Luft einströmt, wieder abfließt. Das Zahngewinde reißt den Rand des Reklamepapiers auf, das um die Büchse klebt. Ein knirschendes Geräusch ist zu hören, eine Art beruhigendes Schleifen. Hermann ist aufgestanden und nähergetreten, Naber hat mit dem Daumen den Deckel aufgebogen. Die Büchse sei tropensicher, sagt er, jahrelang. Eine feste Portion rutscht in den Topf, Teigkissen und langsame Soße. Den Rest kratzt Naber mit dem Löffel aus der Konserve.

Ravioli müssen auf kleiner Flamme erhitzt werden. Von der Tomatentunke, deren Steife verflüssigt, an den Rändern hochklimmt und das Gebirge zu überschwemmen beginnt, steigt säuerlicher Geruch empor. Platzende Blasen tüpfeln innen den Topf. Ob Brix das in den Blechdeckel gestanzte Zeichen gesehen habe, fragt Naber.

Die Kontrollnummer D 7 bedeutet etwa am Ende des ersten Aprilviertels auf Band gelegte Kochfolge, die, im selben Sommer verzehrt, auf jeden Fall Genuß garantiert. Es ist eine Freude, die Seriennummer auf der Zunge zu erraten, wenn man die weichen Kissen zerdrückt, dann die, wie es heißt, Frischfleischeinwaage aufspürt und der prickelnden Fabriksoße, die aus den Zähnen übergreift, schon zum Gaumen unterwegs ist, noch einmal nachsinnt. Die wellig gestanzten Teigränder haften länger, bringen zarte Störungen in die bequeme Speise. Ein Löffel hebt die erste Portion.

Die in die Teller gehäufte Mahlzeit senkt sich ein wenig und breitet sich aus. Während sie an der Oberfläche abkühlt, kommt sie innen, wo noch Spannungen zwischen den verschiedenen Rinngeschwindigkeiten herrschen, allmählich zur Ruhe. Prächtig schimmern die Ravioli in der verdickten Eßfarbe. Hermann schlingt Löffel um Löffel der widerstandslosen Lappen hinunter. Naber ißt mit aufgelegtem Ellenbogen, der Sperrholztisch knirscht unter seinem Gewicht.

»Wenn ich alles erlebt hätte, was Sie hinter sich haben, wäre ich beruhigt«, sagt Hermann.

»Ich singe gern«, sagt Naber. »Ein Batterieradio habe ich mir auch gekauft.«

Die angebackenen Reste im Topf, die an der Kante und auf der Bodenmitte sitzen, Stellen, in denen sich die Hitze am längsten hält, schmecken neu. Im laschen Teig sind kleine, krustige Inseln gewachsen. Die Tunke scheint wie geronnen, Dickstoffe, Färbemittel und Tomatenextrakt beginnen auszufällen, irgendein wichtiger Zusatz oxydiert und schillert auf der Soßenhaut. Nahrung und Reklamebild stimmen nicht mehr überein.

»Wieviel kostet der Wohnwagen?« fragt Hermann.
»Die Molkereigenossenschaft bürgt, ich habe die Monatsraten über drei Jahre verteilt.«
»Im Winter brauchen Sie ihn aber nicht. Sie hätten ihn nur mieten sollen.«
»In meinem Alter will man endlich etwas Eigenes haben.«
»Wunderbar!«
»Sind Sie satt geworden?« fragt Naber.
»Wer sich hat foltern lassen müssen«, sagt Hermann, »braucht hinterher Besitz.«
»Das stimmt.«
Geld, er habe Geld, fährt Hermann fort, Vater im Himmel und auf Erden, er habe sich angestrengt und jedes Fetzchen gesammelt, zusammengehalten habe er den Ramsch, manchmal sei ihm vor Schwäche schwindlig geworden, aber er habe nicht losgelassen, was in seine Tasche hat finden wollen, sei auch drin geblieben, Vater, Sohn und heiliger Geist, Geld, Geld, bei Geld werde ihm der Mund trocken, viel Geld sei mehr wert als wenig, logischerweise, deshalb sei auch geschenktes Geld kostbarer als verdientes, plötzliches Geld, das zum Beispiel in der Tasche eines Mädchens gesteckt haben kann, das letzte Geld vor dem Monatsende, Geld für Lippenstift, eine Schallplatte, die U-Bahn, Cola, Kino, Essen, das Geld müsse verlagert werden, das ausgeräumte Täschchen liege in der Bahnhofstoilette wieder auf dem Mauervorsprung, aber das Geld, von dem er eigentlich gar nichts habe wissen können, welch ein Jammer, das arme, arme Mädchen, dieses Geld gehöre nun ihm, sinnfällig beweise sich der Wert des

Geldes. Wer Geld besitzt, hat es, dem gehört es tatsächlich, bei dem hat es Wert, deshalb möchte er gern Geld verschenken, weil er es selbst, sozusagen, geschenkt bekam. Es wäre ihm eine Ehre, wenn Naber an dem herrlichen Geld sichtbar teilnähme, ganz umsonst.

»Nach dieser Anstrengung müssen Sie etwas trinken. Wieviel haben Sie denn?«

»Tausend, tausendfünfhundert oder mehr. Ich habe fast nichts verbraucht, Sie können alles haben. Machen Sie mir bitte die Freude.«

»Ihrer Mutter haben Sie mich leider immer noch nicht vorgestellt. Sie hatten einen Plan, glaube ich. Wollten Sie wissen, ob mir die alte Uniform Ihres Vaters paßt?«

Er sei schon seit Wochen nicht mehr zu Hause gewesen, sagt Hermann, er verlasse sich nicht mehr auf das Familiengefühl. Sie beide könnten eine Gemeinschaft bilden, eine kleine intakte Gruppe, eine Zelle, eine Schar, eine Bande, sie sollten sich verbünden, gemeinsam losschlagen.

»Ich zahle meinen Wohnwagen selbst ab, geschenkt will ich nichts.«

»Das ist ein Fehler. Überlegen Sie doch, Geld spielt heutzutage keine Rolle mehr. Jeder hat Geld, hungert nicht, friert nicht, fährt nicht mehr Fahrrad, kaum mehr Motorrad, spart auf ein Haus oder ein neues Auto. Daß nicht alle genügend Geld haben, wird nur künstlich verursacht. Wir müssen vielmehr kaputtmachen, dann nützen wir wieder. Nehmen Sie mein Geld und kaufen Sie sich einen Grill.«

»Ich will arbeiten«, sagt Naber. »Es ist wichtig für mich, daß ich etwas tun kann, das Geld bringt. Ich will schwitzen, mich ärgern und abends müde sein, sonst hat die Arbeit keinen Wert. Die Sonnenmasken in Katzen- und Fledermausform habe ich eingeführt, ich habe sie den Skifahrern aufgeredet, ich habe die Mode gemacht, daß keiner nach Tempo aussieht, der nicht so eine Maske trägt. Wie wär' es mit einem Schlückchen Wein? Der Arzt, der nicht mehr lange leben wird mit seinem Krebs im Bauch, hat mir zwei italienische Korbflaschen geschenkt.«

»Sie wollen doch alles bezahlen?«

»Wein von einem Todkranken ist etwas anderes. Es macht ihm Freude.«

»Nichts dazugelernt«, sagt Hermann, »trotz Blut im Hintern nichts dazugelernt. Hat jahrelang in Baracken gelegen und vor Schwäche nicht einmal mehr wichsen können, hat gesehen, wie sie verreckt sind nacheinander und übereinander, aber einen Grill will er sich nicht schenken lassen, nur Wein, flüssige Sonne, Götterkraft, Römerspeichel, Rebenblut, Wein, den ein todkranker Arzt aus Italien mitgebracht hat, den nimmt er umsonst. An Würstchen müssen Sie denken, die fehlen hier. Stellen Sie sich vor, kistenweise liefert jeden Morgen der Metzger Nürnberger, Augsburger, Hamburger, Mannheimer, eine Spezialität tut Wunder. Bei dem Geschäft brauchen Sie eine Hilfe, also mich. Lagenweise drehe ich die Würstchen mit einer Zange um und lasse sie von allen Seiten bräunen. Vorgewärmtes flüssiges Fett aus einem Kanister streiche ich mit einem Pinsel auf. Wer will, kann auch leicht angebrannten Fenchel oder Majoran darüber haben. Pappteller gibt der Senffabrikant gratis, weil wir jede Woche einen Zehnkiloeimer verbrauchen. Ich arbeite, Sie kassieren, das wäre mein Traum. Als Einstand bezahle ich den Grill, muß ich bezahlen, sonst sind wir keine richtigen Partner. Bald werden wir am Kiosk anbauen müssen, der Fliegenpilz bleibt Ihr Kommandostand. Meiner wird kleiner, ein Pfifferling, Röhrling oder Ziegenbart, einer mit Fransen und Buckel auf dem Hut, damit man den Schornstein darin verstecken kann.«

Naber antwortet, er lasse sich seine Arbeit nicht nehmen, er habe sich alles ausgedacht und eingerichtet, der Einfall gehöre ihm allein. Nur eigene Arbeit mache frei.

»Sie sind verseucht.«

»Ich habe das beste Training gehabt«, sagt Naber, »das man haben kann. Ich wäre gern in der ersten Mannschaft, die den Mond kolonisiert. Dort oben überlebt nur, wer die Regeln einhält. Wer nicht Tag und Nacht auf sie achtet, bringt alle in Gefahr. Deshalb bleibe ich wenigstens im Ferienlager, auch den Winter über. Allein zu sein, macht mir nichts aus, nächsten Sommer kommen noch mehr wieder.«

Hermann ist aufgestanden im Bug und schwankt ein wenig, stützt sich mit der Hand an der Decke ab. Das Hubdach, das volle Stehhöhe erlaubt, beginnt erst vor dem Heck.

»Sie sind veraltet«, sagt Hermann, »hören Sie, Sie sind veraltet, hoffnungslos verzärtelt von Erinnerungen an das Lager. Sie sollten sich einen Komponisten nehmen, der Ihre Leiden in Form bringt, Choräle daraus macht. Wie wär's denn, es gibt noch ab und zu Prozesse? Man hat jetzt endlich kleine Schinder und Unteroffiziere am Wickel, die zum Beispiel Schnaps an Erschießungskommandos verteilt haben. Wollen Sie nicht aussagen, bekennen, aus Ihrem Leben erzählen? Sie sind ein Musterexemplar, solche wie Sie gibt es hier kaum mehr. Die wenigen, die übriggeblieben sind, müssen aus Übersee eingeflogen werden. Und dann fallen sie auch noch in Ohnmacht, wenn sie auf einer Schautafel zeigen sollen, in welchem Block sie wohnten. Ich bitte Sie, wenn Sie keinen Grill wollen, dann lassen Sie sich von mir ein Vorzelt für den Wohnwagen bezahlen. Sie schlafen drinnen, ich draußen, Luftmatratzen bin ich gewohnt.«

Naber sucht einen Nagel für die leere Korbflasche, hängt sie schließlich an einen Schrankschlüssel. Flaschen würden sich für Bastelarbeiten eignen, sagt er, er habe eine Schwäche für Lampen. Die Fassung lasse sich auf dem Flaschenhals befestigen, der Schirm aus Bauernleinen, Pergament oder einem anderen Material sitzt über einem Drahtgestell, das auf der Birne festgeklemmt wird. So eine hübsche Kleinigkeit würde er als Geschenk akzeptieren, ein Vorzelt nie und nimmer.

Er schraubt das Heckfenster zu und zieht die Vorhänge übereinander. Die Seitenwände des Hubdaches bestehen aus gummierten, wetterfest schließenden Stoffschichten.

»Junger Mann«, sagt er, »Stolz habe ich mir nie leisten können. Ich war froh, als ich einen Nachbarn im Ehebett hatte, ich habe ruhiger lesen können. Aber ich leiste mir wieder Stolz, bald bin ich so weit. Wenn ich zwei, drei Sommer auf eigene Rechnung gearbeitet habe, werde ich stolz sein. Dann habe ich mir meinen Stolz verdient. Ich bekomme noch Invalidenrente und Schadensausgleich, gespart habe ich in den letzten zwanzig Jahren auch. Als ich aus dem Lager kam und Fragebogen ausfüllen mußte, habe ich sofort zu sparen angefangen. Fragen beantworten und sparen kann ich. Dick bin ich auch, ich behalte, was ich habe. Wenn ich Sie wäre, junger Mann, würde ich mich aufhängen. Einen wie mich holen Sie nicht mehr ein. Ich bin über der Schallgrenze, ich fliege zum Mond. Ich würde auch dafür bezahlen, jede Summe, Hauptsache, ich komme hinauf. Auf dem Mond könnte ich mein Wissen in den Dienst der Wissenschaft stellen. Sie mit Ihrer Phantasie sind dazu nicht geeignet, Ihnen wird schon schwindlig, wenn Sie Photos aus dem Weltraum ansehen. Wollen Sie Lakritzbärchen? Der Wein bekommt Ihnen nicht, Sie haben einen sauren Magen. Die Bärchen helfen, glauben Sie mir.«

Ob Naber noch Verbindung zu Frau Keßler in Stuttgart habe, fragt Hermann. Wie der Name des Lagers gewesen sei? Ein deutscher oder polnischer? Er möchte endlich Namen hören. Sein Vater sei Kommandant gewesen, der letzte Chef aller Heerespferde. Ob es wahr sei, daß ein Kopf, der mit einem Beil oder einer Keule eingeschlagen werde, wie eine Nuß unterm Absatz knirsche?

Ein Kontrolleur und ein magerer Mann, der eine Hand in der Schlinge trägt, sind eingetreten. Die obere Hälfte der Wohnwagentür hat sich lautlos geöffnet, einer der Männer griff unbemerkt nach innen und schob unten den Riegel zurück. Naber thront im Heck, entkorkt gerade die zweite Flasche.

Ein betrunkener Junge, hört Hermann sagen, ein renitenter Laffe tobe draußen besoffen herum. Ob Herr Naber mitkommen und helfen könne?

Naber wuchtet sich aus dem Wohnheck. Der Reifendruck des Wagens, der sich bei Sonnenbestrahlung erhöht, sinkt in warmen Nächten kaum ab. Einen Augenblick wartet Naber an der Tür, bis die Besucher draußen sind, dann dreht er sich, schon gebückt zum Vorstoß in die Dunkelheit, zu Hermann, der auf dem Sofa im Bug sitzen bleibt, noch einmal um.

»Haben Sie gesehen«, sagt er, »es ist ein Wunder! Der todkranke Arzt hat sich auch noch eine verstauchte Hand zugelegt. Seit Tagen probiert er Salto rückwärts vom Einmeterbrett. Er ist unser bester Gast.«

Für Hermann gibt es zwei Möglichkeiten. Entweder er untersucht den Wohnwagen, öffnet die Schränke, Schubladen, Einbautruhen, blinde Verstecke wie zum Beispiel die Verschalungen der Radkästen, in der Hoffnung, irgend etwas zu finden, das Naber denunzieren könnte, oder er folgt der Gruppe, die Ordnung schaffen will. Die Lakritzbärchen haben im Magen aufgeräumt. Ein aufsteigender Rülpser, den er im Mund sich ausdehnen läßt, muntert Hermann auf. Er entscheidet sich für die Verfolgung.

Von Bildern aus Kolonialkriegen oder Filmstreifen, die Etappenlazarette, Versorgungslager, vorgeschobene Flugplätze, Reparaturdepots und Erholungscamps zeigen, sind Zeltstädte bekannt. Höhere Chargen haben Wohnwagen zur Verfügung mit eigenen

Stromgeneratoren. Manchmal ist ein Feldjäger zu sehen, dessen Standbein der Photorand abschneidet. Junge Männer lachen in Nahaufnahmen, Dreck, der von langem Regen auf der Lagerstraße übriggeblieben ist, wird in lustigen Sprüngen überquert. Mäntel schlagen auseinander, eine Windjacke ist ein Stück am Rücken hochgerutscht. Offiziere halten sich im Hintergrund.

Heilige Maria Wunder Gottes und milder Geist, der italienische Wein hat gewirkt! Nur einen Lazarettlehrgang hat er mitgemacht, und der war für die Kleinen. Außer Ohnmachten und Knochenbrüchen gab es nichts, schon gar keine Steckschüsse, halleluja! Hermann zieht die Schuhe aus und schleicht auf Sokken. Sand dringt durch den Stoff und klebt zwischen den Zehen. Kleine Fehler machen das Unternehmen kostbarer. Vor Begeisterung küßt Hermann seinen Handrücken, Kyrie eleison.

Vorgärten, die sich Wohnwagenbesitzer bauen, werden von Gazehauben oder Segeltuchwänden geteilt. Jeder achtet darauf, daß der Schein der im Freien aufgehängten Lampen, die Tropfen-, Scheinwerfer-, Zylinder-, Deckel- oder Kugelform haben, nicht in den Nachbarbezirk fällt. Die Farben und die Materialstärken der zusammenklappbaren Tisch- und Stuhlgarnituren sind verschieden. Drei über Eck gestellte Wohnwagen bilden einen Innenhof, den Magnesiumfackeln beleuchten. Ventilatoren, wie sie an Heckfenstern von Autos üblich sind, treiben den Rauch der Fackeln über die Dächer. Amateure drängen vor der Szenerie, knipsen oder benutzen Schmalfilmkameras.

Hermann überholt Spaziergänger auf der Lagerstraße. Aus Luken, Netzfenstern, Zelteingängen, Iglus und offenen Wagentüren tönt leise Musik, die Melodien überschneiden sich. Er taucht unter einer Kette von Mädchen, die sich an Händen halten, hindurch, hört hinter sich ein Ehepaar, das Französisch spricht. Die eingehakten Mädchen lassen sich lachend von neuen Ehepaaren, die dazukommen und übersetzen wollen, aufsprengen. Die Frauen sehen dem Kesseltreiben der Männer zu, die Mädchen verfolgen, aber sofort loslassen, sobald sie eines ergriffen haben. Dann finden die Paare wieder zueinander. Die Mädchen sperren weiter unten den Weg erneut ab. Vor die Zelte und Wagen sind Bewohner getreten, Zurufe und Kommentare werden laut. Mit gezieltem Strahl aus einem Schaumlöschgerät erstickt ein alter Kapitän von seinem Campingstuhl aus Flammen einer umgestürzten Petroleumlampe vor dem Nachbarzelt.

Toilettenhäuser und Duschräume sind nachts geschlossen. Die Gäste des Erholungsgebietes müssen sich daran gewöhnen, Vorsorge zu treffen, bevor die Dunkelheit beginnt, denn Jugendliche und Männer benutzen die Toilettenhäuser als Treffpunkt. Hermann, der sich nach dem Gestank der Abfalltonnen am Ende des Lagers orientiert, sieht einen Kontrolleur in einem beleuchteten Pissoir stehen und Wandstellen weißen. Der Wächter zupft seine Armbinde, die kleine Spritzer abbekommt, höher. Ehe er Schweinereien auf den Wänden mit dem Kalkpinsel abdeckt, liest er sie, vergleicht auch zwischen den Urinschalen eingeritzte Zeichnungen, hat jedoch bald genug davon, weil er immer wieder in die Hocke gehen muß.

Zügig streicht er voll. Eine Farblache, die aus dem Kübel schwappt, versucht er mit eigener Pisse in die Abflußrinne zu schwemmen. Hartnäckige Farbreste stampft und reibt er mit den Schuhen in die Nässe, bis sie sich auflösen. Hermann pißt nun ebenfalls. Die Feuchtigkeit dampft an der von einem Sommertag noch warmen Hauswand. Pfeifend löscht der Kontrolleur das Licht im Toilettenhaus. Seine imprägnierte Armbinde leuchtet.

Naber und der Arzt sind wahrscheinlich zum rückwärtigen Zaun gegangen, wo noch keine Zapfsäulen für Strom- und Wasserversorgung stehen und die Platzgebühren niedrig sind. Auf den Ansichtskarten hatte dieser von Büschen und Jungtannen bestandene Fleck unübersichtlich ausgesehen. Junge Leute mit mangelhafter Ausrüstung lagern dort, in Mäntel oder Decken gewickelt. Wie Hermann den Sandweg verläßt und durch hohes Gras steigt, vorsichtig Zweige niedertritt und mit dem Fuß weitertastet, um nicht an Paare zu stoßen, die sich zwischen Sträuchern eingenistet haben, findet er niemanden. Wenigstens Antennen von Kofferradios hätte er, in Laub und Nadeln versteckt, gern greifen wollen. Nichts rührte sich.

Auf dem Rückweg, vorbei an mit bunten Glühbirnen geschmückten Wohnwagen, an Lampions, die in Bäumen hängen, sieht er den todkranken Arzt in einem offenen Vorzelt stehen. Die verstauchte Hand hat er aus der Schlinge genommen und dirigiert mit erhobenem Fäustling einen Jungen, der eine Luftmatratze aufbläst. Im beleuchteten Wohnzelt dahinter liegen zwei Mädchen und eine Frau in Doppelbetten. Die Betten scheinen auch aufblasbar zu sein; wurstartige

Plastikpfosten und dicke Seitenteile wie Flöße. Vielleicht sind zur Sicherung Stäbe eingebaut. Als eines der Mädchen sich aufrichtet und nach einer Zeitung am Fußende greift, bebt das Bett leise. Im Vorzelt fängt der Junge eine Decke auf, die der Arzt ihm mit der gesunden Hand zuwirft. Das zweite Mädchen beugt sich über die Seitenplastik, das Bett darunter ist noch frei. Wenn die Metastasen beginnen, die auch Tochtergeschwülste oder Ableger heißen, wird der Arzt seine Erholung abbrechen, nach Hause fahren und sich zum letzten Mal hinlegen. Der Junge zieht das Vorzelt zu.

Naber ist zurück. Wie Hermann die geteilte Tür öffnet, wobei die leichtere obere Hälfte gegen den Wohnwagen schlägt, hört er Naber innen singen, vielmehr brummen, mit langen Schleifen im Kehrreim. Es habe geklappt, lautet der Vers, geklappt, geklappt, ins Fett sei er getappt. Eine neue Lampe hat Naber von seinem Ausflug mitgebracht, in einer wachsverkrusteten Flasche steckt eine brennende Kerze. Als Stimmgabel benützt er ein Messer, das er gegen die Tischkante schlägt, dann ans Ohr hält. Wo Naber gewesen sei, fragt Hermann, er habe ihn gesucht.

»Der Kleine wollte über den Zaun, hatte natürlich keine Platzgebühr bezahlt. Ich hätte ihn klettern lassen, wollte schon von hinten nachhelfen, mit einem Hechtsprung wäre er in einem ausgetrockneten Bachbett gelandet, doch der Arzt hat ihn wieder vom Zaun geholt. Ein Todkranker nützt jede Gelegenheit aus. Solange er noch gesunden Verstand beweisen kann, fühlt er sich nicht tot.«

»Sie hätten den Jungen also lieber über den Zaun geprügelt?« sagt Hermann.

»Diese Methoden sind veraltet. Mit Überredung klappt es auch, Hauptsache, auf dem Campingplatz herrscht Ordnung. Verstehen Sie, mich interessiert der Fortschritt, die Einsicht, die Toleranz. Auf dem Mond, weit weg von der Erde, wenn Tag und Nacht die heimatliche Landkarte am Himmel hängt, wird jeder einsehen lernen, daß Zwang Hilfe bedeutet. Wer dort ohne Kühlanlage in der Sonne steht, verdampft. Wer ohne Heizung einen Schatten betritt, vereist. Jeder Kubikmeter Sauerstoff kostet ein Vermögen.«

Hermann, der im Bug des Wohnwagens sitzt, springt auf. Ein Luftzug stellt die Kerzenflamme schräg. Das habe er hören wollen, sagt er, genau das, er habe es geahnt, aber die Konsequenz nicht wahrhaben wollen. Naber rede zwar gern über den Kiosk, die neu eingeführten Waren, von Anstrengungen und Müdigkeit, aber im Grunde sei er nicht zufrieden, habe nicht, wie er behaupte, ein neues Leben begonnen, sondern traure dem alten, dem uralten nach.

»Denn«, Hermann wird lauter, »das ist Ihnen alles zu wenig, Sie möchten ja auf den Mond. Genauso gut könnten Sie sich in ein Konzentrationslager zurückwünschen. Sie wollen nicht vergessen, die Schinderei überlebt zu haben, Sie sehnen sich nach Regeln, Zwang, Tricks, Entbehrungen, damit Ihnen das Leben wieder kostbar wie damals wird. Freiheit und Überfluß sind Ihnen zu langweilig.«

Naber hat sich gebückt. Er klappt den Eßtisch hoch und faltet die beiden Bänke zu einem Schlafplatz auseinander. Verstrebungen und Flügelschrauben passen ineinander. Aus einem Hohlraum unter dem Dach läßt sich Bettzeug heruntermelken. Naber umarmt fallende Daunendecken, auf seinem Kopf bleibt ein Kissen liegen.

»Pferde haben im Krieg keine Rolle gespielt«, sagt er, »man hat sie geschlachtet. Der Kommandant eines Pferdeparks war unwichtig. Er veranstaltete Fuchsjagden und war stolz, daß er im Veterinärblatt Artikel veröffentlichen durfte, weil niemand mehr Zeit hatte zum Schreiben. Sie möchten ein Monstrum sehen, auf das Sie stolz sein könnten. Einen Verbrecher hätten Sie gern, der jetzt erst aus dem Zuchthaus entlassen wird, sich interviewen läßt, seine Erinnerungen schreibt, dann hätten Sie endlich Ihr Ziel erreicht. Einen Beweis, ein lebendiges Prunkstück von damals möchten Sie vorzeigen. Jammern würden Sie, wehklagen unter der Last, denn Sie blieben rein und könnten sich streicheln, bis es Ihnen kommt. Der dreckige Verbrecher soll es zugeben. Damit Sie Freude haben. Aber das ist noch nicht alles, mich haben Sie auch noch entdeckt. Opfer und Offizier beisammen, das wäre Ihr Triumph. Mich hat Ihrer nicht unter die Dusche gestellt, hat mich nicht mit der Reitpeitsche geschlagen, meinen Kopf hat er nicht in einen Eimer voll Wasser gedrückt, ich kenne Ihren Vater nicht. Ich sage Ihnen, Roßscheiße, trockene Äpfel hat er zwischen den Fingern zerrieben, so mutig war er, und hat geprüft, ob ein Pferd, das seit Tagen beim Traben nicht mehr furzt, krank ist.«

»Woher wissen Sie so genau über Pferde Bescheid?«

»Eine Zeitlang war ein polnischer Pferdeknecht mein Nachbar auf der Pritsche.«

»Wie ist der Pole umgekommen?«

»Habe ich vergessen.«

Auf dem Doppelbett kniend, nestet Naber im Heck, schüttelt Kissen, faltet Decken auseinander, schwerfällig kriecht er hin und her und ist erst zufrieden, wie das Laken gleichmäßig über die Kante hängt. Die Beleuchtung regelt er auch, schaltet die starke Mittellampe aus, die Kerze auf der Flasche läßt er brennen. Noch gemütlicher wäre es, sagt er, wenn ein Sturm am Wagen rütteln würde. Brix könne es sich im Bug bequem machen oder in einer Hängematte, insgesamt hätten sechs Personen zum Schlafen Platz.

»Haben Sie wirklich vergessen, wie Ihr Pferdeknecht verreckt ist? Ist er verhungert oder erschlagen worden oder an Typhus gestorben? Alles können Sie doch nicht vergessen haben, wenn er neben Ihnen gelegen hat.«

»Die Kollegen haben ziemlich schnell gewechselt. Der Pole war jung, hat gut Deutsch gelernt. Manchmal hat er sich im Lagerpuff Essen verdient.«

»Das Sie ihm dann wegnahmen.«

»Ich lebe noch.«

Auf engem Raum würgt Naber das Hemd über den Kopf, stampft die Shorts hinunter, die Socken legt er auf eine noch warme Neonröhre, die ins Fensterbrett eingelassen ist. Die Heckscheibe könnte als kleines Schaufenster dienen, der Wagentyp eignet sich auch für ambulante Händler, Fischverkäufer, als fahrbare Zirkuskasse oder Ausstellungsraum für elektrische Geräte. Im Schein einer grünen Leselampe sitzt Naber im Bett wie vor einem angestrahlten Blumenfenster.

»Millionen in Rauch und Mehl verwandelt«, sagt Hermann, »und Sie waren dabei. Das ist auf jeden Fall sicher. In Bildbänden entdeckt man immer wieder die Uniformen von damals. In der Türkei tragen die Soldaten noch dieselben Stahlhelme, im Osten die Marschstiefel, in Chile die Kragenspiegel, in Argentinien die Uniformröcke, und im Dschungel werden die alten Waffen gehandelt. Es ist ein Wunder, irgend etwas muß daran richtig sein. Die Methoden haben sich nicht verändert, nur das Handwerkszeug hat sich verfeinert. Statt einem Eimer Wasser nimmt man jetzt ein Faß voll Benzin oder Dieselöl und tunkt hinein. Die Schaukel gibt es auch noch. Der Patient wird nicht mehr zwischen zwei Stühle gehängt und so geprügelt, daß er am Holmen hin- und herschwingt, sondern im Kniehang an Hubschrauberkufen gefesselt. Er lernt fliegen. Der Copilot pißt durch die Bodenluke auf den blinden Passagier hinunter. Sicher haben Sie auch von Dornen unter Nägeln gelesen, es sieht nicht so gefährlich aus, soll jedoch ziemlich schmerzen. Auch den Froschsprung gibt es wieder. Eine zusammengerollte Zeitung steckt brennend im Hintern. Mit Palmblättern dauert es länger. Augäpfel lassen sich durch Druck heraus- und hineinschnellen, dem Kunden sieht man die Operation nicht an, er weint nur tagelang. Steht alles in Zeitungen oder wird sparsam im Fernsehen gezeigt. Zum Beispiel hinterlassen Stromschläge keine Spuren. Mit einem kurzgeschlossenen Telefon können Sie, wenn Sie die Leitung blankschaben oder den Stecker abschrauben, den Hoden Stöße versetzen, daß sich die Haut bis zum Hals kräuselt. Auch Mägen lassen sich aufpumpen, ein dünner Schlauch und ein Druckballon genügen dazu. Im Mittelalter nannte man die Behandlung Nürnberger Trichter. Haben Sie schon einmal Papier essen müssen oder Hobelspäne oder jodierte Verbandswatte oder Schmierfett oder Waschpulver oder Schuhwichse oder eine Schnur, die wieder herausgezogen wird, bis Mandelstücke mitkommen. Kennen Sie alles, Sie waren ja Ziehharmonikaspieler auf dem Appellplatz und hielten zehn Grad Kälte im Hemd aus. Aber heute bedeuten Millionen, die damals umgekommen sind, weniger als ich. Der Rauch ist weg, die Asche ist weg, die Lagerhäuser voller Brillen, Haare, Schuhe, Kleider, Zahnprothesen, Uhren, Brieftaschen und Hüte sind leer. Aus einigen Hallen hat man Museen gemacht, in denen Kränze liegen. Das Photo- und Filmmaterial, das auffrischen würde, liegt in Archiven versteckt. Wohin man schaut, herrscht Gleichgewicht.

Haben Sie von Säulenheiligen gehört? Vorbildlicher hat niemand gelebt. Im fünften Jahrhundert gingen Männer, nur Männer, Frauen waren selten dabei, in die Wüste, suchten sich eine alte Säule, die möglichst einsam stand, bauten eine Leiter, stiegen hinauf, stießen die Leiter um und blieben für immer oben. Das Kopfstück einer Säule nennt man Kapitell, das Mittelstück Schaft, den Fuß Basis. Es gibt ägyptische, dorische, ionische und korinthische Säulen, die alle wie Säulen aussehen, sie unterscheiden sich nur in der Verzierung. Säulen bleiben oft stehen, wenn das Dach des Tempels oder der Stadthalle schon lange eingestürzt ist. Oder bei einem Bauwerk, das nicht beendet wurde, waren, logischerweise, die Säulen die ersten Konstruktionsteile gewesen, die man errichtete. Säulen sind ihrer Erfindung nach sehr haltbar. Es gab Büßer, die in Höhlen wohnten, in ausgetrockneten Brunnen, selbstentworfenen Käfigen mit nach innen gerichteten Stacheln, die leidenschaftlichen Faster konnten sich nicht mehr bewegen. Andere, die die Weidenden hießen, krochen nackt auf allen Vieren und aßen nur Gras und Wurzeln. Sie sollen Wasserstellen mit Löwen geteilt haben. Doch wer auf einer Säule lebte, konnte besser verehrt werden, war dem Himmel sichtbar näher. Sie müssen sich vorstellen, zwanzig, dreißig, vierzig Jahre stehen Sie auf Ihrem Ausguck, haben die Arme erhoben und fangen allmählich an, zu verdorren. Manchmal lehnen Sie sich, wenn es Ihnen schwindlig wird, an ein Mäuerchen, das Sie sich gebaut haben. Ob Sonne, Wind oder Regen, Sie haben kein Dach über dem Kopf, das Land und der Himmel drehen sich gleichmäßig Tag und Nacht. Sie leben nur von Almosen, Verehrer und Neugierige bringen Spenden. Ein Jünger legt Zwieback, Hefe, eine Flasche Tomatensaft, Äpfel und manchmal eine Tablette Vitamin C in einen Korb, den Sie heraufziehen. Ein Jünger ist für einen Heiligen lebensnotwendig, sonst wird die Konzentration von täglichen Sorgen unterbrochen. Heilige haben, von Ketten beschwert, monatelang einbeinig auf den Plattformen gestanden, bis ihre steifen Glieder faulten. Einmal sollen aus einem brandigen Schenkel Würmer gekrochen sein, die von des Heiligen Leib auf seine Füße fielen, von seinen Füßen auf die Säule und von der Säule auf die Erde, wo ein Jünger, der all dies sah und aufschrieb, auf Befehl des Heiligen die heruntergefallenen Würmer auflas und nach oben zurückgab. Der Heilige hat sie wieder auf seine Wunde gesetzt und soll gesagt haben, sie dürfen essen, was Gott ihnen bescherte. Solche Methoden verlängern das Andenken eines einzigen Büßers für Jahrhunderte. Millionen Tote vergißt man. Ungefährlichere Übungen verblüffen ebenfalls. Wer nur einmal in der Woche richtig ißt, bekommt einen so flachen Bauch, daß er sich ohne Mühe bei der Andacht bücken und mit der Stirn die Zehen berühren kann. Ein Heiliger, dem auch das Stehen nicht mehr genügte und der erkannt hatte, daß jedes Training gesteigert werden muß, damit es nicht zu einer lieben Gewohnheit wird, ließ sich Stricke unter den Achseln durchziehen. Er stand nicht mehr auf der Säule, er schwebte über ihr. Zum Schlafen stützte er sein Kinn auf ein Brettchen.«

Eingehüllt vom grünen Licht der Leselampe ruht Naber im Wohnwagenheck, öffnet die Augen und schließt sie wieder. Die Mitte seiner Daunendecke bewegt sich langsam auf und ab. Hermann hat sich ausgezogen und sucht nach Decken für sein Bett im Bug. Er gerät an einen Schrank voll Lebensmittel. Aus Mehl, Wasser, Honig und Eigelb rührt er in einem Topf einen Kleister, dessen Geschmack seinen Vorstellungen von Askese entspricht.

Verehrung, sagt er, sei Kapital. Es sei vorgekommen, daß Pilger eine Säule gestürmt und dem Heiligen das Fellhemd vom Leibe gerissen hätten. Auch hätten Jünger und die Jünger der Jünger mit Kleiderfetzen Reliquienhandel betrieben. Sobald ein Heiliger starb, wurde Militär eingesetzt, den Leichnam zu verteidigen. Dörfer, in deren Sichtweite die Säule stand, stritten sich um seine Reste. Die Knochen wurden zermahlen, das Mehl als Fruchtbarkeitssegen auf Felder und Wadis verteilt. Die Haut, vom Wüstenklima gegerbt, ließ sich leicht abziehen und ausstopfen. Auf Bänderfresken in Höhlen wird von solch heiligen Puppen, die Frieden und Reichtum bedeuten, berichtet. Die Verehrung gilt als Nachahmung des Vorbilds, der Diebstahl des Leichnams als Erwerb der Eigenschaften. Der Gefolterte, aus welchen Gründen auch immer er sich dazu gezwungen hatte, strahlt Macht aus und verursacht Durst nach Erlösung. Vorbilder sind nötig.

Hermann hat Löffel um Löffel des Diätkleisters auf der Zunge zergehen lassen. Seine Turnhose sitzt bequem. Lieber trüge er jetzt lange Wollstrümpfe, die auf den Schenkeln kratzen, oder einen alten Schal, der sich zu einem fettigen Strick rollte. Jutesäcke scheuern auf der Haut, aus Binsenblättern können Hemden geflochten werden, das alles ist vergangen. Fallschirmseide und Plastikreste finden sich in den entlegensten Landstrichen. Hermann kriecht neben Naber ins Wohnwagenheck. Die frische Bettwäsche hat den leichten Parfümgeruch eines Waschmittels, dem laut Reklame Sauerstoff und Sorgfalt Elternschaft verliehen haben. Naber wischt eine Hand unter dem Kopfkissen sauber und rückt ein wenig zur Seite. Die fest angezogenen Schraubverschlüsse der Fenster lassen keine Zugluft zwischen Dichtung und Rahmen durch. Der Reifendruck der Räder ist normal.

Naber, der eingeschlafen ist, braucht viel Platz. Hermann legt sich auf den Bauch. Die Seitenwand, gegen die er sich preßt, fühlt sich warm an. Zwischen der äußeren Aluminiumhaut und der inneren Holzverschalung steckt Isolierwatte, der ganze Wagen ist gefüttert.

Strafe macht stark, Verzweiflung erhöht, Erschöpfung weitet. Früher hat er manchmal Blut gespendet. In einem Rudel stinkender Männer, die sich die ganze Nacht hindurch nüchtern getrunken hatten, hat er vor einer Kliniktür gewartet. Und immer ist einer dabei, der zum ersten Mal mitmacht, Angst hat, sich erbricht, gehen möchte und mitgezogen wird, wenn sich endlich die Tür öffnet. Die Oberschwester zählt ab, begrüßt alte Bekannte. Die meisten Konserven, die in den Kühlschränken der Blutbank stehen, sind mit Pennerblut gefüllt.

Eine Kanülenspitze wandert an der Vene hoch, hinterläßt eine klare Spur, ein Wattebausch desinfiziert einen Fleck. Der Stich sitzt ohne Warnung im Zentrum der Verdunstungskälte. Vorstellungen von Bambusspitzen, die aus Wehrgräben ragen, und Kalkpfeilen, die sich Schnecken gegenseitig in die Brust stoßen, bieten sich an. Wenn die Flasche am Ständer hängt und der nachschwingende Schlauch die Kanüle in der Vene erzittern läßt, so daß sich der Einstich für einen Augenblick weitet und ein Blutrand hochwächst, der wieder versinkt, wird zu pumpen befohlen. Die Hand öffnet und schließt sich im Takt. Seinem müden Lappen schmeicheln, heißt es im Jargon.

Ein saugendes Gefühl breitet sich aus, kriecht über die Beine, näßt Fliesen und Handteller. Über ein Gestell voller Reagenzgläser, das in einem Becken steht, tropft aus Verteilerschläuchen Wasser. Noch immer besteht in der Vorstellung eine Verbindung zwischen dem Blut, das einen Markierungsstrich nach dem anderen in der Flasche abdeckt, und dem Körper, aber das Schleichen und Rinnen, das aus den Fingerspitzen Samttupfer macht und die Schulter versteift, reicht nicht aus, das eigene Blut, das sichtbar wegwandert, mit Gefühl zu beladen. Die Penner sagen, der Saft ist eben weg, den sie auch Tinte nennen, Metzelsuppe, Pferdepisse, Bauchtee, Likör, Schätzchen, einen großen Schluck. Früher bekamen Blutspender außer Geld auch Rotwein, mußten nach der Prozedur liegenbleiben und durften, je nach Vorrat, Eier austrinken oder Schokolade und Bananen essen. Ein Überangebot an Rentnern und Studenten hat zu Schleuderpreisen geführt.

Im Glas sieht Hermann sein Blut mit einer schaumigen Kappe hochsteigen. Leichtgemacht läßt er sich treiben. Er sitzt in einer Wirtschaft und trinkt Bier, jeder Schluck überschwemmt den ganzen Körper. Lichtnebel verflüssigen die Fensterfront. Schon fliegt er, noch am Tisch sitzend und mit dem Finger in einer Bierlache zeichnend, auf einem Wunderteppich über die Stadt.

Naber ist im Schlaf tiefer gerutscht und näher gekommen. Ob er ihn geweckt habe, fragt Hermann.

»Wenn ich Ihnen Platz wegnehme«, sagt Naber, »geben Sie mir ruhig einen Stoß.«

Naber knetet seine Schulter, streckt sich und scheint nicht genau die Stellen zu erreichen, die ihn schmerzen.

»Soll ich Sie massieren?«

»Ich habe im Dorf eine Frau, die es mir einmal pro Woche macht.«

»Ihr Massagemittel habe ich im Küchenschrank stehen sehen.«

»Die Frau nimmt Arnikaöl.«

»Mit Schmerzen kann man nicht schlafen, ich reibe Sie gern ein.«

»Die Schmerzen sind nicht schlimm, sie wandern. Es würde mir etwas fehlen, wenn ich sie nicht mehr hätte.«

Hermann steht auf und holt das Massagemittel aus dem Schrank. Als er wieder im Bett auf dem Bauch liegt, sagt er, daß er sich schon lange nicht mehr habe massieren lassen. Naber klatscht sich auf den Magen und gähnt. Direkt vor Hermanns Gesicht steht der Bakelitnippel der grünen Leselampe aus der Wand, der gedrückt oder gekippt wird. Wenn Hermann sich aufstützen würde, könnte er das Licht löschen. Naber schlägt sich wieder auf den Bauch, es klingt hohl. Vielleicht hat er Luft im Magen, so daß die Schmerzen, seit Jahren gereizte Magennerven, allmählich auch andere Bahnen am Rücken und in den Rippen einbezogen haben. Naber klatscht nun mit beiden Händen, sein Unterhemd hat er hochgeschoben. Was weh tue, sagt er lachend, müsse bestraft werden.

Der behaarte Bauch hebt und senkt sich. Im Nabel, den erhöhtes Fett rahmt, hätte ein Kindermund Platz. Nabers Finger hinterlassen auf der Haut rötliche Spuren. Hermann kann sich nicht mehr zurückhalten, teilt auch einen Klaps aus. Sofort kommt ein Hieb zurück, nicht schmerzhaft, eher freundschaftlich, der Handrücken traf am Hals. Hermann hustet ein wenig.

Naber anzublicken, wagt er noch nicht, er dreht sich ihm nur zu und läßt seinen Arm während der Wendung unter dem Körper hervorschnellen. Der Schlag landet auf dem Adamsapfel. Naber hustet jetzt auch. Den nächsten Schlag führen beide, schon heftiger und unüberlegter, gleichzeitig aus. Die Arme prallen gegeneinander, Hermann merkt, daß er sich bald auf Wut verlassen kann. Sein Handgelenk schmerzt. Den dicken Feind, der sich aufrichtet, wirft ein neuer Schlag um. Nabers Unterhose rutscht ein Stück tiefer.

Cowboys, die rücklings im Sand liegen und keine Waffe mehr haben, versuchen, sich aus der Schußrichtung zu rollen. Hermann ist zur Wohnwagenwand ausgewichen. Naber wirft ein Kissen, Hermann fängt es mit dem Kopf auf. Rücksichtslos folgt ein Fußtritt. Die Holzverschalung im Heck dröhnt. Unter seiner Haube hervor sieht Hermann den nächsten Schlag folgen, fühlt einen Treffer, der nachgiebiger ausfällt, zieht die Beine an und kniet mit einem Ruck. Seine Hand federt von Nabers Brust ab, dann haut er auf den Nabel, der wie aufgepumpte Plastik nachgibt. Nabers Husten klingt bösartig. Er hat sich herumgeworfen, kniet nun ebenfalls, ist größer, vor allem schwerer, und da seine Unterhose ganz heruntergerutscht ist, wagt Hermann nicht, anzugreifen. In japanischen Horrorfilmen beugen sich behaarte, mit Knorpeln bedeckte Drachen über ganze Städte, winzige Wissenschaftler, die Waffen in Händen halten, dukken sich hinter Deckungen. Naber hat geschnaubt.

Tausend Ameisen, heißt der Griff, die Hände drehen Haut in entgegengesetzter Richtung. Hermann fällt auf den Rücken, kommt unter Naber zu liegen. Er sieht, wie sich Härchen aufrichten, dann trifft eine Faust seinen Hintern. Er wird vom Bett gestoßen, der Kampf hat begonnen. Sofort ist er wieder oben.

Kopfstoß, das Eingeweide, das anatomisch richtig lag, verschiebt sich zu der Leber. Brustspitzen, Nasenflügel, eine Lippe, alles biegt sich, scheuert wund, die Griffe, Schläge, Finten wechseln schnell. Die Leselampe, die am Nagel hing, tanzt mit im Bett. Der Bauch schluckt alle Kraft.

Beide haben sie darauf geachtet, keinen Lärm zu machen, haben möglichst lautlos gekämpft, ihre Freundschaft verschärfte die Auseinandersetzung. Die Schläge trafen den ehemaligen Lagerhelden und seinen Verehrer ohne Unterschied. Geblutet haben sie auch ein wenig, sind aufeinandergelegen, haben sich kurz angesehen und kämpften weiter. Immer wieder hat Hermann versucht, durch das Fett zu kommen. Schwitzkasten, Schulterhebel, alles hielt er aus, hätte am liebsten die Fleischpolster, die ihn ständig hinderten, mit einem Messer aufgeteilt. Geboxt hat keiner. Sie haben einander geachtet und eifersüchtig weichgeknetet.

Schließlich liegen sie erschöpft. Die Fußstütze des Bettes hat nachgegeben, muß wieder senkrecht gestellt werden. Hermann hängt kopfüber, sein steifer Schwanz klemmt an der Bettkante ein. Ein trockener Zipfel Stoff und die Vorhaut wellen übereinander. Vorsichtig gräbt er sich in dem Durcheinander wieder frei. Nabers Erektion bemerkt er, wie er sich aufrichtet. Nabers Hodensack ist größer als seiner, hängt enorm durch. Tennisbälle hätten darin Platz. Umständlich scharren sie herum, bis sie, einander zugekehrt, bequem liegen. Der freie Arm, der immer im Weg steht, schläft ein. Mit der anderen Hand arbeiten sie aneinander, zu schnell oder zu langsam, zu weit vorn oder zu tief an der Wurzel, denn sie trauen sich nicht, die gewohnt heftigen oder hinhaltenden Griffe, die jahrelange Übung voraussetzen, anzusagen. Die Würgerei läßt beide wieder schrumpfen. Naber wälzt sich auf den Rücken und bedient sich selbst. Seine Eichel ist zugespitzt wie bei einem Hund. Er gebraucht nur Zeigefinger und Daumen, als würde er eine neue Pfeife halten, die umständlich angeraucht wird. Jetzt auf den Bauch springen, federnd mit bloßen Füßen bis zum Dickdarm durchtreten, an den Schwanz kicken, daß er kippt, mit dem Hintern sich auf das Gesicht setzen und scheuern, bis die Nase im Loch steckt. Endlich einen, der als Opfer oder Schinder übriggeblieben und seitdem lamentierend fleißig ist, unter sich haben mit aller Kraft, ihn schütteln, auseinandernehmen, zusammenbiegen, langsam kommen und wieder im Stich lassen, daß er die Zunge zeigt, auf allen Vieren ein Hund sein möchte. Sie haben überlebt und immer noch ein schlechtes Gewissen unterm Handtuch, löschen das Licht im Schlafzimmer, wagen nicht, an Mikrophonen zu reiben, wenn sie altes Gewölle herauswürgen, stecken hinterm Richterpult die Linke in die Hosentasche und schrecken zurück. In der Pause, wenn sie essen, schnüffeln sie an der Führungshand.

Hermann reißt Nabers Finger von dessen mäßig durchblutetem Stengel. Stöhnend fischt Naber nach seinem kleinen Bruder, dem die Unterbrechung schadet. Hermann wälzt den Wirt herum, kniet hinter ihm, während Naber vorn wieder aufbaut. Sein Arsch verdeckt den gesenkten Kopf.

Wenn die Schwellkörper genügend mit Blut gefüllt sind, ·wird die Harnröhre abgeklemmt, der Drang bleibt jedoch erhalten und steigert die Empfindlichkeit. Stolz preßt sich Hermann an die Hinterbacken, die Arme legt er auf Nabers Rücken. Paddelnd und reibend schwimmt er höher, läßt Naber unter sich gekrümmt nach Luft und Wirkung schnappen, versucht einen Stoß, noch einen, aber immer wieder prallt Hermann schmerzhaft ab. Vielleicht muß angefeuchtet und vorsichtig geweitet werden, doch das Loch, das im Berg klemmt, gibt nicht nach. Er hat Fehler begangen, sich lächerlich gemacht, vor Angst bekommt er Herzklopfen. Neben Naber geht er in Deckung und folgt dem Takt des Älteren. Zuletzt knien sie beide im Heck, haben die Köpfe in den Kissen und richten sich selbst, bis sie sich entleeren, ihre Lachen erkalten auf dem Doppelbett. Hermann löscht das Licht. Der Schalter der Leselampe muß gekippt, nicht gedrückt werden. Das hat er auch wissen wollen.

Keine lästigen Zärtlichkeiten danach. Naber hat ihm eine Decke zugeschoben und ist eingeschlafen. Nachts wacht Hermann auf, zieht sich leise an und verläßt den Wohnwagen. Das Oberteil der geteilten Tür fängt er dieses Mal ab, bevor es an die Wand schlägt.

Im dunklen, ruhigen Lager sind keine Wächter mehr unterwegs. Die Magnesiumfackeln, die den Innenhof der drei über Eck gestellten Wohnwagen beleuchtet haben, stecken umgekehrt im Sand. Die Reißverschlüsse der Zelte sind alle zugezogen.

Hermann sucht passende Schuhe. Der Fuß muß das Leder ganz ausfüllen, sonst knickt er, denn Sand wird schwerer als Schnee zu bewegen sein. Unter dem Stoffrand in ein Vorzelt hineintastend, in das kein Gummiboden eingehängt ist, entdeckt Hermann Skistiefel. Er greift Absatzhöhen ab, befühlt Verschnürungen und versucht, sich eng an das Zelt pressend, das die Schulter einbuchtet, Sohlenlängen auszumessen. Vorsichtig zieht er ein Paar Schuhe heraus, das am Ende einer Reihe steht. Die Stiefel sitzen und haben Schnallenverschlüsse. Ski und Stöcke, die außen am Zelt lehnen, nimmt er auch mit.

Es dauert lange, bis er oben ankommt. Zuerst legt er, wie er es gelernt hat, Serpentinen an den Hang, stockt sauber und kraftvoll nach, wendet am Ende der Kehren, aber der Sand rutscht bei jedem Tritt und Stockeinsatz weg. Körner, die in die Stiefel eindringen, scheuern zwischen Haut und Knöchelschutz. Schließlich schultert er die Bretter und steigt in der Fahrrinne, die die Liftschlitten gegraben haben, senkrecht hinauf. Manchmal schlägt er, wenn er zum Luftholen stehenbleibt, auf das Wasserrohr, das neben der Schlittenspur liegt. Die Schläge verlaufen gongend, dann summend durch das Gestänge. Auf dem Sand zeichnet der Wind schnelle Zungenformationen hangwärts, im Zwielicht hört der künstliche Industrieberg nicht zu wachsen auf.

Wie Hermann endlich oben ist, hat er keine Zeit, die dunklen Wälder, Wiesen und die Mondmulden des Kaolinwerkes zu betrachten. Das geheimnisvoll unscharfe Panorama, unterlegt von sirrenden Sandgeräuschen, interessiert ihn nicht. Hastig stößt er die

Stiefel in die Backen und spannt die Federzüge. Gleich wird er abstoßen, wird im Steilstück ein paar kurze Sprünge versuchen, wird, nach vorn hängend, Geschwindigkeit pumpen, mit den Schultern zu drehen beginnen, Stockeinsatz, nachgezogener Bergski, der Hüftknick peilt in Kurven, die weiterreißen. Er setzt zur Abfahrt an.

Die ersten Schwünge geraten eckig. Der nachgiebige Quarzsand muß flach genommen, mit Tempo getrippelt werden. Dann holt Hermann aus, legt Bögen und Hockfahrten ein, plötzlich flammt Flutlicht den Hang herauf ihm entgegen. Mit einer Schleppe schwingt er zu Tal.

Er stellt sich vor, daß Naber das Licht eingeschaltet hat und ihn durch ein Fernglas beobachtet, vereinzelt werden vor Zelten und Wohnwagen Stimmen laut. An den Masten des Lagers wehen internationale Fahnen in der Nacht.

Neu sind Lichtschienen. Hinter Blenden montierte Neonröhren beleuchten den Faltenwurf der Vorhänge. Gardinen, die auf diese Weise von oben bestrahlt werden, behalten perlweißen Glanz. Die Längsfurnierung der aus Kunststoff gepreßten Teile täuscht natürliche Holzmaserung vor. Anpaßlippen schmiegen sich an unebene Decken, die Schienenkonstruktion sitzt spaltenlos. Durch zusätzliche Kurven wird der Schwung der Stoffdekoration bis in Erker geführt und an glatten Wandstücken wieder abgefangen. Die Bögen der Schichtholzkörper sind patentiert. Die sogenannte weiße Untersicht, aus der Vorhang oder Gardine fallen, auch in holländischer Manier zu halber Fensterhöhe gerafft, paßt sich jeder Raumgestaltung an. Das sorgfältig verarbeitete Laufwerk funktioniert geräuschlos.

Aussteller, die kleine Kojen mieten, am Quadratmeterpreis sparen wollen, werden kaum beachtet. Repräsentative Ausmaße sind notwendig, damit Einzelheiten und Neuheiten hervorgehoben werden können. Durchsagen, Schrifttafeln, Diapositive und Filmstreifen weisen auf Produkte hin, alle Waren stehen offensichtlich in Bezug zueinander. Selbst spezialisierte Einkäufer verlieren den Überblick.

Onkel Simon hat seinen Stand als eine Art Bahnhof aufbauen lassen. Die verschiedenen Schienenmodelle wurden auf Versatzwände montiert und bilden mit ihren Kurven, Stoppstrecken, Gleitlängen, Weichen und Bogenenden eine verzweigte Gleisanlage dekorativer Führungen, wie sie über Fenstern, vor Regalen, Schränken, Türen, als Raumeinteilung und -täuschung möglich sind. Von gestuften Decken hängen Vorhangbeispiele vieler Stoffarten und Raffungen. Auf Glasplatten, die auf Säulenstümpfen aus Sandstein liegen, stapeln sich Prospekte, Preislisten, Lieferscheine, Spickzettel, Hotelrechnungen und Flugbilletts; pfundschwere Kristallaschenbecher, die innen allmählich Maserung bekommen, beschweren sie. Im lupendicken Glas vergrößern sich Zigarettenkippen. Unter den Tischen bewegen sich verzerrt Kniegelenke und Schuhteile, Hände reiben aneinander. Das Metall wasserdichter Armbanduhren verschwimmt. Gelacht wird, wenn Branchenkollegen, die man Kiebitze nennt, auf Besuch kommen. Für ausländische Kunden steht eine Dolmetscherin zur Verfügung, seit Jahren dieselbe, Onkel Simon duzt sie. Dieses Jahr trägt sie Filethandschuhe, um Brandblasen zu verdecken, die von einem Flugzeugunglück herrühren. Tote gab es auch.

Hermann hat sich einen Ansteckknopf angeheftet, auf dem Brix steht, er gehört zur Fabrikmannschaft. In der Kojenecke demonstriert er mit einem Schubkolbengerät Schnellmontage, hält den handlichen Mörser am Pistolengriff, setzt genau senkrecht in die vorgebohrte Öffnung an und drückt ab: der Stift schießt hinein. Das Befestigungsloch wird mit einer Gummikappe verschlossen. Immer wieder läßt er das Gerät trocken knallen, lädt pendelnd durch, Hüftanschlag, Visierblick, aus Putz- und Isolierschichten rieselt griesiger Dreck. Über Schmutz

443

freut er sich. Die Ärmel hochgekrempelt und am Daumen nagend, überlegt er in lauernder Haltung. Bei Deckplatten aus Beton kneift er die Augen zusammen und benutzt die stärkste Kartusche. Im Brükken- und Flugzeugbau werden Befestigungsprobleme durch Schieß- oder Klebemethoden beschleunigt, Dübel und Schrauben sind altmodisch.

Onkel Simon trägt die Reklameknöpfe als Manschettenverschlüsse. Gudrun ließ sie in Silberfassungen zu einem Ring, einer Gürtelschnalle und einem indianischen Haarband verarbeiten. Derart werbewirksam geschmückt, sieht sie lustig aus, ihre schwarze Strumpfhose hat ein Rosenmuster. Weiche Hintergrundmusik, die Gudrun auswählte und auf Band nahm, hüllt die Koje ein. Warm ist es in der Messehalle auch. Radiatoren drücken Feuchtigkeit in die durch Staub ionisierte Luft, um sie zu entladen. Als Werbegeschenke gibt es Kugelschreiber, die bengalisch leuchten, wenn sie an Perlongewebe stecken, die teuersten Exemplare knattern außerdem noch leise wie Isotopenzähler. Früher haben Freischärler, als sie unter Beschuß lagen und nicht schnell genug vorwärts kamen, Dynamitpatronen, die zu früh brannten, in den Mund genommen, um zu sparen.

»Bitte anfassen, greifen Sie ruhig zu, alle Teile sind unzerbrechlich, kochfest und nicht oxydierend.«

»Jeden Tag benütze ich denselben Eingang, doch die Ausgänge finde ich nie. Man sollte zum Frühstück statt Butter Paste aus Molchzellen oder Affendrüsen aufs Brot streichen.«

»Sie übertreiben. Der neue Bart steht Ihnen.«

»Wollen Sie nicht abends mit Ihrem Herrn Vater in unsere Stammbar kommen? Wir pokern um Flugzeugplätze, wir stehen alle nur auf Wartelisten.«

»Wenn Sie wieder zehn Sätze Rundschienen bestellen, schenken wir Ihnen eine Eisenbahnfahrkarte.«

»Aber bitte zweiter Klasse und weder Liege- noch Schlafwagen. Ich würde einen Kriminalroman mitnehmen und die ganze Nacht sitzen.«

»Das bringt Sie wieder in Form.«

»Heute esse ich nichts mehr.«

»Also, wieviel? Kennen Sie unsere Barockmuster?«

»Diktieren Sie die Lieferung selbst, ich vertraue Ihnen.«

»Die Preise sind die alten geblieben.«

»Sie sind tatsächlich schneller als ich.«

»Und jünger. Also wieviel?«

»Ich komme später wieder vorbei.«

»Wie wollen Sie verrechnet haben, mit Skonto oder Rabatt?«

»Wenn Sie die Umsatzsteuer, die Sie draufschlagen, nicht anführen, zahlen wir innerhalb siebenundzwanzig Tagen.«

»Ich telefoniere die Lieferung zur Fabrik durch.«

»Und ich halte Ihnen den Hörer.«

»Wir haben einen versteckten Infrarotapparat in der Koje, der von Ihnen jetzt einige Dutzend Bilder gemacht hat. Lippenstellungen und Tonbandaufnahme können miteinander verglichen werden.«

»Ich kenne die Spielerei aus den Staaten.«

»Schade.«

»Nein, nein, ich wollte nicht unhöflich sein, schreiben Sie die alte Lieferung auf, zehn Hundertsätze in verschieden Längen. Ich komme trotzdem nach meinem Rundgang wieder, wenn Sie erlauben.«

»Kratz dich selber«, sagt Gudrun leise, als der Kunde gegangen ist. Sein silbern gesprenkelter Bart zitterte auf der Oberlippe, Feuchtigkeit hatte seinen gut durchbluteten Lippen Glanz gegeben. »Erbsen im Sack«, fügt sie noch hinzu, »Knallerbsen und Büroklammern.«

Im Gewirr und Lärm der Halle fädelt Gudrun Rollringe ein, vier oder fünf Gardinenlängen hat sie schon bestückt. Über die Arbeit gebeugt, zupft sie an Kräuselbändern, zählt Abstände und hakt Schlinge um Schlinge. Manchmal bläst sie eine Haarsträhne aus dem Gesicht. Das Gewicht der Gardine zieht, Gudrun hebt an, läßt den Stoff wieder fallen und holt mit einer großen Armbewegung die gebauschte Ernte ein. Leise klingelnd antworten kleine Eisenteile. Die neuen Sicherheitsverschlüsse öffnen sich nicht mehr selbständig. Je nach Geschmack lassen sich Stehfalten durch Überspringen oder Zusammenziehen auseinanderliegender Schlingen am Kräuselband erzeugen, Doppelhaken am Bandende sichern strammen Sitz. Die Rollen aus Nylonmaterial gleiten weich in den Laufrillen. Staub oder holpernde Schmutzreste setzen sich in den millimetergenauen Paßformen kaum mehr an. Federleicht schwingen Vorhänge, Gardinen oder Doppelstockstores in jede Zugrichtung. Die Schleuderstäbe wurden an den dünnsten Stellen versteift und übertragen jede Hebelwirkung ohne großen Kraftverlust.

Gudrun läßt an der hochmontierten Gleisanlage in einläufigen, zwei- und dreiläufigen Schienen, an Überläufen zu Rundbögen und hinter Fallblättern Gardinen hin und her rieseln. Perlonwellen und gehäkelte Netze schlagen über ihr zusammen. An Onkel Simons Brusttasche leuchtet ein Kugelschreiber.

Im Stand gegenüber sind Artikel für Zimmereinrichtungen ausgestellt, wie ausgestopfte Lederschweine, Kupfertiegel, kleine Brunnen aus Steingut und eine Holzbar. Die Plüschbespannung eines Dreiecksessels ist abknöpfbar; der Sessel dreht sich, kippt über die Achse, nimmt hydraulisch vor einer Fernsehtruhe jede Höhe ein. Gedrechselte Holzknöpfe zur Schärferegulierung, Feinabstimmung, für Ton, Helligkeitsgrade, Körnung und Sendekanäle sitzen außen an der Truhe zwischen anderen Schnitzereien. Gestaffelt hängen Lüster und Tropfenlampen darüber, deren Leuchtstiele wie Tiefseeaugen aus den Lampenkörpern ragen. Ein kugelförmiges Gerät schwingt wenige Zentimeter über dem Boden an einem Haarfaden aus durchsichtigem Kunststoff hin und her. Der eingezogene dünne Stromleiter, der sich mitbewegt, könnte auch die Darmspur eines langen Zierfisches sein. Foucault hat vor mehr als hundert Jahren auf diese Weise die Achsendrehung der Erde festgestellt. Aus Kirchenkuppeln hängen ähnliche Pendel in Form von Schwertern, Sicheln, Äxten, Kanonenkugeln und kupfernen Herzen, die seit Jahrzehnten knapp ein aufgestelltes Glas oder einen Totenkopf verfehlen. Auch Kacheltische mit eingelegten Gestirnbahnen und Sternzeichen führt die Firma, die den Stand gemietet hat. Fingernagelgroße Morselämpchen werden an Kinder von Kunden verteilt. Japanisch, sagen die Zuschauer.

Onkel Simons Dolmetscherin trinkt gern Kaffee. Hinter den Vorhängen hockt sie vor einem kleinen Regal, in dem sie Tassen, Zucker, Dosen und manchmal Blätterbackwerk oder Cremeschnitten aufbewahrt. Während das Wasser sich erwärmt, stützt sie den Tauchsieder, der den leichten Aluminiumtopf sonst kippen lassen würde. Der Tauchsieder beschlägt mit Wasserdampf, durch die aufsteigende Hitze beginnen die Brandblasen unter den Filethandschuhen wieder zu schmerzen. Die Dolmetscherin denkt vielleicht an das Flugzeugunglück, das sie überstanden hat. Ein kleiner Wirbel im Topf könnte, obwohl fauchendes Kabinenfeuer und explodierende Tanks in keinem Verhältnis zum Summen eines Tauchsieders stehen, wenn das Wasser auf den Metallschlingen zu perlen anfängt, Erinnerungen wecken, die sich multiplizieren. Metall schmolz, Plexiglas floß darüber, aus dem Kabinenhimmel tropften Kunstharze und klebrige Reste der Sauerstoffmasken.

Und wenn die eine Hand gerade hinten am Rock nach dem Reißverschluß tastet, der Spannung aushält, und aus kipplingen Korkschuhen eine Ferse allmählich über die Absatzkante gerutscht ist, so daß der Rand schmerzhaft in die Hornhaut drückt, die unter dem Strumpfgewebe weiß leuchtet, dann ist es Zeit, den heißen Tauchsieder aus dem Wasser zu nehmen. Der schwankende Aluminiumtopf beruhigt sich wieder. Die Dolmetscherin richtet sich auf und umwickelt den Griff mit einem Papiertaschentuch. Gleichzeitig bemerkt sie, daß in der Tasse der Pulverkaffee fehlt, in der Kondensmilchdose ist außerdem das Loch verklebt. Sie hält den Aluminiumtopf und die

Tasse in den Händen, Hermann hilft ihr. Doch der Fehler ist nicht mehr gutzumachen, das Kaffeepulver klumpt, geht keine Verbindung mit der dicken Milch ein. Im heißen Wasser steigen schwarze Krönchen auf, die an der Oberfläche eine drehende Kruste bilden. Der Löffel rührt einen Trichter hinein. Gestoßener Zucker bleibt zum Teil auf der kreisenden Schicht liegen. Die Dolmetscherin setzt die Tasse an, darunter hält sie das Papiertaschentuch, Untertassen benutzt sie nie. Sie trinkt.

»Kann ich auch eine Tasse haben?« sagt Hermann.

»Der Kaffee gehört der Firma.«

»Ich dachte, Ihnen. Sie haben doch die Pulverbüchse mitgebracht.«

»Die Wärme tut gut«, sagt sie, »wenn es in der Halle so heiß ist.«

»Kriegen Sie ein Kind?«

»Ich bin seit Jahren verlobt.«

»Mit einem Dolmetscher?«

»Schwarz oder Kinderkaffee?«

Die Tasse zwischen den weißen Filethandschuhen, den Kopf gebeugt, den Mund halb geöffnet, während braun gefärbter Speichel hinter der Zahnreihe hochsteigt, sie überschwemmt und sich wieder unter der Zunge verteilt, steht die Dolmetscherin vor Hermann. Ihr entspanntes Gesicht strafft sich, in der Teintschicht springen neben den Nasenflügeln zwei Sicheln auf, krümmen sich zu einem aufmerksamen Lächeln, freundlich dienstlich ohne Kraft. Es wird anstrengend sein, jahrelang zu übersetzen ohne Wutanfälle oder Sympathie.

»Tun Ihre Hände weh?«

»Wenn es mir zuviel wird«, sagt sie, »gehe ich in die Toilette und schalte den Trockner ein. Die starke kalte Luft ist wie Balsam.«

»Ich würde in Ihrem Zustand nicht arbeiten.«

»Soviel ich weiß, sind Sie der Neffe des Unternehmers. Ich warte darauf, daß Sie mir auf den Hintern zu klopfen versuchen.«

»Ich verstehe«, sagt er.

»Mich hat Ihr Onkel engagiert. Ich halte mich jedes Jahr für diese Messe frei.«

»Bitte einen Kinderkaffee, wenn Sie noch etwas übrig haben.«

Diesmal setzt sie die Mischung richtig an, das Pulver löst sich unter vorsichtigen Güssen aus dem Topf. Sie rührt Milch hinein, bis der Kaffee weiß wird, Zukker, einen, nein zwei Löffel, gehört auch dazu. Der Löffelstiel verhakt sich in einem Handschuh, eine Masche hängt heraus. Lächelnd löst die Dolmetscherin den Stiel aus dem Strickgewebe und ballt die Hand zur Faust; die Masche zieht sich wieder glatt. Es werden Fässer voll Kaffee sein, die sie gebückt oder aufrecht, schnell in einer Ecke, vor Glasscheiben, in Kojen, neben Verhandlungstischen, den Kopf nach unten in Pultfächern, schon gebrüht hat, tassenweise Jahr um Jahr. Im Kopfhörer überschneiden sich die Sprachen.

»Ich hatte Glück«, sagt sie. »Beinahe wäre ich verbrannt. Ich sah einen Mann, dem der Hut auf dem Kopf in Flammen aufging. Dann nahm er ihn ab.«

»Und welche Sprachen sprechen Sie am liebsten?«

»Spanisch und Italienisch fällt mir schwer, der Klang macht zu satt. Deutsch ist schwierig in der Auswahl.«

Er sagt, er arbeite hier nur mit, weil er verdienen wolle. Vorhangschienen seien ihm gleichgültig. Ihn würden Luftkissenfahrzeuge interessieren.

Die Dolmetscherin stellt ihre Tasse ins Regal zurück und nimmt ein Haarteil ab, das sich verschoben hatte. Mit hocherhobenen Armen, so daß sich in ihrer kurzärmeligen Bluse Rasurschatten zeigen, steckt sie das Stück Locken, das ihrem Hinterkopf Rundung gibt, auf der Frisur wieder fest. Wenn sie lächelt, schimmert eine dünne goldene Klammer in ihrem Mund.

»Vielen Dank«, sagt Hermann.

Onkel Simon räuspert sich laut. Ob er auch Kaffee haben könne, sagt er, schwarz, ohne Zucker? In einem Glastisch habe er einen Sprung entdeckt, Gudrun habe ihm zwei Vorhänge gezeigt mit eingebrannten Löchern. Gestern sei ihm eine Schiene aufgefallen, deren Kunststoffschicht Blasen werfe, die körnigen Hügel hätten kleine Kratzer in der Mitte. Selbst die offene Flamme eines Gasfeuerzeugs reiche nicht aus, solchen Schaden zu verursachen, die Laufschichten der Schienen seien hitzebeständig. Er werde es der Messeleitung melden und der Versicherung. Doch der Stand sei ein Erfolg. Im übrigen schmecke der Kaffee ausgezeichnet, sozusagen fußwarm, arbeiterwarm, ehrlich verdient. Er esse auch wieder Bockwürste, die ihm früher nie geschmeckt hätten. Das nächste Mal verteile er gegrillte Gänse und Tauben oder brate einen ganzen Ochsen für das Publikum. Fröhlich trinkt Onkel Simon Kaffeereste aus der Untertasse.

Die Hallenlautsprecher sagen Suchmeldungen an. Ein Mann, der in einem Prospekt liest, faßt nach dem

Arm einer Frau, scheint jedoch die falsche Frau erwischt zu haben. Seine Hand zuckt zurück, nimmt hastig einen Prospekt, den Hermann reicht. Kaum hält der Mann den Prospekt fest, reißt seine Frau daran. Sie sehen sich beide kurz an, nicht einmal wütend, sagen nichts. Lesend bleiben sie nebeneinander stehen, und der Mann nimmt der Frau den Prospekt wieder weg. Er blättert und vergleicht die Bilder mit den Mustern an den Wänden, hebt unschlüssig die Arme, als ob er ein Maß andeuten wolle. Die Suchmeldungen in den Lautsprechern handeln von verlorengegangenen Kindern, von Herren, die Treffpunkte verändern möchten oder überhaupt nicht kommen können. Die letzte Durchsage lautet, daß die letzte Durchsage auf finnisch gewesen sei.

Hermann hat keine Lust mehr, mit dem Kolbengerät zu arbeiten. Die Preßstoffplatte, an der sich Schienen leichter befestigen lassen als an der gegossenen Betondecke, ist von Schußstiften durchsiebt. Gudrun hat auch aufgehört, Rollringe in Kräuselbänder einzuhaken, trinkt Limonade. Mit einem Strohhalm stößt sie gegen ihr Zahnfleisch, als wolle sie sich durch den feinen Schmerz wachhalten, der sich über die Ränder der Zahntaschen teils als Friergefühl, teils als genußreicher Widerstand verteilt und mit neuem Schmerz beantwortet werden muß. Die Kohlensäure der Limonade wirbelt die Folgen durcheinander. Hermann wird die kleine Kunstpause nützen.

Die Gardinen, die Gudrun mit soviel Geduld gesäumt hat, liegen auf einem Haufen. Sie wird sie nachher aufhängen, wird, auf einem Hocker stehend, die

Leichtigkeit vorführen, mit der sich Rollringe in Laufschienen einschieben lassen. Ob sie nicht einen Kaffee trinken möchte, fragt Hermann. Gudrun geht hinter die Vorhänge. Hermann nimmt eine Zigarette aus einem hölzernen Elefantenrücken, pafft ein paar Züge, bis die Glut spitz steht, und knipst sie unter die Gardinen. Dann geht er auch. Glutreste an der Zigarette drückt er in der Hosentasche aus.

An einem Kinderbett entdeckt Hermann einen tiefen Kratzer. Sofort sucht er weiter. Erstaunlich, wieviel Kombinationen von Kinderbetten es gibt: übereinander, nebeneinander, über Eck, eingebaut oder lose, schachtelförmig, tresorartig, aus Holz, Kunststoff, Metall. Die Namen auf den Preisschildern stammen aus dem Tier- und Märchenreich, manche klingen wie Miederwaren. Daß Kinder auch in großen Betten schlafen könnten, scheint nicht möglich. Beschädigungen findet Hermann nicht mehr. Wie er den Stand verläßt, sieht er den Verkäufer lächeln. Er blickt ihn an, im Gehen den Kopf nach ihm wendend, blinzelt auch ein wenig, so daß der junge Mann, der gewohnt ist, Einkäufer zu überreden und Müttern Ratschläge zu geben, verlegen wird. Wahrscheinlich spricht er höhnisch von alten Modellen wie dem Torfbett, dem Wannenbett, dem Kisten- oder Plunderbett, die er mit Verliesen vergleicht, in denen die Atmungsorgane schlafender Kinder Schäden davontragen. Jetzt sieht er an sich hinunter, als stünde er in einem Pissoir und bringe den Reißverschluß nicht mehr hoch. Doch mehr gibt die Kinderbettabteilung in einer Messehalle bei bester Laune nicht her, Hermann geht zur Küchenabteilung.

Schon die erste Ziegelmauer, die ein matt beleuchtetes Klinikum aufteilt, macht ihn neugierig. Zementfugen lassen sich aufweichen und die Ziegel des Mauersockels, die nicht in den Hallenboden eingelassen sind, lockern. Aber als er über die Wand streicht, rauhes Material fühlen möchte, rinnende Zementbrösel, merkt er, daß die Mauer hohl klingt und mit einer Relieftapete bespannt ist. In die fugenlos rutschige Wand könnte man mit einer Nagelfeile stechen.

Weiße Rollschränke, Kippbretter, praktisch komponierte Durchreichen, die Platz geben für einen nach vorn gebeugten Oberkörper, schließen an, irgendwo müßten auf den Oberflächen versteckte Hinweise lauern. Mit nassem Zeigefinger reibt Hermann über rot markierte Siedekreise eines Vier-Platten-Herdes, riecht die Nässe auf dem Stahl, schaltet ein, schaltet aus, schaltet wieder ein, keine Platte erwärmt sich. Ob die Herde angeschlossen seien, fragt er. Nur die Schnarrwerke der Weckuhren für Kuchen und Aufläufe funktionieren. Die Uhren seien batteriegespeist, also unabhängig von Kurzschlüssen, erklärt triumphierend ein Verkäufer.

Vielleicht wurde eines der kleinen Gläser, die die bunte Herdskala abdecken, beschädigt? Hermann kratzt daran herum, findet nicht einmal eine verschobene Ziffer. Unter den Zahlen stehen Betriebsdauer und Betriebsende sauber verzeichnet. Im Grill liegt noch Holzwolle, auf dem Rost, den er herauszieht und wieder hineinschiebt, klirren Gabeln, Spieße, Schienen und Zwecken. Dreimal läßt er die Klappe zuschnappen, jedes Mal heftiger, doch das Sicherheitsglas zeigt keinen Sprung. Und wie er über dem Herd an dem kaminartigen Abzug schaltet, die Lüftung surren läßt, Arbeitslampen und eine flächige Schmuckbeleuchtung anknipst, mit der Hand im Luftstrom angelt, Wärme oder Kälte oder Dampf oder spritzende Milch oder Tomatensoße hinaus- oder hereinschießen sehen möchte, sagt der Verkäufer, der leise hinter ihn getreten ist, die Schaltungen seien nicht totzukriegen, Tatsache. Hermann flüchtet zu den Polstermöbeln.

Wunder breiten sich aus, werfen Wellen, tragen Beulen, seufzende Schwellenformen; vertrackte Messingnägel und Knöpfe, die befestigen oder Flächen graphisch aufteilen oder Teil einer Stilform sind, sitzen tief in Polstern. Hermann streicht über Gegenstände, die Commodore und Barracuda heißen. Hier wird er eher finden, was er braucht.

Er reißt eine lukenartige Tür in der Mitte eines Schrankes auf. Keine Kleiderbügel hängen an der Messingstange, auch sind keine Haken eingedreht, wie sie oft in falschen Barockschränken verwendet werden. Der Schrank ist leer, das Hartholz gongt. Hermann tastet über Fugen. Kunstschreiner kaufen verwurmtes Gebälk alter Dachstühle und Zehntscheuern oder lassen frisches Holz in Jauchegruben künstlich altern und löchern es mit getrocknetem Hühnerschiß. Schrotkugeln schlagen kreisrund ein, hineingeschossene Hühnerkotklümpchen bohren sich oval schraubenförmig wie Würmer ins Holz. Die Schranktür quietscht.

Einen chinesischen Bauchschrank übergeht er, die Ware wäre zu auffällig, und einem neuen Schaukelstuhl aus dem amerikanischen Maisgürtel würde man eine Beschädigung, zum Beispiel an der lindfarbenen Bespannung, zu schnell ansehen. In Herrenschreibtische aus Eiche sind verborgene Eisschränke eingebaut, lederne Leuchten brennen in Kerzengestalt oder als Fladen oder Kastanien oder buchartig gedeckelt mit einem hellen Schlitz, aus dem das Licht auf eine Schreibtischplatte fällt. Kaiser-Pinguine nikken bei der geringsten Erschütterung des Fußbodens mit dem Kopf. Die Federlippe im Hals hängt ein Hundertstel neben dem Schwerpunkt. Verrückt gemacht, nickt Hermann auch und tritt vorsichtiger auf.

Über verschieden hohe Teppichlagen geht er zwischen den Polstermöbeln zur englischen Abteilung. In einem von Porzellanblumen gerahmten Spiegel sieht er seinen Kopf, dahinter eine Garderobe aus Geweihzinken, dann entdeckt er ein grünes, ledernes Sitzgerät.

Aus den Lehnen des Kombinationsstuhls lassen sich Flügel herausschwenken, an denen Aschenbecher hängen. Die Gefäße kippen um ihre Achse, im Fußteil des Stuhls klemmen versteckt ein Messingeimer und ein Bürstchen. Hermann tastet und schnüffelt, fände gern kleine lose Holzteile oder durchgesägte Schrauben, doch alles funktioniert und fühlt sich glatt an. Aus der Unterseite des Sitzkissens rieselt keine Füllung. An der Rückenlehne steckt ein Ablagebrett in einer gezahnten Leiste. Verschiedene Höhen sind einstellbar, damit ein zurückgelegtes dickes Buch nicht bis zum Nacken des Sitzenden reicht und scheuert.

Stühle dieser Art setzen Muße voraus, sind also überflüssig, fallen also auf und fordern durch ihre Kombinationsfülle heraus. An der Wand gegenüber hängt ein schmal gerahmter Stich, der die Silhouette Londons darstellt. Über einen Fluß setzen Stakbarken, Vollschiffe schwimmen darauf, im graphischen Geschlängel des Wassers steht in gotischer Schrift River Thames geschrieben. Dort verläuft die Spur! Natürlich, der Hinweis prangt, ist nicht zu übersehen. Gestricheltes, in eine Platte geätztes Wasser, dessen Rillen als Wellen auf dem Papier wieder sichtbar wurden, verführt durch seine Naivität zur Nachahmung. An einem Luftdruckbarometer, eingelassen in blattvergoldete Monstranzstrahlen aus Holz, ist der Phantast oder Vorsänger, den Hermann sich vorstellt, der relegierte Kommunist, Hilfsarbeiter oder Schüler einer Abendschule, der vom Abitur träumt, vorbeigegangen, sah den Stich, tauchte in den Fluß, wie jeden Sommer, wenn er allein vor der Stadt im Röhricht saß und durch ein Fernglas Mädchen beobachtete, die in einem Boot lagen, bemerkte den Stuhl, schwenkte die Aschenbecher heraus, befühlte das Ablagebrett und hat in einem günstigen Augenblick, als die beiden älteren Damen, die zum Stand gehören, eine Felliege oder ein Notenpult erklärten, gehandelt. Hermann klappt das Ablagebrett hoch und sieht die Bescherung. Die ganze Unterseite ist von einer Säure, irgendeiner Tinktur zerfressen. Schlieren, auf denen Holzsplitter schwimmen, haben Furchen gegraben, in deren Tiefen es noch leise kocht.
Auf dem Rückweg kickt Hermann an ein dünnes Hockerbein. Die Stelze splittert, langsam neigt sich

der Hocker zur Seite und reißt andere stürzend mit. Auf Tischen, Konsolen, Nähkästchen, grob benagelten Theken und truhenartigen Fensterbrettern, unter denen sich Heizungskörper verbergen lassen, liegen aufgeschlagene Bücher als Zimmerschmuck. Lesezeichen aus bemaltem Pergament oder geflochtener Schnur oder als Seidenzopf, der jedem Feudalchinesen zu Fasching Ehre machen würde, klemmen dazwischen. Hermann ist glücklich und rempelt sich zu seinem Stand durch.

»Du mußt es unbedingt sehen«, sagt er, »überall Spuren, es ist sonnenklar. Ich dachte, ich kriege die Hose nicht mehr zu. Phantastische Runen, man könnte sie photographieren.«

Es sei verantwortungslos, sie allein zu lassen, sagt Gudrun. Die Dolmetscherin und Simon seien in die Kantine gegangen und seither nicht wiedergekommen. Auf englisch und französisch habe sie allein erklären müssen. Ein junger Kerl, der ein Schloß in ein Hotel umbaue, habe nach Übermaßen für Flügeltüren mit gewölbten Oberfenstern gefragt. Einen Rechenschieber habe er dabei gehabt und beweisen wollen, daß fünf Meter lange Schienen ihr Eigengewicht nicht aushielten und in der Mitte durchhingen.

Durch das Rosenmuster von Gudruns schwarzen Strumpfhosen schimmert die Haut. Ihr Rock gerät in heftige Bewegungen, Gudrun hat in den Gardinenhaufen gegriffen und hält einige Stücke hoch.

»Alles verdorben«, sagt sie. »Ich hole die Polizei.«

»Du holst sie nicht. Wir dürfen dankbar sein für das Geschenk. Stimmung und Geschmack zeigen uns die Richtung, in der wir suchen müssen.«

458

»Wen sollen wir suchen?«

»Unseren Verbündeten. Vielleicht ist es ein Zwerg oder eine Morchel oder ein phantastisch großer Virus, der mit Intelligenz begabt ist. Er arbeitet planvoll.«

In die Gardinen haben sich bra ungeränderte Sonnen gefressen. In Stoffschichten, die eng aufeinanderlagen, sind Ausschnitte kleiner Partien fast ganz geschmolzen. Das brüchige Gewebe bröselt beim Hochheben, manchmal bis zum Kräuselband, an dem noch Führungsringe klingeln.

»Hast du nichts gerochen?« fragt Hermann. »Es hat sicher geraucht.«

»Zuerst haben wir mit Prospekten zugeschlagen, dann sind wir daraufherumgetrampelt. Kunden haben auch geholfen.«

»Ein Unfall«, sagt Hermann, »ein wunderbarer Unfall. Genau im richtigen Augenblick.«

Gudrun putzt einen Apfel an ihrem Bauch blank. Einem Besucher, der eine lange Schleuderstange wippen läßt und fragt, ob der Metallkern der Stange aus bruchsicherem Stahl bestehe, sagt Gudrun, sie wisse nichts, der Stand sei geschlossen. Nach dem ersten Biß bleiben Reste von Lippenstift auf dem Apfel zurück. Gudrun beißt die rote Stelle weg, bis keine Farbe mehr zu sehen ist, dann wirft sie den Apfel in einen gläsernen Aschenbecher.

»Wir dürfen keine Zeit verlieren«, sagt Hermann, »sonst verdunsten die Spuren.«

In den Gängen zwischen den Kojen bahnen sie sich abwechselnd schiebend einen Weg. Beschädigungen an Spannteppichen oder Versatzwänden, die sie bemerken, ausgekippte Aschenbecher und abgebrochene Kugelschreiber sind von zufälliger Qualität, interessieren nicht. Durch einen Schnurvorhang betreten sie die skandinavische Abteilung.

Sie setzen sich auf eine Lärchenbank und ziehen mit den Daumennägeln die Maserung nach, Hinweise entdecken sie nicht. Wie Hermann den Sitzdeckel aufklappt und ihn Gudrun, die noch nicht aufgestanden ist, gegen die Kniekehlen stößt, ruft ein Verkäufer, es gäbe auch Modelle, deren Deckel verschiebbar seien wie bei einer Porzellankiste, einer genormten Packkiste, einem Griffelkasten, er wisse nicht, wie er es erklären solle. Der Verkäufer reiht geschnitzte Serviettenringe auf eine Stange.

»Die Bank ist nicht geeignet«, sagt Hermann. »Wir trennen uns, und wer etwas findet, gibt ein Zeichen.« Auf Stallhockern und Melkschemeln liegen Zwiebelringe, Hermann bläst braune Schalen weg. Getrocknete Blumen knistern, wenn man sie anfaßt. Wo hängt der Knoblauchsegen, wo wurden die Initialen der drei Weisen aus dem Morgenland eingekerbt? Auf dem Boden steht eine Holzschale voll Milch für die Schlangenkönigin. Versteinerte Fußumrisse, die sich als Beschwerer für Schreibtische eignen, sind viele hunderttausend Jahre alt. Jenseits der Fenster, in denen photographische Vergrößerungen stecken, beginnt die Weite nördlicher Seen und Wälder. Gudrun winkt aus einer Saunakiste.

»Das Thermometer«, flüstert sie.

»Beim Transport kaputt gegangen.«

»Die Reste fühlen sich wie geschmolzen an. Ein Thermometer in einer Sauna muß Hitze doch aushalten können!«

»Würdest du ausgerechnet etwas vernichten, was sowieso mit Wärme zusammenhängt? Wir müssen nach versteckten Beschädigungen suchen, unserem Saboteur Witz und Phantasie für Überraschungen zutrauen.«

Über verschieden hohen Sitzstufen und Liegerosten hängen Photographien, auf denen Nackte abgebildet sind, deren Brüste und Genitalien zufällig von Händen und Armen verdeckt werden. Aus dem Schoß einer jungen Frau hängt ein dunkler Sack, der eine Art Gebärmutter sein könnte, näher betrachtet jedoch einen Kiefernzweig darstellt. Kinder zeigen ihre kleinen Hintern. In der elektrisch betriebenen Sauna habe eine ganze Familie Platz, heißt es auf einer Schrifttafel. Technische Werte und eine Gewichtsskala für Erwachsene sind auch angegeben. Hermann und Gudrun sitzen in der trockenen Kiste und beobachten die skandinavischen Möbel.

»Eine Sauna würde er verachten«, sagt Hermann. »Für einen Zwerg oder einen intelligenten Virusverband sind Gesundheitshilfen lächerlich, für einen Altkommunisten oder einen Abendschüler genauso, doch beide verbergen Elitegedanken, die sie irgendwie loswerden wollen. Wir müssen also nach etwas suchen, das dem Gegenteil einer Sauna entspricht, nach einer Art Blasphemie, also einem Gegenstand, der Ausdruck eines geheimnisvollen neuen Lebens sein könnte und gerade deshalb seine Vernichtung herausfordert.«

Gudrun küßt ihn auf die Stirn und geht in Richtung Spielzeugtürme, Hermann wählt die Abteilung für Inneneinrichtungen.

Ausgestellte Holzteile sind multipel, das heißt, alle Maße lassen sich ergänzen und in Betonskelette von Hochhäusern einhängen, so daß Zimmereinheiten unabhängig von Landschaft und Klima entstehen. Technische Erleichterungen der Zivilisation und ländliches Wohnen verbünden sich. In Hongkong wohnen Unverheiratete in verschließbaren Käfigen übereinander. Vorübergehende sprechen leiser und segnen die, die sich paaren.

Hermann streicht über die Bespannung eines Kartentisches und kontrolliert die Rückseiten ausliegender Spielkarten. Eine Lampe, aus Schwemmholz oder einem Wurzelstück gefertigt, beleuchtet den Frieden. Fehler könnten sich an Lehnen oder Rückenstäben verbergen, Hermann rüttelt daran, alle Teile sitzen fest. Eine Verkäuferin nähert sich, ihre Knie stoßen innen aneinander. Kaunispää, er suche bemalte Eierbecher aus Kaunispää, sagt Hermann.

Stühle in Form von Löffeln, Vogelnestern, Trittbrettern, Blumenschalen und Maurerkellen schimmern naturfarben, Fehler würden sofort auffallen. Andere Stühle bestehen aus Ledergurten oder schaukelnden Seilkonstruktionen, oder Arm- und Rücklehnen wurden aus einem Stück zusammen mit der Sitzfläche gegossen. Gekreuzte, vernarbte, eingewachste und holzfarben getönte Plastikteile geben leise nach, wenn man sich setzt.

Vielleicht bietet die Raumeinteilung eine Gedankenspur an. Röhricht, das in grauem, noch aus nächster Nähe Bimsstein gleichendem Schaumstoff steckt, läßt sich stückweise aneinandersetzen. Das Zimmer teilt sich durch Hinweise auf die Natur. Federleicht steigen die eingepflanzten Binsen in der Hand hoch, und Gäste, die Gruppen bilden wollen, zäunen sich damit selbst ein. Dickere Flechtwände stehen auf Gummirollen. Hermann stellt sich einen einäugigen Mann vor, der mit einer Schere heimlich Stufen und Zacken schneidet und die Ränder in Wellenform bringt. In französischen Gärten wurden Hecken so lange geschoren, bis Tiergestalten, Wolkenformationen oder belaubte Tempelfassaden entstanden. Birken trugen Helme, blühende Holunderbäume täuschten rieselnde Brunnen vor. Als Hermann sich bückt, musigen Kunststoff oder ein Loch in einer der Flechtwände, irgendeine Zerstörung entdecken möchte, da hört er einen Pfiff. Er reißt einen Schilfstengel ab und kaut ihn krumm.

Das Wunder ist geschehen. Nicht er, glücklicherweise Gudrun hat einen neuen Beweis gefunden, der sie überzeugen wird, sich nachts in der Halle einschließen zu lassen. Sie deutet auf ein Stehpult aus hellem Holz.

»Riechst du es?«

»Aufgeschlagene Bücher«, sagt er, »kostbare Möbel, wohin man schaut, Erfindung und Fülle, dann die elektrische Sauna. Die Spur führt konsequent zum Gegenteil, zu etwas, das es eigentlich gar nicht mehr gibt, zu einem Stehpult. Sentimentales Überbleibsel alter Gelehrsamkeit. Unser Fanatiker arbeitet meisterhaft, hat sich sein eigenes Denkmal ausgesucht. Vielleicht möchte er verkünden, in Versen der Welt die Wahrheit sagen, wie er sie sieht, der blöde Hund.«

Gudrun streckt einen Finger mit braunverschmierter Kuppe vor. Hermann klappt den Holzdeckel auf,

Gestank schlägt ihm entgegen. Im Pult liegt ein aus einem Taschentuch geknüpftes Paket, das sich weich anfühlt. Er solle es öffnen, sagt Gudrun, sie habe es getan und die Taschentuchzipfel wieder verknotet. Vorsichtig legt Hermann den Inhalt frei, findet jedoch keinen menschlichen Kot, sondern Hundewürste, an den Spitzen feucht gedreht und in Farben nach Nahrungsstufen verschieden aufgeteilt. Die kleinste Wurst ist zur Hälfte weiß, als habe der Hund Kalk gefressen. An einer Stelle haben sich dunkle Kerne gesammelt.

»Ich bin enttäuscht«, sagt Hermann. »Ich dachte, er kackt irgendwo selbst hinein, aber so mutig war er nicht. Jetzt müssen wir es tun.«

Aus den Lautsprechern der Halle tönt Musik, ein feierlicher Foxtrott, der zärtlich in Ecken schiebt, wo er neuen Schwung holt. Hohe Knabenstimmen höhnen einen kirchenähnlichen Text. Gudrun summt mit und säubert, als Hermann die Taschentuchzipfel wieder verknotet hat, ihren Finger an dem nachgiebigen Paket. Er habe sie überzeugt, sagt sie. Wieviel er dem Mann, der Hundescheiße in Möbeln verstecke, bezahlt habe?

»Ich kenne ihn nicht, ehrlich, ich hatte nur ein Gefühl, eine Vorahnung.«

Steif und vorsichtig entfernen sie sich von dem sorgfältig gearbeiteten Stehpult aus hellem Holz, in dem das Wunder gärt, befühlen lackierte Tischplatten und bleiben vor Glasschmuck stehen, der Eiszapfen ähnlich sieht, wenn sich das Licht in ihm bricht. An bunten Spielzeugtürmen aus Würfeln, ochsendicken Lokomotiven, Tieren und Bögen, immer wieder Bögen, die die kindliche Phantasie zu Ergänzungen, Verlängerungen, vielfältigen Stapelverfahren reizen sollen, bauen Erwachsene und zeigen einander, daß sie unverdorben geblieben sind. Kinder interessieren sich mehr für einen Heizventilator, der selbständig hin- und herschwenkt. Er ist klein und leicht, und wenn man in den surrenden Propeller aus Hartgummi greift, verspürt man nur einen leichten Schlag. Zweimal gestoppt, schaltet der Ventilator automatisch auf Kaltluft. Dieser Effekt erinnert an die Möglichkeit, Telefonnummern durch Schläge auf die Gabel zu wählen. Der Verkäufer, der geschnitzte Serviettenringe auf eine Stange reihte, rangiert nun Flechtwände.

»Wir müssen uns tarnen«, sagt Hermann.

»Im alten Venedig«, sagt Gudrun, »haben die Frauen unter ihren langen Röcken Stelzenschuhe getragen.«

»Und die Männer stopften sich Mull in die Hosen.«

»Der Schuh«, singt sie leise, »der Schuh, der Schuh, als Merkmal, als Sinnbild, als Denkmal, als Vorbild für die Stellung der Frau, der Schuh und die Frau, der Schuh und die Frau.«

Tiefstrahler, die in Abständen an Ketten vom Glasdach hängen, flammen in der Halle auf. Zuerst scheint das Licht in Staubwolken, die sich unter den Lampen gesammelt haben, stehenzubleiben, doch dann dringt es durch und verteilt sich.

Onkel Simon und die Dolmetscherin arbeiten wieder am Stand. Im hinteren Teil, wo eine Zwischendecke eingezogen wurde, hängen die Lichtschienen. Ihre angestrahlten Gardinen leuchten, als scheine die Sonne durch das Gewebe oder als habe der flimmernde Stoff sich in einen Wasservorhang verwandelt.

»Düsen!« sagt Hermann zu seinem Onkel. »Wir müssen uns etwas Neues einfallen lassen. In den Eingängen von Kaufhäusern wird heiße Luft aus Fußgittern geblasen. Dasselbe könnten wir mit Wasser versuchen. Oben und unten Röhren an Fenster montieren, die Löcher genau aufeinander abstimmen, aufdrehen, und das Wasser steht wie Stäbe vor den Scheiben.«

»Und die hohe Luftfeuchtigkeit im Zimmer und die Leitungen in der Wand?« sagt Onkel Simon. »Die Kosten, der Wasserverbrauch und die Steuertechnik des Drucks? Genügt Integralrechnung bei verschieden großen Fenstern und mehreren Stockwerken?«

»Der Druck bleibt in jeder Etage gleich.«

»Der Druck müßte in der Hauptleitung pro Stockwerk erhöht werden, sonst fließen im obersten Stock die Vorhänge zu dünn.«

»Wasserleitungen in Hochhäusern funktionieren oben doch genauso wie unten.«

»Wenn Wasser aus Hähnen läuft, kann der Druck in den Leitungen sofort wieder nachstoßen. Wir würden aber kein Wasser verbrauchen, sondern von Fenster zu Fenster, durch alle Leitungen und wieder zurück nur einen vielfach unterbrochenen Kreislauf aufbauen. Wir brauchen einen Tank und eine Kreiselpumpe. Je nach Zahl der Fenster, die eingeschaltet sind, sinkt oder erhöht sich auch die Wassermenge für die Vorhänge.«

»Das Problem liegt, glaube ich, woanders«, sagt die Dolmetscherin. »Ich habe eine kleine Wohnung. Sollen die Fenster besprüht werden, damit niemand hineinsieht? Dann könnte man sie auch einseitig schleifen oder bemalen. Oder sollen Vorhänge nicht nur Fenster rahmen, sondern auch ein Zimmer aufteilen und wohnlich machen?«

Schmuck, sagt Hermann, nachts Sicherheit hinter Samtportieren; sagt Onkel Simon, eine Gardinenstange sei nur das Vehikel für die Dekoration, deshalb nicht unwichtiger, im Gegenteil; mein Gott, sagt Gudrun, diese Fröhlichkeit sei anstrengend, eine Messe schlage anscheinend jedem Wunden; Kunden warten, sagt Onkel Simon. Die Dolmetscherin erklärt Konstruktionen und Materialvorzüge. Ihr künstliches Lockenteil sitzt stufenlos in der Frisur und wippt. Mit viel Hinterkopf wirkt sie jünger und lebendiger.

Bis zur Schließung der Halle führt Hermann stumm das Mörteln von Einputzschienen an Decken vor. Die Schmutzspritzer auf seinem weißen Mantel vermehren sich. Farben wären notwendig wie bei Schnittmodellen, und an Stellen, die Bedeutung für die Konstruktion haben, Summtöne und Lichteffekte. Griffe, die er zum Verständnis langsam wiederholt, müßte ein Dia-Apparat als vergrößerte Zeichnungen an die Wand werfen. Arbeitstakte und Bilddiagramme liefen synchron.

In Kopfhöhe liegt ein Stück Betondecke pultartig auf Trägern, so daß Zuschauer die Montage bequem verfolgen können. Lampen sind auch darauf gerichtet, Hermann arbeitet methodisch. Zuerst schraubt er Rasterzwingen in die Decke. Der elektrische Schraubenzieher arbeitet zu schnell, der Kolben stößt gegen den Handballen. Hermann setzt ab. Vom heißen Schraubenkopf weht ein Mörtelfaden, legt sich auf einen Lichtstrahl und versickert. Bei Anstrengungen, zum Beispiel mit hocherhobenem Arm, während Krampf in die Schulter hinaufzieht, drängen sich unbedeutende Einzelheiten auf. Die Zwingen sind innen gezackt, die eingezogene Vorhangschiene sitzt, Unebenheiten am Beton ausweichend, in verschiedenen Abständen zur Decke in den Rastern. Hermann weist auf einige Stellen, fährt mit dem Daumen demonstrativ über Höcker und Furchen. Gudrun, die an Interessenten Prospekte verteilt, kreuzt auf Abbildungen den Fortgang der Montage an.

Hermann mischt Mörtel, rührt mit der Kelle im Brei, bis sich die wäßrigen Fladen verdicken. Das Gemisch schiebt am Arm hoch, zwischen den Fingern zerdrückt Hermann Knollen. Das Gefühl von reibendem Sand auf der Haut macht ihn autark, die kühle Masse vermittelt Konzentration. Schnell, beinahe akrobatisch, schleudert er kellenweise die Speise an die Decke hoch, gleicht Mulden oder herunterfallende Ladungen durch neue Würfe aus und ebnet mit einem nassen Reibbrett die Fläche ein. Die Striche verlaufen kreisförmig. Wasser, das er darüber spritzt, soßt grobe Mörtelbahnen auf. Die bebende Zementschicht, deren Eigengewicht nach unten zieht, bleibt durch innere Bindung an der Decke hängen, die Sandkörner kommen in der Feuchtigkeit zur Ruhe. Bis zum Wulst sitzt die Schiene im Verputz. Vergrößerungen mikroskopischer Bilder könnten den Bindevorgang verdeutlichen, leise zischende Musik dramatisierte den chemischen Austausch im Gemengsel.

468

Nach dem Verputzen werden das rote Schutzband von der Schiene und der Gummikeder aus der Gleitrille gezogen. Hermann arbeitet umsichtig, als löse er einen Pflasterverband von einer nässenden Wunde. Der geringe Kraftaufwand steht in obszönem Verhältnis zur Erwartung, endlich die Öffnungen offen liegen zu sehen. Die verschiedensten Vorhangmodelle lassen sich nun einführen, jede Variante an Dekoration erfüllt sich. Ein verhaltener Trommelwirbel bekräftigt die industrielle Zärtlichkeit. Nylongleiter, Rollringe, vor allem Plastikschlingen und -haken als Unterbrecher im Laufschlitz und Kunststoffdübel für Schleuderstangen beenden die Demonstration. Hermann ist krumm vor Anstrengung. Das schlagfeste Profil hat Feuchtigkeit aus dem Verputz gezogen. Laien, die noch keine Handfertigkeit in der Montage besitzen, sollen Verstopfungen in der geleisteten Arbeit ausspülen oder ohne Scheu kräftig ausblasen. Jede Technik gilt, die zum Erfolg führt. Fehler, die erfahrungsgemäß Konsequenzen nach sich ziehen, sind, laut Katalog, vermeidbar.

»Machst du mit?« fragt Gudrun.

»Es war mein Einfall«, sagt er.

»Ich habe Angst und müde bin ich auch.«

»Ich habe einmal nach einem Langlauf auf Pappschnee, als ich völlig ausgepumpt ins Ziel kam, eine ganze Flasche Limonade getrunken. Ich spürte jedes einzelne Bläschen Kohlensäure auf der Zunge, ich dachte, ich trinke lauter Christbaumkugeln.«

»Wir müssen geschickt sein.«

»Und was machen wir mit Simon?«

»Väter interessie... ... nicht mehr«, sagt Gudrun. »Ich frage die Dolm... ...cherin, ob sie ihm ein wenig Geschlechtsverke... ... schenkt.«

Sie sei ein fa... ...haftes Stück, sagt Hermann fröhlich, eine neugie... ...ige Drossel, eine warme Lunge, ein Futteral, ein... ... Klafte, Sause, beölte Thermalflasche, sie solle ... ... schleunigst einen Fuchsschwanz wachsen lasse..., zu zweit säge es sich besser.

... Stand liegen die zerrissenen und zerknüllten Propekte knöchelhoch. Onkel Simon hält eine abgebrochene Schleuderstange in der Hand. Vor den letzten Besuchern führte er heftig Schienenmodelle vor. Gleitgeschwindigkeit und Fall nennt man bei Gardinen Würfe.

Sie trödeln beim Aufräumen. Gudrun, die ihrem Vater zuredet, mit der Dolmetscherin essen zu gehen, endlich essen zu gehen, gehen wir doch essen, miteinander essen, ein gemeinsames Essen, wollen wir nicht essen, essen wir doch gemeinsam miteinander zusammen, wir gehen essen wie immer, wir müssen unbedingt essen und dann trinken wir noch etwas, wir essen und trinken und dann ficken wir, ficken wir doch gleich, ich will ficken, was, Sie wollen nicht ficken, sondern nur essen und trinken? – Gudrun kopiert aus Auftragslisten Bestellungen und schreibt sie in Kürzel für den Fernschreiber um. Hermann klopft die Schiene, die er morgen wieder verwenden wird, aus dem Verputz der Betondecke. Einmal trifft er mit dem Spitzhammer auf Eisen, daß Funken sprühen. Die Dolmetscherin verabschiedet sich. Hermann steckt ein Stückchen Verputz in den Mund und kaut es laut. Sein Speichel färbt sich weiß. Wie er den körnigen Schotter wieder ausspuckt, sind die Dolmetscherin und Onkel Simon bereits gegangen.

Nach Messeschluß beginnt der Kampf um die Taxis auf dem Platz vor den Hallen. Teams bilden sich, die in dieselbe Richtung fahren wollen. Kenner fangen leere Autos schon in den Verteilerkurven ab. Verabredungen zum Essen oder Trinken oder für später geraten durcheinander.

Bevor die letzten, die ordnen und säubern, ihre Kojen verlassen, haben sich Gudrun und Hermann schon in der Ecke unter den beschädigten Gardinen versteckt. Hermann hat kurze Musterschienen als Stützen mit nach innen genommen, damit die Stoffschichten nicht direkt aufliegen. Atembewegungen könnten verraten. Jeder hat Luftlöcher ins Gewebe gerissen, durch die der Stand und der Gang davor sich überblicken lassen. Dekorationen hängen geschickt gestaffelt. Hinter den Kulissen ruhen die beiden warm verpackt in ihrem Nest. Die Tiefstrahler in der Halle sind erloschen.

Schlafen, flüstert Hermann, schlafen und warten, denn der Attentäter käme erst, wenn die Wächter müde seien und keine Kontrollgänge mehr unternähmen. Ob Gudrun gut liege?

»Wie in einem Kinderbett.«

»Ich habe kalte Hände vor Aufregung.«

Er solle sie darunter stecken, sagt sie, es sei noch Platz. Nachdem er sich, die Stützen anhebend und das Gardinendach mitschiebend, auf die Seite gerollt hat, gräbt er langsam, bis er Gudruns Rockbund fühlt, weiter wagt er sich nicht vor, spürt, daß Gudrun sich verkrampft. Er weicht ihrer Frisur aus. Gudrun drückt, ein wenig unten liegend, ihr Gesicht gegen seinen Hals und scheint, mit ihrer Nase irgendwo zwischen Hemd, Krawatte und Jackenkragen suchend, noch genügend Luft zu finden. Manchmal strichelt ihn etwas am Kinn, schnell und kitzlig wie eine Wimper.

Nachts wacht Hermann wieder auf, weil Gudrun sich im Schlaf herumwirft und die komplizierte Dachkonstruktion zum Einsturz bringt. Er bläst eine Gardinenfahne von seinem Gesicht, die sich immer wieder senkt. Seine Hände sind tiefer in Gudruns Rockbund gerutscht, stecken nun auf der Rückseite. Gudruns Hintern fühlt sich hart und einseitig an, scheint nur aus Wirbeln zu bestehen. Er tippt an das Knochentreppchen und könnte darauf hinunter-marschieren. Ein Absatz trifft ihn am Schienbein. Hermann löst sich und hißt umständlich die Stützen, bis die Gardinenkuppel wieder schwebt. Gudrun gibt er ein paar sanfte Püffe. Murrend rückt sie zur Seite, bringt das Dach beinahe erneut zum Einsturz. Die Stützen, in Schulterhöhe und Bauchgegend verankert, schwanken bei jeder Bewegung. Hermann schläft wieder ein. Einige Zeit später erwacht er, weil Gudrun flüstert, Leute seien unterwegs. Durch eines der Brandlöcher beobachtet er, wie im sanften Licht der Notbeleuchtung hoch oben am Glasdach sich Schatten bewegen, sich verkürzen, schließlich schrumpfen. Zwei Wächter kommen im Gang am Stand vorbei. Der eine trägt einen Hocker vor sich her, der andere hält ein Batterieradio; den Tonknopf, der an einer Strippe hängt, hat er sich ins Ohr geschraubt. Die Wächter entfernen sich. Hermann und

Gudrun schieben sich leise auseinander und schlafen erneut ein.

Plötzlich sind sie beide hellwach und wissen, daß der Attentäter unterwegs sein wird. Gudrun schiebt sich, auf die Ellenbogen gestützt, über Hermann, will freies Blickfeld, preßt sich an ihn, küßt vor Erregung seinen Nacken, sein Ohr, Haare, Stoff, ihre eigene Hand, was ihr gerade vor den Mund gerät. Der Gardinenhaufen gerät in Bewegung, sie befreien sich aus ihrem tiefen Bett. Hermann klopft sich ab, als habe er in Heu gelegen.

Die Verfolgung, hatten sie überlegt, sei eine Frage des Plans, denn ein Attentäter beginne mit seiner Arbeit wahrscheinlich an der wirksamsten Stelle, die Zeit dränge. Zum Beispiel hätten Anarchisten im zaristischen Rußland manchmal nicht Generäle getötet, sondern Bomben in die Kutschen der Frauen geworfen. Eine zerrissene Madame, blutbeschmierte Kleider oder gar ein Blumenhut, der einsam nach der Explosion über den leergefegten Fahrdamm rollte, brachten bessere Effekte.

Wie abgesprochen teilen sie sich und schleichen im Bogen um ausgestellte Küchenkombinationen, Kindermöbel und skandinavische Holzwaren. Hinter einem Kleiderschrank treffen sie sich wieder. Vor ihnen opalisieren im Schein der Notbeleuchtung Schlafzimmer, dort gehört ihr Attentäter hin.

An Gudruns Strumpfhose ist das Gummiband gerissen. Sie schlägt ihren Rock hoch und zieht die Hose aus. Hermann hilft ihr, greift überall hin, wo es notwendig ist, um schnell fertig zu werden. Es könnte auch Linde, Birke, irgendein helles Holz sein, das er berührt. Dann beobachten sie beide am Schrank vorbei.

Tatsächlich, er ist da! Jesus wandelt im Quecksilberglanz zwischen Spiegeln und Lüstern. Schmale Schultern geben seiner Gestalt etwas Windhundartiges, seine langen Arme und Beine wirken zerbrechlich. Gudrun und Hermann robben über Gänge, tauchen hinter Betten und Sessel und haben Mühe, geräuschlos Anschluß zu halten. Vor Erregung läßt Hermann kleine, leise Winde. Die Unterbrechung der Spannung tut wohl. Jesus hat eine Schere gezogen und schneidet geklöppelte Fransen ab, die den Himmel einer Wiege säumen. Er steckt die Schere ein, hält eine Gummiflasche in der Hand. Über eine Konsole hinweg beobachtet Hermann in einem Kippspiegel ein von Bartfransen gerahmtes Gesicht. Jesus hat sich angepaßt, gleicht den Votivbildern, wie sie in katholischen Kirchen üblich sind, also gilt er. Ein protestantischer Jesus wäre zweideutig, parteiisch sozial und historisch verdünnt. Gudrun, die hinter Hermann auf einem Spannteppich liegt, atmet laut. Hermann gibt ihr einen leichten Schlag auf den Kopf.

Aus der schwarzen Flasche raucht es. Langsam schwenkt der Heiland sie über einen Tisch, auf dem die Flüssigkeit zu verdampfen scheint. Feierlich breitet sich Segen aus. Hermann kann es kaum erwarten, die Wirkung aus nächster Nähe zu erleben, nimmt eine Schraube vom Boden und wirft sie weit über Versatzwände hinweg. Jesus huscht davon.

Flußsäure, das heißt Fluorwasserstoff, läßt sich nur in Behältern aus Hartgummi aufbewahren. Metall,

Plastik oder Zement halten nicht stand. Die Glas-
platte des Tisches ist von Säure zerfressen. Blasen
und Schrunden bilden sich und graben Muster, deren
Bedeutung rätselhaft bleiben wird. Allmählich wach-
sen Kristalle, in denen sich das Licht der Notbe-
leuchtung bricht. Das Opfer glüht in der Nacht.
»Was gibt es noch für Mittel?« flüstert Gudrun.
»Natronlauge oder Salzsäure. Vielleicht hat er auch
Salpetersäure dabei. Das Aas schützt sich mit flüssigen
Giften.«
»Abstand halten.«
Sie schleichen einen Umweg durch die altdeutsche
Abteilung. Gobelins über Bauerntruhen und Stall-
hocker vor Schreibsekretären wachsen zu dunklen
Klumpen zusammen. Gudrun streift an herunter-
hängende Ketten, hat alle Hände voll zu tun, damit
der Zimmerschmuck nicht klingelt. In einem Kamin
leuchtet noch elektrisches Brennholz. Hermann tastet
die Granitverschalung des Kamins entlang nach dem
Stecker und reißt ihn heraus. Der Schatten eines Kupferkessels mit eingepflanzten Blumen schwingt hin
und her. Jesus war schon hier.
»Was ist kostbar?« fragt Hermann.
»Nußbaum mit Intarsien oder Hinterglasmalerei oder
geschnitzte Elfenbeinstühle. Ich weiß nicht, was hier
echt ist.«
Sie befühlen Porzellanstücke, greifen Schrankformen
ab, hangeln sich zu Leder an Schreibtischecken und
Sessellohren hoch. Der lautlos arbeitende Heilige
scheint neue Waren zu verachten. Dann entdeckt
Gudrun einen Bücherschrank, der eine ganze Wand
einnimmt. In der Mitte läßt sich eine Schiebetür hin-

und herrollen. Jesus hat meisterhaft gearbeitet, hat mit Natronlauge aus einer Spraydose geduscht. Auf die Schiebewand gespannte Jagdszenen aus Stickerei hängen in Fetzen, Löwen und Büffel sind nur noch teilweise vorhanden, ein gestichelter Schwanenkopf pendelt an losem Garn. In den Fächern des Schrankes schwelen klebrige Häufchen, Rehköpfe sitzen darauf und ein Affengesicht. Die Tiere waren aus Hohlplastik.

»Mein Gott«, flüstert Gudrun, »vielleicht ist er zu unserer Abteilung gegangen.«

»Die Montagepistole!« sagt Hermann. »Sie ist noch mit einem Nagel geladen.«

Über das Teppichlager kürzen sie ab, federn stumm von Stapel zu Stapel, Gudrun landet auf dem Bauch, Hermann versucht eine Hechtrolle. Wie sie an den ausgestellten Schlafzimmern vorbeikommen, sehen sie einen Lichtkegel über ein Prunkbett wandern. Andächtig gehen sie in die Hocke.

Jesus hat alle Flacons, die er bei sich trägt, auf einen Nachttisch gestellt. Zuerst besprizt er am Kopfteil des Bettes silberne Schnörkel, gebraucht also Salpetersäure, das auch Scheidewasser heißt. Für die Schnitzereien, den Metallrand, die Geierklauen an den Pfosten und die goldene Benagelung kann er Salzsäure verwenden, das Bett in sogenanntem Königswasser auflösen, wie sich die Mischung aus beiden Säuren nennt. Nur noch ein Gerippe wird übrigbleiben; die aufgeweichten Stahlfedern und das Firmensiegel werden auch zerfallen, griesige Reste sinken zu Boden und bilden Pausspuren, als sei das ganze reiche Bett verdampft.

Meister, könnte Hermann flüstern und sich vorstellen, daß in alle Waren sich chemische Kreuze einbrennen, in die Leitwerke der Flugzeuge, die Plattformen der Gabelstapler, die Küchenschürzen, Panzerwesten und Windschutzscheiben, Kämme, Windeln, Bananenstecker, der Meister soll gesalbt werden, Gudrun und er ziehen sich aus, kriechen näher, den Meister zu küssen, greifen an ihm hoch und gleiten wieder ab, versuchen andere Formen der Darbietung, gespreizt, kniend, liegend, jahrelang auf einem Bein, auf Scherben, Nägeln oder in selbstgebauten Hockgräbern, als Sänger, Fenstermaler, Bilderstürmer oder nackt in turnerischer Haltung, bis das Blut in den Kopf drückt, die Knie zittern und hoch über den erwartungsvoll gespannten Bäuchen sich die Säureflasche neigt, aus der Tropfen fallen, die mit jubelndem Schmerz die Eingeweide verzehren.

Dieses Mal hat Hermann keinen Furz auf Lager, wie er sieht, daß der erfundene Jesus ein Paradekissen aus Damast mit Säure weiht, Königswasser über die Daunendecken schüttet, Flasche um Flasche leert, das wunderbare Bett ruiniert, in dem noch nie jemand geschlafen hat und das sicher einige Generationen ausgehalten hätte, wenn auch zuletzt nur als Kartoffeljurte im Keller, da hat er genug. Er springt auf und schlägt ohne Warnung zu.

Sie haben gekämpft, bis dem Jesus die angeklebten Bartflechten abgingen und sich ein flackrig junges Gesicht zeigte, in dem Schlagmale saßen. Hermann ist absichtlich in Hiebe hineingelaufen, um die Wut zu erhöhen, krümmte sich vor Schmerzen. Der Gegner gab mit aller Kraft zurück, wollte sich einen

Fluchtweg freischlagen, doch Hermann fand zum ersten Mal Mut, einen Flankensprung auszuprobieren, den er schon oft in Filmen gesehen hatte. Vom Bett herunter schnellte er sich vorwärts, sah einen Rücken auf sich zukommen, klammerte und rollte über die Schulter ab, während der blockierte Feind den Stoß nicht mehr auslaufen lassen konnte und lang hinschlug. Hermann saß auf seinem Rücken.

»Genug, mein Freund?«

Als Hermann aufstand, wurde sein Bein herumgerissen, hüpfend hielt er sich noch einen Augenblick in Balance, ruderte, dann fiel er wieder. Sein Ellenbogen traf auf einen harten Gegenstand, schien in Flammen aufzugehen. Jesus wandte sich Gudrun zu, die auf dem Boden sitzengeblieben war.

Colts besaßen sie keine, auch die Säureflaschen waren alle leer. Hermann sah Gudrun an Jesus hochfliegen und bemerkte, vielleicht mit ein wenig Schadenfreude, ihren aufgerissenen Mund. Wegen der Wächter durfte sie nicht schreien.

Er stach nur einmal zu, seine zusammengeklemmten Finger bogen sich. Auf der anderen Seite glitt das Mädchen ab, Halsgriff, Armhebel, ein Tritt in die Kniekehle besorgten den Rest. Hermann erlaubte Jesus noch einen kleinen Spielraum, um den letzten überlegten Schlag anzubringen, der im Magen saß, blitzschnell unter den Rippen eine Kuhle grub und den leichten Gegner hob, es hätten Spatzen und Engel singen können, Zeichner standen bereit, zackige Funken um eine Faust zu malen, ein Choral lief mit hoher Geschwindigkeit rückwärts von einem Tonband ab. Dann schrumpfte Jesus in Zeitlupe und landete auf dem Prunkbett, das voll Säure war. Sofort stand er wieder auf und kratzte sich.

Gudrun hat inzwischen ihre abgelegte Strumpfhose geholt und versucht, dem jungen Mann die Hände auf den Rücken zu binden. Da sie keinen Knoten zustande bringt, bückt sich Hermann und fühlt, daß ihre Beine naß sind.

Er sei kein Frevler, sagt der Attentäter, er wolle aufmerksam machen und Zeichen geben. Neger, Inder und Asiaten würden verhungern. Ob er Abitur habe, fragt ihn Hermann. Hat er nicht. Er sei ein Dummkopf, sagt Hermann, Zivilisation bedeute keine Sünde.

»Wie sind Sie hereingekommen?«

»Mit Nachschlüsseln.«

»Selbstgemacht?«

»Na klar!«

Hermann tastet außen an der Hosentasche hinunter und trifft auf Gudruns Hand, die auch sucht. Gemeinsam forschen sie weiter, setzen auf den anderen Schenkel über, wandern wieder hoch und spüren, wie der Gefangene sich anstrengt. Falte um Falte greifend, wobei Gudruns Hand an Haftung verliert und flattert, bringen sie ihn in Bewegung. Wie Jesus zu spannen beginnt, stößt Hermann in die Hosentasche vor, kommt jedoch nicht tief genug, ein Knochen oder ein Muskelpäckchen versperrt den Weg. Gudrun hilft von außen nach. Klopfend und reibend drillen sie ihr Opfer auf Höhe, lassen gleichzeitig los, spenden keine Wärme mehr, schlagen außerdem ein wenig zu. Jesus, der sich aufgerichtet hat, sinkt zusammen. Die Schlüssel holen sie bequem aus der anderen Hosentasche.

Gudrun hißt das Bund, dem Attentäter verpaßt sie noch einen leichten Tritt. Hermann sagt, es sei genug.

Ihr Lamm in die Mitte nehmend, führen sie es durch die ausgestellten Schlafzimmer, zeigen auf Kostbarkeiten, erklären technische Neuheiten, sind geduldig und sprechen zu. Sie fragen den jungen Mann, ob er eine Mutter habe, einen Vater, eine Braut? Der Ehestand gleiche aus, Eifer und Ängste seien dann wie weggeblasen.

In der Nähe des Tores sahen sie die Wächter schlafen. Der eine ruht, mit einem synthetischen Tigerfell zugedeckt, auf einer fahrbaren Liege. Der andere kauert in einem Kugelsessel, das Batterieradio steht auf dem Dach. Aus dem Tonknopf am Ende der herunterhängenden Strippe tönt ferne Nachtmusik.

Nachdem sie das Hallentor und eine Tür im Zaun, der das Messegelände umgibt, aufgeschlossen haben, befreit Hermann den Attentäter von seinen Fesseln, nimmt ihm aber das Versprechen ab, Gudruns Strumpfhose als Andenken zu behalten. Nach einem schnellen Marsch über eine Hochstraße begegnen sie einem Taxi. Sie setzen ihren Jesus hinein und bezahlen für ihn. Da fährt er, sein Kopf wird im Heckfenster kleiner.

In der Innenstadt, wo Tunnel für eine Untergrundbahn gebaut werden und die Straßen aufgerissen sind, bleibt Gudrun an einem Holzzaun stehen. Tief unten in einem Schacht beleuchten Lampen nasse Verstrebungen, aus Betonwänden ragen Stahlhaken, in der hochgestellten Schaufel eines Raupenbaggers bewegt sich ein Tier. Es ist eine Katze. Sie hätten den

Attentäter dort hinunterwerfen können, sagt Gudrun, er hätte sich mehrmals überschlagen.

Im Hotel öffnet ihnen der Nachtportier. Um seinen Hals hängen Ketten aus Büroklammern, die er wahrscheinlich die Nacht über zusammensteckt. Hermann verabschiedet sich von Gudrun mit Handschlag. In seinem Zimmer zieht er sich aus und ruft seine Mutter an. Sie meldet sich sofort.

»Liegst du?«

»Ja, ich liege.«

»Ich auch.«

»Ich habe den Apparat im Schlafzimmer.«

»Eigentlich möchte ich jetzt weinen, ich könnte beinahe«, sagt er.

»Gestern hast du nicht angerufen«, sagt sie, »vorgestern nicht, die letzten Wochen auch nicht, aber ich wußte immer, was du machst, auch, als du noch in Paris warst.«

»Onkel Simon?«

»Nein, ein Detektiv aus einer Privatagentur. Ich zahle seit Jahren eine Pauschale.«

»Ich habe ihn nie bemerkt.«

Sie lacht und verschluckt sich, im Hörer knackt es, dann hechelt es entfernt, die Stimme kommt allmählich wieder.

»Ich bin noch da.«

»Ich auch.«

»Stell dir vor«, sagt er, »ich habe heute viel gearbeitet, es hat mir sogar Spaß gemacht. Ich weiß nicht, ob das ein Fortschritt ist, ich glaube eher, daß es ein Fehler war. Ich möchte nicht älter werden. Gudrun und Onkel Simon schlafen, jeder allein in seinem Zimmer, sie haben Erholung nötig. Wenn ich konsequent wäre, müßte ich sie schlachten, jetzt sofort. Schlachten«, sagt er, »hörst du, schlachten, umbringen! Onkel Simon erhält einen Schlag auf den Kopf und wäre gleich tot. Gudrun würde ich vorher präparieren. Ich wäre nett zu ihr, würde ihr Mut machen, sie füttern und lieb zu ihr sein, dann würde ich beginnen. Schade, daß du nicht da bist, du bist immer zu weit weg.«

»Du willst also mich umbringen.«

Er hört es knistern, seine Mutter hat sich im Bett aufgesetzt. Obwohl er sie mitten im Schlaf geweckt hat, antwortet sie konzentriert. Küßchen, sagt er, er sei froh, daß sein Vater schon lange tot ist. Viele Kämpfe hätten sich dadurch von selbst erledigt.

»Ich bin auch froh«, sagt sie und lacht. »Es ginge uns zwar besser, aber mehr Kinder hätte ich nicht haben wollen. Sie müßten aufblasbar sein oder zum Aufziehen, es dauert zu lange, bis sie allein gehen, ihre Schuhe selbst zumachen können, jahrelang muß man Hausaufgaben kontrollieren, soll aus erzieherischen Gründen wenig Taschengeld geben, was ich nie eingesehen habe, und wenn sie dann groß sind, denkt man wieder daran, daß sie einmal klein waren und bildet sich ein, damals sei alles anders gewesen, doch es ist nicht wahr.«

Vor Freude beginnt er leise zu weinen, gleichmäßig und mit richtigen Tränen, die auf die Sprechmuschel tropfen. Er hält sie in Fallrichtung, damit die Tropfen in die Schlitze treffen. Trommeln soll es, hören soll seine Mutter, daß er einverstanden ist, wenn sie das Geburtenfett endlich zum Schmelzen bringt.